Markus Barth

Das Mahl des Herrn

Gemeinschaft mit Israel, mit Christus
und unter den Gästen

Neukirchener Verlag

© 1987

Neukirchener Verlag des Erziehungsvereins GmbH,
Neukirchen-Vluyn
Alle Rechte vorbehalten
Umschlaggestaltung: Kurt Wolff, Düsseldorf-Kaiserswerth
Gesamtherstellung: Breklumer Druckerei Manfred Siegel KG
Printed in Germany – ISBN 3-7887-0796-8

CIP-Kurztitelaufnahme der Deutschen Bibliothek

Barth, Markus:
Das Mahl des Herrn: Gemeinschaft
mit Israel, mit Christus u.
unter den Gästen / Markus Barth. –
Neukirchen-Vluyn: Neukirchener
Verlag, 1987
 ISBN 3-7887-0796-8

Inhalt

Danksagung

Dieses Buch wäre nicht zustande gekommen ohne die wesentlichen Beiträge, die Frau Marianne Bertschi, VDM beim Abschreiben des Manuskripts, Frau Annemarie Kirchhofer, lic. theol. bei der Kontrolle der Bibelstellen und Literaturangaben, Doktorand Hellmut Blanke bei der stilistischen Glättung und Vikar Lothar Mack mit der Erstellung der Register geleistet haben. Ihnen und anderen gelegentlichen Mitarbeitern, vor allem auch Kritikern des Manuskripts, spreche ich hiermit meinen Dank aus. Selbstverständlich gehen noch verbliebene Versehen, Irrtümer und Unschönheiten allein zu meinen Lasten.

Riehen/Basel, im Dezember 1986   Markus Barth

Einleitung

Das Risiko einer neuen Besinnung

A Der Anlaß

In einem theologischen Arbeitskreis wurde die Frage gestellt: »Wie hätte Karl Barths Lehre vom Abendmahl ausgesehen, wenn er sie (für Teil IV/4 seiner Kirchlichen Dogmatik) noch hätte ausarbeiten können?« Man bat mich, für die Karl-Barth-Tagung auf dem Leuenberg bei Basel am 21. Juli 1982 den Versuch einer Beantwortung zu unternehmen. Der Anlaß zur Stellung dieser Frage und zur Annahme des Auftrags war nicht nur akademisch. Wie die einst oft genannte Predigtnot nicht allein ein Pfarrerproblem war, sondern bis zum heutigen Tage eine Lebensfrage für alle Gemeinden und Kirchen ist, so gibt es, neben aller Dankbarkeit und allem Segen, die mit der Mahlfeier zusammenhängen, auch eine eklatante Abendmahlsnot, der sich kein Christ entziehen kann.

Die Not schreit zum Himmel in jenen Gemeinden, in denen die Mehrzahl der Glieder überhaupt nicht zum Abendmahl geht. Die Not ist nicht weniger groß, wenn Teilnehmer an der Abendmahlsfeier sich leer und enttäuscht möglichst schnell wieder von den anderen Teilnehmern trennen, weil an und mit und in ihnen nichts Neues geschehen ist. Solchen Abendmahlsgästen nützt es nichts, wenn sie zu hören bekommen, es sei ihre eigene Schuld, wenn ihnen mit dem rechten Glauben auch die Fähigkeit reicher Erfahrung fehle. Nutzlos ist wechselseitige Bezichtigung, man huldige magischen Vorstellungen, man hoffe nur auf Befriedigung individueller Bedürfnisse, man nehme die Sünde allzu ernst oder zuwenig ernst, oder man sei eben zu stark oder zu schwach sozial engagiert. So oder so schafft gerade das Mahl, welches der Gemeinschaft und Versöhnung dienen soll, mehr Wunden und Trennungen als Heilungen und Versöhnungen. Und schließlich herrscht große Not auch zwischen den Kirchen und ihren Berufstheologen, weil trotz heißen Bemühens um gegenseitiges Verständnis, wenn nicht sogar um Unionen, die mehr als faule Kompromisse sind, und trotz kühner Vorstöße zur Interkommunion doch alte und neue Verdächtigungen und Spannungen, Trennungen und Ausschlüsse hartnäckig fortbestehen. Die Frage nach dem Abendmahl kann unmöglich im Sinne Karl Barths aufgenommen werden, wenn ihre Beantwortung nicht mitbestimmt ist durch das Leben und Leiden, das Zeugnis und das eventuelle Versagen der heutigen Kirchen, Gemeinden und ihrer Feiern.

Mindestens drei große Schritte hatte mein Vater noch vor dem Abbruch seiner Arbeit an der Kirchlichen Dogmatik vollzogen – Schritte, die zeigen, in welcher Richtung er unter dem Thema Abendmahl wohl gegangen wäre:

1.   Seit den ersten Bänden der Kirchlichen Dogmatik setzte er Zeichen und verstärkte die Tendenz, den Begriff »Sakrament« für das Kommen und Wirken, den Tod und die Auferstehung Jesu Christi zu reservieren (z.B. KD I/2, 252; II/1, 56.58; IV/1, 326; IV/2, 42.53.59; IV/4 passim; weitere Stellen hat A. Cochrane gesammelt in seinem Aufsatz »The Place of the Doctrine of Baptism in the Church Dogmatics«, in: D. Hadidian (Hg.), Intergerini parietis septum, Eph 2:14, Pittsburgh 1981, S. 39–50). Zwar sprach und schrieb Barth weiterhin von Sakramenten in der Mehrzahl. Doch machte er von Schritt zu Schritt deutlicher, daß es zwischen dem, was Jesus Christus (»objektiv«) für alle Menschen ist und getan hat, und der (»subjektiven«) Zueignung und Aneignung von Gottes Gnadengabe *nicht* eines zusätzlichen Gnadenmittels *(medium salutis)* und wunderwirkenden Zeichens *(signum efficax)* bedürfe. Besonders die Taufe und das Abendmahl sind daher, gerade weil sie von Jesus Christus selbst eingesetzt sind, nicht als konkurrierende oder ergänzende Heilsvermittlungsinstitutionen neben den einen Mittler zu stellen und mit ihm zusammen, oder gar an seiner Stelle, als Mysterium der Kirche zu verehren. Welche Art von kirchlich-sakramentalistischem Denken Karl Barth mit besonderem Nachdruck ablehnte, wird weiter unten an einem mittelalterlichen römisch-katholischen Beispiel zu illustrieren sein.

Sakramentalismus kann jedoch auch ganz anders als in kirchlich-institutionellen Akten in Erscheinung treten. Nach Rudolf Bultmann (z.B. Theologie des Neuen Testaments, 1953, S. 248.271) hat Christus nicht mehr beschafft als die Möglichkeit des Heils, entsteht sichere Wirklichkeit hingegen nur dort und dann, wo und wenn die Verkündigung mit der Entscheidung zum Glauben aufgenommen wird. Die Umsetzung der Möglichkeit in die Wirklichkeit göttlichen Heils erfolgt demnach in einer täglich neuen Entscheidung jedes einzelnen Menschen. Nicht eine sakrale Institution und Administration vermittelt dann das aus reiner Gnade angebotene und bereitgestellte ewige Leben. Vielmehr wird das Heil verwirklicht und empfangen in der *Ab*wendung von einem alten Selbstverständnis, einer angeblichen Sicherheit aufgrund historischer oder legendärer Ereignisse, und in der *Hin*wendung zu einem neuen, freien, authentischen Selbstverständnis und einer grundsätzlichen Offenheit für die Zukunft. K. Barth erklärt (z.B. KD IV/1, S. 858) diese Konzeption Bultmanns für ein Äquivalent bzw. eine »existentielle Übersetzung der Messe . . . einer unblutigen Wiederholung des Opfers Christi«. Bultmann war gewiß kein Sakramentalist; oft hat er nicht am Abendmahl teilgenommen, wenn andere es taten. Er hat die Existenz und Funktion der kirchlichen Sakramente als eine Tatsache hingenommen, die seit der Gründung der ersten vorpaulinischen Gemeinden das Leben der Kirche mitbestimmte. Einer Entmythologisierung hat er

zwar die Geburt, den Opfertod und die Auferweckung Jesu Christi unterworfen, nicht aber die Sakramente. Dennoch tut man ihm schwerlich Unrecht, wenn man vom sakramentalen Charakter dessen spricht, was er unter Glaubensentscheidung versteht.

Paulus hat gleichzeitig gegen Gesetzlichkeit *und* gegen einen – die spätere
Gnosis vorbereitenden – Spiritualismus gekämpft, dazu gegen eine Verbindung beider, wie z.B. der Galaterbrief zeigt. Luther und Calvin lehnten
den römischen Katholizismus *und* die schwärmerischen Bewegungen mit
gleich starken Worten ab. Nicht anders hat K. Barth einen Zweifronten-
krieg gegen kirchlich organisierten *und* gegen individualistisch-existentia-
listischen Sakramentalismus angeregt. Die Tatsache, daß sich diese beiden
Formen derselben Sache – etwa in der Rede holländischer Katholiken von
der »Begegnung mit Christus im Sakrament« – auch friedlich in die Arme
fallen können, statt sich gegenseitig zu verurteilen, rechtfertigt weder die
eine noch die andere von ihnen – *wenn* das große, von Gott, seinem Sohn
und seinem Geist durchgeführte Vermittlungswerk in sich vollkommen
und gültig ist.

Weitere Spielarten sakramentalen Denkens können genannt werden:
Martin Buber hat bald den Dialog, bald die Existenz des jüdischen Volkes
als ein Sakrament bezeichnet. Paul Tillich ist überzeugt davon, daß jedes
Element ein virtuelles Sakrament ist. Doch geht die Kirchliche Dogmatik
Barths aus guten Gründen auf solche Ausuferungen des Sakramentsbegriffs nicht ein – während von Taufe und Abendmahl oft und ausführlich
die Rede ist.

2.   Die Behandlung von Taufe, Unser-Vater und Abendmahl sollte in KD
IV/4 unter dem Gesichtspunkt einer Ethik der Versöhnung zusammengefaßt werden. Indem die Taufe als Bitte um den Heiligen Geist und das
Abendmahl als Dank für sein Wirken den Rahmen des Gebetes des Herrn
bildeten, wurde dem gesamten der Versöhnung entsprechenden menschlichen Verhalten der Charakter eines Gebets zu Gott verliehen. Die Einordnung der Abendmahlslehre in die Ethik schloß aber eine eschatologische
Funktion nicht aus. Die Behandlung des Abendmahls sollte das Bindeglied
zwischen den Versöhnungsbänden IV/1–4 und der für die Bände V geplan-
ten Erlösungslehre bilden. Wie die Taufe als ein Akt des Gebets die freie
Gabe des Geistes erflehte oder anerkannte, so wäre das Abendmahl
wahrscheinlich nicht nur als Danksagung für Heilstaten der Vergangenheit und Gegenwart und nicht nur als Feier geschenkten Gehorsams in ge-
meinschaftlicher Aktion, sondern auch als Gebet um die Wiederkunft Jesu
Christi dargestellt worden. Dem Verhältnis zwischen Taufe und Geist hätte dann wahrscheinlich das Verhältnis zwischen Abendmahl und kom-
mendem Herrn entsprochen.

3.   Endlich ist der Unterschied zwischen der in IV/4 (Fragment) vorgeleg-
ten Tauflehre und dem Inhalt des Taufheftes K. Barths von 1943 besonders

wichtig. Damals wurde auf der Linie Calvins, im Gegensatz zur römischen
und lutherischen sogenannten ontischen oder kausativen Wirkung, der
sogenannte kognitive oder noetische Sinn und Effekt verteidigt und ausgearbeitet. Jetzt aber wird kühn (immerhin gestützt durch Apg 2,37f) behauptet, die Taufe sei ein Akt, der auf die Frage antwortet: »Was sollen wir
tun?« und müsse daher als ein von Gott befohlenes und mit Verheißung
bedachtes *menschliches* Werk verstanden werden. Wie die Taufe, so wäre
deshalb – gerade im Rahmen und auf der Basis der Lehre von der Versöhnung *sola gratia* – gewiß auch das Abendmahl mit dem scheinbar skandalösen Prädikat »Menschenwerk« bezeichnet worden.

Neben diesen starken Indizien gibt es auch kleinere Hinweise auf den vermutlichen Schlußteil von KD IV/4. Aussagen über das Abendmahl finden sich z.B. in IV/1, S. 722; IV/2, S.
744f und IV/3, S. 867–88, im Vorwort zu IV/4 (S. IX) und im Briefwechsel 1961–1968 (besonders mit K. Handrich, S. 557f), dazu in den unveröffentlichten, im Karl-Barth-Archiv in
Basel aufbewahrten Seminarprotokollen vom Sommersemester 1958 (Calvins Abendmahlslehre), Wintersemester 1960/61 (Römisch-katholische Lehre von der Eucharistie im
Anschluß an Denzingers Enchiridion) und Sommersemester 1961 (Die Abendmahlslehre
nach den lutherischen Bekenntnisschriften). Z.T. sind die persönlichen Vorbereitungsnoti-
zen Barths für die genannten Seminare erhalten. Endlich hat mein Vater in Gesprächen einige später zu nennende Andeutungen über seine Vermutungen in Sachen Abendmahlslehre gemacht. Einmal drückte er den Wunsch aus, ich möchte doch ein exegetisches Buch
über das Abendmahl schreiben. Ob er, wenn ich die erbetene Arbeit sofort in Angriff genommen und durchgeführt hätte, das Produkt in ebenso aufhebender Weise wie zuvor
mein Taufbuch hätte verwenden können, weiß ich nicht. Sicher ist nur, daß meine eigene
Abendmahlsschrift von 1945 (Theologische Studien 18) sich noch allzu sehr im Rahmen des
traditionellen Sakramentsverständnisses bewegte, um wirklich eine Alternative sichtbar
werden zu lassen.

Trotz der schon gefallenen Vorentscheidung für die großen Linien und
trotz der stärkeren oder schwächeren Indizien kann aber die Frage nach
der Gestalt und dem Gehalt einer möglichen Abendmahlslehre Barths
überhaupt nicht oder nur auf eine einzige Weise beantwortet werden: Das
weiß nur Gott! Ist es doch eine Eigentümlichkeit der Kirchlichen Dogmatik und der ganzen theologischen Arbeit K. Barths, daß er außer der einen
Prämisse, »daß Gott Gott ist und sich durch Jesus Christus geoffenbart
hat«, keine andere als maßgebend anerkannte.
Er trieb Theologie nicht deduktiv, sondern wollte Schritt für Schritt neu
auf die Bibel hören. Er selbst war – wahrscheinlich noch mehr als seine Leser – immer wieder überrascht vom Ergebnis seiner Forschungen. Mögen
seine Denkformen, wie u.a. Hans Urs von Balthasar nachgewiesen hat,
durch eine philosophische Tradition geprägt gewesen sein – der Inhalt und
Ausdruck seines Denkens hat sich doch stets dem Zwang und der Freude
immer neuen Fragens und Hörens unterworfen. Nur so entstanden so ori-
ginelle Aussagen, wie er sie z.B. über Analogie, Prädestination, die Schöpfung, die Engel, das Nichtige, die Versöhnung und die Taufe gemacht hat.
Man kann einen Barthianer definieren als einen Menschen, der bei einer

bestimmten Entwicklungsphase des Denkens meines Vaters stehengeblieben ist, statt sich je und je von der Bibel neu und besser belehren zu lassen. Karl Barth war kein Barthianer.

Ich will versuchen, der Methode und dem Weg meines Vaters treu zu sein, indem ich mich *nicht* sklavisch an gefallene Vorentscheidungen und vorhandene Indizien halte, sondern nach besten Kräften versuche zu tun, was er getan hätte: auf das biblische Zeugnis und den vielstimmigen Chor seiner Ausleger zu hören.

Statt vom »Abendmahl« wollte ich ursprünglich, zusammen mit einer großen Zahl deutschsprachiger, in Abendmahlssachen als besonders kompetent erwiesener Exegeten, vom »Herrenmahl« sprechen. Dieser Begriff erweckt jedoch unerwünschte Assoziationen: Man denkt an das Fest eines Ordens, einer Zunft oder eines anderen Herrenklubs, das sich mit allen Mitteln von einem Damentee oder Kindergeburtstag unterscheiden möchte. Die Form »Herren« ist ja als Genitiv des Singulars nicht mehr üblich oder eindeutig verständlich. »Mahl des Herrn«, als Übersetzung von *kyriakon deipnon* (dem Herren eigenes oder gemäßes Mahl, 1Kor 11,20) verdient (dem lateinischen *Coena Domini* und dem englischen *Lord's Supper* entsprechend) den Vorzug. Diese Bezeichnung läßt an einen einzigartigen Gastgeber denken, dessen Großherzigkeit für hungernde und viele andere Tischgäste Raum und Speise hat und der selbst für alle Unkosten aufkommt.

Mit dem Titel »Sakrament« wollten große Theologen der genannten Mahlzeit und der Taufe, manchmal auch anderen heiligen Handlungen der Kirche, besondere Ehre erweisen. Ob es dabei aber wirklich um eine Ehrung, um die Versetzung in ein Zwielicht, um eine Karikierung oder noch Ärgeres ging, ist eine der vielen Fragen, auf welche im Folgenden unter dauerndem Hinhören auf das Zeugnis der Bibel eine Antwort gesucht werden soll.

B   Sakrament in alter Form

Schon bevor Tertullian um das Jahr 200 den heidnischen Ausdruck »Sakrament« (mit dem der in religiösem Rahmen vollzogene Soldateneid bezeichnet wurde) für bestimmte Handlungen und Ereignisse im Gottesdienst der christlichen Gemeinden verwandte, hatten Ignatius von Antiochien und Justin der Märtyrer in der ersten Hälfte des zweiten Jahrhunderts in einer Weise von der Taufe und dem Mahl gesprochen, welche den Namen »sakramental« verdient. Doch waren auch sie nicht die ersten, die den zwei gottesdienstlichen Akten die Kraft zusprachen, Rettung, Rechtfertigung oder Befreiung von der Last der Sünde und der Macht des Todes nicht nur untrüglich zuzusichern, sondern auch effektiv zu verschaffen. Ein Sakrament bzw. eine sakramentale Handlung zeigt, was bewirkt wird, und bewirkt, was gezeigt wird – z.B. Waschung – von Sünden; Ernährung – zum ewigen Leben. Weiter unten wird in größerer Breite darzulegen sein, daß längst vor Ignatius und Justin d.M. schon die von Paulus brieflich angesprochenen Korinther einem hochsakramentalen Verständnis von Taufe und Mahl huldigten. Paulus hat erbarmungslos kritisiert und zerstört, was an der korinthischen Art, diese Feste zu begehen und ihnen gemäß ihr Leben zu gestalten, heidnisch, magisch, lieblos oder ausgesprochen schändlich war (1Kor 10f). Doch hinderte das weder westliche noch östliche Kirchen, besonders unter Berufung auf johanneische Texte, die Sakramente als heilsvermittelnde und heilszusichernde Wunder zu ehren.

Zwar spalteten sich die Interpretationen in solche mit realistischer und spiritualistischer Akzentsetzung. Im Westen entstanden zwischen Rom, den Hussiten und den Reformatoren, dann auch innerhalb der Reformationskirchen zwischen Lutheranern, Calvinisten und Schwärmern, bittere Feindschaften und Streitereien. Es ist ein Skandal, daß verschiedene Auffassungen vom Sakrament der Kommunion bzw. der Tischgemeinschaft mit Christus zum Anlaß und Mittel gegenseitiger Exkommunikation gemacht worden sind. Doch hat diese Anhäufung von Schuld auf allen Seiten die Verfasser der Weltkirchenratsstudie »Taufe, Eucharistie und Amt«, welche nach langen und intensiven Gesprächen zwischen östlich-orthodoxen, römisch-katholischen, lutherischen, reformierten und einigen freikirchlichen Gelehrten im Jahre 1982 in Lima (Peru) fertiggestellt wurde, nicht an der Haltung gehindert, man könne heute, ohne im geringsten Buße zu tun, die Streitäxte begraben, da man sich ja in den Grundlagen sakramentalen Denkens und Glaubens einig sei. Die Einigkeit, welche das genannte Dokument vor Augen malen möchte, beruht auf drei Säulen: (1) Das Werk Christi ist nur gültig, wenn es durch Taufe und Eucharistie in Kraft gesetzt und appliziert wird. (2) Die Eucharistie ist nur gültig, wenn ihre Verwaltung und Spendung in die Hand besonders ordinierter kirchlicher Amtsträger gelegt ist. (3) Man braucht nur alle verschiedenen, irgendeinmal und irgendwo lautstark vorgetragenen oder in Liturgien fixierten Auffassungen von den Sakramenten (außer der Zwinglischen!) nebeneinanderzustellen und zu addieren, so hat man die ökumenische Einheit gefördert, wenn nicht hergestellt. In keinem einzigen dieser drei entscheidenden Merkmale findet sich die Bekundung eines neuen Horchens auf die Bibel und die Bereitschaft, Einheit in Buße und Werken der Buße zu suchen. Mehr als eine eigene und wechselseitige Bestandssicherung ist durch dieses Dokument nicht bezeugt.

Man könnte das Anliegen, die Substanz und die Wirkung des sogenannten Sakramentalismus mit einer Auswahl von Zitaten unterschiedlicher Art aus der bald zweitausend Jahre alten Theologie- und Liturgiegeschichte illustrieren. Möglich wäre auch, einmal mehr einen eigenen Versuch zur Zusammenfassung zu unternehmen – obwohl er unmöglich anders als anfechtbar ausfallen könnte. Weder das eine noch das andere soll an dieser Stelle geschehen. Vielmehr soll statt vom allgemeinen Wesen sakramentalen Denkens und Feierns nur von einem einzigen feierlichen Akt, vom sogenannten »Sakrament des Altars«, die Rede sein.

Das Wesen und Geheimnis der Messe (Eucharistie) soll so vor Augen gestellt werden, wie es ein Fenster im Chor des Berner Münsters tut. Weil eine photographische Wiedergabe des sehr hohen und schmalen Fensters angesichts seiner eher eintönigen Farben und der Über-

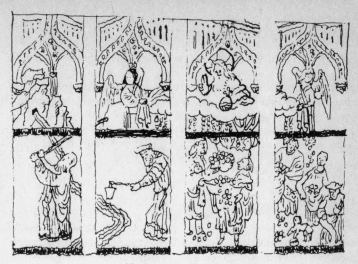

Das Hostienmühlenfenster im Chor des Berner Münsters
(Detail aus dem oberen Teil)

Hostienmühlenfenster in Bern
(Detail aus dem unteren Teil)

fülle des dargestellten Vorder- und Hintergrundes unergiebig und verwirrend wäre, sind auf den auf S. 7 wiedergegebenen Zeichnungen nur jene Teile abgebildet, die für unser Thema besonders wichtig sind. Die Zeichnungen wurden vom Kunstmaler Ueli Hänny in Basel angefertigt, der auch Entwürfe für neue Fenster im Chor des Basler Münsters hergestellt hat.

Das Berner Fenster wird seines Hauptthemas wegen das »Sakraments-« oder »Hostienmühlefenster« genannt. Unter den neueren, z.T. mit guten Abbildungen versehenen Beschreibungen des Fensters sind folgende besonders aufschlußreich: L. Mojon, Das Berner Münster, in: Kunstdenkmäler der Schweiz, Bd. IV, Basel 1960, S. 304–317; G. Schiller, Ikonographie der christlichen Kunst, Bd. IV, Gütersloh 1976, S. 61–63; A. Thomas, Art. Mühle, mystische, in: Lexikon der christlichen Archäologie, Bd. III, Freiburg 1971, S. 297–299; H. Rye-Clausen, Die Hostienmühlebilder, Stein am Rhein 1981, S. 125–145.193–202.

Das literarische und ikonographische Motiv der »mystischen Mühle« hat eine Vorgeschichte, die auf Lk 17,35 (»Zwei Frauen werden mahlen an einer Mühle . . .«) zurückgeht. Zunächst diente das Symbol einer solchen Mühle dazu, den Gegensatz zwischen Synagoge und Kirche darzustellen, dann auch, die Einheit zwischen Altem und Neuem Testament zum Ausdruck zu bringen. Endlich verwandten es seit etwa 1400 süddeutsche Mystiker und weitverbreitete Armenbibeln zur Beschreibung des Geheimnisses der Messe. Um 1450 dann schuf ein unbekannter Meister das Berner Fenster.

Im oberen Teil zeigt es Gott Vater, flankiert von zwei Engeln. Sie breiten sein Gewand aus, das auch als Wolke dargestellt ist. Manna regnet reichlich aus dieser Wolke. Auf derselben Ebene findet sich die Spitze eines felsigen Berges, aus dem Wasser hervorquillt. Sollten der Fels (mit 1Kor 10,4) mit Christus und die Engel mit dem Heiligen Geist zu identifizieren sein, so bildet die göttliche Trinität, unter Baldachinen und einem Zinnenkreuz, jenes sichere »Oben«, von dem alles Gute frei und aus Gnade strömt. Auf der nächstunteren Ebene schlägt Mose mit einem gewaltigen Stab das Wasser aus dem Felsen, ein Prophet leitet den entstandenen Bach. Alte und junge Leute aus dem Volk Israel füllen ihre Schale, ein Tuch, ihren Schoß, einen Korb oder ihre Hände mit dem Manna, das unmittelbar auf sie herabregnet. Darunter wird in ganzer Breite das Volk dargestellt, das auf jede nur mögliche Weise direkt aus dem zum Fluß gewordenen Bach trinkt, während abermals ein Prophet für den Weiterfluß des mäanderförmig von oben zufließenden Wassers sorgt.

Soviel zur oberen Hälfte des Bildes. Wie in 1Kor 10,1ff ist hier das von Israel in der Wüste empfangene Wasser und Manna als Prototyp der Eucharistie gekennzeichnet.

Die untere Hälfte des Bildes zeigt außerhalb eines großen Kielbogens, der die neutestamentliche und kirchliche Zeit unter sich birgt, noch einmal einen das Flußbett betreuenden Propheten, dazu einen israelischen Knaben mit einer Wasserkanne, dann eine Kuh, die aus dem Fluß trinkt, endlich einen Propheten, der (auf einem Schriftband) »Petrus zum Wasser, Paulus zur Mühle« beordert. (Auf anderen Mühledarstellungen hat Paulus die Mühlwanne gefüllt, die Mühle betrieben oder das Gemahlene in einen Sack gefüllt; in Bern ist der Völkerapostel jedoch nicht zu sehen.) Um so wichtiger ist, in der nächstunteren Reihe, Petrus. Er steht auf der gleichen Höhe wie die Symbole der vier Evangelisten: Während sie mit ihren Spruchbändern, die von der Inkarnation handeln, im Trichter verschwinden, leitet Petrus, glorios als Papst bekleidet, den alttestamentlichen Heilsstrom auf ein Wasserrad, das die Mühle treibt. (Auf anderen Darstellungen der Mühle wird von Maria oder von Gott selbst Jesus als Kind oder Schmerzensmann in den Trichter gelegt. Statt durch Wasser wird die Mühle manchmal durch eine von Paulus oder den Aposteln manuell und mühselig bewegte Achse getrieben. Das Wasserrad bringt also Arbeitsersparnis.)

Auf dem Berner Fenster sieht man unten am Mühlentrog eine offene Leitung, durch die das Mahlgut herausfließt. Es besteht aus lauter Hostien, die die Größe und Form der Mannakörner haben. Mitten unter den hervorströmenden Hostien steht Jesus Christus – zwar im

Mittelpunkt des unteren Teils des Fensters, doch als kleiner Knabe dargestellt. Nach Rye-Clausen (S. 127) schwebt das Kind über den Hostien; doch ist es wahrscheinlicher, daß der Künstler die Identität des Kindes mit den Hostien zum Ausdruck bringen wollte. Vergleicht man Größe, Gestalt und Wichtigkeit des Christkindes mit dem Verkündigungsengel links der Mühle, Maria rechts der Mühle, den Evangelistensymbolen im Trichter, Petrus oberhalb von Trichter und Mühle, den Propheten und Mose im oberen Fensterteil, endlich den später zu nennenden Geistlichen unterhalb der Mühle, so ist das Kind klein und unscheinbar. Seine wunderbare Entstehung sowohl im Schoß der Jungfrau als auch in der eucharistischen Mühle ist viel stärker betont als seine Person. Von einem Werk, das Jesus Christus selbst bis zum bitteren Ende vollbracht hat, oder von einem Dienst, den er selbst der Kirche noch leistet, findet sich keine Spur. Die Mühle ist zum Ort und Mittel einer beständigen Fleischwerdung des Wortes geworden, möglicherweise auch der Transsubstantiation (d.h. der Verwandlung von Brot und Wein in Fleisch und Blut), mindestens jedoch der Konsubstantiation (der Anreicherung und der materiellen und funktionellen Überbietung irdischer Elemente durch Zufügung unsichtbarer göttlicher Substanz). In der Tat geht auf anderen bildlichen Darstellungen der Mühle alttestamentliches Korn in den Mühlentrog und kommt Christus als Mahlgut aus dem Trog heraus. Das Berner Fenster bringt, abgesehen von ornamentalen Kreuzen hoch über den Baldachinen und vom Kreuz in der Gloriole des Jesuskindes, keinerlei Hinweis auf die Kreuzigung; auch von Auferstehung und Wiederkunft fehlt jede Spur. Immerhin verkündet das Spruchband um das Kind (mit Joh 6,51), daß Jesus allein das Himmelsbrot für das ewige Leben ist.

Durch einen soliden Stein-(Balkon-)Boden von allem darüber Befindlichen abgegrenzt, zeigt die nächste Zeile die vier Kirchenväter des Westens: Gregor als Papst, Ambrosius und Augustin als Bischöfe und Hieronymus als Kardinal. In einem Kelch empfangen sie, was aus dem Mühlenausfluß auf sie zukommt, und sie verteilen es direkt oder durch die Hand von Priestern an vornehmes und einfaches Volk. Ein Kranker oder Krüppel erhält sogar einen Kelch, womit nicht nur die Kommunion *sub utraque* (Oblate *und* Wein auch für Laien), sondern auch der Glaube an wunderbare Heilung durch den Genuß des Sakraments als erlaubt dargestellt ist. Die unterste Reihe endlich zeigt allerlei Volk, das fromm und begierig darauf wartet, bis auch es an der Reihe ist.

Die Botschaft des Ganzen ist u.a. von Mojon (S. 306) wiedergegeben worden mit den Worten: »(Das Fenster) führt allem Volk bildhaft vor Augen, wie das Wort Gottes, von dessen Erfüllung die vier Evangelien künden, in Christus leibhaft erstanden ist und wie die Menschheit durch den Empfang der Hostie unmittelbar des Leibes Christi und des göttlichen Heils teilhaftig werden kann.« Mit anderen Worten: Wenn Jesus Christus nicht immer neu im Sakrament geboren und in Hostienform aus klerikaler Hand empfangen wird, gibt es kein Heil und keine Heilsgewißheit für den Menschen. Das ist das Wesen des Sakramentalismus.

Rye-Clausen gibt seinem Enthusiasmus über dieses Hostienmühlefenster dadurch Ausdruck, daß er es »ein katholisches Bild ... im tiefsten Sinne des Wortes« nennt. Doch kann er mit diesem Ehrentitel weder Katholiken noch Protestanten dazu verpflichten, ihre eigene Erfahrung und ihren eigenen Glauben gerade in dem wiederzuerkennen, was der Berner Künstler darzustellen versucht hat. Überdies kann man ernsthaft fragen, ob der Künstler selbst ohne Einschränkung zum Inhalt seines Werkes gestanden hat – könnte es doch sein, daß gerade seine tiefsinnige *Darstellung* des Mysteriums der Messe mit einer heftigen, an die Adresse des Klerus und gegen die Idee einer klerikalen Heilsvermittlung gerichteten *Kritik* verbunden ist. Sollte dies wirklich der Fall sein, so ist sie sehr zurückhaltend vorgetragen. Das Chorfenster war durch einen Lettner vor den Augen der Laien verborgen; nur Geistliche und Chorherren konnten sich ihre Gedanken darüber machen.

Die Darstellung der wunderbaren Erhaltung Israels in der Wüste hebt sich günstig von der Abbildung der Vollkommenheit einer Maschine und den Maßnahmen des sie bedienenden Personals ab. Dort Natur – hier Technik auf künstlichem Steinboden. Damals unmittelbarer Empfang und Konsum der Gaben Gottes – jetzt nichts ohne klerikale Vermittlung. Einst der hart arbeitende Mose und seine Propheten – jetzt zwei Päpste, ein Kardinal, zwei Bischöfe in Prunkgewändern und andere Priester. Die alttestamentlichen Diener Gottes können nichts dafür tun, daß es Manna regnet und jedermann es selbst empfangen und auflesen darf. Arbeiten sie aber am Bach und Fluß, so nur, damit das Wasser glatt und reichlich für alle und zu allen fließt. Petrus jedoch hebt ein Wehr, um eine Weiche zu stellen oder eine Schleuse zu öffnen, und die hohen und niederen Kleriker teilen nicht mehr aus als eine Hostie pro Person und gegebenenfalls einen Schluck Wein an geduldig anstehende Laien. Dort und damals war Gott groß – jetzt ist Christus ein kleiner Knabe mit einem eher einfältigen Gesicht, ein Produkt aus der frommen Maria, den Sprüchen der vermahlenen Evangelien, der Mühle, die nur kraft der Mühewaltung des Erzpapstes Petrus arbeitet. Die Wirklichkeit der Güte Gottes allem Volk gegenüber ist zu einer bloßen Möglichkeit geworden, die einzig durch kirchlich-sakramentale Vermittlung Aktualität und Realität für heilsbedürftige Menschen erhält. Kurz gesagt: Gutgemeinte klerikale Organisation und Manipulation triumphiert im anhebenden Zeitalter der Maschine über die Freigebigkeit Gottes, von der man sogar in der Wüste leben konnte. So ragen ja auch zu beiden Seiten der Fenster gotische Säulen bis in den Himmel und über Gott Vater hinaus! Zudem lassen aktiv zuschauende Figuren hinter den Säulen des Zinnenkranzes oberhalb von Gott die Frage zu, ob das unterhalb von ihnen Geschehende wirklich ein den Engeln uneinsehbares Geheimnis (vgl. 1Petr 1,12) oder aber ein einziges großes Theater ist.

Es ist zweifelhaft, ob das ganze Fenster so sakramentskritisch gedeutet sein will und muß. Unbestritten jedoch ist, daß sich an manchen früheren und zeitgenössischen kirchlichen Bauten bildliche Elemente starker antiklerikaler Kritik finden und daß das hier beschriebene Fenster mitten im Jahrhundert der Reformkonzilien entstand. Etwa achtzig Jahre später nahm der Rat der Stadt Bern, der das Fenster gestiftet hatte, die Reformation an. Auch damals wurde Kritik und Protest nicht gegen einen Gottesdienst in Geist und Wahrheit erhoben, sondern zu Ehren Jesu Christi und der unkanalisierbaren Gnade. Man wollte u.a. die biblische Eucharistiefeier durch gründliche Reformation an Haupt und Gliedern wiederherstellen.

Es ist kein Kunststück, unter Berufung auf Bibel und Dogmatik oder auf Liturgie- und Frömmigkeitsgeschichte schwere Bedenken gegen den Vergleich des Sakraments mit einem Mühlenbetrieb anzumelden. Seit die Kirche in Versuchung geriet und der Gefahr erlag, ein Sakramentsinstitut zu werden, wurden innerhalb der Kirche auch ganz andere Auffassungen vom Mahl des Herrn vertreten. Es war nicht jedermanns Sache, daß von der Wiederkunft Christi kaum mehr gesprochen wurde, daß Ethik und Bruderliebe kaum mehr wesentlich für das Mahl sein sollten, daß statt dessen Substanzen und substantielle Vorgänge ganz besonderes Gewicht erhielten und daß individueller Heilsempfang das entscheidende Ereignis sein sollte. Manche gingen so weit, statt von Heilsbeschaffung und -vermittlung nur noch von Heilsabbildung, -zusicherung oder -versiegelung zu sprechen. Orthodoxe Lehre vom Mysterium ist etwas anderes als römisch-katholische Doktrin von der Messe. Starke Akzente der lutherischen Tradition sind ungleich römischen Akzentuierungen. Calvin und die

Reformierten haben Mühe mit der Unterscheidung zwischen römischer und lutherischer Mahllehre; sie vertreten ihrerseits einen Typ von Liturgie und Erklärung des Geheimnisses des Mahls, von welchem sich Freikirchen noch einmal drastisch unterscheiden.

Um so erstaunlicher ist es, daß Vertreter all dieser Traditionen sich in Lima auf einen Text einigen konnten, der problemlos fast alle Traditionen miteinander verbindet und vermischt und so jedermanns Besitzstand wahrt. Möglich war und ist dieser Vorgang wohl nur aus *einem* Grund: Man war sich allenthalben einig, daß sakramentaler Glaube, d.h. diese oder jene Form von Sakramentalismus, die unaufgebbare Grundlage der Diskussion und des Bekenntnisses ist. Eine Hinterfragung fand nicht statt.

Nötig ist jedoch eine neue biblische, liturgische, ethische und dogmatische Besinnung über das Mahl. Ein Beitrag zu dieser Besinnung soll im Folgenden mit einer Studie gemacht werden, die sich auf das Neue Testament beschränkt und nicht einmal dieses erschöpfend behandeln kann. Dabei sind Schwierigkeiten nicht zu leugnen, die gerade einem solchen Unternehmen im Wege stehen.

C Probleme eines Rückgriffs auf die Schrift

Fünf Probleme bedürfen der Erläuterung, bevor der Versuch gemacht werden kann, Ergebnisse einer neuen Besinnung über das Mahl des Herrn vorzulegen:

1. Die *historisch-kritische Erforschung* der Einsetzungsberichte hat, besonders in der Gestalt form-, traditions-, überlieferungs- und redaktionsgeschichtlicher Arbeit, nicht mehr Rankes Frage »Wie es wirklich gewesen ist?« zu beantworten gesucht, sondern nach der Authentizität überlieferter Worte gefragt, dazu nach der ältesten Form bzw. den ältesten Formen der Feier des Mahls des Herrn in den frühen Gemeinden. Gute Zusammenfassungen schrieben zum Beispiel Eduard Schweizer (Art. »Abendmahl«, in: RGG[3] I) und Ferdinand Hahn (in: EvTh 35, 1975, S. 553–563 und in: D. Lührmann / G. Strecker (Hg.), Kirche. FS G. Bornkamm, Tübingen 1980, S. 415–424). Unter den Ergebnissen sind zu nennen:

a) Die Ableitung der frühchristlichen Feiern aus Mysterienkulten und Totengedächtnismahlen wird ebenso in Frage gestellt wie Hans Lietzmanns und Ernst Lohmeyers Versuche, Messe und Herrenmahl lokalgenetisch und entwicklungsgeschichtlich zu trennen und als ursprüngliche Alternativen voneinander zu unterscheiden.

b) Die Einbettung des letzten Mahles Jesu in den Rahmen einer jüdischen Passafeier, von der Markus, Matthäus und Lukas einhellig Zeugnis ablegen, wird – selbst wenn sie historische Anhaltspunkte haben sollte – als theologisch bedeutungslos beurteilt.

c) Die Verteilung von Brot und Wein, dazu die sogenannten Deuteworte zu beiden, werden nicht mehr als genuine Parallelhandlungen und -deutungen betrachtet. Eine ursprüngliche Gemeindefeier *sub una* (nur mit Brotbrechen) wird für möglich gehalten. Die Kommentierung des Kelches gilt als sekundäre, wenn auch sachgemäße Ausarbeitung einer Dimension des Brotes und des Brotwortes. Das Kelchwort besagt, daß Jesus Christus nur deshalb das Lebensbrot ist und sich nur deshalb an andere gibt, weil er gewaltsam stirbt und weil dieser Tod eschatologische Bedeutung hat. Aus apologetischen und/oder polemischen Gründen sollen Anspielungen auf alttestamentliche Opfer- und Endzeittexte in das Kelchwort aufgenommmen worden sein.

d) Der sogenannte Kurztext von Lk 22,15–20, in dem die Verse 19b–20 fehlen, wird nicht als ursprüngliche *lectio brevior*, sondern als spätere Kürzung behandelt. Der reduzierte (sogenannte »westliche«) Text vermied den Anstoß, der durch die zwei Kelche (in V. 17f und V. 20) des Langtextes geboten wurde, verstärkte den endzeitlichen (»eschatologischen«) Akzent der lukanischen Darstellung des letzten Mahles und verdeckte einen Hinweis auf den Opfercharakter des Todes Jesu.

e) Sowohl die Paulus/Lukas- als auch die Markus/Matthäus-Überlieferung vom letzten Mahl enthalten redaktionelle Elemente. Umstritten aber ist nach wie vor, welcher von diesen beiden Überlieferungstypen dem Ereignis der ersten Feier selbst und der Einsetzung des Mahles nähersteht.

f) Johanneische Texte, besonders Joh 6,51–58, werden als Hauptquellen und -belegstellen neben den synoptischen und paulinischen Texten zum Mahl betrachtet. Doch werden auch die von den Speisungen, der Tischgemeinschaft, den Tischreden, Mahlgleichnissen und Ostermahlen handelnden Texte immer stärker berücksichtigt.

g) Auch Katholiken haben sich der Ansicht angeschlossen, daß die reale Präsenz des Herrn nicht primär oder ausschließlich mit der Transsubstantiation von Brot und Wein verbunden ist.

h) Die große Bedeutung der Eschatologie in den Mahltexten wird hervorgehoben; doch herrscht eine gewisse Scheu, ausführlich und eingehend von der Wiederkunft und dem himmlischen Messiasmahl zu sprechen.

i) Nicht gerüttelt wird an dem, was z.B. Hahn die »reale Teilhabe« am Heilswerk und an der Person des Herrn nennt. Sie werde, heißt es, durch das Mahl vermittelt, zu- und angeeignet. Die Sprache, in der dieser Vorgang beschrieben wird, unterscheidet sich bisweilen durch ihren mystischen, emotionalen oder dogmatischen Charakter von sonstiger exegetischer Diktion.

j) Ethische Konsequenzen des Mahles werden bereitwillig hervorgehoben. Doch geschieht dies gern in Verbindung mit einer Warnung vor einer »nur« ethischen Interpretation, die den Vorgang einer tatsächlichen Heilsvermittlung in den Schatten stellen würde.

Bultmann hat zu der Zeit, als die Entmythologisierungsdebatte ihren Höhepunkt erreichte, die These aufgestellt, die historisch-kritische Forschung sei die legitime Fortsetzung und Anwendung der reformatorischen

Lehre von der Rechtfertigung *sola gratia* und *sola fide*. Sollte diese These richtig sein, so müßte sich die heutige und künftige Lehre und Praxis der Kirche vom Mahl des Herrn durch die genannten und ähnliche Resultate historisch-kritischer exegetischer Arbeit bestimmen lassen. Doch urteilt z.B. ein gut ausgewiesener Linguist und historisch-kritischer Forscher wie A. Vööbus (Kritische Beobachtungen . . ., ZNW 61, 1970, S. 102–110), daß Versuche zur Rekonstruktion einer Urform der Einsetzungsworte der Jagd nach einer *fata morgana* glichen und daß der Kurztext des Lukas älter als der Langtext sei und die eigentliche Intention des Mahls des Herrn bezeuge. Hahn seinerseits (FS Bornkamm, a.a.O., S. 416.421) ist überzeugt, daß Historismus in keiner Form eine Lösung der Probleme bringe; allein »die Intention« Jesu sei maßgebend.

Wir schließen aus dem vorhandenen Konsens und Dissens, daß heutige wissenschaftlich-exegetische Methoden zwar zu bedenkenswerten Beobachtungen führen und gewisse nützliche Anregungen enthalten, daß sie aber im Endeffekt weithin versagen, wenn nach aufbauender Hilfe zur Steuerung der vorhandenen Abendmahlsnot gefragt wird.

2.   *Dogmatische und konfessionelle Vorarbeit* zu einem einigenden Verständnis des Mahls des Herrn ist reichlich vorhanden. In der katholischen Kirche, besonders in Frankreich, arbeitete eine liturgische Bewegung zugunsten einer von der Bibel inspirierten kirchlichen und gottesdienstlichen Erneuerung. Ungleich parallelen protestantischen Unternehmungen, um von Bischof Lefèvbre nicht zu reden, verlangte sie nicht nach mehr hierarchischer Tradition, sondern nach mehr Bibeltreue und Gemeindebeteiligung. Es ist durchaus möglich, daß die katholische liturgische Bewegung das Zweite Vatikanische Konzil, besonders die Deklarationen über die Liturgie und die Kirche, noch stärker beeinflußte als die Aufnahme kritischer Methoden in Studierstuben, Hörsälen und Schriften katholischer Exegeten.

Zugang zu den katholischen Diskussionen über die Eucharistie geben z.B. Th. Schneider, Die neuere katholische Diskussion über die Eucharistie, EvTh 35, 1975, S. 497–524; R. Hotz, Sakramente im Wechselspiel zwischen Ost und West, Zürich/Köln 1979; X. Léon-Dufour S.J., Abendmahl und Abschiedsrede im Neuen Testament, Stuttgart 1983.

Von den für den mitteleuropäischen Protestantismus besonders wichtigen Dokumenten seien genannt: ein Beschluß der (Bekenntnis-)Synode von Halle von 1937; die Arnoldshainer Thesen von 1957, die eine zehnjährige intensive Arbeit von führenden Köpfen aus der Bekennenden Kirche abschlossen; die Leuenberger Konkordie von 1973; die schon genannte Faith-and-Order-Publikation *Taufe, Eucharistie und Amt* von 1982, dazu die publizierten Berichte über katholisch-lutherische, katholisch-reformierte und andere interkonfessionelle Gespräche. Blieb für Karl Barth angesichts der Fülle sorgfältig behüteter traditioneller Elemente und zaghaft gewagter Vorstöße überhaupt etwas zu sagen übrig? Es gibt die Meinung, daß die Arnoldshainer und die Leuenberger Thesen den Weg von Barmen und Dahlem zu einem vorläufigen Ziel geführt haben, das nur durch eine Konkordie mit Rom, Konstantinopel und Moskau noch überboten werden könnte.

Ist aber wirklich auf dogmatischem und konfessionellem Gebiet das Nötige und Menschenmögliche schon vollzogen? Gewiß hatte man allen Anlaß, alter Streitereien müde zu sein – besonders wenn sie auf philosophischen Voraussetzungen beruhten, die heute als überholt gelten. Auch fand man es erbaulich, einen breiten und vermutlich tragfähigen gemeinsamen Nenner zu finden und auszuformulieren. Immerhin kann man fragen, ob einstweilen trotz bester Absichten mehr als ein von Ermattung gekennzeichnetes Mixtum compositum zustande gekommen ist.

Als ein Beispiel unter vielen soll der in der Faith-and-Order-Abteilung des Weltkirchenrats lautgewordene Ruf nach Einführung der Epiklese (Anrufung des Heiligen Geistes) in die westlichen protestantischen Liturgien für das Mahl des Herrn genannt werden. Obwohl der Heilige Geist in den neutestamentlichen Haupttexten über das Mahl schwerlich ausdrücklich erwähnt wird (es sei denn, 1Kor 10,3f; Joh 6,63 und 1Joh 5,6–8 bildeten Ausnahmen), scheint es in der Tat genug gute Gründe dafür zu geben, seine Anrufung – dem Brauch der Orthodoxen Kirchen entsprechend – als wesentlich für die Eucharistie anzusehen und westliche Feiern damit anzureichern. Keine Gemeinde und kein Gottesdienst, keine Gemeinschaft und keine Verkündigung, kein Gebet und kein Lob Gottes, kein Gehorsam am Festtag und im Alltag ohne den Heiligen Geist, der verheißen ist und – *ubi et quando visum est* (in der Gott eigenen Freiheit) – auch kommt!

Ob aber eine bloße Zu- und Einfügung der Epiklese oder – wie in der sogenannten Lima-Liturgie von 1982, die die Substanz von »Taufe, Eucharistie und Amt« in gottesdienstliche Sprache und Praxis umsetzen möchte – eine zweimalige Anrufung des Heiligen Geistes zu ökumenischer Einheit beiträgt, ist fraglich. So war und ist es ja auch ein fragwürdiges Unternehmen, wenn die Abteilung für Glaube und Kirchenverfassung (Faith and Order) des Weltkirchenrats daran arbeitet, den Ostkirchen zuliebe das *filioque* (das Bekenntnis, daß der Heilige Geist vom Vater *und vom Sohne* ausgeht) preiszugeben. Zwei völlig verschiedene Auffassungen vom Ursprung und Wesen des Heiligen Geistes können auf solche Weise bestenfalls verwischt oder bagatellisiert werden. Im Osten wird der Geist als Schöpfer-Geist angerufen, der innerhalb der Dreieinigkeit Gottes neben, nicht unter Gottes Sohn steht. Der Geist hat die Fleischwerdung des Wortes bewirkt. Nach Johannes Damascenus (De Fide Orthodoxa IV, 13) bewirkt er auch die Transsubstantiation der mahlzeitlichen Elemente Brot und Wein. Im Westen aber bedingen sich Katholiken und Protestanten die Freiheit aus, den Geist weniger auf die Elemente als auf die Gemeinde und ihre Glieder herabzurufen, da ja *sie* zuallererst der Neuschöpfung und der Vereinigung mit Gott und einander bedürfen. Daß in sinnvoller Weise ökumenische Einheit untereinander hergestellt ist, wenn unter Verwendung desselben Vokabulars um ganz verschiedene Dinge gebetet wird, kann man bezweifeln.

Nur solche Vorschläge und Methoden zur Einigung sollten als ernsthaft gelten, welche, statt Flickwerk an alten Stoffen zu vollziehen, aufgrund eines neuen Hörens auf die Bibel vorwärtsblicken und -schreiten, dem kom-

menden Herrn und der verheißenen Einheit entgegen. Sie sind ja laut Eph
4,13 untrennbar voneinander. Meines Wissens tragen einzig die Arnoldshainer Thesen den Titel: »Was wir *hören* ... als entscheidenden Inhalt des
biblischen Zeugnisses vom Abendmahl.« Doch auch diese Thesen sind eine Version des tertullianischen und augustinischen Sakramentalismus sowie des griechischen Mysterienverständnisses, das sich in östlichen und
westlichen, lutherischen und calvinistischen Formen über fast alle Kirchen
ausgebreitet hat.

Die neueren Erklärungen zur Eucharistie, zur Messe, zum Abendmahl
oder zum Herrenmahl anerkennen zwar ethische Dimensionen und notwendige soziale Auswirkungen der Feier. Schwerlich hat jedoch wirkliches
neues Hören auf die Bibel stattgefunden, das alle an Abendmahlsgesprä-
chen beteiligten Hochkirchen und Freikirchen, Fachgelehrte und Laien zur
Buße, zu neuer Erkenntnis und zu gehorsamerem und freudigerem Feiern
aufgerufen hätte. Wahrscheinlich war das, was gesagt und geschrieben
wurde, zu zaghaft und zu blaß formuliert, um freudig gehört und aufgenommen zu werden. Nötig wäre ein *neues Lied*! Es würde nicht Neuigkei-
ten verkünden, sondern die immer und für alle gültige Wahrheit in neuer
Weise besingen.

3.   Das *Risiko weiterer Spaltung* der Kirche ist enorm. Es ist, wie erwähnt,
ein Paradox und ein Skandal, daß gerade die Lehre und Praxis des Mahls
des Herrn, der »Kommunion«, zur gegenseitigen Verteufelung unter Christen geführt hat. Paulus schilt die enthusiastischen Korinther zunächst
wegen ihres Parteienwesens im allgemeinen, später insbesondere wegen
der Spaltungen, die am Tisch des Herrn entstanden sind und besiegelt
werden. Mein Vater selbst hat die Drucklegung seiner Taufvorlesungen
von 1959/60 unter anderem deshalb bis 1967 hinausgezögert, weil er nicht
als Neuerer und Friedensstörer von der theologischen Bühne abtreten
wollte. Als das Fragment IV/4, der Taufband, dann doch erschien, haben
einige seiner prominentesten Schüler ihm die Gefolgschaft verweigert –
ohne zu verstehen, daß es dabei um das Tüpfelchen auf dem i seiner Lehre
vom freien Gott und freien Menschen ging.

Das schließt nicht aus, daß Einheit nur durch Wahrheit zu suchen und zu
erreichen ist und daß niemand auch nur Spuren der Wahrheit bekennen
kann, ohne selbst Buße zu tun und andere zur Buße aufzurufen. Glieder jeder Kirche und Konfession haben zuallererst vor der eigenen Türe zu kehren. Wer vor allem den historisch gewachsenen und beschränkten Be-
kenntnis- oder Besitzstand zu wahren sucht, sehe zu, ob das, was er verteidigt, des hartnäckigen Schutzes wert ist. Auch bei Gesprächen über das
Mahl des Herrn kann im besten Fall nur ein Bettler dem anderen zeigen,
wo es Brot gibt. Niemand kann sich um das Wesen und die Feier dieses
Mahles bemühen, ohne es mit Furcht und Zittern zu tun. Wie der Herr, so
ist auch sein Tisch größer als alle Theologie.

Aus diesem Grund ist das Mahl, allem Mißbrauch zum Trotz, nicht *nur* ein

Spaltpilz und Anlaß zur Klage und Selbstanklage. Selbst im zerstrittenen und zerspaltenen Gottesvolk hält es Menschen aufrecht und verbindet sie. Die Kirche könnte nicht ohne dieses Mahl bestehen. Nach Gal 2,11ff bedeutet, wie besonders Franz Mussner in seinem Galater-Kommentar (1974) gezeigt hat, Christsein Zusammen-Essen.

4.　　Nur zwei von den vielen besonderen *Versuchungen von Theologen* sollen beschrieben werden:

Theologen sind entweder geneigt, spezifische Fragen und Probleme durch Hinweis auf allgemeingültige Sätze zu erledigen; oder sie wollen die sogenannte Praxis (das Leben, die Wirklichkeit, die Erfahrung, eine Statistik usw.) allein als Quelle wahrer Erkenntnis gelten lassen.

Angewandt auf das Mahl des Herrn hat die erste Versuchung drei Gestalten:

a)　　Man entscheidet sich für die Brauchbarkeit eines allgemeinen Sakramentsbegriffs, wie er sich von Tertullian über Augustin, die Mysterienlehren der Ostkirchen, die Scholastik, Calvin, den Heidelberger Katechismus bis in moderne Liturgien und dogmatische Werke entwickelt hat.

b)　　Mit Luther geht man nicht vom Sakrament im allgemeinen aus, sondern von den Eigenarten – die Gemeinsamkeiten nicht ausschließen – der eindeutig von Jesus gestifteten Akte der Taufe und des Abendmahls. Die Geschichte der nachreformatorischen Theologie mit Einschluß der Arnoldshainer Thesen, der Leuenberger Konkordie und der katholisch-lutherischen und katholisch-reformierten Gespräche und Publikationen lehrt allerdings, daß damit keine wirkliche Alternative zum sakramentalistischen Weg erreicht wird. In der Auslegung des Hebräerbriefs (J. Ficker, Hg., Leipzig 1928, Schol. 14ff.23.106; Gloss. 9; vgl. WA IX 18, 19–24; s. dazu E. Bizer in: EvTh 17, 1957, S. 64ff) verwendet Luther den Begriff Sakrament, den er im Kontext als *signum, causa, instrumentum* und *medium* erklärt, für Jesu Christi einmaliges, unwiederholbares und vollkommenes Werk – nicht für Taufe, Abendmahl oder Beichte.

c)　　Mit Luthers Hebräer-Kommentar und unter Berufung auf den Weg und das Lebenswerk Karl Barths, doch auch auf Ansätze in sogenannten Freikirchen und Sekten, macht man das, was man als christologisch begründeten Anti-Sakramentalismus bezeichnen könnte, zum Elephanten, der dann die Last der Lehre von Taufe und Mahl des Herrn tragen soll. So wäre z.B. die Einordnung von Taufe und Abendmahl unter dem Oberbegriff Ethik schlecht fundiert, wenn sie nicht mehr als der Ausdruck eines Ressentiments gegen sakrale Traditionen und geheimnisvolle Handlungen und Erfahrungen wäre. An die Stelle von Prinzipien, Vorentscheidungen und Vorlieben oder Antipathien sollte gründliche Exegese treten – ein neues Zuhören, nicht eine neue Form des Dekretierens oder ein neuer Anspruch auf die Lösung aller Probleme.

Die andere Versuchung sieht wie ein dringlich notwendiges, unfehlbar wirkendes, vielleicht sogar von Gott selbst geschenktes und befohlenes

Gegengift gegen die Übel der drei Versionen der ersten Versuchung aus. Man begegnet dem auf einer Theorie beruhenden deduktiven Verfahren durch induktives Vorgehen: Ausgehend von dem, was in den verschiedenen Kirchen und menschlichen Herzen vor, während und nach dem Mahl vorgeht, blicken nicht nur gütige und dankbare Augen auf das, was sich an positiven Eindrücken und Erfahrungen zusammenstellen ließe; ein scharfer und geübter Blick erkennt auch eine Reihe von Bedürfnissen und *desiderata*. Was als *pia desideria* (fromme Wünsche) beurteilt wird, kann dann ebenfalls katalogisiert werden, damit deutlich wird, welche Reformen auf seelsorgerlicher, erzieherischer, gemeindlicher, konfessioneller und ökumenischer Ebene nötig sind. Unter Berücksichtigung des heute Möglichen und Erreichbaren, auch von Prioritäten, läßt sich diese Zusammenstellung dann in einige Reformvorschläge umwandeln, die – wenn die Umstände günstig sind und die taktische Vorbereitung geschickt vollzogen wird – sogar eine Chance auf Annahme und Durchführung durch niedere und höhere kirchliche Behörden haben.

Sähen die skizzierten Wege nicht gottgegeben aus, so bildeten sie keine Versuchungen. Der Weg von oben nach unten scheint der Autorität der Offenbarung, der Bibel und der theologisch erforschten Wahrheit zu entsprechen. Immerhin vergessen, die ihn beschreiten, nur allzugern, daß theologische Sätze und Prinzipien Menschenwerke sind, die tief unter der Liebe Gottes für die Welt stehen und sie bisweilen mehr verdunkeln als bezeugen. Andererseits wird auf dem Wege von unten nach oben zwar die von Gott geliebte Menschheit ernst genommen. Auch wird dabei zu Recht anerkannt, daß, gleich wie alle Theologie, auch die Lehre vom Mahl des Herrn praktische Theologie ist und sein muß, wenn sie nicht anmaßendes und unnützes Gerede sein will. Doch kann Erfahrung und mögliche liturgische Veränderung nicht an die Stelle von Wahrheitszeugnis und Glaubensgehorsam treten. Selbst wenn die *vox populi* von Theologen aufgenommen wird, ist sie noch lange nicht die *vox Dei*.

Jesus Christus, der gekreuzigte Gast und Gastgeber von Sündern, Hungrigen, Pharisäern und Jüngern, hat Worte über das Essen und Trinken im Diesseits und im Jenseits gesprochen, die dem kirchlichen Mahl des Herrn seinen eigenartigen Charakter geben. Sein Mahl wird durch seine Freigebigkeit, seine Tischreden und seinen Geist bestimmt, nicht durch Wünsche und Möglichkeiten der Teilnehmer.

Zwischen den genannten Versuchungen hindurch ist ein Weg zu suchen, der gleichzeitig das Besondere des von Jesus Christus gestifteten Mahls zum Leuchten bringt und den Gemeinden von heute hilft, willig, würdig und freudig an diesem Mahl zur Ehre Gottes teilzunehmen.

5.   Die einstweiligen *Ergebnisse meiner eigenen exegetischen Arbeit*, die in den folgenden vier Hauptteilen vorgelegt werden, weichen in wesentlichen Punkten ab von vielem, was in wissenschaftlichen neutestamentlichen Wörterbüchern, Kommentaren, Theologien und Monographien zu

lesen ist. Auf die Frage, ob dies einer ganz anderen Hermeneutik, z.B. einer Absage an die sogenannte historisch-kritische Methode, zuzuschreiben sei, kann ich an dieser Stelle – wie es ähnlich mein Vater in einem Vorwort zu seinem Römerbrief getan hat – zunächst nur mit einem Satz antworten: Die Kritiker sind nicht kritisch genug. Ihnen fehlt meines Erachtens vor allem die für eine exakte und fröhliche Wissenschaft unentbehrliche Selbstkritik: die Bereitschaft, eigene Vorurteile historischer, philosophischer und konfessioneller Art anzuerkennen, zu hinterfragen und eventuell aufzugeben. Sie würden dann z.B. das angebliche Recht, gegebenenfalls Sachkritik an neutestamentlichen Texten zu üben, als eine der eigentlichen Auslegungsarbeit widersprechende Amtsanmaßung beurteilen.

Ich halte gegenwärtig folgendes für die Aufgabe und den Weg (die »Methode«) einer sorgfältigen wissenschaftlichen Exegese:

a) Die *Entstehungsgeschichte* der heute vorliegenden biblischen Texte ist mehr als nur ein faszinierendes Thema. Eine große Verständnishilfe wird durch all das geboten, was man über die Vorgeschichte der heute vorhandenen Textgestalt, des benutzten Vokabulars, der formalen Eigenschaften, der verwendeten Motive und der behandelten Themen in Erfahrung bringen kann. Hilfreich ist auch, was über die Situation und die Probleme, die Bedürfnisse und Angebote der Umwelt entdeckt und zusammengetragen wird, sowie alles, was man über Identität und Absicht des Verfassers und seiner Leser in Erfahrung bringen kann. Man verdankt der historisch-kritischen Wissenschaft eine Reihe z.T. aufregender Geburtsgeschichten: Was hinter und unter der gedruckten Textgestalt liegt – oder liegen könnte –, wurde auf dem Wege möglichst sorgfältiger Rekonstruktion erforscht. Doch kann solchen Rekonstruktions- und Erzählungsversuchen ein rationalistischer (vernunftgläubiger, wenn nicht vernünftlerischer) Zug nicht abgesprochen werden. Sie setzen voraus, daß alles, was dem Forscher – aufgrund seiner sonstigen Kenntnisse und Erfahrungen auf dem Feld von Geschichte, Überlieferung und Literatur – bekannt ist, Grund zum Nachweis und zur Zeichnung von streng logischen Entwicklungslinien gibt. Was dem Gelehrten logisch erscheint und für ihn plausibel ist, wird dann der historischen Entstehung der Texte gleichgesetzt. Verliefe alle Geschichte nach erkennbaren Gesetzen, so wäre an den erzielten »Resultaten« nichts auszusetzen. Da dies nicht der Fall ist, sind auch andere Forschungsmethoden unentbehrlich.

b) *Der vorliegende Text* ist in seiner gegenwärtigen Gestalt ein historisches Faktum. Solange er nicht als vom Himmel gefallen oder von einem Wirrkopf verfaßt gilt, darf man annehmen, daß er eine sinnvolle Mitteilung in einer der vorgetragenen Sache angemessenen menschlichen Form enthält. Er lebt im Rahmen eines engeren und eines weiteren literarischen Kontextes und hat parallele oder divergente Texte zu seiner Seite. Er steht in Zusammenhang mit historischen, sozialen, ästhetischen und denkerischen Strukturen. Es gibt Spannungen, die er enthält, vergrößert oder zu überwinden sucht, kurz: Sein Aufbau, seine Struktur und seine Funktion wollen erkannt und möglichst klar dargestellt sein.

c) Die Berücksichtigung der *Wirkungsgeschichte* eines Textes durch die seit seiner Entstehung vergangenen Jahrhunderte hindurch ist eine dritte Aufgabe wissenschaftlicher Exegese. Sie ist praktisch identisch mit einem sinnvollen Studium der Kirchen- und Theologiegeschichte, verlangt jedoch auch ein Eingehen auf Phänomene der Künste, des Volksglaubens, der Verzerrung oder Bekämpfung der biblischen Botschaft. Nicht *alle* Irrwege früherer Auslegung und Anwendung müssen unbedingt von jeder Generation wiederholt werden. Unabdingbar aber ist Rücksicht wenigstens auf eine Auswahl stärkerer und schwächerer Auslegungstraditionen und sorgfältiges Eingehen auf sie. Eine Exegese, die ein Gespräch mit dem Text und seinen markanten oder stillen Auslegern führt und sorgfältig auf die Höhe- und Tiefpunkte längst geführter oder neuentstandener Diskussionen eingeht, beweist und erzeugt mehr Leben als ein Pochen auf angeblich feste Regeln und Resultate der Interpretation.

d) Jeder biblische Text, sei er lang oder kurz, hat *einzigartige Eigenschaften*. Bei dem Bemühen um das Verständnis des Textes, seiner gesprochenen und/oder geschriebenen Worte, geht es zu wie beim Umgang mit einem Mitmenschen. Es gibt keine feste Regel dafür, wie man gerade diesen oder jenen Menschen verstehen und lieben lernt, wie es dazu kommt, daß man sich von ihm verstanden fühlt, und wie Unkenntnis, Befremden, Verachtung oder Furcht zu Respekt, Bewunderung und Dankbarkeit werden. Funken müssen überspringen, etwas Größeres als nur ein Ich und ein Du (oder Es) muß am Werke sein. Jeder einzelne Text ruft nach der je für ihn angemessenen Hermeneutik. Wie man mit ihm umgehen darf und wie nicht, lernt man erst während der Konversation mit ihm. Offenheit für Überraschungen und Enttäuschungen, für stählerne Härte und unglaubliche Zartheit, für umwerfende Mitteilungen und Weisungen, nicht aber ein Sack voller Prinzipien und Regeln ist die Voraussetzung für ein fruchtbares Gespräch. Soll es dazu kommen, daß der Text den Ausleger auslegt, statt daß der gelehrte Interpret den Text meistert und vielleicht vergewaltigt, so wird die Arbeit nie ohne Gebet vollzogen und abgeschlossen werden.

e) Gerade ein sorgfältiger Schriftausleger wird ohne sehr *subjektive Entscheidungen* nicht auskommen und auf den Anspruch der Objektivität gern verzichten – ist er doch in allem, was er beobachtet, denkt und tut, nicht mehr als ein Kind seiner Zeit. Er kann, wenn er eine Seele hat, nicht unberührbar in einem Elfenbeinturm sitzen und Exegese nur als Kunst um der Kunst willen betreiben. Die unsagbaren Verbrechen unserer Generation an Israel, samt ihren Widerspiegelungen im Besatzungsregime und der Kriegsführung des jungen Staates Israel, lassen den Exegeten beim Studium jeder Bibelstelle fragen, wann, wo und warum gerade Schriftgelehrte Gottes Volk in die Irre geführt haben. Die Vorherrschaft von Hunger, Unterdrückung, Kriegsvorbereitung in aller Welt verbietet ihm, sich an katastrophalen, irrelevanten oder zweideutigen Forschungsergebnissen zu laben. Er weiß, daß es genug ist, wenn er für seine Zeit solide und brauchbare Arbeit leistet.

f) Eine gesetzliche Anwendung biblischer Erkenntnisse kann keinen Ersatz für ein lebendiges und verständliches *Christuszeugnis* bilden. Das Kriterium einer von neuem Hören auf die Bibel bestimmten Lehre (z.B. vom Mahl des Herrn) besteht nicht darin, ob oder wieweit man einen exegetischen Vorschlag rechthaberisch mit Bibelstellen verifizieren kann. Nur wenn ein besseres, klareres und freudigeres Christuszeugnis hervorgerufen wird, ist ein Wahrheitsbeweis geliefert. »An ihren Früchten sollt ihr sie erkennen.«

Soviel zur Hermeneutik. Die skizzierte Methode der Auslegung wird im folgenden ihre Spuren hinterlassen. Sie ist nichts anderes als der beste Weg, den ich zur Zeit vor Augen sehe. Weil sie selbst ein Resultat exegetischer Besinnung ist, das nach laufender Überprüfung, Korrektur und Läuterung verlangt, ist sie nicht weniger problematisch als die anderen bisher genannten Probleme, die heute mit der Arbeit an einer Wiederentdeckung des Mahls des Herrn verbunden sind.

Wir fragen nun: Was kann heute auf biblischer Grundlage über dieses Mahl gesagt werden?

Teil I

Gemeinschaft mit Israel

A   Das Passa des Herrn

Eph 2,18 lautet: »Durch Christus haben wir beide in einem Geiste Zugang zum Vater.« Das ist eine treffliche allgemeine Beschreibung des kirchlichen Gottesdienstes. Niemand hat das Recht oder die Möglichkeit, von sich aus und allein vor Gott zu treten. Christus muß uns einführen vor dem Thron, der Geist muß uns treiben, und niemand kann den Schritt ohne einen Mitmenschen tun. Im Kontext des Epheserbriefes sind es zuvor mit Gott und untereinander verfeindete, jetzt aber miteinander und mit Gott versöhnte Juden und Heiden, die kraft des Blutes und der Friedenspredigt des auferstandenen Jesus Christus zusammengefügt und -gehalten sind durch die Kraft des Geistes und sich zum Gottesdienst versammeln. Je in eigener Weise werden in Eph 2,18 Vater, Sohn und Geist genannt: Sie tun und geben alles, damit diese Versammlung ermöglicht wird und stattfindet. Angewandt auf das Mahl des Herrn kann der zitierte Satz besagen, daß Heidenchristen, wie wir es sind, am Tisch des Herrn Gott nicht ohne die Gegenwart, Begleitung und Mitwirkung von Brüdern und Schwestern aus dem Volk Israel Dank sagen können.

1.   Ein einziges Passa?

Exegetisch und dogmatisch wäre es nicht zu verantworten, allein aus einem allgemeinen Satz, wie er in Eph 2,18 vorliegt, spezifische Konsequenzen für das Wesen des Mahls des Herrn abzuleiten. Auch genügt es nicht, auf Sachparallelen zu verweisen, die die Zusammengehörigkeit von Israel und Kirche aufzeigen. Zu denken wäre gewiß an die Tatsachen, daß Juden und Christen an denselben einen Gott und Vater glauben; daß Jesus im Glauben der Christen als der Israel verheißene Messias Retter der Völker ist; daß wir Heidenchristen die Zehn Gebote weder erfunden noch den Juden entrissen, sondern sie so gut wie sie zu erfüllen haben; daß wir nicht nur die Psalmen, sondern auch den größten Teil der Bibel mit den Juden teilen; daß der Predigtgottesdienst an einem von sieben Tagen dem Synagogengottesdienst entspricht; daß die kirchliche Taufe (z.B. nach Luthers Tauflied) dadurch gestiftet wurde, daß Jesus sich der Jordantaufe unterzog. In der Tat, christlicher Gottesdienst ist Teilnahme von Heiden – unter der

Führung Christi und seines Geistes – am jüdischen Gottesdienst. Wie nur einer Gott ist, so gibt es auch nur ein einziges Gottesvolk. Das hat die Rheinische Synode vom Januar 1980 eindrücklich bekannt.

Aber das Allgemeine, selbst wenn es biblisch begründet ist, reicht nicht aus, die spezifischen Fragen nach dem Wesen des Mahls des Herrn zu beantworten. Texte, die ausdrücklich von diesem Mahl handeln, müßten nicht nur Verifikationen enthalten, sondern explizit von der Gemeinschaft mit Israel handeln, wenn Eph 2,18 auch für ihre Auslegung entscheidend sein soll.

Unter den Stellen, die dies Postulat nicht nur erfüllen, sondern deren Inhalt einen unter anderen Anlässen zur Formulierung des zitierten Satzes gegeben haben mag, ragen zunächst die Berichte über Jesu letztes Mahl hervor, wie sie sich in den Evangelien des Lukas, Matthäus und Markus finden. Sie bezeugen einhellig, daß die letzte Mahlzeit Jesu, bei der die sogenannten Deute- und Einsetzungsworte gesprochen wurden, ein sorgfältig vorbereitetes und ordnungsgemäß durchgeführtes Passamahl war. Der detaillierte Nachweis, den Joachim Jeremias seit 1935 (in den verschiedenen Auflagen seines Buches »Die Abendmahlsworte Jesu«) zugunsten der synoptischen Darstellung des Mahls, dazu der Datierung des Todestages Jesu, zu geben versucht hat, ist zwar auf lebhaften Widerspruch gestoßen; nur ein Teil der historisch-kritischen Forscher ist überzeugt, daß die synoptische Berichterstattung historisch zuverlässig ist. Doch ist der Streit um das Wesen jenes Mahls, seinen Platz im jüdischen Festkalender und den exakten Todestag Jesu wahrscheinlich nicht mit dem Sieg der einen oder anderen Schule beizulegen. Hatten doch die jüdischen Fest- und Feiertage, entsprechend ihrer Berechnung nach dem Sonnen- oder Mond-Kalender durch verschiedene Gruppen, verschiedene Daten. Die sadduzäische und die pharisäische Festlegung der Feiertage stimmte nicht immer überein. Die Synoptiker setzen offensichtlich einen anderen Kalender als das Vierte Evangelium voraus, und bis heute feiern Juden außerhalb Israels das Passa an zwei aufeinanderfolgenden Tagen. Ist nach dem Johannesevangelium das letzte Mahl Jesu nicht ein Passamahl gewesen, so betont doch auch dieses Evangelium die Verbindung zwischen Passa und Tod Jesu: Jesus stirbt zur Stunde, da im Tempel die (etwa 10 000) Passalämmer geschlachtet werden.

Angesichts dieser Tatsachen ist es willkürlich, wenn z.B. Günther Bornkamm, Eduard Schweizer und Ferdinand Hahn die synoptische Identifizierung des letzten Mahls Jesu mit einem Passamahl für theologisch belanglos erklären. In der Bibel Alten und Neuen Testaments hat das Passa große Bedeutung. Daß diese Bedeutung *nicht* theologisch ist oder sein kann, ist bisher nicht nachgewiesen worden. In Ex 12,11 und 27 wird dieses Fest als »Passa des Herrn« bezeichnet und dadurch von anderen Nomaden- und Bauernfesten, zu denen ein Tanz gehört haben mag, abgegrenzt. In Joh 2,13; 6,4; 11,15 wird vom »Passa der Juden« gesprochen, wohl zur Unterscheidung von dem einzigartigen und endgültigen Passalamm und

-opfer, das (mehr als einmal im Jahr!) von Christen gefeiert wird (vgl. Joh
1,29.36; 19,36; Apk 5,6.12 usw.; 1Kor 5,7; Justin d.M., dial. 133,3). Die judenchristliche Gruppe der Quartodezimaner, die darauf insistierte, ihr
Passa der rabbinisch-pharisäischen Anweisung folgend in der Nacht vom
14. auf den 15. Nissan zu feiern, wurde im Jahre 325 in Nizäa exkommuni-
ziert.

2.   Das Passa des Herrn im Alten Testament und im pharisäischen Judentum

Angesichts der mannigfaltigen, wenn nicht vieldeutigen und wider-
sprüchlichen alttestamentlichen Aussagen über das Passafest fällt es
schwer, einfach von »dem« israelitischen Passa zu sprechen. In Ex 12–13;
23,15; 34,18–20; Dtn 16,1–8.16; Lev 23,5f; Ez 45,18–25; Num 28,16; Jos
5,10; 2Kön 23,21–23; 2Chron 8,13; 30,1–27; 35,17; Esra 6,22 finden sich
z.T. widersprüchliche Angaben über das Fest. Wie sich die Feier in hellenistischer Zeit entwickelt hat und unter frühem rabbinischen Einfluß wohl
auch zur Zeit Jesu gestaltet war, kann aus dem Mischna-Traktat *Pesachim*
ersehen werden.

Ob schon das »Opfer für den Herrn, den Gott der Hebräer« bzw. der »Dienst« (am Herrn),
die in Ex 3,18; 4,23; 5,1.3.17; 7,16 usw. als Grund für den Freilassungsbefehl an Pharao erwähnt werden und »in der Wüste« als »Fest des Herrn« (Ex 12,14; 13,6) gefeiert werden sollten, Vorläufer der späteren Haus- und Tempelfeiern waren, ist unsicher. Sicher aber ist, daß
ursprünglich getrennte Frühjahrsriten mit Lämmern und Mazzen zu einem gemeinsamen
Fest von Seßhaften und Hirten verbunden wurden. Das dankbare Gedenken an das scho-
nende »Vorübergehen« des Herrn (oder seines Engels) trat an die Stelle eines wahrscheinlich
mit hinkenden Bewegungen aufgeführten Tanzes. Wie bei anderen Anlässen wurden feierliche Begehungen zu Ehren des jahreszeitlichen Zyklus der Natur radikal verändert: Gedacht wurde eines einmaligen geschichtlichen Ereignisses, einer besonderen und exempla-
rischen Tat des Herrn.

Für das Passa oder/und das Fest der Ungesäuerten Brote war der Exodus
maßgebend, der von den Propheten als Macht- und Liebes-Erweis des
Schöpfers von Himmel und Erde und als Prototyp für die Rückführung Israels aus dem Exil verstanden wurde. Nach 2Kön 23,21–23 wurde das Passafest zwischen den Tagen der Richter und des Königs Josia, nach 2Chron
30,26 zwischen Salomo und Hiskia überhaupt nicht bzw. nicht ordnungsgemäß und mit rechter Freude gefeiert. Während des Babylonischen Exils
scheint die ursprünglich apotropäische (den Pest-Engel abweisende) Funktion des Blutes des Lammes in den Hintergrund getreten zu sein. Das Blut
rückte in unmittelbare Nähe zum sühnenden Blut anderer Opfer. Nach
späterer rabbinischer Lehre hat nicht nur das Passa, sondern auch das Beschneidungsblut sühnende Wirkung. In der hellenistischen Periode wurden Kissen, Wein und die peinlich genaue Hausdurchsuchung nach Resten
von Gesäuertem eingeführt – Elemente, die in krassem Widerspruch zum

Gürtel um die Lenden, zum Wanderstab in der Hand und zur fliegenden Eile von Ex 12,11 stehen.

Gehörte nach dem Kontext von Ex 12–13 der Ausblick und die Hoffnung auf die bevorstehende Befreiung des Volkes zur Stiftung und daher zum Wesen der Passafeier des Herrn, so gibt es auch in und nach der hellenistischen Zeit nicht nur Elemente schon erfüllter Hoffnung (»realisierter Eschatologie«). Wie alt die Erwartung ist, der Messias werde in der Passanacht kommen, ist zwar unsicher; doch gehört besonders bei Juden, die in der Zerstreuung leben, die Hoffnung auf die Rückkehr ins Land Israel zum Inhalt der Gebete. Bei heutigen Passafeiern außerhalb und innerhalb des Landes wird bisweilen ein leerbleibender Ehrenstuhl und ein besonders großer Becher für Elia, den Vorläufer des Kommenden, aufgestellt und die Türe offen gelassen, damit er des Willkommens gewiß sei.

Kann oder muß die Feier des Passa als ein Nachvollzug oder eine Vergegenwärtigung (Re-präsentation) der Ereignisse der Auszugsnacht bezeichnet werden? In den Religionen sowie im Alltagsleben gibt es vielerlei gleichnishafte, symbolische und theatralische Handlungen, durch die etwas überzeitlich Gültiges den Menschen vor Augen gestellt und als wirksam, gültig und maßgebend behauptet wird. In Israel gab und gibt es das Erbauen von Laubhütten und das temporäre Leben in ihnen. Bei den Passafeiern wurden einst zur Symbolisierung der Wanderschaft die Hüften umgürtet, ein Stab ergriffen usw. Von der ursprünglich vollzogenen Schlachtung eines Lammes vor dem Mahl ist in späterer Zeit nur noch – aber immerhin – ein Lammknochen auf dem Tisch übriggeblieben; Kräuter und Sauce, Mazzen und das gemeinsame Mahl veranschaulichen, was verlesen, erzählt, gelehrt, gesungen und im Gebet erwähnt wird. Man kann aber schwerlich behaupten, daß erst die Symbole und der rechte Umgang mit ihnen in Kraft und Gültigkeit setzen, was in ferner Zeit *(illo tempore)* einmal geschehen ist. Die Israeliten werden nicht erst und allein in der Passafeier aus Ägypten geführt; sondern zur Feier dessen, daß sie wirklich und gültig befreit worden sind, versammeln sie sich zum Mahl. Das geschichtliche Ereignis, dessen sie sich freuen, ist kein Mythos.

Unbestreitbar verlangt ein Mythos, der als Erzählung von Götter- oder Halbgöttertaten und -schicksalen kein zeitliches und nur gelegentlich ein örtliches Datum enthält, nach einem Ritus, wenn er nicht sogar aus einer kultischen Begehung entstanden ist. Das Zeitlose so gut wie das Zyklische in der Natur kann und muß re-präsentiert und aktualisiert werden, um bindende Bedeutung für Sterbliche zu erlangen. Der *hieros logos*, d.h. die Erzählung eines Mythos, die Rezitation einer Kultätiologie (ähnlich dem Verlesen der Einsetzungsworte innerhalb kirchlicher Tauf- und Abendmahlsfeiern) bzw. das Aussprechen einer wirkungskräftigen Formel über Substanzen oder Menschen gehört zu feierlichen Riten. Das gesprochene, geflüsterte oder herausgeschriene Wort ist ein Diener des im Kultakt geschehenden Heilsereignisses. Im Kult selbst, und nur dort, wird eine Institution wie das Königtum oder die Ehe legitimiert, ein *status quo* garantiert, Ungewißheit überwunden, Rettung vom Verderben zugesichert und vermittelt. Eine gute Illustration dafür ist das babylonische Akitu-Fest; Mysterienkulte zeigen ähnliche Züge. Besonders Mircea Eliade hat die Zusammenhänge zwischen zeitlosem Mythos und kultisch vermittelndem und zugesichertem Heil herausgearbeitet.

Anders ist das Verhältnis zwischen Gott und dem Menschen, dem gesprochenen Wort und dem kultischen Akt, der Erkenntnis und dem Empfang des Heils, wenn der gottesdienstliche Akt von einem einmaligen geschichtlichen Geschehen – zum Beispiel vom Exodus Israels aus Ägypten und später vom Tod Jesu am Kreuz – abhängig ist und bezweckt, auf die Größe und Wirkung jenes Ereignisses hinzuweisen. Der Sinn des heiligen Brauchs ist dann die Feier und Verkündigung der Raum- und Zeitgrenzen überwindenden Kraft und Gültigkeit jenes einmaligen, *einen* Geschehens. Der biblische Begriff für solches Feiern und Verkünden ist »Gedächtnis«. Im Rahmen des Gedenkens in der Form einer Feier wäre eine symbolische, dramatische, aneignende Wiederholung des Heilsereignisses, kurz: ein Mysterienspiel eher eine Beleidigung als eine Verherrlichung des Einmaligen. Was Gott einmal getan hat, ist aus eigener Kraft ohne kultische Beihilfe universal gültig. Für die Juden ist das Exodusereignis kein Mythos, sondern Geschichte – so gut wie die Erwählung der Väter, die Landnahme, die Errichtung des Königtums, der Tempelbau und anderes.

Zur Zeit Jesu waren in der Tat jene Elemente der Passafeier, die als Nachvollzugs- oder Vergegenwärtigungsakte im Sinne des Mythos/Kultus-Syndroms gedeutet werden könnten, fast vollständig entfernt. Die Schlachtung des Passalammes fand *vor* dem Beginn des eigentlichen Feiertags statt; Mazzen wurden zwar noch gegessen, doch wurde die in Ex 12,19 vorgeschriebene Reinheit der Häuser von Gesäuertem zu einem eigenen Festakt: einer Hausdurchsuchung und -reinigung vor Beginn des Festes. Angezogener Gürtel, Sandalen, Stab als Zeichen des gehetzten Aufbruchs und Auszugs waren verschwunden. Von außen gesehen gaben Kissen und Wein dem Fest den Charakter eines griechischen oder römischen Symposiums. Das Jubiläenbuch (49,6) berichtet, daß schon in der Nacht des Auszugs Wein getrunken worden sei. Die Mischna, die die Zustände zur Zeit Jesu oder kurz danach widerspiegelt, deutet an, daß einzelne Teilnehmer sich betranken.

Offensichtlich konnten und wollten auch die Juden ihre Freiheit feiern – eine Freiheit, die nicht auf der Gottgleichheit oder Autarkie des glücklichen Menschen, sondern auf der einmaligen Befreiung durch den Herrn aus Ägypten beruhte. Schriftlesungen oder -zitate, Auslegungen, Gebete, Gesänge, gestellte Fragen und gegebene Antworten sorgten dafür, daß Dankbarkeit und Freude am Befreier und an der Befreiung das Zentrum des »Gedenkens« auch in der späten Gestalt der Feier blieben. »Jeder feiere als einer, der selbst aus Ägypten gezogen ist«, sagt die Mischna (Pes X 5). Hier ging es (und geht es noch bei heutigen Passafeiern) nicht um ein »als ob«, sondern um einen Auszug, an dem alle Israeliten, obwohl sie noch »in den Lenden« der Väter und daher gar nicht geboren waren, Anteil hatten. Dieser Auszug kann und soll wohl gefeiert, nicht aber wiederholt werden. »*Wir* schrien zu dem Herrn ..., und der Herr führte *uns* heraus aus Ägypten mit starker Hand und ausgestrecktem Arm ... und brachte *uns* an diesen Ort« (Dtn 26,7–9), so heißt es in der Liturgie für ein anderes Fest. In keinem Fall geht es um eine dramatische oder symbolische Abbildung oder um eine Zueignung und Aktualisation *ad personam*, sondern um Dankbarkeit für das dort und damals, ein für alle Mal und für alle Anwesenden Geschehene und Gültige. Bei Seder-(Passa-)Feiern in Amerika habe ich erlebt, daß die Befreiung Israels in der Liturgie und in Tischgesprächen als Prototyp und Garantie der künftigen Befreiung der ganzen Menschheit und jedes einzelnen bezeichnet wurde.

3. Das Passamahl Jesu Christi nach den Synoptikern

Nach den Synoptikern befahl Jesus seinen Jüngern, das Mahl in der zeitgenössischen Art vorzubereiten. Besonders angesichts seiner bevorstehenden Auslieferung durch die Jünger und die jüdischen Behörden in die Hand der Heiden scheint es erstaunlich, daß er nicht zu einer schriftgemäßen, bußfertigen und asketischen Reform der Mahlfeier aufrief. Anlaß, es sich auf Kissen bequem zu machen, Wein zu trinken und laut jubelnd ein Freudenfest zu feiern, gab es ja damals für Jesus und seine Jünger nicht. Die Situation war völlig anders als zur Zeit des frommen Königs Hiskia, der nach 2Chron 30,1–27 der Verwilderung der Passafeier ein Ende setzte. Jesus bejahte und feierte wie irgendein zeitgenössischer frommer Hausvater und Tischherr die zu seiner Zeit übliche Feier. Dabei sprach er nach Lk 22,15–18.28–30 auch von festlichem zukünftigen Essen und Trinken.

Als – den synoptischen Texten zufolge – Stunden vor seinem Tod unter seiner Leitung das Passa gefeiert wurde, geschah viel mehr, als eine bloß liturgische Reform hätte erreichen können. Jesus befahl, das Fest bis zu seiner Wiederkunft zu *seinem* Gedächtnis zu feiern: der Anamnesis-(Wiederholungs-)Befehl ist (bei Lukas und Paulus) in einer Form erhalten, die das Possessivpronomen »mein« stark betont.

Der Befehl, feierliche Gedächtnisfeiern zu veranstalten, wird innerhalb des Rahmens von Jesu Passamahl mit den Jüngern denselben Sinn wie in der Passa-Einsetzung und -Liturgie (Ex 12,14.17.24; 13,3; vgl. Dtn 16,3) haben. Nicht nur ein intellektueller oder emotionaler Vorgang, sondern ein »Tun«, d.h. ein Sich-Versammeln, ein Beten und Verkünden, ein Essen und Trinken, kurz: ein fröhliches Feiern ist damit gemeint.

Joachim Jeremias hat die Ansicht vertreten, Jesus habe die Jünger zur »Interzession« zu seinen Gunsten (also um eine Art von Gebet für einen Toten?) aufgerufen, damit »Gott seiner gedenke«. Es gibt in der Tat eine beträchtliche Anzahl biblischer Stellen, denen zufolge Gott darum gebeten wird, einzelner oder des Volkes in ihrer bedrückten Lage zu gedenken (Ri 16,28; 1Sam 1,11; Ps 106,4; Jona 1,6; Num 10,9 usw.). Viel häufiger aber

sind Aufforderungen an einzelne oder eine Gemeinschaft, Gottes, seiner
Gnade oder z.B. des Sabbats zu gedenken. Die Theorie Jeremias' ist gerade
dann nicht glaubwürdig, wenn er recht hat mit seiner Betonung des Passa-
Charakters des letzten Mahls Jesu. Durch den Aufruf, dieses Mahl zu *seinem*, nicht zum Exodus-Gedächtnis zu feiern, unterscheidet Jesus die
künftigen Feiern seiner Jünger von allen alttestamentlichen und späteren
jüdischen Gestalten dieses Festes.

Auch *andere Unterschiede* sind wichtig – nach Matthäus und Markus sprechen sie so deutlich für sich selbst, daß die Eigenart der Passafeier der Christen auch ohne Zitierung der Worte »das tut zu meinem Gedächtnis«
deutlich wird. Z.B. spricht kein einziger neutestamentlicher Bericht über
Jesu letztes Mahl ausdrücklich vom Essen des Lammfleisches; doch wurden bei Lukas und Paulus Kelchhandlung und -worte »nach dem Speisen«
(bei Lukas sicher: nach dem Verspeisen des traditionellen Passafleisches)
datiert. Explizite Hinweise auf einen – ungewöhnlichen – gemeinsamen
Becher finden sich in Mt 26,27 / Mk 14,23. Der die ganze Mahlfeier und
die mannigfaltige Nacherzählung der Exodusgeschichte abschließende
Lobgesang, in dem in zwei Teilen die Worte von Ps 113–118 gesungen
wurden (das *Hallel*), wird nur in Mk 14,26 erwähnt. Am klarsten offenbaren aber die sogenannten Deuteworte (»das ist mein Leib . . .; das ist mein
Bundesblut . . .« bzw. »dieser Kelch ist der neue Bund in meinem Blut . . .«)
und der sogenannte eschatologische Ausblick (»wahrlich ich sage euch, ich
werde hinfort nicht mehr . . ., bis . . .«) die jetzt vollzogene Veränderung:
Segenssprüche über Brot und Kelch gehören in jüdischen Häusern, oder
wo immer vorgeschriebene Feste gefeiert werden, nicht allein zum Passamahl, sondern auch zu anderen Anlässen. Beim Passa wurden auch andere, seien es liturgisch fixierte oder – der freudigen und lockeren Art des
Feierns entsprechend – spontane, Worte gesprochen. Unter Hinweis auf
die besonderen beim Passafest konsumierten Speisen und Zutaten wurde,
in der Form von Gebet, Gesang, Erzählung der heiligen Geschichte (genannt *Haggada*) und Fragebeantwortung, Grund und Sinn des Festes erklärt. Im Rahmen der jüdischen Passafeier konnte das, was z.B. zum ungesäuerten Brot und zum Weinkelch gesagt wurde – Did 9,2–4 spielt
wahrscheinlich auf jüdische Formulierungen an –, unmöglich als wunderwirkende Kraftworte, als magische Formeln oder als exakte naturwissen-
schaftliche Beschreibungen von Substanzen oder Substanzveränderungen
gemeint sein und verstanden werden. Weder Essenz noch Akzidenz von
Lammblut und -fleisch oder von ungesäuertem Brot und richtigem Wein
standen zur Diskussion und riefen nach Erklärung. Der Gedanke an eine
Trans- oder Konsubstantiation lag ebenso fern wie die Zumutung der Er-
fassung einer geheimen metaphysischen Funktion. Vielmehr sind die sogenannten »Deuteworte« als (abgekürzt wiedergegebene) Tischreden zu
betrachten, die auf eine ganz spezielle Frage antworten.

Nach jüdischem Brauch fragen »eure Kinder« (Ex 12,26), »dein Sohn« (Ex
13,8.14), später vier sehr verschiedenartige Kinder den Hausvater: Warum

feiern wir in dieser Weise, wozu dient dieser Brauch? Sie fragen jedoch nicht: Was essen und trinken wir jetzt? Die gleiche oder eine entsprechende Frage, beginnend mit »Warum?« bzw. »Wozu?«, ist bei den Tischreden Jesu während seines letzten Mahls vorausgesetzt. Auch die eschatologischen Worte fallen nicht aus diesem Rahmen heraus; gäbe es eine Frage, auf die sie antworten, so müßte sie lauten: Was dürfen wir mit Gewißheit erhoffen?

4. Hauptunterschiede

Bei aller Kontinuität der Fragen, die von Jesus bei seiner Passafeier beantwortet werden, ist jedoch der Inhalt der Antworten so sehr vom Hergebrachten verschieden, daß man von einer *Umwandlung oder Neuschöpfung des Passa* sprechen muß. In eigener und neuer Weise wird der Passabrauch noch einmal (nach Ex 12–13 u.a. zum zweiten Mal) und erst recht zum »Passa des Herrn« gemacht. Fragt man, wer eigentlich jener Herr und Gott ist, von dem die Vätergeschichten handeln und der Israel befreit und Hoffnung gibt, so antwortet nicht nur Martin Luther, sondern so kann man auch die Summe der von Jesus bei seinem letzten Mahl gesprochenen Brot-, Kelch- und eschatologischen Belehrungen zusammenfassen: »Er heißt Jesus Christ«.

Weitere *Unterschiede*, die durch Jesus geschaffen wurden, können in fünf Punkten zusammengefaßt werden:

a)   Statt des Lammfleisches und -blutes stehen Leib und Blut Jesu Christi im Zentrum der Aussagen. Sie werden getrennt genannt – nicht wie im Ausdruck »Fleisch und Blut« als ein Hendiadyoin für menschliches Wesen (wie z.B. in Mt 16,17; Gal 1,16; 1Kor 15,50; Hebr 2,12; vgl. 5,7). Wenn Jesus von der Trennung seines Leibes und Blutes und dementsprechend von seinem »vergossenen« Blut spricht, deutet er es – worauf ja auch die Trennung von Fleisch und Blut in Joh 6,51–56 hinweist – auf seinen eigenen Tod. Dieser Tod wird nicht nur als gewaltsam, sondern in Anspielung auf Blut und Leib (Fleisch) des Passalamms als Opfertod bezeichnet. *Sein Opfertod erfüllt und überbietet bisherige Passa-»Opfer«* (Ex 12,27). Die Tatsache, daß bei den Synoptikern und bei Paulus von »*Leib* und Blut« statt (wie in Joh 6 und in Hebr 9f und 12) von »*Fleisch* und Blut« die Rede ist, kann – angesichts der vermutlich ursprünglichen Verwendung des aramäischen Wortes *guf* und der Verwendung von »Leib« und »Fleisch« als Synonyme (z.B. in Eph 5,28–31) – nicht zur Widerlegung dieser Auslegung des Brot- und Kelchwortes genügen.

Diese Interpretation hat im ganzen Neuen Testament sachliche Parallelen, bei Paulus so gut wie im Vierten Evangelium, im 1. Petrusbrief wie in der Offenbarung. Zitiert sei nur 1Kor 5,7 und Joh 1,29: »Als unser Passalamm ist Christus geopfert worden«; »siehe, das Lamm Gottes, welches der Welt Sünde trägt.«

Während andere Opfer wiederholt werden müssen, *ist Christi Opfer ein-malig und für immer genügend.* Schon beim jüdischen Passamahl und ande-ren Opfermahlzeiten wurde das auf oder vor einem Altar vollzogene Op-fer vorausgesetzt, nicht aber symbolisch an oder auf dem gedeckten Tisch wiederholt, vergegenwärtigt oder in Kraft und Gültigkeit gesetzt. In den Häusern und Synagogen stand ein Tisch. So spricht auch Paulus in 1Kor 10,21 vom Tisch, nicht von einem Altar des Herrn. Da der Beweis noch nicht geliefert ist, daß der in Hebr 13,10 erwähnte Altar etwas anderes ist als eine Entsprechung zum himmlischen Urbild des Zeltes (Hebr 10,5) und zu dem in der Offenbarung (8,3.5; 9,13 usw.) erwähnten goldenen Altar im Himmel, sollte dieser Altar nicht mit dem Träger von Brot und Wein im Mahl des Herrn identifiziert werden. Weder Brot noch Wein, weder Fleisch noch Blut werden während dieses Mahls auf einem Altar geop-fert.

Am Tisch des Herrn auf der Erde wird des Herrn »gedacht«, wird vom Op-fer Jesu Christi gesprochen, wird sein Tod »verkündet« (1Kor 11,26), wird die »Gemeinschaft« mit ihm gefeiert (1Kor 10,16f); doch wird hier weder symbolisch noch auf irgendeine andere Weise der Vorgang eines Sterbens abgebildet oder ein Blutritus vollzogen. Nur in einer sehr schlecht bezeug-ten Lesart von 1Kor 11,24 entspricht dem »Brechen« des Brotes ein seltsa-mer Hinweis auf ein »Zerbrechen« des Leibes des Herrn Jesus. Joh 19,32–36 bestreitet ausdrücklich, daß Jesu Knochen zur Beschleunigung seines Todes »gebrochen« wurden. Von einem Wein-Einschenken oder -Ausschenken und vom Gebrauch von Rotwein, wie es eventuell dem »Vergießen des Blutes« als bildlichem Nachvollzug entsprochen haben könnte, ist in keinem der vier neutestamentlichen Berichte von Jesu letz-tem Mahl die Rede. Die von Paulus zitierte Tradition spricht nur von Blut, nicht vom »vergossenen« Blut Jesu; spielte das Gießen oder Vergießen eine besondere Rolle am Tisch des Herrn, so wäre es schwerlich unerwähnt ge-blieben. Für Juden wäre ein entsprechender symbolischer Rotweinritus ein reiner Greuel gewesen, der schwerlich, unter Berufung auf das Ärgernis des Kreuzes, als heilsnotwendig hätte erklärt werden können. Von dem in Joh 6 erwähnten »Trinken des Blutes« wird später zu handeln sein.

b)   Bei Matthäus und Markus wird Jesu Blut als »*Bundesblut*« bezeichnet; nach der lukanischen und paulinischen Formulierung wird der neue Bund »in« diesem Blut geschlossen.

Was in religionsgeschichtlichen, tiefenpsychologischen und ethnologischen Studien über die Verbindung von Blut und Bund – besonders über die Zusage, Rettung oder Erhaltung von Leben um den Preis eines Lebens – und über entsprechendes rituelles »Schneiden« ei-nes Bundes erarbeitet worden ist, kann an dieser Stelle nicht ausführlich dargestellt werden. Blutige Bundschließungsrituale sind z.B. in Gen 15,7–21; 1Sam 10,7 und Jer 34,18–20 be-schrieben. Auch eine Diskussion der mit eindrücklicher Begründung von Ernst Kutsch (Neues Testament – Neuer Bund?, Neukirchen-Vluyn 1978; zu den Abendmahlstexten s. bes. S. 107–135) vorgetragenen These, *berit/diatheke* sei eine »einseitige Setzung«, ein Zuspruch, durch den sich ein Mächtiger verpflichtet und einen anderen in Pflicht nimmt, kann hier nicht erfolgen.

Unentbehrlich zum Verständnis des Kelchwortes Jesu in jeder seiner Fassungen ist der Hinweis auf drei alttestamentliche Texte, auf die im Kelchwort angespielt wird, weil schon sie Blut und Bund in einem Atem nennen: Gen 17,9–14 handelt von der Beschneidung, Ex 24,5–8 von einem Opfer auf dem Berg Sinai, bei dem Blut in einzigartiger Weise verwendet wird, und Sach 9,11 (wahrscheinlich, oder: auch) vom täglichen Opfer im Tempel. In jedem Fall sind alle diese Blutriten Grundlegung, Mittel oder Zeichen für das Bundesverhältnis zwischen Gott und seinem erwählten Volk.

In seinem Kelchwort *bestätigt Jesus die Untrennbarkeit von Blut und Bund.* Doch verkündet er eine *Erfüllung,* einen Abschluß, eine Überbietung und Vollendung der alttestamentlichen Bundesschlüsse. Ihre Krönung erfolgt in seinem eigenen Blut, sie wird im Vergießen und durch das Vergießen seines Blutes vollzogen. Floß schon bei der Beschneidung Menschen- und nicht Tierblut, so ist es jetzt nicht mehr das Blut immer neuer Individuen, sondern nur sein eigenes, das vergossen wird: Es wird »für« andere vergossen, nach dem lukanischen Langtext »für *euch*« (wie ja auch Lukas und Paulus vom »Leib für *euch*« sprechen), nach Matthäus und Markus »für *viele*« (vom lukanischen »Langtext« wird unten zu handeln sein).

In Kol 2,11 wird dementsprechend Christi Tod als eine »nicht-von-Händen-gemachte« Beschneidung bezeichnet, mit der auch die heiden-christlichen Kolosser beschnitten sind. In Gal 5,11; 6,12–16; vgl. 2,21 wird, wer künftig Rechtfertigung und Ruhm in fleischlicher Beschneidung sucht, als Verächter der in Christi Kreuzigung geschenkten Gnade gekennzeichnet. Laut Eph 2,11–16 ist durch Christi Kreuz, d.h. seinen Leib und sein Blut, die früher gesetzmäßige Mauer zwischen fleischlich Beschnittenen und Unbeschnittenen abgebrochen. Die Schranken des Sinaibundes und einer auf Ausschließung der Heiden bedachten Gesetzesauslegung sind gefallen, wenn einzig das Bundesblut Jesu Christi maßgebend ist.

Hatte nicht nur das »Gesetz« (die sogenannten Fünf Bücher Moses), sondern hatten auch die Propheten tägliche, monatliche und jährliche Opfer geboten und auf sie hingewiesen, so ist beim letzten Mahl Jesu von einem einmaligen, für ewig gültigen Bundesopfer und -blut die Rede. Ungleich den Einsetzungstexten finden sich zwar im Hebräerbrief keine Anspielungen auf Passa- und Beschneidungsblut. Doch ist die Einmaligkeit, Vollkommenheit und ewige Wirksamkeit des Priestertums und des Opfers Jesu Christi in den Kapiteln 5–10 dieses Briefes das eigentliche Hauptthema. Der Tod des Herrn »antiquiert« (Hebr 8,13) die früheren kultischen Ordnungen, indem er den »neuen«, d.h. »ewigen Bund« (Hebr 13,20) begründet und offenbart.

Wenn aber Lukas und Paulus in ihrer Wiedergabe des Kelchwortes und

wenn der Hebräerbrief, wie es ja auch Paulus in 2Kor 3 ohne Hinweis auf
das Mahl des Herrn tut, von einem »*neuen Bund*« sprechen, ist die Frage
unvermeidbar, ob sie damit einen anderen als den mit Israel geschlossenen
Bund meinen. *Für* die Kündigung und Auflösung des Bundes zwischen
Gott und Israel und deshalb gegen die These von der Teilnahme der Kirche
an Israels Gottesdienst scheinen vor allem zwei Paulusstellen zu sprechen,
die zwei verschiedene Bünde scharf voneinander abheben. In Gal 4,21–31
wird der Verheißungsbund mit der freien Sara vom Gesetzes- und Knecht-
schaftsbund mit der Sklavin Hagar unterschieden. In 2Kor 3 spricht der
Apostel vom Gegensatz zwischen seinem eigenen Dienst am neuen und
dem Mosedienst am alten Bund. Stichworte für die Verschiedenheit sind
jetzt Buchstabe und Geist, Tod und Leben, Verurteilung und Rechtfertigung, Vergehen und Bleiben, Verhüllung und Offenbarung. So wird der
Eindruck erweckt, der »neue Bund«, von dem besonders der Prophet Jeremia (31,31–34 usw.) gesprochen hatte und auf den sich die im lukanischen
Langtext und die von Paulus zitierte Tradition von Jesu letztem Mahl bezieht, bedeute einzig und allein Diskontinuität mit dem alten (Beschnei-
dungs-, Sinai- oder Opfer-)Bund. Israel wird dann bis ans Ende »dem Zorn
(Gottes)« überlassen (vgl. 1Thess 2,15–16).
Gegen die Annahme, den Einsetzungs- und anderen neutestamentlichen
Texten zufolge müsse man vom Vollzug eines Bruchs mit Israel ausgehen,
spricht jedoch ein genaueres Eingehen auf den Jeremiatext sowie auf die
genannten und einige zusätzliche Paulusstellen. Jeremias Verheißung
steht im Kontext anderer Prophetensprüche – z.B. Hos 2,19–23; Jer 32,40;
33,19–21; Jes 55,3; 61,8–9; Ez 16,59–63; 37,36. Nicht nur das Nordreich Israel, sondern auch Juda sind von Gott zu seiner Ehefrau erwählt und gemacht worden. In schmählicher Untreue haben dann zuerst Israel, später
auch Juda diesen Ehebund gebrochen. Gottes Treue aber wird – so formuliert es Paulus sachgemäß – durch Israels Untreue nicht aufgehoben (Röm
3,3). Wie Hosea, so sucht auch Gott sich nicht einen anderen Partner, um
eine andere, neue Ehe einzugehen. Vielmehr verheißt er durch seine Propheten, den Bund mit der (den) einst Treulosen zu erneuern: Nicht-mein-
Volk wird wieder aufgenommen, Nicht-Begnadet wird wieder Begnadet
heißen (Hos 2,1.25, zitiert in Röm 9,25–26). Getreu der schon David
verheißenen Gnade verheißt Gott einen »ewigen Bund« (Jes 59,3; vgl.
61,8).
Nur wenn man es Paulus und Lukas, dazu auch dem 8. Kapitel des He-
bräerbriefes zuschreiben will, alttestamentliche Aussagen über die Bun-
deserneuerung und -erfüllung völlig falsch zu deuten und auszuwerten,
kann man ihre Rede vom »neuen Bund« als feierliche Proklamation eines
»anderen« Bundes mit einem anderen Partner verstehen.
Doch sind Sara und Hagar in der Tat verschiedene Partner, und in der Pa-
triarchengeschichte so gut wie nach Gal 4,30 wird die Sklavin samt ihrem
Sohn »hinausgeworfen«, um ohne Erbe zu bleiben. Krassere Unterschiede,
als sie in 2Kor 3 als Charakteristika des alten und des neuen Bundes ge-

nannt werden, sind schwerlich denkbar. Immerhin ist es unwahrscheinlich, daß Paulus beim Niederschreiben von Gal 4,21–31 vergessen hat, daß
es nach Gen 17,20; 21,13.18 auch für Ismael eine göttliche Verheißung gab.
Weil der Apostel von zwei Frauen Abrahams, nicht Gottes spricht, setzt er
sich auch nicht in Widerspruch zur prophetischen Weissagung von der Erneuerung des Bundes mit Israel und mit Juda. Weil er schließlich die Unterscheidung der zwei Bünde ausgerechnet unter Berufung auf »das Gesetz« (= die Fünf Bücher Mose) durchführt (Gal 4,21), macht er deutlich,
daß gerade in diesem »Gesetz« der Vorrang der Verheißung über sklavi-
sche Gesetzlichkeit schon verkündet ist und daß innerhalb der Geschichte
Israels (nicht unter Überwindung und Ausschaltung dieser Geschichte!)
der Sieg der Gnade triumphal bezeugt ist. Dem entspricht in anderer Weise 2Kor 3. Auch der alte Bund ist Gottes Bund. Er wird nicht abgeschafft,
sondern der Schleier, der über seiner Lesung liegt, wird zerrissen, sobald
(wie auf der Straße nach Emmaus) der Herr sich als augenöffnender und
herzenserwärmender, Neues schaffender Geist erweist (2Kor 3,14–18).
Der Unterschied zwischen altem und neuem Bund wird daher nicht dem
Gegensatz zwischen Hölle und Himmel gleichgesetzt, sondern entspricht
dem Verhältnis zwischen Herrlichkeit und überfließender Herrlichkeit
(2Kor 3,7–11).
Spricht jedoch Hebr 8,13 nicht doch explizit von Antiquierung, Senilität
und Fast-Verschwunden-Sein des alten Bundes? Der Kontext (Hebr 5–10)
handelt nur von den Institutionen des Priestertums und der Opfer: Sie haben in der Tat ihre Zeit gehabt. (Nach Röm 3,26 wird erst durch Jesu Christi Blut die zu früherer Zeit verkündete Sündenvergebung in Kraft gesetzt.) An der Festigkeit und Gültigkeit des dem Volk Israel gegebenen
Wortes (Hebr 2,3) und der schon in der Wüste erfolgten Evangeliumsverkündigung (Hebr 4,2.6) wird nicht gerüttelt. Paulus selbst hat in Röm 9–11
(und Eph 1–3) klargestellt, was in 1Thess 2; 2Kor 3 und Gal Anlaß zu Mißverständnissen gegeben hat. »Es ist unmöglich, daß Gottes Wort dahin-
fällt«; »Gott hat sein Volk nicht verstoßen«; »es ist unmöglich, daß Gott es
sich seiner Gnadengaben und Berufung gereuen läßt« (Röm 9,6; 11,2.29).
Die Erneuerung des Bundes bedeutet die Erfüllung, nicht die Kündigung
und Abschaffung von allem, was bisher Bund (mit Noah, Abraham, dem
Volk, David, Levi usw.) hieß.

c)   Trotz allem Gesagten *hat der Bund* durch seine Erneuerung »im Blut«
Jesu Christi auch *eine Veränderung erfahren*. Nach der matthäischen und
markinischen Überlieferung des Kelchwortes Jesu soll bei den zukünftigen
Passafeiern nicht mehr nur der Befreiung Israels aus Ägypten gedacht
werden. Fließt Jesu Blut sicher nicht um seiner selbst, z.B. einer eigenen
Verfehlung willen, so auch nicht nur (wie irgendein tierisches Opferblut)
zugunsten Israels. Sein Blut ist »für viele« vergossen – für dieselben »vielen«, die auch im Spruch vom Lösegeld (Mt 20,28 / Mk 10,45) genannt
werden.

Höchstwahrscheinlich spielen das Kelchwort und das Lösegeldlogion auf Jes 53,11–12 an: Dort mögen zwar auch notorische Sünder und verlorene Schafe in Israel mit den »vielen« gemeint sein, vor allem aber geht es um die heidnischen Völker. Nach Gen 9,27 war Japhet von jeher dazu bestimmt, in den Zelten Sems zu wohnen. Schon zu Anfang seiner Berufung war Abraham erwählt, zum Segen aller Generationen und Völker zu werden (Gen 12,1–3; 18,18 usw.). In Ex 19,5–6 heißt Israel Gottes priesterliches Volk unter den Nationen, in Jes 42,6 und 49,6.8 Licht und Bundesmittler unter den Heiden. Jona wurde nicht nur Gerichtsprediger, sondern auch Zeuge der Gnade für die Einwohner und das Vieh von Ninive.

So verkündet Jesus bei seinem letzten Mahl im Rahmen einer Passafeier die Erfüllung der Sendung Israels in seiner Person. Dieses Volk, dessen Berufung und Geschichte in Jesus selbst zusammengefaßt und gekrönt ist, lebt und leidet nicht um seiner selbst willen, sondern im Auftrag Gottes *zugunsten aller Völker, gerade auch der Heiden.* Hat er doch bei seinem letzten Mahl nach den vorhandenen Berichten mehr verkündet als nur die Tatsache seines bevorstehenden gewaltsamen Todes, als den Opfercharakter seines Sterbens und die kritische und krönende Funktion seines Opfertodes für die Opfer und Blutriten Israels. Er hat die *Ausdehnung des Gottesbundes über die Heiden* proklamiert.

Zwar ist es schwerlich richtig zu behaupten, die Erwähnung des (neuen) Bundes in Jesu Tischrede bewirke und beweise, daß schon bei Jesu letztem Mahl die Kirche aus Juden und Heiden begründet worden sei. Das Bundesopfer bzw. das Fließen des Bundesblutes geschieht ja nicht während des Mahls, sondern erst am Kreuz: Nur dort und dann wird der Bund geschlossen oder erneuert. Doch zeigt gerade das Passamahl Jesu, das nach Lukas den Verräter Judas und nach allen Synoptikern auch den Verleugner Petrus und die anderen, sich später so schändlich verhaltenden Jünger einschloß, daß an diesem Tisch nur ein einziger Gerechter mit lauter Sündern Tischgemeinschaft hält.

Innerhalb von »ganz Israel« gab es immer Platzhalter für die Heiden: Nach den Königsbüchern sind es die Bewohner des Nordreiches; nach Lukas und dem Vierten Evangelium sind es die Samaritaner; nach Röm 9,6–18.24–26 entspricht der nicht geliebte Esau dem verstockten Pharao und krönt der Spruch Hoseas über das neu geliebte Israel die Feststellung, daß nicht nur Juden, sondern auch Heiden berufen sind; endlich versichert Paulus in Röm 11,15–16, daß gerade der verstockte und zeitweilig »herausgeschnittene« Teil Israels Raum schafft für die Einfügung der Heiden in Gottes Ölbaum und für ihren Zutritt zu Gottes Volk. Matthäus und Markus bezeugen dasselbe in ihren Berichten vom letzten Mahl, und alle Evangelisten weisen in den Geschichten von Jesu Tischgemeinschaft und Speisungswundern auf ein Einziges hin: Der mit Sündern am Tisch gesessen und mit ihnen Brot gegessen hat, hat deshalb als Gast oder Gastgeber Tischgemeinschaft gehalten, um die Größe, Tiefe und Weite der Liebe und Macht Gottes zu offenbaren. Die Gemeinschaft, die Jesus hält, ist gleichzeitig ein Beweis für Jesu eigene und ein Beispiel für die gegenseitige Liebe (vgl. Joh 13,1.14). Sie ist endlich eine Anzeige des Preises, den Jesus für diese Solidarisierung mit Sündern zahlt.

Was die Einsetzungsberichte in erzählender Form versichern, wird besonders in Eph 2,11–22 lehrhaft und hymnisch ausgeführt: Nur aufgrund des Todes Jesu Christi am Kreuz werden Juden und Heiden zu *einer* Gemeinschaft, der Kirche, vereint. Weil der Tod Jesu ein Opfer »zur Vergebung der Sünden« ist, wie innerhalb der Einsetzungsberichte einzig Mt 26,28 ausdrücklich feststellt, ist die Wirkung dieses Todes nicht durch die Tatsache der Sünde beschränkt. Sie hat universale Tragweite. Das intime Mahl des Herrn ist durch eine weit offene Tür gekennzeichnet.

Später wird zwar zu zeigen sein, daß Joh 6 nicht speziell von diesem Mahl, sondern eigentlich nur vom Opfertod Jesu Christi handelt. Doch wird auch in diesem Kapitel eindeutig auf die weltweite Erweiterung des Kreises derer hingewiesen, zu deren Gunsten Jesus sich selbst hingibt – als Geber und als Gabe. Gott der Vater selbst, nicht Mose, gab (nur) den Juden bzw. ihren Vätern Brot vom Himmel zur Speise während der Wanderung durch die Wüste – und doch starben sie (vgl. 1Kor 10,1–13). Jesus Christus aber ist Himmelsbrot und Lebensmittel, das *der Welt* gegeben wurde und dessen Wirkung ewiges Leben ist (Joh 6,31–33.48–51). Im Vierten Evangelium ist es eindeutig, daß mehrmals Juden mit dem Begriff »Welt« gemeint sind. Doch schließt dieser Begriff nicht *nur* die Juden, sondern auch die Völker ein.

Der den Heiden eröffnete Zugang zum Heil, die offenen Tore des himmlischen Jerusalem, sind ein Teil der endzeitlichen Verheißung:

d)   Vor, während oder nach dem eigentlichen Passamahl, auf alle Fälle im Rahmen jener Tischgemeinschaft, sprach Jesus Worte über die Zukunft und Endzeit. Was die Synoptiker (in Mt 26,28; Mk 14,24; Lk 22,15–18.28–30) von ihrem Wortlaut überliefern, hat in 1Kor 11,26 eine sachliche Parallele: Während die Evangelisten von Jesu Trinken (Lukas: und Essen) im kommenden Reiche Gottes handeln, spricht der Paulustext vom »Kommen« des Herrn, ohne Hinweise auf ein Mahl.

Es ist nicht feststellbar, ob bei sadduzäischen Passafeiern endzeitliche (sog. »eschatologische«) Erwartungen zum Ausdruck kamen. In den Kreisen aber, die von den pharisäischen Rabbinen beeinflußt waren, fehlten Ausblicke auf die Zukunft zur Zeit Jesu nicht (obwohl die von Paul Billerbeck [in: Strack-Billerbeck II, S. 256] und Gustav Dalman [in den »Ergänzungen« von 1929 zu seinem 1922 in Leipzig erschienenen Buch »Jesus-Jeschua«, S. 9f] gesammelten Belegtexte aus einer späteren Zeit stammen). »In ihr (dieser Nacht) wurden sie erlöst, in ihr werden sie erlöst werden«; »der Messias und Elia werden sich in ihr groß zeigen.« Vom Kommen Gottes bzw. des Messias, vom Bau des Heiligtums, von der Bestrafung Esaus ist die Rede, besonders in der Kommentierung der Mazzen. Unter den Hallel-Psalmen wird Ps 115,1 auf die Wehen der Messiaszeit, Ps 116 auf die Tage des Messias, Ps 116,9 auf die Auferstehung der Toten, Ps 118,28 auf die zukünftige Welt gedeutet. Andere endzeitliche Hoffnungen bezogen sich auf das Kommen und den Sieg der Gottesherrschaft, auf die Wiedererscheinung und -eröffnung des Gartens Eden, auf das Herabkommen des himmlischen Jerusalem, auf das Gericht über die Völker, auf die Sammlung der Zerstreuten im Heiligen Land und auf ein Mahl in der Gegenwart des Messias oder nach seinen Tagen. Der »kommende Äon« *(olam ha-bah)* faßte alle Heilsgüter zusammen. Einige dieser Hoffnungen kamen nach den Evangelien bei Jesu Einzug in Jerusalem lautstark zum Ausdruck (vgl. Apg 1,6). Sie wurden auch in Passalesungen, -gebeten, -gesängen, dazu wohl auch in spontan formulierten Aufrufen zu Geduld, Zuversicht, Hoffnung und Mut geäußert. Die Feiernden wandten den Blick nicht nur zurück, sondern auch nach vorne. Aufgrund der lebendigen großartigen Vergangenheit blickte man über die Not der Gegenwart hinaus auf die apokalyptisch erweiterten Verheißungen der Propheten.

Die von Jesus gesprochenen eschatologischen Worte qualifizieren jedoch den Blick in die Zukunft. *Statt von vielerlei letzten Dingen und Gütern zu sprechen, redet Jesus fast ausschließlich von sich selbst.* Alles bezieht er auf seine Person: »Ich werde nicht mehr trinken ..., bis ich ...« (Mt 26,29 Par). »Ich verfüge ..., daß ihr eßt und trinkt in meinem Reich an meinem Tisch« (Lk 22,28–30). Statt vom Paradies, vom Land, von Jerusalem, vom Tempel spricht er am Tisch nur von der Gottesherrschaft, statt von Arbeit und Kampf nur vom Kommen. Doch hält er (vgl. Apk 3,20) auch fest an der Erwartung eines Mahls für sich selbst und für die Seinen (und für die hinzugerufenen Heiden, Mt 8,11 Par). Die zukünftige »Tröstung« durch ihn ist nicht nur geistlich und geistig, sondern auch materiell, wie die Versorgung des Lazarus im Schoße Abrahams zeigt (Lk 16,25). Doch nicht nur Jesu Rede vom Reich, vom Kommen und vom Essen und Trinken hat eschatologischen Charakter. Angesichts der in Mt 20,22–23 und Mk 10,38–39 überlieferten Sprüche (»Könnt ihr den Kelch trinken, den ich trinke?« – »Ihr werdet meinen Kelch trinken«) und unter Berücksichtigung des Getsemanegebets »Laß diesen Kelch an mir vorübergehen« (Mt 26,39.42 Par) ist die Überreichung von Jesu eigenem Kelch an die Jünger beim Passamahl nicht nur eine Weissagung seines eigenen Leidens und Opfertods. Sie ist auch Aufforderung zum Mit-Leiden in der kommenden Drangsalszeit. Die Zeit Jesu selbst ist – wie die »kleine Apokalypse« Mt 24 Par und die Getsemanegeschichte zeigen – Zeit eschatologischer Drangsal. Kol 1,24 spricht von einem »Vollmachen dessen, was an den Drangsalen des Christus noch fehlt«. Es gibt Deutungen der Messe, die unter Berufung auf diese Stelle (und auf Röm 12,1) von einer Vervollständigung des Opfers Christi sprechen. Kol 1,24 aber meint wahrscheinlich einen Beitrag zur Erfüllung des Maßes der messianischen Leiden, die seit Jesu Tod das nahe Ende der gegenwärtigen Welt anzeigen.

Anders als der Tod irgendeines Individuums, der ja unbestrittenerweise immer ein »Letztes« ist, ist Jesu Tod ein alle anderen geschichtlichen Erfahrungen überbietendes und endzeitlich zusammenfassendes Ereignis. Nach Mt 27,51f ereignen sich *in* seiner Todesstunde eschatologische Ereignisse an anderen. Nach Gal 6,14 ist in Jesu Kreuzestod die Kreuzigung der Welt eingeschlossen.

Der nur in Mt 26,28 enthaltene Hinweis auf »die Vergebung der Sünden« will wahrscheinlich – so gut wie die lukanische und paulinische Rede vom »neuen Bund« – die eschatologische Verheißung von Jeremia 31 aufnehmen. Weil (nach Ps 51,3–14; Ez 36,25–27; Mk 1,4f.8; Mt 12,31f; vgl. Joh 20,22f) Sündenvergebung und Geistausgießung untrennbar sind und weil die Geistausgießung über das Volk und alles Fleisch eine Gabe und ein Zeichen der Endzeit ist, gehört auch die Rede von der Sündenvergebung zu den eschatologischen Elementen der Mahlberichte.

Im Lukasevangelium sind vier besondere Beobachtungen innerhalb der Zukunftsaussagen beim Passamahl zu machen. (1) Hinweise auf die Endzeit rahmen die mit Brot und Wein verbundenen Handlungen und Worte. (2) Die Verbindung von »Nicht-mehr-Essen« mit »Nicht-mehr-Trinken« gibt den Aussagen den Charakter eines auf unmittelbare Erfüllung zielenden Eides (vgl. Apg 23,12.21). (3) Die Rede von der Enthaltung vom Weintrinken erinnert (wie bei Markus und Matthäus) an das Entsagungsgelöbnis der Nasiräer (Num 6), das seinerseits der Enthaltsamkeit und Selbstsühnung des Hohenpriesters vor dem Vollzug der Jom-Kippur-Opfer für das Volk entspricht (vgl. Joh 17,19: »Ich heilige mich selbst, damit auch sie in Wahrheit geheiligt seien«). (4) Nicht nur Jesus wird wieder essen und trinken, sondern er wird es an seinem Tisch gemeinsam mit seinen Jüngern tun. Mk 14,23 spricht nur vom Trinken Jesu; Mt 26,29 vom Trinken Jesu mit den Jüngern, doch ohne auch auf gemeinsames Essen hinzuweisen.

Lukas betont also die eschatologische Dimension der Feier stärker als die anderen beiden Synoptiker; er bezeugt nicht nur eine feste Zukunftshoffnung, sondern Naherwartung; er enthüllt so gut wie Matthäus und Markus Jesu Heiligung zu einem besonderen Dienst. Besonders viel liegt ihm am Gemeinschaftscharakter des zukünftigen Messiasmahls. Das von Jesus so heiß ersehnte letzte Mahl vor seinem Leiden (Lk 22,15) ist gerade als Passamahl wesentlich verbunden mit endzeitlicher Erwartung.

So ist im Passamahl Jesu Christi die Erfüllung der Verheißung mehr auf die Person des Messias ausgerichtet als beim Passa der Juden. Das Kommen des Messias gipfelt zunächst in seinem Tod, schließt aber ein, daß er wieder (leben und in seinem Reich) mit den Seinen speisen wird.

e)   Wenn Jesus nach dem lukanischen Bericht sagt: »Tut dies zu meinem Gedächtnis«, so ist an das (mit den genannten Veränderungen, doch im Rahmen jüdischer Tradition zu feiernde) Mahl der Gemeinde gedacht. Dasselbe gilt auch für die Überlieferung, die Paulus in 1Kor 11 zitiert. Matthäus und Lukas erwähnen den »Wiederholungsbefehl« nicht; doch ist mit Gewißheit anzunehmen, daß auch ihre Berichte von Jesu Passamahl den

Gemeinden, für die ihre Evangelien bestimmt waren, erklären wollten, warum sie das Passa in einer besonderen Weise feierten oder feiern sollten.

f)   In allen Berichten fehlt ein Hinweis oder Befehl, daß Jünger Jesu dieses Fest nur einmal im Jahr und zu einer bestimmten Tageszeit zu begehen haben. Die ersten so gut wie die späteren Gemeinden haben in der Tat nicht nur jeweils am »Tag des Herrn«, sondern wiederholt in den Häusern auch an anderen Tagen »das Brot gebrochen«.

Die *Durchbrechung des Brauchs einer nur einmal im Jahr stattfindenden Feier* scheint die bisher behauptete Kontinuität zwischen Passa und Mahl des Herrn zugunsten einer Diskontinuität in Frage zu stellen und die These von einer Teilnahme der Kirche am Gottesdienst Israels als unhaltbar zu erweisen. Es sei denn, man wolle behaupten, jene Christen, die nur einmal im Jahr – der Einmaligkeit der Weihnachts-, Karfreitags-, Oster- und Pfingstfeiern entsprechend – »zum Abendmahl gehen«, stünden unbewußt einem biblischen Verständnis dieses Mahls näher als andere! Doch sprechen zwei Beobachtungen gegen voreilige Schlüsse und Verallgemeinerungen: (1) Die wöchentliche, wenn nicht tägliche Feier des Mahls ist nicht nur sinnvoll, sondern selbstverständlich, wenn die Wiederkunft des Herrn in der nahen Zukunft erwartet wird und wenn das Mahl des Herrn nicht nur Danksagung für bis heute wirksame und gültige Wohltaten der Vergangenheit, sondern wenn es auch Gebet um das Kommen des Herrn am Jüngsten Tage ist. Ein solches Gebet kann man sowenig für einen Tag im Jahr reservieren und reduzieren wie die Bitte »Dein Reich komme«. (2) Ein guter Teil der Juden gibt bis zum heutigen Tage anläßlich der jährlichen Passafeier der Hoffnung auf das Kommen des Messias Ausdruck. Wenn Christen, aufgrund des schon erfolgten ersten Advents, viel öfter im Jahre in feierlicher Weise um die weltweite Erscheinung und den Sieg des Christus bitten, nehmen sie die Hoffnung und das Gebet der Juden auf. Sie tun dies nicht, um ihre Überlegenheit zu beweisen, sondern um noch intensiver als die Juden der gegebenen Verheißung nachzuleben. Sie erweisen sich dann, um einen paulinischen Ausdruck zu verwenden, als das »Israel Gottes« (Gal 6,15).

Die skizzierten sechs Unterschiede zwischen Passa der Juden und dem Mahl (oder Passa) des Herrn zeigen, daß Jesus Christus nicht gekommen ist, das Passa aufzulösen, sondern es am Festtag und im Alltag zu erfüllen (vgl. Mt 5,17; Röm 3,31; 8,3f; auch Röm 10,4 – wenn *telos* mit »Ziel« oder »Erfüllung« zu übersetzen ist).

Zusammenfassend ist daher jetzt – in Übereinstimmung etwa mit I. H. Marshall, der in seinem Buch »Last Supper and Lord's Supper« (Exeter 1980) Argumente gegen die gegenteilige Meinung zusammenträgt – festzuhalten: Es *hat* große theologische Bedeutung, daß die Synoptiker ihre Darstellung des letzten Mahls Jesu, d.h. ihre sogenannten Stiftungsberichte, in den Rahmen einer Passafeier einbetten. Die biblische Geschichtsschreibung ist in jeder ihrer Perioden und Gestalten ein Zeugnis, aus dem man nicht beliebig gewisse Elemente als unwesentlich und unbrauchbar ausscheiden kann. Beim Zusammenhang zwischen Passamahl und Mahl des Herrn geht es nicht um eine bloß historische Frage, z.B. ob die synoptische oder die johanneische Datierung und Beschreibung des letzten Mahls mehr Wahrscheinlichkeit besitzt. Es geht auch nicht nur um ein religions-, kult-, literar- bzw. traditionsgeschichtliches Problem. Auf dem Spiel steht das Verhältnis der Kirche zu Israel, seiner Geschichte, seinem Gottesdienst, dazu auch die persönliche Beziehung zwischen Christen und Juden.

Will man dieses Problem im Sinn jener 13 Bonner Theologen angehen und lösen, die die obengenannte Erklärung der Rheinischen Synode von 1980 verurteilten (der Text des Synodalbeschlusses »Zur Erneuerung des Verhältnisses von Christen und Juden« ist abgedruckt u.a. in der Zeitschrift EvTh 40 [1980] S. 257–276, der des Bonner Protestes im Evang. Sonntagsblatt »Der Weg« vom 3. Aug. 1980, S. 189. Die ganze Kontroverse ist dargestellt in: E. Brocke / J. Seim [Hg.], Gottes Augapfel, Neukirchen-Vluyn 1986), so wird man nichts Gutes von einer auf das Passa bezogenen Erklärung des Mahls des Herrns erwarten. Mit Ferdinand Hahn wird man dann dieses Mahl als etwas originär Christliches bezeichnen, dessen Wesen einzig aus den Sünder- und Speisungsmahlen, dem letzten Mahl und den nachösterlichen Erscheinungsmahlen zu eruieren ist. Wird aber das Mahl des Herrn von der von Paulus in Röm 11 verkündeten Einpflanzung der Heiden in die Wurzel und den Weinstock Israel ausgenommen, so haben willkürliche, antijudaistische Vorurteile das letzte Wort. Man hält dann den Gottesdienst der Juden für historisch überholt (wie es schon Hegel getan hatte) und betrachtet vielleicht mit einer großen Zahl von Kirchenvätern die Juden selbst als Häretiker, die nicht nur mit dem Mahl des Herrn nichts zu tun haben, sondern mit denen auch Christen – vom Rest der Gesellschaft nicht zu reden – nichts zu tun haben sollen. Noch immer ist diese oder jene Form von Antijudaismus ein Krebsübel großer Kreise in den Kirchen des Ostens und Westens.
Juden nehmen dazu nicht grundsätzlich eine Gegenposition ein. Ich selbst wurde mehrfach zu Pessach-(Passa-)Feiern in Synagogen oder jüdische Privathäuser eingeladen – einmal mit der Bitte, ich möge den Gastgebern erzählen, was eigentlich damals geschehen sei, als Jesus vor seinem Tod mit den Jüngern dieses Mahl hielt.

B Weitere Verbindungen zwischen Altem Testament, Judentum und dem Mahl des Herrn

Man kann fragen, warum ausgerechnet Paulus, der Verfasser von Röm 11, es unterläßt, in 1Kor 11,23 die »Nacht, in der der Herr Jesus verraten ward« als Passanacht zu bezeichnen. Gewiß macht Paulus im weiteren und näheren Kontext, dazu innerhalb des von ihm zitierten Wortlauts von 1Kor 11,23ff Anspielungen auf den Exodus Israels aus Ägypten, auf den Kultus Israels und/oder auf das Passaopfer und die Passafeier. Nach 1Kor 5,7 wurde »Christus als unser Passalamm geschlachtet«. In 1Kor 10,1–13 werden Israels Speisung und Tränkung während seiner Wanderung durch die Wüste samt den katastrophalen Folgen der Rebellion Israels erwähnt (vgl. Joh 6,35ff und Hebr 3,7–4,11). In demselben Kapitel (10,18) ermahnt der Apostel, von den »Priestern Israels nach dem Fleisch« zu lernen, was es heißt, »Anteil am (Opfer auf dem) Altar zu haben«. Endlich enthalten die nur in 1Kor 11,24.25 zweimal erwähnten Worte »dies tut zu meinem Gedächtnis« eine Aufnahme des alttestamentlichen Befehls, die Passafeier regelmäßig zu wiederholen (Ex 12,14; vgl. 12,17.24.42; Dtn 16,3).

Doch beweisen diese Stellen nicht, daß Paulus Jesu letztes Mahl als Passamahl verstand; eher ist er abhängig von Elementen derselben Tradition, die auch für Joh 13 bestimmend ist und nach der Jesu letztes Mahl *kein* Passamahl war. Denn wenn Paulus den Messias Jesus als »unser Passalamm« bezeichnet, kann er u.a. an die Todesstunde Jesu zur Zeit der Schlachtung der Passalämmer gedacht haben. In 1Kor 5,6–8 spielt er zwar auf das Mazzenessen vom 1. bis 7. Tag des Passafestes an – doch ist sein Thema in 1Kor 5 nicht das letzte Mahl Christi oder das Mahl der Gemeinde. In 1Kor 10,1–13 wird nicht auf die Feier in der Auszugsnacht hingewiesen. Die jüdischen Priester von 1Kor 9,13 und 10,18 werden nicht in Beziehung zur priesterlichen Funktion des Hausvaters bei den Passafeiern in jüdischen Häusern gesetzt. Endlich gibt es Aufrufe zum »Gedächtnis« in der Form kultischer Akte nicht nur im Bericht von Ex 12–13 über die Passanacht.

Unter der Voraussetzung verschiedener Festkalender ist die von Paulus und Johannes aufgenommene Überlieferung vom letzten Mahl und vom Todestag Jesu nicht weniger glaubhaft als die von Lukas, Matthäus und Markus repräsentierte Tradition. Keiner dieser fünf Zeugen sollte einer Zufügung, Auslassung oder Verfälschung bezichtigt oder theologisch nicht ernst genommen werden.

Der für die Beziehung zwischen Passa und Mahl des Herrn negative Befund bei Paulus beweist jedoch nicht, daß dem Apostel daran lag, das am »Tisch des Herrn« gefeierte Mahl von jeder Kontinuität und Solidarität mit Israel zu lösen. Denn der von Paulus zitierte Einsetzungsbericht und sein Kontext enthalten ebensosehr wie die synoptischen Mahltexte andere, vom Passa relativ unabhängige Elemente und Anspielungen. Parallel zum Passa, wenn auch auf andere Weise, halten diese Elemente das jüdische Erbe und die Verbindung mit Israel lebendig. Auf die folgenden, z.T. schon beiläufig erwähnten Anspielungen und Beziehungen ist besonders hinzuweisen: (a) die Speisung mit Manna und Tränkung mit Wasser in der Wüste (Ex 16; 17,4; Num 14; Ps 78,24–25); (b) die Bundschließung mit Blut (Gen 17; Ex 24,5–11; Sach 9,11); (c) die verheißene Erneuerung des Bundes und die damit verbundene Sündenvergebung (Jer 31,31–34 u.a.); (d) die Sühnopfer, besonders die Fürbitte und die Opfer des Hohenpriesters am Versöhnungstag (Lev 16; 17,11 u.a.; vgl. Hebr 9,22); (e) die Hingabe des Gottesknechts als Opfer für viele (= die Heiden, Jes 53,11f; vgl. 42,6; 49,6.8); (f) die Verheißung eines künftigen Sieges- und Messiasmahles (Jes 25,6; 34,6; 65,13f; vgl. äthHen 62,14; Test Levi VIII 16; 1QSa II 11–22 u.a.); (g) obwohl Jesu letztes Mahl vor seinem Tode stattfand, steht das von ihm eingesetzte Mahl im gleichen Verhältnis zu seinem Opfertod wie die alttestamentlichen Opfermahlzeiten zum vorausgehenden Tieropfer. In Ex 24,9–11 und 1Sam 1,8f finden sich Hinweise auf solche Mahle, und feierliche Mahlzeiten gehörten besonders zum Heilsopfer, das *(säbach) schelamim* genannt wird und bei dem die Anteile Gottes, des Priesters und der Laien sorgfältig unterschieden waren (Lev 3,1.3 u.a.; 7,15–36 u.a.).

Ob in diesem Zusammenhang auch das in Jer 16,7f erwähnte Trostmahl für Leidtragende zu nennen ist (so W. von Meding in: EvTh 35, 1975, S. 544–552) oder ob die nach Test XII am Sterbebett der Patriarchen gefeierten Freuden- und Dankmahle beizuziehen sind (vgl. B. Reicke, Diakonie, Festfreude und Zelos, Uppsala/Wiesbaden 1951), bleibe dahingestellt.

Zu den alttestamentlichen Wurzeln, die Gedeihen und Wesen des neutestamentlichen Mahls des Herrn bestimmt haben, kommen einige besondere Festmahlzeiten, zu denen sich Juden zur Zeit Jesu zu versammeln pflegten: (a) die Mahlzeiten der Qumrangemeinde nach dem Bad am späten Vormittag (1QSa II 11–22; 1QS VI 2–6.20ff); (b) das in Joseph und Aseneth beschriebene Hochzeitsmahl, bei dem Joseph als Ornament Gottes und die Braut als Gottes Braut gilt. Bei diesem Mahl werden Brot und Wein gesegnet, von Lebensbrot ist die Rede, und den Erwählten wird ewiges Leben und Ruhe verheißen; (c) die Bruderschaftsmahle der Pharisäer, *chaburot* genannt; (d) die Kiddusch-Feiern am Vorabend von Festtagen, an denen der Segen über einen Kelch gesprochen und unter Gebeten andere feierliche Handlungen vollzogen wurden.

Die formalen Begriffe Kontinuität und Diskontinuität mögen für eine oberflächliche Betrachtung der Beziehungen zwischen den erwähnten biblischen und späteren jüdischen Mahlen nützlich sein. Doch wird der Kern der Beziehung nur deutlich, wenn man danach fragt, ob der Messias Jesus bzw. »der Herr Jesus« nach der Darstellung der Synoptiker und des Paulus Israel treu war. Hat Jesus Christus die Mehrzahl der Juden zugunsten der Heiden »herausgeworfen«, wie einst Hagar samt Kind auf Wunsch der Sara und auf Befehl Gottes von Abraham in die Wüste geschickt wurde (Gal 4,30) und wie edle Zweige zugunsten von wilden aus dem Ölbaum herausgeschnitten wurden (Röm 11,17), weil alte Schläuche und neuer Wein sich nicht vertragen (vgl. Mk 2,18–22)? Gerade Jesu Tischreden am Abend vor seinem Todestag enthalten keine entsprechenden Gerichtsworte – es sei denn, man verweise auf das, was Jesus nach Lk 22,21–23.31–34 am Tisch zu den Jüngern Judas und Petrus gesagt hat. An der Stelle von Drohungen und Weherufen über Schriftgelehrte, Pharisäer, Jerusalem, den Tempel, das Volk, wie sie sich in der Tat anderswo in den Evangelien finden, stehen in den Berichten vom letzten Mahl mehr oder weniger deutliche Zitate aus dem Alten Testament, die die Aufnahme und Krönung der Israel gegebenen Verheißungen anzeigen.

Jesu Auslegung und Gebrauch dieser Elemente ist, weil er sie alle als Strahlen sieht, die auf ihn selbst zusammenlaufen, verschieden von zeitgenössischer jüdischer Interpretation. So ist ja auch sein letztes Mahl trotz seiner Ähnlichkeit mit gewissen feierlichen Mahlen jüdischer Kreise ein ganz einzigartiger Anlaß. Doch bestätigt er selbst dann, wenn er qualifiziert, abweicht und Unterschiede festlegt, den Weg, die Institutionen und die Hoffnungen Israels. Noch einmal: Er offenbart und erweist sich an seinem Tisch als Erfüller, nicht als Auflöser. Nach dem weiteren Kontext der synoptischen Berichte über das letzte Mahl nahm Jesus in seinem Tode gerade jenes Gericht auf sich selbst, das er vor den Ohren der Jünger in Mt 24 und den Parallelen Jerusalem und der Welt angekündigt hatte. Wer das Mahl des Herrn nicht als Beweis der Treue Gottes und seines Sohnes versteht und feiert, verleugnet den eigentlichen Charakter dieser Feier.

Was aber bedeutet die auf Treue beruhende Gemeinschaft mit Israel, wenn man nach Konsequenzen in Lehre und Praxis des Mahls des Herrn fragt?

C   Eine Alternative zur Verfremdung

So unwichtig es auf den ersten Blick scheinen mag, verlangt doch die Verbindung zwischen Passa und Mahl des Herrn und zwischen Israel und der Kirche zunächst eine Entscheidung auf sprachlichem Gebiet. »Deine Sprache verrät dich« – das gilt auch von der Sprache, die zur theologisch-wissenschaftlichen Beschreibung des Mahls gewählt wird. Vokabular, Diktion, Syntax usw. der Fachgelehrtensprache sind entweder die Mutter oder die Tochter der Methode bzw. der Kunst, Gesagtes und Geschriebenes zu verstehen und zu erklären. Diese Sprache ist die engste Verwandte einer Hermeneutik, die, meist in bester Absicht, das Ergebnis einer Untersuchung schon durch die Fragestellung vorwegnimmt oder die Formulierung des Resultats einseitig auf bestimmte Bahnen lenkt. Wer heute die biblischen Texte, die vom Mahl des Herrn handeln, auslegen will, hat zu wählen und sollte sich einer klaren Entscheidung nicht entziehen.

Entweder hält er den griechischen und lateinischen Konzeptionsapparat, mit dessen Hilfe seit dem 2. Jahrhundert das Mahl des Herrn durchdacht und beschrieben worden ist, für sachgemäß und notwendig – dann wird er ihn ungehemmt weiter verfeinern und verwenden. Er bleibt dann Exponent einer sprachlichen Verfremdung. *Oder* er versucht zu solchen Sprach- und Denkkategorien zurückzukehren, wie sie in den von gebürtigen (und noch hebräisch und aramäisch denkenden, wenn auch griechisch schreibenden) Juden verfaßten neutestamentlichen Texten verwendet sind. Die so eventuell zu erreichende sprachliche und gedankliche Heimführung muß nicht eine verlustreiche Einschränkung bedeuten, sondern kann befreiend und aufbauend für alle sein, die außerhalb und innerhalb des westlichen Sprachraums nach einem allgemeinverständlichen Zeugnis vom Mahl des Herrn fragen.

Zwar scheint es besonders unter Akademikern schwer oder unmöglich, ohne Verwendung eines bestimmten Vokabulars vom »Abendmahl« oder der »Messe«, der »Kommunion« oder dem »Herrenmahl«, der »Eucharistie« oder dem »Mahl des Herrn« zu reden. Gewaltig sind und tönen die Begriffe »Sakrament« und »Mysterium«, »Symbol« und »Signum«, »Substanz« und »Funktion«, »Transsubstantiation«, »Konsubstantiation« und »Konkomitanz«, »Realpräsenz« und *medium gratiae*, »Essenz« und »Akzidenz«, »Potentialität« und »Aktualität«, »Realismus« und »Spiritualismus«, »Re-präsentation« und »Antizipation«, »objektiv« und »subjektiv« usw. Einige von diesen Wörtern sind in die deutsche Sprache übertragen worden: Von »Sinnbild«, »Gnadenmittel«, »Siegel«, »Möglichkeit« und »Wirklichkeit«, »Nachvollzug« (oder »Vergegenwärtigung«) und »Vorwegnahme«, »Heilsnotwendigkeit« oder ähnlichem zu sprechen, diese Begriffe so oder so zu qualifizieren oder gegen sie zu polemisieren, scheint unvermeidlich in eine Diskussion über das Mahl zu gehören. Einige dieser Wörter und der hinter ihnen stehenden Fragestellungen und Anschauungen stammen aus dem schon erwähnten Mythos/Ritus-Syndrom, andere aus dem Kult der Mysterienreligionen und dem römischen Soldateneid, andere aus dem Neuplatonismus und früheren und späteren philosophischen Systemen. Einzig der Begriff »Zeichen« scheint eine alttestamentliche und darum ursprünglich jüdische Wurzel zu haben. Doch täuscht auch dieser Eindruck: Das hebräische *ot* (Zeichen, aram. *at*) bedeutet dann, wenn eine göttliche oder prophetische Zeichenhandlung damit beschrieben ist, etwas anderes, als *signum* z.B. bei Augustin bezeichnet. Der Kirchenvater des Westens hatte seinen Zeichenbegriff aus dem Neuplatonismus übernommen, der seinerseits die zwischen geistiger/göttlicher und materieller Welt vermittelnde Funktion von »Wort« und »Zeichen« aus der Mantik (Vogelschau u.a.) entlehnt hatte. Gewiß zeigt die nach dem Aristeasbrief von Gott selbst autorisierte griechische Übersetzung des Alten Testaments so gut wie das griechisch geschriebene Neue Testament, daß die von Propheten und Aposteln bezeugte Wahrheit in mehr als nur einer Sprache ausgesprochen werden kann. Wer missionarisch in einer heidnischen Umwelt Gott, seinen Gesalbten und sein Heil verkünden will, muß diese Welt nicht nur ansprechen, sondern auch mit ihr ins Gespräch kommen. Er wird daher auch in ihrer Sprache zu ihren Fragestellungen sprechen. Doch riskiert er damit sofort eine Veränderung oder einen Verlust bzw. einen Ausverkauf dessen, was er, sei es kerygmatisch oder apologetisch, verkünden wollte. Philosophisches Denken stand jedenfalls weder hinter dem Reden und Schreiben der biblischen Autoren noch hinter den Mahlfeiern der ersten Gemeinden, von denen wir Instruktionen über das Wesen des Mahls des Herrn erwarten.

Neben dem genannten problematischen Vokabular, das aus Substantiven und Adjektiven besteht, ist auch das Präpositionenspiel zu nennen, das in der Auslegung und (bekenntnishaften sowie liturgischen) Anwendung der Mahltexte getrieben wird. Hier gibt es ein »an sich« und ein »für uns« oder »für mich«; hier ergötzt man sich an oder flieht man hinter einen Telegrammstil, der mit den Wörtlein »in, mit und unter« auf das Geheimnis des Mahls wenigstens hinweisen will. Nur die Präpositionen »für« und »mit« finden sich in den Texten; »durch«, »in«, »mit« und »unter« aber begegnen zwar oft in sogenannten Omnipotenzformeln, die von Paulus übernommen und ihrem ursprünglichen Wesen entfremdet wurden, kaum aber in den Berichten über Jesu letztes Mahl oder in Beschreibungen des Mahls des Herrn.

Daß die genannten Begriffe, Adjektive und präpositionalen Formulierungen in philosophischem Denken brauchbar, notwendig und vielleicht sogar eindeutig sind, ist nicht zu bestreiten. Doch steht ebenso fest, daß sie nicht ins alte Hebräisch und ins Aramäische rückübersetzbar sind. Unbestreitbar ist auch, daß sich die verschiedenen, sich gegenseitig exkommunizierenden Lehren vom heiligen Mahl »in, mit und unter« dem Gebrauch des genannten heidnischen Vokabulars entzündet haben. Verschiedene philosophische Auffassungen sind mitverantwortlich für verschiedene Interpretationen und Liturgien.

Sie haben auch einen Graben zwischen der Kirche und Israel aufgerissen und ständig vertieft. Umgeben von W. D. Davies (Paul and Rabbinic Judaism, London 1948), Martin Buber (Zwei Glaubensweisen, Heidelberg 1951), Leo Baeck (The Faith of Paul, in: JJS 31, 1952, S. 93–110; deutsch in: K. H. Rengstorf / U. Luck [Hg.], Das Paulusbild in der neueren Forschung, Darmstadt 1969, S. 565–590), Schalom Ben-Chorin (Paulus, München 1970) und E. P. Sanders (Paul and Palestinian Judaism, Philadelphia 1977), hat zwar der jüdische Religionswissenschaftler Hans-Joachim Schoeps (Paulus, Tübingen 1959) versucht, ein freundlicheres Bild vom Verhältnis des Paulus zu Israel zu zeichnen, als man es von Chrysostomus und Augustin, vor allem von Hegel und der Tübinger Schule übernommen hatte. Das bedeutet jedoch nicht, daß die Lehre des Apostels (geschweige der Evangelien) vom Mahl des Herrn in einen engen Zusammenhang mit jüdichem Erbe gebracht wird. Schoeps z.B. fühlt sich imstande, sehr zentrale Züge der paulinischen Theologie aus dem jüdischen Erbe zu erklären. Doch ist er überzeugt, daß die paulinische Lehre vom Sakrament und von der Gottheit Christi für Juden unverständlich und unannehmbar ist. Paulus habe, was für Jesus ein eschatologisches Festmahl im Sinne jüdisch-apokalyptischer Erwartung war, »zu einer Art von Mysterienkultmahl umstilisiert« und so »zum Sakrament erhoben« (Paulus, S. 116–118). Die Erhebung des »Messias über alles Menschenmaß hinaus auf den Status realer Göttlichkeit« sei »radikal unjüdisch«, da dieser Status nur aus einer »Anknüpfung an heidnisch-mythologische Vorstellungen« abgeleitet werden könne (S. 152–173).

Ob nun exakte religionsgeschichtliche und exegetische Forschung solche (oberflächlichen) Thesen bestätigt oder widerlegt – fest steht auf alle Fälle, daß orthodoxe, römisch-katholische, anglikanische und protestantische Paulusauslegungen, Liturgien und Sakramentsdiskussionen schon wegen ihres Vokabulars den Eindruck radikaler Trennung von jüdischem Gottesdienst machen. Schoeps kann nicht angeklagt werden, kirchliche Sakramentsliteratur zuwenig ernst genommen zu haben. Er hat sie eher allzu ernst genommen und zuwenig auf Paulus selbst und andere neutestamentliche Schriften geachtet.

Wer aber überzeugt ist, das Geheimnis und die Würde, die Schönheit und die Notwendigkeit des Mahls des Herrn nur in und mit der Waffenrüstung des genannten, für Juden anstößigen Vokabulars darstellen und verteidigen zu können, könnte sich auf einem gefährlichen Weg befinden. Die Frage stellt sich, ob der Preis, den zu zahlen man bereit ist, nicht unverantwortlich hoch ist. Auf alle Fälle kommt nicht nur das Neue Testament, sondern kommen auch gute Abendmahlslieder und -gebete immer noch ohne das genannte Arsenal aus.

Wir wenden uns auf der Suche nach einer notwendigen sprachlichen Alternative zunächst dem Vokabular des Paulus zu. Der Apostel benutzt zur Beschreibung des Wesens des Herrenmahls der Reihe nach die Worte »den Segenskelch segnen«, »das Brot brechen« (vgl. Apg 2,42.46 u.a.), »Gemeinschaft«, »an einem Brot teilhaben«, »Kelch des Herrn«, »Tisch des Herrn«, »Herrenmahl«, »Brot nehmen, dafür danken, es brechen und sprechen . . .«, »Bund«, »tun zum Gedächtnis«, »den Tod des Herrn verkünden« in Erwartung seines »Kommens«, ferner fünfmal (!) »zusammenkommen«, »aufeinander warten« (1Kor 10,16–21; 11,17–20.23–34; vgl. eine Lesart von 7,5; vor allem aber 14,23.26). Manchen Auslegern zufolge schließen auch einige von den Briefstellen, die von *eucharistia* und *eucharistein* (Danksagung und danken) handeln, eine Beziehung auf das Mahl des Herrn ein. Auffallend ist, daß bei der Mehrzahl der verwendeten Verben Jesus und die Gemeindeglieder (nie aber ein zwischen beiden stehender Kleriker) die handelnden Subjekte sind.

Die Diktion ist so klar und deutlich wie die der synoptischen Evangelien und der paulinischen Ermahnungen, jedoch ungleich den schwierigen, lehrhaften Paulustexten. Daß sie einem Kind verständlich ist oder gemacht werden kann, spricht nicht gegen die Fülle und Tiefe des Ausgesprochenen. Kein Wunder, daß sich das Vokabular und die Sätze des Paulus, die das Mahl beschreiben und von ihm handeln, weithin leicht ins Hebräische und Aramäische rückübersetzen lassen. Menschen in aller Welt, denen die besonderen Geheimnisse und der Tiefsinn westlicher Sprachen nicht zugänglich oder verfügbar sind, sind zwar vor Irrtümern nicht gefeit, doch vielleicht noch besser imstande, das biblische Zeugnis recht zu verstehen.

Immerhin lassen sich drei Beispiele für sprachliche Probleme in der pauli-

nischen Ausdrucksweise nennen: (1) Der Apostel verwendet den Ausdruck
»Leib« *(soma)* innerhalb derselben Abschnitte in verschiedenem oder doch
unterschiedlich nuanciertem Sinn. In 1Kor 10,16 und 11,27 steht der
»Leib« Christi (bzw. »Leib« des Herrn) dem Begriff »Blut« Christi (bzw.
»Blut« des Herrn) parallel (vgl. Eph 2,13.15.16). Wie die synoptischen Einsetzungsberichte handeln diese Stellen von dem Gekreuzigten selbst; sein
Opfertod ist gemeint. In 1Kor 10,17 und 11,29 wird nur vom »*(einen)* Leib«
gesprochen und damit die Gemeinde bezeichnet. Gewiß ist auch sie bzw.
die Kirche der »Leib Christi« (1Kor 12,27; vgl. Eph 1,23; 3,5; 4,16; 5,30; Kol
1,18 u.a.). Sie ist nicht selbst der Gekreuzigte, sondern die Gemeinschaft,
durch welche sich der Erhöhte vor aller Welt manifestiert. (2) Der Ausdruck »geistlich«, mit dem Paulus in 1Kor 10,3f die Speise und den Trank
kennzeichnet, die Gott dem Volk Israel in der Wüste schenkte, ist nicht
rückübersetzbar in die Sprache des Alten Testaments. Die Bandbreite seiner Bedeutung bewegt sich zwischen dem Verständnis des Geistes als einer
subtilen Art von Materie und der Kraft der Inspiration, der eine geistliche,
nicht fleischliche Auslegung entsprechen muß. (3) Der Begriff »Gemeinschaft« *(koinonia,* 1Kor 10,16; *koinonoi* in 10.18.20; vgl. 1,9; 2Kor 6,14;
13,13 u.a.) hat einen ähnlichen Sinn wie das hebräische *cheläk* und das sel-
tenere *jachad;* auch eine Anspielung auf das aramäische *chaburah* (Bruderschaft, Bruderschaftsmahl) ist nicht auszuschließen. Ob Paulus aber Anteilgabe oder Anteilnahme, Herstellung oder Bestätigung von Solidarität
und Intimität, ein Wunder oder eine andere Erfahrung damit meint, läßt
das von ihm gewählte Wort offen. Nur im Lichte des Kontextes wird es zu
entschlüsseln sein. In 1Kor 10,17.21 ist z.B. das Verb »teilhaben« verwendet, bei der Beschreibung des letzten Mahls Jesu in 1Kor 11,24 fehlt das
Wort »geben«. (Im Zusammenhang mit der Behandlung anderer exegetischer Fragen wird weiter unten auch die Bedeutung der genannten, mehr-
deutigen Begriffe soweit wie möglich zu klären sein.)
So viel zum Sprachgebrauch des Paulus. Eine bewußte Verfremdung oder
Komplizierung, geschweige denn eine Dogmatisierung sollte ihm unter
keinen Umständen vorgeworfen werden.
Die Synoptiker verwenden in ihren meist knappen, nur bei Lukas etwas
ausführlicheren Berichten vom letzten Mahl Jesu fast das gleiche, wenn
auch ein weniger umfangreiches Vokabular wie Paulus. Nimmt man jedoch ihre und besonders die lukanischen Berichte über Sündermahle,
Speisungen, Mahlgleichnisse, Ostermahle und gelegentliche andere Aussagen über Essen und Trinken hinzu, so erhält man eine reiche Auswahl
von Substantiven, Adjektiven und Verben. Bei ihrer Verwendung haben
die Evangelisten mit größter Wahrscheinlichkeit auch an das Mahl des
Herrn gedacht. Der vieldeutige Ausdruck »Leib« kommt bei ihnen im Pas-
samahlbericht vor, das Adjektiv »geistlich« nie. Gemeinschaft wird in vielen Formen bezeugt und betont; doch fehlt ein Sammelbegriff dafür. Die
Apostelgeschichte beschreibt in 2,42–47 das Brotbrechen der Urgemeinde, indem sie folgendes erwähnt: (a) das hartnäckige Festhalten der Ge-

meinde an der Lehre der Apostel, der Gemeinschaft und den Gebeten; (b)
die Fürsorge an Bedürftigen durch Veräußerung und Austeilung von pri-
vatem Eigentum; (c) den schallenden Jubel und die Einfalt der Herzen; (d)
den ständigen Lobpreis Gottes; (e) die Beliebtheit vor allem Volk; (f) das
Geschenk, das Gott der Gemeinde macht, indem er sie zahlenmäßig wach-
sen läßt. Übersetzt in gängige Gelehrtensprache heißt das: Lukas beschreibt die kirchliche Mahlfeier als einen Akt der Doxologie, der zugleich
liturgischen, sozial-caritativen, psychologischen, missionarischen und ek-
klesiologischen Charakter hat; endlich verleiht ihr die überschwengliche
Freude eine eschatologische Note.
Auffallend ist die Einfachheit des neutestamentlichen Vokabulars. Sie unterscheidet sich nicht nur vom Sprachgebrauch in magischen oder myste-
rienhaften Riten, sondern auch von der Verwendung einer fremden Sprache in gelehrten Diskussionen über das Mahl des Herrn und in kirchlichen
Bekenntnissen.
Das Sprachereignis dieser Verfremdung kann deshalb nicht einfach als
notwendig oder harmlos gelten, weil es sich in mindestens dreifacher Hinsicht katastrophal ausgewirkt hat: 1. Sakramentsgeheimnisse begannen
das Christusgeheimnis zu überschatten; 2. die Trennung, wenn nicht
Feindschaft zwischen der Kirche und Israel wurde gefördert; 3. Spaltpilze
wurden gesät, die innerhalb der Kirche zu gegenseitigen Verdammungen,
ja zu Kirchenspaltungen beitrugen.
Gewiß wird sich Erkenntnis und Praxis der Gottesdienst- und Sprachge-
meinschaft zwischen Christen und Juden vor jeder Gestalt des »Judaisierens« hüten müssen, welche in je eigener Weise von Paulus (z.B. in Gal
2,14) und von Ignatius (in Magn VIII 1; X 3; Philad VI) verurteilt wurde.
Doch können Christen, wenn sie einsehen, daß sie selbst fremdgegangen
sind, dazu beitragen, daß nicht länger eine technische Geheimsprache in
sachlicher und formaler Hinsicht die Diskussion über das Mahl des Herrn
beherrscht.

D   Liturgische Konsequenzen

Eine gelebte Gemeinschaft mit Israel betrifft mehr als nur Sprache und
Denkformen. Bevor im nächsten Teil die Gemeinschaft mit dem Messias
Jesus als der Kern des Mahls des Herrn dargestellt wird, können schon
jetzt einige mögliche Konsequenzen der Bruderschaft mit Israel genannt
werden, die unmittelbar die Gottesdienstordnung bzw. die »Liturgie« des
Mahls betreffen.
Zum Mahl des Herrn versammeln sich die Teilnehmer um einen Tisch,
nicht vor einem Altar. Schon vor dem Zweiten Vatikanischen Konzil hat
die römisch-katholische liturgische Bewegung, wenn auch meines Wissens ohne Hinweis auf den Zusammenhang der Eucharistiefeier mit dem
jüdischen Passamahl, dazu geführt, daß in modernen katholischen Kir-

chenbauten der Altar von der Hinterwand des Chores auf die Gemeinde zubewegt und der Gestalt eines Tisches angeglichen wurde. Daß protestantische sogenannte liturgische Erneuerungen manchmal in der entgegengesetzten Richtung wirkten, kann nicht verschwiegen werden. *Wenn es beim Mahl des Herrn um ein »Opfer« geht* – wenn auch nicht um die Wiederholung oder Nachbildung eines blutigen Opfers, sondern nur um ein unblutiges Dankopfer (über das später mehr zu sagen sein wird) –, so ist ein Altar notwendig. Das Mahl darf dann als »Sakrament des Altars« bezeichnet werden und unter anderen Sakramenten den höchsten Rang einnehmen. Im Unterschied zum Judentum, das seit der Zerstörung des Tempels, von minimalen Ausnahmen abgesehen, ohne weitere Opfer und Altäre auskommt, wird Christen zugemutet, an die Notwendigkeit und Wirkung weiterer Opfer, d.h. von Opfern in sakramentaler Form, zu glauben.

Doch war das Mahl, das zur Zeit Jesu von Juden am Passatag veranstaltet wurde, nicht ein Opfer, das nur auf einem Altar und durch einen geweihten Priester vollzogen werden konnte. Wie schon angedeutet, setzte die Feier des Mahls den Vollzug der rituellen Hingabe eines Tiers (als der edelsten Naturalie) an Gott und die Schlachtung vor oder auf einem Altar im Tempel von Jerusalem voraus. Das Mahl selbst war weder Wiederholung noch Nachvollzug noch Nachbildung der Opferung, sondern fand überall in den Häusern, in einem festlich hergerichteten Raum und an einem Tisch, statt.

Wie konnte ein Tisch so wichtig sein, daß Paulus (ohne selbst von Jesu letztem *Passa*mahl zu sprechen) von der Mahlfeier der Christen als einer Versammlung um den »*Tisch* des Herrn« sprechen konnte, wie ja auch Jesus selbst nach Lukas vom zukünftigen Essen und Trinken »an meinem *Tisch* in meinem Reich« gesprochen hatte (1Kor 10,21; Lk 22,30)? In der Nacht von Israels Auszug aus Ägypten gab es nach Ex 12 weder Tisch noch Altar; die einzelnen Gruppen aßen in Eile, also stehend. Bei späteren alltäglichen und feierlichen Mahlen des wandernden Volkes, die dem Seßhaftwerden und dem Bau von Häusern und Tempeln vorangingen, konnten sich die Teilnehmer um den Vorläufer des späteren Tisches, einen *schulchan* (Matte, Tuch, Leder; bei Reichen eventuell ein Teppich) oder z.T. auf diesem *schulchan*, versammeln. Wie ein Lagerfeuer bildete er ein handgreifliches soziales Zentrum. Mit dem »Tisch«, den der Herr den Seinen im Angesicht ihrer Feinde bereitet, kann im Rahmen des Hirtenpsalms (Ps 23) solch ein mit Speisen und Kelchen bedeckter *schulchan* gemeint gewesen sein. Doch gab es nach der Landnahme, vielleicht zuerst in einem Tempel, einen Tisch für den Herrn: den Schaubrottisch. Er war von einem Altar für vegetarische und Tieropfer getrennt und deutlich zu unterscheiden.

Nur Ez 40,39–41; 41,22; 44,16; Mal 1,7.12 und wenige Stellen im Talmud (vgl. Strack-Billerbeck III, S. 320) scheinen Tisch und Altar zu identifizieren. Griechen, die ein Symposion feierten, sowie Juden der hellenistischen Zeit bei ihren Passafeiern lagen auf Kissen um einen

Tisch; dieser konnte so niedrig sein wie die bei japanischen Teezeremonien benutzten Tische. Nach Lk 16,21; Mt 15,27; Mk 7,28 sprach Jesus von einem Tisch des reichen Mannes und von Tischen, die hoch genug waren, daß herabfallende Speisebrocken von darunter liegenden Hunden aufgeschnappt werden konnten. Die Mischna weiß von Teilnehmern am Passamahl, für die das Mahl im Schlaf *unter* dem Tisch endete. Ob allerdings der Tisch beim letzten Mahl Jesu und beim »Brotbrechen« der Gemeinde die Höhe und Gestalt des Tisches in Leonardos Mailänder Abendmahlsbild hatte, ist nicht mehr festzustellen und spielt für das Wesen des Mahls des Herrn keine Rolle.

Von einem, nach dem Tode und der Erweckung Jesu Christi noch heilsnotwendigen, Altar spricht das Neue Testament nur selten: in Apk 6,9; 11,1; 16,7 u.a. und in Hebr 13,10. Gesehen wird dieser Altar vor der Wiederkunft Christi nur von einem inspirierten Visionär und dem kühnen (angeblich platonisierenden) Lehrer, der den Hebräerbrief verfaßt hat. Der Altar gehört zu den prä- und postexistenten, unberührbaren Dingen im Himmel, die bestenfalls vergängliche Kopien im irdischen Kult haben (vgl. Hebr 8,5; 9,23; 12,18.22f). Heißt es in Hebr 13,10, daß »*wir* einen Altar haben, vor dem zu essen diejenigen nicht befugt sind, die im (alttestamentlichen) Zelt Opferdienst tun«, so ist damit viel mehr und etwas anderes gemeint, als daß das Mahl des Herrn in der Alten Kirche vor einem oder um einen greifbaren Altar eingenommen wurde: Der himmlische Altar ist Voraussetzung, Grund, Maßstab und Sinn *allen* Gottesdienstes auf Erden, in *jeder* Form. Er ist das Urbild (*typos*, Hebr 8,5 u.a.) des einmaligen, von Gott befohlenen und gebrachten, ihm wohlgefälligen und von ihm angenommenen Opfers Jesu Christi. In platonischer Sprache heißt das: Der himmlische Altar ist die ewige Idee. In aristotelischer Diktion: Er ist die überirdische, durch Entelechie auch die physische Welt gestaltende Form. In mysterienhafter und in hermeneutischer und ästhetischer Ausdrucksweise: Er ist das zeitlose Symbol. Endlich in der psychologischen Botschaft C. G. Jungs: Er ist der Archetyp dieses Opfers. Doch ist zu bedenken, was oben über solche Sprachereignisse gesagt wurde. Sicher besteht *kein* zwingender exegetischer Anlaß, erstens aus der neutestamentlichen Rede von einem himmlischen Altar die Freiheit, das Recht oder die Notwendigkeit abzuleiten, das Mahl des Herrn als ein Opfer zu verstehen und zweitens der Gemeinde die Pflicht aufzuerlegen, ihre Versammlungsräume mit einem Altar zu versehen und das Mahl des Herrn nur von diesem Altar entgegenzunehmen. Noch einmal: Paulus spricht nur vom *Tisch* des Herrn (1Kor 10,21).

Zwei andere Texte, die neben Hebr 13,10 und Apk 6,9 u.a. zur Begründung oder Verteidigung eines Altars in kirchlichen Räumen herangezogen wurden, sollen nicht übergangen werden: In 1Kor 10,18 (vgl. 9,13) werden die das Abendmahl »unwürdig« feiernden Korinther (1Kor 11,27) dazu aufgerufen, von den Priestern aus »Israel nach dem Fleisch« zu lernen: Wenn »sie Schlachtopfer essen, haben sie Anteil (wörtlich: sind sie Anteilhaber) am Altar«, wie man ja auch nach 10,20 bei heidnischen Tempelfesten Anteil an den Götzen hat. Wenn die Teilhabe von besonders geweihten Juden

»am Altar« ein gutes Beispiel und eine positiv bewertete Analogie zur »Gemeinschaft« bzw. dem »Teilhaben« von Christen an Leib und Blut des Herrn im Mahl ist (1Kor 10,16f), dann ist, so wird bisweilen gefolgert, auch das eucharistische Brot nur von einem Altar zu beziehen: von dem in der Kirche allen sichtbar aufgestellten steinernen Altar.

Zugunsten dieser Auslegung und Auffassung läßt sich folgendes sagen: Paulus bezeichnet in 1Kor 1,2 *alle* Christen in Korinth als »in Christus Geheiligte« und »berufene Heilige«. Zwar werden und sind im Alten Testament auch andere Personen »geheiligt . . . berufen . . . heilig« als nur Priester, doch werden Menschen, die von Gott zu einem besonderen Dienst innerhalb Israels oder gegenüber den Völkern erwählt sind, also auch die Priester, mit Vorliebe so bezeichnet. Verwendet Paulus dasselbe Vokabular für alle Glieder der Gemeinde, so verkündet er implizit das allgemeine Priestertum aller Gläubigen. Mit der Feststellung, daß in Israel erwählte Personen eine besondere Speise einzig von einem Altar beziehen, verbindet dann Paulus selbst die Lehre, daß die Gesamtheit der Glieder der Gemeinde jetzt das priesterliche Privileg hat, die bereitgestellte Speise *von einem Altar* zu beziehen. Diese Feststellung und Lehre bildet dann ein weiteres Band zwischen Israel und der Kirche – abermals ohne die Unterschiede zu vertuschen. Zur »Gemeinschaft mit Israel« gehört dann die Aussage von 10,19–22: Wer erwählt ist und zu Gottes Volk gehört, »kann nicht« (V. 21) gleichzeitig am sakralen Mahl von Heiden teilnehmen.

Dagegen ist jedoch folgendes geltend zu machen: Die Analogie zwischen dem Mahl des Herrn und dem alttestamentlichen Priestermahl, das aus Opferfleisch vom Altar besteht, kann nicht nach Belieben erweitert und ausgewertet werden. Der Kelch, den die Christen empfangen, hat mit dem Altar nichts zu tun und ist auch nicht priesterliches Privileg. Wenn Paulus vergleichsweise einen Altar erwähnt, so nicht, um den Bau weiterer Altäre zum Gebot zu machen. Vielmehr ist in 1Kor 10,18 »Altar« wahrscheinlich eine Umschreibung des Gottesnamens – also ein Ersatz für die Nennung Gottes. Mit Gott selbst oder mit dem »Herrn«, den man nicht zu Eifersucht provozieren soll, haben Israels Priester und die Glieder der Gemeinde zu tun. So ist ja auch in 10,16 und 20 von einer *interpersonalen* Gemeinschaft – zwischen den Christen und dem Gekreuzigten und zwischen den Götzendienern und den Dämonen – die Rede; der Altar in Israels Tempel(n) und der Tisch der Dämonen (10,18 und 21) sind greifbare *Ausdrücke* der Gemeinschaft mit Gott oder mit Göttern; so ist der Tisch des Herrn, wie noch zu zeigen sein wird, eine öffentliche Dokumentation der Gemeinschaft mit Christus. Von der Heilsnotwendigkeit eines Altars im Kirchenraum jedoch spricht 1Kor 10,16–21 nicht.

Endlich handelt Mt 5,23f von einem »Gang zum Altar«, dem die Versöhnung mit einem zürnenden Bruder unbedingt vorausgehen muß, und 23,18–20 von einem »Schwören beim Altar«. Nicht zu bestreiten ist, daß die Gemeinde oder die Gemeinden, für die das Matthäusevangelium geschrieben war, Mt 5,23f als Gebot einer notwendigen Vorbereitung bei jenen verstehen konnte, die auf dem Weg zur Feier des Mahls des Herrn waren. Doch ist vor allem an Pilger gedacht, die auf dem Weg zum Tempel waren. Keiner der zwei Matthäustexte setzt ausdrücklich voraus, daß anstelle des vom Passamahl übernommenen Tisches ein Altar in den christlichen Gemeinden aufgestellt war; und keiner verlangt, daß dies geschehen müsse. Das »Brotbrechen«, von dem die Apostelgeschichte erzählt und das in den Häusern stattfand, war etwas anderes als jene jüdischen Gottesdienste, an denen frühe Christen noch im Tempel teilnahmen und bei denen Altäre unentbehrlich waren.

Wollte jedoch jemand trotz allem gerade *auf* den Altar schwören, den er aus irgendeinem Grunde für wesentlich für das Mahl des Herrn hält, so ist er doch von Jesus selbst ermahnt, nicht *beim* Altar zu schwören (oder auf eine so hochsakramentale Eucharistielehre, wie sie im Berner Münsterfenster [s.o.] dargestellt ist).

Zwar kennt die Bibel »Brandopfer der Lippen«, d.h. ein Opfer, in dem weder Feldfrüchte dargebracht noch Tiere geschlachtet werden (s.u.). Doch erzählt sie nichts von Lippen-Brandopfer-Altären und befiehlt oder verheißt auch nichts, was einer Errichtung solcher Dinge gleichkäme. Deshalb sollten auch Theologen nicht darauf insistieren, daß für die Danksagung (»Eucharistie«) greifbare Altäre erbaut und als sachlich notwendig oder als symbolisch nützlich erklärt werden.

Es ist nicht ein auf der Erde stehender und geweihter Altar, der zusammen mit einer Kanzel, wenn recht benutzt, die Kirche zum heiligen Raum, allen kirchlichen Gottesdienst gottbefohlen und gottwohlgefällig macht und besonders für das Mahl des Herrn unabdingbar ist. Glaubt und lehrt man es trotzdem und handelt man entsprechend, so werden alttestamentliche, noch vielmehr aber heidnische Heiligkeits- und Kultvorstellungen als besonders christlich und nachahmenswürdig behandelt.

Nicht einmal Juden teilen noch solche Vorstellungen, obwohl der Toraschrein und seine Funktion in den Synagogen und die Bedeutung der Klagemauer in Jerusalem mit ihnen verwandt sein mag. Sicher hat aber ein Altar als Zentrum der Mahlfeier einer Gemeinde nichts mit dem Zusammenhang zwischen Passamahl und Mahl des Herrn und auch nichts mit der Gemeinschaft mit Israel zu tun, die zunächst unser Thema ist. Vielmehr geht es bei der Ersetzung des ursprünglichen Tisches durch einen mehr oder weniger hochkirchlichen und hochsakramentalen Altar um ein Beispiel absurder Re-Judaisierung.

Noch bleiben aber zwei nur scheinbar weniger bedeutende Fragen bezüglich des Mobiliars für die Mahlfeier offen:

1.   Daß Wein zum Mahl des Herrn (von allen Teilnehmern!) zu trinken ist, kann exegetisch nicht bestritten werden. Der Wein verbindet mit jenem Israel, das, statt zu klagen, sich freuen darf und dessen Taumelkelch noch zum Heilskelch verwandelt wird. Verwendeten und verwenden die Juden Einzelkelche, so ist es ein typischer und wesentlicher Zug der von Jesus gebrachten Erfüllung des Passamahls, daß aus einem einzigen Kelch getrunken wird.

Die Tatsache, daß dies sonst fast nur noch unter Saufbrüdern und Verschwörern, doch manchmal auch zwischen Braut und Bräutigam am Hochzeitstag geschieht, ist kein Hinderungsgrund. Man schäme sich nicht der Verwechslung mit der einen, man freue sich aber der Assoziation mit der anderen Gruppe.

2. Jedoch sind die »Kissen« der hellenistischen Zeit ein Requisit, das für Juden und Heiden gemeinsam entbehrlich geworden ist. Gepolsterte Stühle, wenn nicht Sessel, werden unter Juden meistens nur noch in reichen Häusern und Synagogen verwendet. Die ursprünglichen Christengemeinden, z.B. die »Armen unter den Heiligen in Jerusalem« (Röm 15,25), waren zu arm, um sich Luxus leisten zu können. Doch ist es wesentlich für Mahlfeiern bei Juden und Christen, daß die symbolische Funktion der Kissen nicht verleugnet oder durch ganz andere Elemente ersetzt wird. Bei Jesu letztem Mahl, wie auch im Judentum seiner Zeit, brachten die Kissen zum Ausdruck, daß man in freier und friedlicher, gleichzeitig fröhlicher und feierlicher Stimmung zusammenkam. Während bloße Nachahmung jüdischen Brauchtums durch Christen sicher keine Gemeinschaft mit Israel beweisen oder schaffen kann, sondern sie entweder nur vortäuscht oder jüdische Widerstände provoziert – dürfen Christen gerade von den Juden lernen, daß es ohne Frieden und Freude keine Feier und kein Fest gibt, am allerwenigsten ein »Passa des Herrn«.

Andere liturgische Konsequenzen sollen nur mit groben Strichen, ohne eingehende Begründungen und Erläuterungen, skizziert werden:

1. Eine mechanische Verlesung von immer denselben Einsetzungsworten gehört nicht zum Wesen der jüdischen Passafeiern. In den Kirchen aber erfüllt der verlesene »Stiftungstext« nicht nur die Funktionen, die im jüdischen Passa die Antworten auf die Frage »Warum dieser Gottesdienst?« hatten. Vielmehr dient die Rezitation von jeher einer öffentlichen Begründung und Rechtfertigung der ganzen Handlung, besonders aber der Vollmacht des Priesters oder Pfarrers, seines Amtes zu walten. So entspricht die Verlesung einem *hieros logos* (Kultmythos), einer Ätiologie oder einer sakrosankten Formel. Magische oder mysterienhafte Assoziationen werden unvermeidlich erweckt, sind aber der Besonderheit des Mahls des Herrn nicht angemessen. Akte des Gehorsams, des Vertrauens und der Freude sollten einfach vollzogen werden und bedürfen nicht der literarischen oder antiquarischen Belege. Andere biblische Geschichten aus beiden Testamenten können die Berichte von Jesu letztem Mahl ergänzen oder sogar ersetzen.

2. Da die Brot- und Kelchworte Jesu die ganze Feier, nicht allein die physischen oder metaphysischen Eigenschaften von Brot und Wein, betreffen (s. oben S. 25–27), sollten sie nicht – wörtlich oder paraphrasiert – bei der Austeilung an die einzelnen Gäste wiederholt werden. Die Bruderschaft zwischen Austeilenden und Empfangenden sollte im Vordergrund stehen und jeden Eindruck amtlicher Heilsvermittlung an Indivduen vermeiden.

3. Sowohl die festen Formeln als auch die in protestantischen Gottesdiensten gewöhnlich langatmigen und nur für Theologen verständlichen Belehrungen über das Wesen des Mahls haben die Wirkung, daß die Mahlfeiern zur Hauptsache aus einem einseitigen Wortschwall bestehen, nicht aber eine gemeinsame Handlung sind (wobei doch die Einsetzungsworte »tut dies« lauten, nicht aber »einige sollen dies und jenes sagen, die anderen aber zuhören«). Sicher können andächtiges Schweigen oder Orgelmusik nicht ein gemeinsames Tun ersetzen. Im jüdischen Passa wird die gefeierte Befreiung zwar mehrmals erzählt, besungen und in Gebeten beschrieben, doch hat der Hausvater kein Redemonopol. Die Mahlzeit als Aktion *aller* Teilnehmenden ist die Hauptsache – von der Vorbereitung der Speisen bis zum Abräumen des Tisches und zur herzlichen Verabschiedung der Gäste.

4. Bei den Juden würzen vorbereitete und spontane Tischreden das feierliche Mahl; Gespräche finden zwischen einzelnen und in Gruppen statt. Sie verhindern, daß man wie an einem Buffet nur mit dem eigenen Essen und Trinken beschäftigt ist.

5.   Eine Sättigungsmahlzeit kann, wie es ja bei der Passafeier selbstverständlich ist, mit dem feierlichen, von Gebet und Gesang, Lesungen und Erläuterungen umgebenen Essen von Brot und Trinken von Wein verbunden sein. Die Sättigung kann vor, zwischen oder nach der Verteilung des gesegneten Kelchs und gebrochenen Brots stattfinden. Gott, der vom Himmel das Lebensbrot geschenkt hat, gibt auch das Brot für heute und morgen, für das Menschen arbeiten. Daß Arme und Hungrige in der Gegenwart satter Reicher arm und hungrig bleiben, ist angesichts der Mannageschichte, der Speisungen der Tausende und der Ausführungen des Paulus in 1Kor 11 ein Skandal. Doch kann das Mahl des Herrn, im Unterschied zum Passa, auch ohne eine gleichzeitige Sättigungsmahlzeit gefeiert werden – wenn vor, während und nach dem Mahl alles Menschenmögliche für Arme und Schwache unternommen wird. Je regelmäßiger dies das ganze Jahr hindurch geschieht, desto deutlicher wird es, warum Christen das Passa des Herrn nicht nur einmal im Jahr feiern.

6.   Die »Zulassung« zum Passamahl ist unter Juden – für Beschnittene, für jüdische Frauen, auch für Kinder – unbeschränkt. Heute können in gewissen Fällen selbst unbeschnittene *gojim* (Heiden) eingeladen und willkommen geheißen werden, obwohl Gen 17 und Ex 12,43–49 dies nicht vorsehen. Kinder sind beim Passa nicht nur zugelassen, sondern wesentlich. Mindestens eines unter ihnen spricht die Sprache des Ungebildeten, Zweiflers, Zynikers oder Agnostikers und erhält eine klare Antwort, die alle Anwesenden erbaut. Es gibt keinen Grund, es beim Herrenmahl anders zu halten. Kinder sind nicht nur mögliche oder zu tolerierende, sondern notwendige Teilhaber am Tisch des Herrn. Doch ist es ein seltsamer Vorgang, wenn mit der Didache (IX 5) und mit Justin d.M. (apol I 65) die Taufe zur Voraussetzung für die Teilnahme gemacht wird. Von der Befolgung dieser kirchenrechtlichen Regelung, so alt sie auch sein mag, waren ja nach den Evangelien gerade die ersten Jünger Jesu ausgenommen. Tertullian (de bapt 12) weist mit Recht die Meinung zurück, die während des Seesturms ins Schiff schlagenden Wellen und das Sinken des kleingläubigen Petrus seien reichlicher Taufersatz gewesen. Die Taufe als *conditio sine qua non* für die Tischgemeinschaft beruht wahrscheinlich auf der Ansicht, sie sei »die christliche Beschneidung«. Bei Paulus (Phil 3,3; Gal 6,12–15; Kol 2,11; Eph 2,11–18) ist jedoch, wie schon früher angedeutet, die Kreuzigung Jesu Christi die nicht von Menschenhänden vollzogene Beschneidung der Welt, also aller Juden und Heiden. Auch die Heiden sind daher seit Jesu Tod beschnitten. Besseres Blut als ihr eigenes ist als Mittel und »Zeichen des Bundes« geflossen; das Blut Jesu Christi. Wenn Gott Juden und Heiden, doch auch Eltern und Kinder so vereinigt hat, soll der Tisch des Herrn nicht zum Mittel der Scheidung gemacht werden. Das heißt nicht, daß ohne Kinder (oder unter Berufung auf Eph 2,18: ohne die Anwesenheit von Juden oder Judenchristen) überhaupt niemals das Mahl des Herrn gefeiert werden kann. Es bedeutet aber, daß in irgendeiner Weise immer Friede und Versöhnung von zuvor getrennten und verfeindeten Menschen am Tisch des Herrn gefeiert werden will.

7.   Der gegenwärtige geistliche Stillstand der ökumenischen Bewegung ist u.a. dadurch gekennzeichnet, daß die Trennung am Tisch des Herrn fast überall andauert. Statt sich als Gäste des einen Herrn zusammenzufinden, handelt diese und jene Kirche noch immer so, als ob jede ihren eigenen Tisch (oder Altar) besitze. Mag man in Gesprächen über Glaubens- und Kirchenordnungsfragen etwas weiter gekommen und zu einem Minimum an gegenseitigem Vertrauen gelangt sein, so bleibt doch die Gemeinschaft in einer so zentralen gottesdienstlichen Handlung, wie sie das Mahl des Herrn ist, reichlich unterentwickelt. Für Fragen des Glaubens, der Ordnung, der Gemeinschaft und des Feierns wird der Vorstoß zu einer (für einige Kirchen vielleicht neuen) Einsicht unumgänglich sein: Ohne die freudige Wiederentdeckung und Anwesenheit von Juden, ohne Abbitte an die Juden und ohne Zusammengehen mit ihnen hat die angestrebte Einheit der Kirchen wenig oder nichts mit der Einheit des ganzen Gottesvolkes zu tun. Gibt es doch nur *ein* Gottesvolk – wenn auch unter

den verschiedenen Gestalten Israels: In Gestalt der Synagogen, der Kirche(n) und des heutigen Staates Israel. Um Gott statt einem oder vielen Götzen zu dienen (wie besonders Kornelis Heiko Miskotte in »Wenn die Götter schweigen« [München 1963] und »Das Judentum als Frage an die Christenheit« [Wuppertal 1970] nachgewiesen hat), haben heute Christen die Juden nötiger als Juden die Kirchen. Unter Anhörung jüdischer Stimmen geführte Glaubensgespräche und unter Berücksichtigung jüdischer Gottesdienste gefeierte kirchliche Mahle könnten der Gefahr wehren, daß die angestrebte Ökumene nichts besseres als ein heidnisches Symposium wird. Auch würden *solche* Dialoge und Mahlfeiern die Axt an eine der Wurzeln des latenten und immer noch virulenten kirchlichen Antisemitismus legen.

Aus allen diesen Gründen sind die bisher behandelten Fragen (nach der Beziehung des Mahls des Herrn zum Passa und anderen alttestamentlich-jüdischen Elementen sowie nach der Sprache und Liturgie) nicht nur akademischer, historischer oder formaler Natur. Im folgenden soll noch deutlicher gemacht werden, daß nicht nur Ursprung und Gestalt, sondern auch das Wesen des Mahls, bei dem Jesus Christus Gastgeber und Hausvater ist, gebürtige Nichtjuden unlöslich mit Israel verbindet. Ist doch dies Mahl Gemeinschaft mit ihm, der gleichzeitig Israels gekreuzigter Messias und der Retter der Welt ist.

Teil II

Gemeinschaft mit dem Gekreuzigten und Kommenden

A Vieldeutige Mahlinterpretationen bei Paulus?

Neben den neutestamentlichen Erzählungen *vom* letzten Mahl Jesu steht nur ein ausführlicher Text, der lehrhaft und ermahnend *über* das Mahl des Herrn Auskunft gibt: Kap. 10 und 11 des ersten Korintherbriefs. Daß die Brotrede Jesu in Joh 6,35–59 nicht in diesen Zusammenhang gehört, wird später nachzuweisen sein. Gewiß setzen die Evangelienberichte infolge der »redaktionellen« Arbeit ihrer Verfasser an den ihnen zugänglichen Traditionen verschiedene Akzente; sie sind daher nicht frei von Auslegungen und Verwendungen zugunsten der angesprochenen Gemeinden. Doch geht nur der Abschnitt 1Kor 10f intensiv auf das ein, was eine Gemeinde in ihrer spezifischen Situation wissen und tun muß und was sie um ihres Wissens und um der Liebe willen nicht zulassen soll. Unter anderen Umständen hätte Paulus wohl ganz anderes über das Mahl zu sagen gehabt. Zu keinem Thema – auch nicht zur Rechtfertigung – hat er eine komplette dogmatische Abhandlung vorgelegt.

Auf alle Fälle sind die zwei genannten Kapitel die einzige biblische Auskunftsquelle, wenn nicht nur nach der Einsetzung, sondern nach der Erklärung, der Ordnung und dem Gebrauch des Mahls gefragt wird. Patentantworten sind nicht zu erwarten; doch ist die paulinische Antwort auf die Korinthische Situation der Entscheidung eines Hohen Gerichtshofs zu vergleichen. Sie ist eine Musterentscheidung (ein Präzedenz oder ein Präjudiz im guten Sinne des Wortes). Sie ist praktisch und nicht nur abstrakt. Endlich ermuntert und verpflichtet sie alle, die sich später in ähnlichen Fällen ein Urteil zu bilden haben, zu eigenem Nachdenken und weisem Entscheiden. Weil Paulus seine Briefe schrieb, noch ehe die synoptischen Evangelien schriftlich niedergelegt wurden, eignet der Stimme dieses Apostels eine gewisse historische Priorität. Paulus beabsichtigt nicht, neue Lehren und Ordnungen einzuführen, sondern genau das darzulegen und auszulegen, was z.B. in Jerusalem bzw. Antiochien gültige Lehre und Ordnung ist.

In 1Kor 10–11 sind die kürzesten Aussagen die wichtigsten:
10,16f lautet in der revidierten Lutherübersetzung von 1984: »Der gesegnete Kelch, den wir segnen, ist der nicht die Gemeinschaft des Blutes Christi? Das Brot, das wir brechen, ist das nicht die Gemeinschaft des Leibes Christi? Denn ein Brot ist's: So sind wir viele ein Leib, weil wir alle an ei-

nem Brot teilhaben.« Und *11,26* stellt fest: »Denn sooft ihr von diesem
Brot eßt und aus dem Kelch trinkt, verkündigt ihr den Tod des Herrn, bis
er kommt.«

Außer diesen knappen Worten orientieren längere Ausführungen über
Wesen und Ordnung des Mahls. Die Themen sind: Israels Speisung in der
Wüste (10,1–13), das Verbot der Teilnahme von Christen an Götzenopfermahlen (10,19–22; vgl. aber 1Kor 8,10), die Verkündigung einer in Verantwortung ausgeübten Freiheit (10,23–33), eine Scheltrede gegen Spaltungen anläßlich von Gemeindemahlzeiten (11,17–22), die Zitierung des Einsetzungsberichts (11,23–25) und eine erneute Warnung vor katastrophalem Denken und Verhalten – ausgesprochen zugunsten der Gemeinschaft
von Reichen und Armen am Tisch (11,27–34). Jedes dieser Themen wird
noch zu erläutern sein. Außerdem verlangen auch Passagen außerhalb des
Ersten Korintherbriefs Berücksichtigung, besonders die paulinische Darstellung des Tischkonflikts mit den Jakobusleuten und Petrus in Antiochien (Gal 2,11ff) und die paulinischen Ermahnungen hinsichtlich des
Konsums von Götzenopferfleisch (1Kor 8; Röm 14f). Zu den kurzen einschlägigen Texten im Ersten Korintherbrief sind jedoch auch *1Kor 10,3–4*
zu rechnen, jene Verse, die von einer geistlichen Speise und einem geistlichen Trank handeln.

Zur Einführung in das Verständnis der drei kurzen paulinischen Aussagen
(in 1Kor 10,16f; 11,26 und 10,3f) sei folgendes bemerkt:

1.   Zu *1Kor 10,16f* sind mindestens vier Fragen zu stellen: (a) Wie verhalten sich diese Verse zum Einsetzungsbericht in 11,23ff? (b) Aus welchen literarischen Elementen sind die Aussagen von 10,16f zusammengesetzt,
bzw. wie verhalten sich Tradition und Redaktion in ihnen? (c) Welche Bedeutung haben wiederholt verwendete Schlüsselworte? (d) Welche Gedankenführung und Logik verleiht der Intention des Verfassers Ausdruck,
und worin besteht diese Intention?

a)   Außer der Umkehrung der Reihenfolge von Brot und Kelch bildet
10,16f *eine deutliche Parallele zum Kern des Einsetzungsberichts* von
11,23–25(26). Die Erwähnung des Kelchs vor dem Brot braucht nicht daraus erklärt zu werden, daß Paulus von derselben Überlieferung wie der lukanische Kurztext (der, wie schon bemerkt, nach »Leib« in Lk 22,19 den
Rest dieses Verses samt V.20 nicht enthält) beeinflußt ist. Eher hat der
Apostel die Brothandlung und das Brotwort an zweiter Stelle erwähnt,
um in 10,17 unmittelbar an »Brot« und »Leib« anschließen zu können.
Während nun in den Einsetzungsberichten (in den Übersetzungen, nicht
im Urtext) das Wort »ist« dieses Brot mit dem Leib Christi und den Kelch
mit dem Blutbund verbindet, verwendet 10,16 den Begriff »Gemeinschaft
(mit)«. Das Verbum »ist« – auch sein Fehlen im Aramäischen und Griechischen – kann Definition oder totale Identifikation bedeuten. Bedeutet es:
Ein Element wird in ein anderes verwandelt? Oder: Ein Element erhält
durch eine neue Deutung eine zusätzliche, wenn nicht eine völlig verän

derte Funktion? Oder: Läßt das Wörtlein »ist« eine Mischform zwischen
realer Verwandlung der Substanz und neugeschaffener Symbolkraft zu?
»Gemeinschaft« scheint den Nebel, der über dem Wort »ist« ruht, ein wenig zu heben. *Koinonia* (Gemeinschaft) kann eine Partnerschaft bezeichnen, die Einheit und Verschiedenheit in gleich starker Weise betont. Sicher
setzt in 1Kor 10,16 die Rede von Gemeinschaft eine Interpretation der
Stiftungsworte Jesu an die Stelle bloßer Zitierung. Brot und Kelch werden
in 11,24f und in 10,16 genannt, ihre Beziehung auf Leib und Blut Christi ist
an beiden Stellen gleich deutlich. Doch werden Brot und Leib in 10,16f
stärker betont als Kelch und Blut. Ganz parallel ist hingegen die Abfolge:
zuerst Beschreibung des Mahlgeschehens (10,16 / 11,24f) – dann Kommentar dazu (10,17 / 11,26). Doch scheint der Inhalt der Kommentierung
verschieden: hier das liturgische Brotbrechen und -essen, dort die Verkündigung des Todes des Herrn und die Erwartung seiner Wiederkunft. Endlich unterscheidet sich die (rhetorische) Frageform von 10,16 radikal von
dem ruhig-sicheren liturgischen Erzählstil von 11,23–25(26).

b)   Zur *Entstehungsgeschichte* von 10,16f: Obwohl Paulus nur von
11,23b–25(26) (vgl. auch 1Kor 15,3–5) ausdrücklich feststellt, daß er eine
Tradition zitiert, ist anzunehmen, daß auch 10,16 Traditionsgut enthält –
wie er ja auch sonst mehrfach stillschweigend Lehr- und Bekenntnisfor-
meln, Gebetsteile und Hymnen übernimmt. Dasselbe gilt von Schriftzita-
ten, die er oft ohne eine Zitationsformel gebraucht. Mittels solcher Aufnahme und Weitergabe will er sich schwerlich mit fremden Federn
schmücken oder seine Belesenheit unter Beweis stellen. Auch will er weder der Gemeinde noch Israel etwas entreißen. Vielmehr erinnert er durch
seinen Schriftgebrauch an die Einheit mit Israel und appelliert mit der Verwendung traditioneller, z.T. liturgischer Gemeindetraditionen an das Wissen, den Brauch und das Urteil seiner Leser. Er ist kein Neuerer; als Heidenapostel hat er kein anderes Evangelium als die Apostel unter den Juden
(Gal 2,6–9). Er anerkennt dankbar alles, was die Gemeinde von der Chri-
stusbotschaft schon kennt und bekennt. Doch schließt die Solidarität mit
den Gemeinden in Judäa und in der Diaspora nicht aus, daß er übernom-
mene Formulierungen redaktionell bearbeitet. Dieselbe Art der Bearbeitung, d.h. Umformulierung, Erweiterung (auch Kürzung?), Qualifizierung,
Akzentuierung und Applikation, die z.B. in Röm 6,3ff (Taufe) vorliegt, findet sich offensichtlich auch in 1Kor 10,16–17.

In Röm 6 setzt Paulus voraus, daß in Rom und anderswo die Taufe »auf Christus Jesus« vollzogen wird. Doch verwandelt er diese Feststellung zunächst in eine rhetorische Frage und
einen Appell an das Wissen der Römer: »Oder wißt ihr nicht, daß wir alle, die auf Christus
Jesus getauft sind . . .«. Dann interpretiert er die Formel *auf* Christus Jesus in zwei Schritten
(im Sinne seiner sogenannten Kreuzestheologie, vgl. 1Kor 1,23; 2,2 u.a.). »Auf Christus«
heißt »auf seinen Tod« getauft sein, »auf seinen Tod« aber bedeutet »auf den Tod« getauft
sein, d.h. zugleich auf den eigenen Tod für die Sünde (Röm 6,2.6–11). Entsprechend wird das
Liturgie-Teilstück (oder die Katechismuslehre oder das Gemeindebekenntnis) »der Segens-

kelch … ist die Gemeinschaft …« usw. in 1Kor 10,16 in eine Frage verwandelt, bevor Paulus in eigenen Worten seine Interpretation zum Gemeindegut hinzufügt. Sein »Interpretament« findet sich in 10,17 (und den darauf folgenden Versen), wie es ja auch deutschsprachige kritische Forscher einhellig annehmen.

1Kor 10,17 besteht aus drei Teilen. Eine wörtliche Übersetzung muß auf den ersten Blick folgenden Wortlaut haben: »(a) Weil *ein* Brot (ist), (b) sind wir viele *ein* Leib, (c) denn wir haben alle an *einem* Brote Anteil.« Ob allerdings der interpretierende Beitrag des Paulus alle drei Teile oder die zwei letzten oder nur den letzten umfaßt, darüber besteht keine einheitliche Meinung. Der Satz macht einen zusammengesetzten Eindruck, weil *zwei* Begründungssätze, (a) und (c), die Hauptaussage (b) umgeben und weil beide Begründungen zwar den Begriff *ein* Brot enthalten, doch evtl. verschiedenen Gebrauch davon machen. (Dem Phänomen zweier logisch paralleler Nebensätze entspricht Mt 5,18, ein Vers, in dem zwei mit »bis« beginnende Sätze die Aussage über das Nichtvergehen von Jota und Pünktchen des Gesetzes zeitlich beschränken.)

Folgende Gründe sprechen u.a. gegen die Annahme, daß alle drei Teile von 10,17 der paulinischen Redaktion zuzuschreiben sind:

(1)   Teil (a) könnte zu übersetzen sein mit »*Ein* Brot!«, d.h. als ein Bekenntnis zur Einheit und Einzigkeit des Herrn. Die Konjunktion *hoti* (oben mit »weil« übersetzt), hätte dann die Funktion eines Doppelpunktes oder den Sinn von »bekennen wir doch«. Bekenntnisse zur Einheit und Einzigkeit des Herrn haben einen Prototyp in Dtn 6,4: »Höre Israel: Der Herr, unser Gott, ist *ein* Herr« (vgl. Mal 2,10; Sach 14,9). Zeitgenössischen heidnischen Akklamationen stellten christliche Gemeinden Einheitsbekenntnisse entgegen: »… aber für uns (nur) *ein* Gott: der Vater …, und *ein* Herr: Jesus Christus« (1Kor 8,6; vgl. Röm 3,30; Eph 4,4–6; 1Tim 2,5; Joh 10,16 u.a.). Was nach Joh 6,35ff Jesus selbst von dem einzig wahren Himmels- und Lebensbrot bezeugt, könnte in dem in 1Kor 10,17a aufgenommenen Gemeindebekenntnis »*Ein* Brot« sein Gegenbild haben.

(2)   Auch in 10,17b kann Traditionsgut vorliegen – besonders dann, wenn man, getreu der Wortfolge im griechischen Text, übersetzt: »*Ein* Leib sind wir viele!«. Bekenntnisse, auch Hymnen, sprechen gern in der »Wir«-Form. Dies tut auch 1Kor 10,16. In 1Kor 10,17b–c unterbricht das »wir sind« und »wir haben Anteil« die paulinische Anrede an die Korinther in der »Ihr-«Form (1Kor 10,13–15.18.21). Daß mit der Einheit Gottes und Christi (und des Geistes) auch die Einheit und Einzigkeit der Gemeinde bekenntnishaft ausgerufen werden kann, zeigen z.B. Joh 10,16 (»*eine* Herde – *ein* Hirt!«, vgl. Joh 17,21) und Eph 4,4–6 (»*ein* Leib und *ein* Geist … *ein* Herr … *ein* Gott«). In 1Kor 12 bezeugt Paulus in der ihm eigenen Prosa dieselbe Tatsache. Demnach kann, mit und ohne explizite kausale Verbindung zwischen Brot und Gemeinde, auch 1Kor 10,17b als Teil einer Tradition gelten. Diese Stelle würde dann beweisen, daß Paulus nicht der Erfinder, sondern der Rezipient, Entwickler und Vollender der Gleichung »der Leib Christi ist die Gemeinde …, die Gemeinde ist der Leib Christi« (Kol 1,18; 1Kor 12,27 u.a.) ist.

(3)   Das Verb »Anteil haben« interpretiert in 10,17c offensichtlich das geheimnisvolle Substantiv »Gemeinschaft« in 10,16 (vgl. 10,18.20) und wird in 10,21 noch einmal verwendet (vgl. auch 9,10.12; 10,30; außer im Hebräerbrief kommt es sonst im Neuen Testament nicht vor). Trotz der (bekenntnishaften) Formulierung »wir haben Anteil« bestehen gute Gründe,

wenigstens den Schluß von 10,17 als paulinisches Interpretament anzusehen. Auch z.B. in 10,8–9.22 unterbricht er ja die Anrede an »euch« durch eine ihn selbst einschließende Aussage über »uns«.

Offensichtlich sind unfehlbare Kriterien zur Unterscheidung von Tradition und Redaktion noch nicht entwickelt. Die Anwendung der entsprechenden Methode ergibt mehr Vermutungen als sichere und theologisch fruchtbare Ergebnisse. Um so mehr sollte man davon ausgehen, daß Paulus sich gerade auch dann, wenn er eigene Interpretationen zu traditionellem Gut hinzufügte, voll mit dem Übernommenen identifizierte.

c) *Zum Vokabular von 1Kor 10,16–17.* Schlüsselbegriffe sind die Worte »Gemeinschaft«, »Brot« und »Leib«, weil sie mehrfach und mit besonderer Betonung verwendet werden.

(1) Von den vielfältigen, in Wörterbüchern beschriebenen Bedeutungen, welche »*Gemeinschaft*« *(koinonia)* und das entsprechende Verbum und Adjektiv bei Paulus haben, kommt für 10,16 nur eine Auswahl in Frage. Eine Verbindung, Gleichwerdung oder Identifikation von einer physischen oder metaphysischen Substanz mit anderen, sei es gleichartigen oder ungleichartigen, liegt (wenigstens nach dem Wörterbuch von Liddell-Scott s.v.) nicht in dem Begriff *koinonia*. Paulus ersetzt also das »ist«, das Brot und Leib Jesu in den Übersetzungen des Einsetzungsberichts verbindet, nicht durch die Aussage »Brot verbindet sich mit dem Leib Christi« oder »Brot wird in jenen Leib verwandelt«. Vielmehr bezeichnet *koinonia* Partnerschaft zwischen Personen, z.B. auf sexueller, freundschaftlicher oder erzieherischer Ebene, oder eine Gemeinschaft aufgrund der Verbundenheit von Menschen mit materiellen oder immateriellen Dingen, wie es Waffen, Spiele, Freude oder Leid sind. Sicher bezeugt der Kontext von 1Kor 10,16, daß Solidarität aufgrund eines »Teilhabens« an einem besonderen Brot (10,17) gemeint ist, vergleichbar einem Anteil am Opfer auf dem Altar (10,18) und entgegengesetzt einer Intimität mit »Dämonen« (10,20). Das »Blut«, der »Leib«, der »Altar« scheinen gleichzeitig eine Person und eine Materie als gemeinschaftsbildend zu bezeichnen; auch den »Dämonen« mag eine metaphysische Materialität zugebilligt sein. Wenn aber »Blut« und »Leib« Christi die Person des Gekreuzigten bezeichnen, wenn das *eine* Brot nicht einfach ein Brotlaib, sondern Christus selbst ist, wenn mit dem Altar nicht nur Opferfleisch (vgl. Mt 12,4: Schaubrot) gemeint ist und wenn die Dämonen als klassische oder Mysteriengottheiten zu identifizieren sind – dann bezeichnet »Gemeinschaft« in 1Kor 10,16 eine Person-zu-Person-Beziehung. Der Begriff ist dann eine Art von Äquivalent zum »Bund« oder »neuen Bund«, von denen in den Einsetzungsberichten die Rede ist. Nicht eine Konfrontation mit einem Naturwunder, nicht der sorgfältige Umgang mit geheiligter Materie, nicht die Verwandlung oder Vergöttlichung durch den Genuß überirdischer Speise, sondern eine »Begegnung« (vgl. H. Schillebeeckx, Christ, the Sacrament of Encounter with God, New York 1964) und feste Verbindung mit Jesus Christus ist dann mit »Gemeinschaft« gemeint.

In 1Joh 1,3 z.B. ist dieses Wesen der »Gemeinschaft« klar dargestellt: Gemeinschaft mit dem Vater und dem Sohn ist auch Gemeinschaft untereinander. Immerhin ist im Kontext von 1Joh 1,3 auch physisches Hören, Sehen und Betasten erwähnt und gehört bei Paulus in Gal 1,9–10 ein Handschlag und der Umgang nicht nur mit dem Evangelium, sondern auch mit dem Geld zum Wesen interpersonaler Gemeinschaft. In 2Kor 8,4 wird die Kollekte *koinonia* genannt.

Unsicher und umstritten ist, ob in 1Kor 10,16–17 an eine von physischen Aktionen vermittelte oder begleitete *Herstellung* einer sonst nicht vorhandenen oder herstellbaren Gemeinschaft gedacht ist oder ob es um öffentliche Bezeugung einer schon zuvor geschaffenen und in Kraft stehenden Einheit geht. Trotz aller neuartigen Ideen, die Schillebeeckx zur Diskussion über die Sakramente beigetragen hat, spricht er für die traditionelle römisch-katholische Eucharistielehre, wenn er Signifikation und Kausalität beim Sakrament für untrennbar hält. Der Begriff »Gemeinschaft« läßt aber, für sich allein genommen, keine eindeutige Entscheidung zu. Ob der Begriff »verkünden« in 11,26 Licht in das Dunkel bringt, wird unten zu erwägen sein.

Weil in 10,17 das Verbum »teilhaben« das Substantiv »Gemeinschaft« ersetzt oder doch interpretiert, scheint etwas anderes eindeutig ausgesagt zu sein: Die »Gemeinschaft« von 10,16 ist nicht nur (»objektive«) Anteilgabe, ein Geschenk, das gleichsam wie Regen von oben herabfällt. *Koinonia* schließt auch tätigen (»subjektiven«) Empfang, verbunden mit aktivem Essen und Trinken, ein. Die Worte »tut dies« im paulinischen und lukanischen Einsetzungsbericht könnten darauf hinweisen, daß gerade der zweite Sinn besonderes Gewicht hat.

(2) Das Wort »Brot« hat in 10,16–17 wahrscheinlich mehr als nur einen einzigen Sinn. Was »gebrochen« und daher ausgeteilt, empfangen und gekaut wird (10,16; vgl. 11,24.26–28; Apg 2,42.46; 20,7.11; 27,35), ist physisches Brot. Die Tischgäste in Korinth essen Stücke, die von einem einzigen Fladen oder Laib abgebrochen sind (10,17c). Wie erwähnt, kann das »Brechen« nicht Abbild oder Wiederholung einer Brechung des Leibes oder Lebens oder der Person Jesu bedeuten. Sonst hätte sich ja Jesus bei seinem letzten Mahl und im Haus nahe Emmaus selbst symbolisch umgebracht und würden die Teilnehmer am Gemeindemahl ihn auch ihrerseits in einer Art Voodoo-Ritual noch einmal töten.

Und doch unterscheidet Paulus »dies Brot« (11,26–28) vom alltäglich erbetenen und gegessenen. Laut Dtn 8,3; Mt 4,4 Par kann ja ein Mensch vom alltäglichen Brot allein nicht leben, selbst wenn es vom Himmel fiele und die besonderen Qualitäten des Mannas hätte (Joh 6,49f.58; 1Kor 10,1–13). Unter der Hand Jesu aber wurde gewöhnliches Brot nicht nur zugunsten von Tausenden vermehrt. Nach Joh 6 hat Jesus sich im Anschluß an die Speisung selbst als das wahre Brot bezeichnet; nach den Berichten über sein letztes Mahl hat er anläßlich der Brot-(und Wein-)Verteilung erklärt, weshalb und wozu ein besonderes Mahl mit Brot (und Wein) in der Gemeinde stattfinden solle. Als Grund und Zweck der Feier nannte er den Jüngern die Hingabe seines Lebens, durch die ihr Leben als Bundesgenossen Gottes gerettet und gewährleistet wurde. Er selbst gab somit Anlaß zum Bekenntnis der Gemeinde, daß er selbst der Geber und die Gabe des einzig wahren Lebensmittels ist – nicht *eines* Brotes, sondern *des* Brotes. Er selbst ist, wie es in 1Kor 10,17a formuliert ist, »*ein* Brot«. Wie in Joh 6 eine Bildrede Jesus als »Brot des Lebens« kennzeichnet, so ist in diesem Paulusvers »Brot« als Titel Jesu verwendet. Der zweite Sinn des Wortes »Brot« in 1Kor 10,16f ist daher geistiger bzw. metaphorischer Art. Das Brot in der Hand und aus der Hand Jesu ist zwar physisch, doch ruft der Tischherr nach tieferer Erkenntnis und höher erhobenen Herzen: Er offenbart, was für ein Brot er selbst ist und durch sein Sterben gibt.

(3) Daß auch der Begriff »Leib« seine Bedeutung in diesen Versen (und in 1Kor 11,27.29) wechselt, wurde schon festgestellt. Wenn Jesu »Leib« und Jesu »Blut« gleichzeitig und als Parallelbegriffe verwendet werden, bedeutet das Paar die aus dem Stamme Davids entsprossene Person Jesu und gleichzeitig ihren Opfertod. Der Nennung von »Leib« und/oder »Blut« wird in allen vier Einsetzungstexten ein Hinweis darauf hinzugefügt, daß diese Person nicht eine Privatperson und ihr Tod nicht ein Einzelschicksal ist. Vielmehr ist Jesus und sein Tod »für euch (gegeben)« oder »für viele«. Wenn aber, wie in 10,17b und 11,29 (vgl. 11,12–13,27), das Wort »Leib (Christi)« ohne gleichzeitige Erwähnung des Blutes auftritt, ist die Gemeinde damit gemeint. Dann liest man »wir sind« oder »ihr seid« anstelle des »für euch«.

d)   Die *Gedankenführung* in 1Kor 10,16f ist in sehr unterschiedlicher Weise nachgezeichnet und erklärt worden. Infolgedessen hat sie nicht nur zu leicht variierenden, sondern auch zu einander kraß widersprechenden Auslegegungen geführt. Skizziert werden sollen nur zwei Extreme, obwohl sich zwischen ihnen auch zahlreiche, z.T. sorgfältig ausgearbeitete Misch- oder Kombinationsformen finden.

(1)   Die Lehren von Christus, vom heiligen Mahl und von der Kirche (Christologie, Mysteriologie und Ekklesiologie) werden nicht nur als eng miteinander verbunden, sondern beinahe als identisch angesehen. Soll doch neben anderen gerade dieser Paulustext lehren und bestätigen, daß der Leib Christi in nicht weniger als in drei Gestalten existiert: als Leib Jesu von Mariens Schoß bis zum Kreuz und den Erscheinungen des (physisch) Auferstandenen; als Leib auf dem Altar oder Tisch, nachdem die vorgeschriebenen Worte über dem Brot gesprochen sind; endlich als Gemeinde oder Kirche. Die einmalige Inkarnation und Kreuzigung des Sohnes Gottes hindert dann nicht, von einer Prolongation oder Extension der Inkarnation und einem Nachvollzug der Kreuzigung zu sprechen. Die Selbstausdehnung und -bezeugung Christi erfolgt, indem er selbst Anteil an sich selbst gibt *(koinonia)* – und diese Anteilgabe geschieht primär oder einzig in dem von ihm veranstalteten Mahl, in dem er gewöhnliches Brot materiell, funktionell oder signifikativ zu einer die Seele nährenden Wundergabe verwandelt.

Die Wirkung dieser sakramentalen Selbsthingabe und Gabe soll in einer Verwandlung der Essenden bestehen. Durch ihr Teilhaben *(metecho)* an der Gnadengabe werden sie zu Gliedern am Leib Christi bzw. zu diesem Leib, wenn nicht sogar zu einer »quasi *altera persona Christi*« (so Pius XII., in: Mystici Corporis). Die Summe dieser Auslegung lautet in Kurzform: von und durch Christus – mittels des Sakraments – zu einer weiteren Gestalt Christi! 1Kor 10,16f enthält nach dieser Auslegung nicht weniger als diesen Gedankengang.

Wenn Dietrich Bonhoeffer (in: Communio Sanctorum) von »Christus als Gemeinde existierend« spricht und wenn Karl Barth (in: KD IV/2 und IV/3) mehrfach die Kirche als »die irdisch-geschichtliche Existenzweise des erhöhten Christus« bezeichnet, ist nicht nur der christologische und ekklesiologische Teil dieser tiefsinnigen und geheimnisvollen Lehre reflektiert. In der Kirchlichen Dogmatik (z.B. IV/1, S. 742f und IV/2, S. 795–797; IV/3, S. 871.1033f) wird auch dem Gedanken einer sakramentalen Vermittlung Rechnung getragen: Die Teilnahme am Abendmahl gilt als der Weg, ein Christ und Glied der Kirche zu werden und zu sein. Doch wird gleichzeitig eine sakramentale Verwandlung der Elemente Brot und Wein abgelehnt. Nach KD IV/2, S. 744f und IV/3, S. 867f verheißen zwar die Worte »dies ist mein Leib« nicht weniger als die Realpräsenz Christi; doch ist der Ort und die Gestalt dieser Präsenz nicht im Brot zu suchen und zu finden, sondern in der Gemeinde. »Ihr seid mein Leib« ist dann der Sinn des Brotworts, und Mt 18,20 und 28,20 sind seine Parallelen: Wo zwei oder drei in Jesu Namen versammelt sind, ist Jesus mitten unter ihnen – nicht als dritter oder vierter, sondern eben in Gestalt der vereinten zwei oder drei. So, als Gemeinde, ist er bis an der Welt Ende bei den Menschen.

Immerhin schließt auch diese, fast der gesamten kirchlichen Tradition widersprechende Auslegung des Brotworts ein, daß gerade (und nur) im Mahl des Herrn die Gemeinde oder Kirche als Leib Christi konstituiert wird.

(2)   Das andere Extrem soll ebenfalls nur mit wenigen Strichen skizziert werden. Unter bewußtem Verzicht auf die hochkirchlichen und hochsakramentalen Töne, welche zur Vermischung Christi, des Mahls und der Kirche beitrugen, wird alles Gewicht auf den Heiligen Geist und die Kirche, die Einheit und Liebe, das Bekenntnis und die Tätigkeit der Gemeinde gelegt. Das Mahl des Herrn wird als eine Antwort auf das Kommen, Wort und Werk Jesu

Christi gedeutet. Auch bei Zwingli wird nicht bestritten, daß Geist, Glaube, Gemeinde, Einsetzung des Mahls, feierliches Gedenken und gemeinsames Danken, Essen und Trinken Gnadengaben und -taten Gottes sind. 1Kor 10,16f erwähnt zwar den Heiligen Geist sowenig wie der Einsetzungsbericht von 11,23ff. Doch wird in unmittelbarer Nähe, nämlich in 1Kor 12–14, mit großer Betonung und Deutlichkeit dem schöpferischen und einigenden Geist *alles* zugeschrieben, was die Gemeinde, der Leib Christi, ist, erlebt und tut; die Liebe erhält den Vorrang sogar über Glaube und Hoffnung.

Die Gedankenführung in 10,16f zeigt eindeutig, daß »Gemeinschaft« von Paulus nicht als mirakulös vermittelte Anteilgabe, sondern als »Anteil-haben« interpretiert wird. Weil die Gemeinde zwar der »Leib«, nicht aber auch das »Blut (Christi)« genannt wird, kann sie nicht selbst als quasi ein »anderer« ganzer Christus gelten. Die Worte »(so) sind wir viele ein Leib« beschreiben nicht die Erschaffung oder Entstehung des Leibes, auch nicht die Einfügung in ihn, sondern seine Bestätigung und Betätigung. Das Mahl des Herrn wird deshalb weniger als ein Zeichen angesehen, das die Gemeinde empfängt denn als Zeichen, das sie ihren Gliedern gibt und zugunsten aller Welt und aller Feindschaft und Lieblosigkeit zum Trotz aufrichtet. Immerhin wird mit oder ohne Verwendung des Begriffs »Pflichtzeichen« auch mit dieser Auslegung daran festgehalten, daß das Mahl des Herrn für Gemeinde und Kirche konstitutiv ist.

Zugunsten dieser Auslegung – wenn auch nicht gewisser geheimnisloser und rationalistischer Extreme, die das Mahl zu einer Art Vereinsfest zu Ehren eines lieben Verstorbenen umfunktionieren – sprechen folgende, aus dem Kontext von 10,17 stammende Argumente: Israel ist nicht Gottes erwähltes Volk, *weil* es in der Wüste gespeist und getränkt wurde (1Kor 10,1ff). Ein Priester ist nicht deshalb Priester, *weil* er Fleisch vom Altar ißt (1Kor 10,18). Der Tod des Herrn ist nicht deshalb ein Tod für die am Tisch Versammelten, *weil* er beim Essen und Trinken verkündet wird. Wohl aber kann man sagen: Weil ja Israel, in Bestätigung seiner Erwählung, zu essen und zu trinken bekam, ist es Gottes Volk oder wird es als solches ausgewiesen. Weil wir einen Menschen vom Altar essen sehen (*blepete* in 1Kor 10,18!), ist er offensichtlich ein Priester. Weil wir Grund und Anlaß haben, den Tod des Herrn zu verkünden, sagen wir getrost, sein Tod sei das einzige Sühnemittel für uns. Doch beweist die Möglichkeit solcher Interpretation noch lange nicht ihre Notwendigkeit, geschweige denn einen Anspruch auf Ausschließlichkeit.

Offensichtlich ist 1Kor 10,16f so formuliert, daß mehr als nur eine einzige Auslegung, ja daß einander widersprechende Interpretationen gebildet werden und sich auf Details im Text und Kontext berufen können. Ein Ende des Disputs zwischen den Vertretern der Extreme steht nicht in Aussicht, auch nicht zugunsten einer der vielen Kompromißvorschläge. So reich der Inhalt dieser beiden Verse ist, so vieldeutig scheint er zu sein. Für sich allein genommen genügt er offenbar nicht für die Darstellung der paulinischen Lehre vom Mahl des Herrn.

Wer oder was kann aber von solcher Auslegungsnot frei und ledig machen? Um den Heiligen Geist (bzw. den Herrengeist oder den geistlichen Herrn), den Paulus in 2Kor 3,15–17 als einzige Instanz und deshalb als einzigen Nothelfer bei analogen Schwierigkeiten in der Interpretation des Alten Testaments bezeichnet, oder um die Himmelsstimme *(bat kol)*, die nach dem Talmud gelegentlich in rabbinische Dispute eingriff, kann ein Ausleger zwar bitten; doch kann er sie nicht herbeizwingen. Bis sein Gebet erhört ist, wird er sich besser an weniger vieldeutige Verse im Kontext der jeweiligen Problemstelle halten. 1Kor 11,26 und 10,3–4 bieten sich in der Tat zur Hilfeleistung an.

2. Da *1Kor 11,26* in späteren Abschnitten ausführlich kommentiert wird, soll an dieser Stelle nur das traditions-redaktionsgeschichtliche Pro-

blem dieses Verses zur Sprache kommen. Im Vergleich zu 10,16f sind Vokabular und Gedankenführung dieses Verses frei von Doppel- und Mehrdeutigkeiten.

In der Regel werden die Worte »denn sooft ihr von diesem Brot eßt und von diesem Kelch trinkt, verkündet ihr den Tod des Herrn, bis er kommt« als eine Glosse angesehen, mit der Paulus den tradierten Einsetzungsbericht erläutert und zur Belehrung und Ermahnung in den restlichen Versen von 1Kor 11 überleitet. Doch könnte 11,26 aus den im folgenden genannten Gründen mehr als ein klein zu schreibender Übergangsvers sein, nämlich ein Teil der in 11,23–25 zitierten Tradition.

a)   Einen Einsetzungsbericht bzw. einen Bericht über Jesu letztes Mahl *ohne* eschatologischen Ausblick gibt es (sonst) nirgends im Neuen Testament, allerdings bei Justin (apol I 66,3).

b)   Der Übergang von der direkten Anrede Jesu an die Anwesenden zu einer Aussage über »den Herrn« beweist nicht einen Wechsel des Sprechenden. Ein Wechsel von »du« zu »er« ist häufig in den Psalmen (s. Ps 23 u.a.); der Übergang von »ich« zu »er« kommt in Texten vor, die von einer göttlichen Institution (z.B. des Königtums in 2Sam 7,11 und Ps 132,13) handeln: Gott spricht von sich selbst und sagt soviel wie »ich«, wenn er in der dritten Person von »dem Herrn« spricht. Nach der Evangelienüberlieferung hat Jesus von sich selbst als »dem Sohn«, »dem Herrn« (der z.B. eines Esels bedarf oder kommen wird, Mt 11,27; 21,3; 24,42) und sehr oft als »dem Menschensohn« gesprochen.

c)   *Kataggellete* in 1Kor 11,26 kann ebensogut Imperativ wie Indikativ sein: »Verkündet!« sogut wie »ihr verkündet« kann die Übersetzung lauten. Ein Befehl Jesu, der dem Gebot »tut dies zu meinem Gedächtnis« entspricht, hat für Paulus und die Korinther größeres Gewicht als eine bloße Meinung oder Feststellung des Apostels (vgl. 1Kor 7,6.10.12.40) – die zudem für die faktisch vollzogenen Korinthischen Gemeindefeiern gar nicht zutraf. Die Verkündigung des Gekreuzigten war ja gerade das, was Paulus den Korinthern wieder zu Bewußtsein bringen wollte, ob es nun seine eigene Predigt (1Kor 1f) oder das Feiern der Gemeinde (1Kor 10f) betraf.

d)   Die Aufnahme der Worte »jedesmal wenn . . .« in V. 26 aus V. 25 wäre eine plumpe Verdoppelung des traditionellen Wortlauts, wie sie für Interpretamente nicht typisch ist. Die Wiederholung entspricht aber den in Liturgien häufigen parallelen Aussagen.

e)   Die Konjunktion »denn« beweist nicht, daß das Zitat nicht fortgesetzt und der liturgische Rahmen verlassen wird. In 2Sam 7,11 und Ps 132,13 z.B. begründet Gott selbst die Institution des Königtums mit Sätzen, die mit »denn« beginnen, und in jedem Vers von Ps 136 antwortet die Gemeinde auf eine Aufforderung zum Lob Gottes oder die Erzählung einer Gottestat mit den Worten »denn seine Güte währet ewiglich«.

f)   Hans Lietzmann (An die Korinther, Tübingen [3]1931, zu 1Kor 11,26) weist darauf hin, daß seit der Zeit der Apostolischen Konstitutionen (VIII

12,37) in syrischen Liturgien der Paulustext mit dem Wortlaut »bis *ich* komme« wiedergegeben wird.

Diese Beobachtungen widerlegen die These, daß 1Kor 11,26 ein Nachtrag oder Zwischengedanke des Paulus ist, zwar nicht eindeutig; immerhin zeigen sie die Möglichkeit, daß auch der Inhalt (und Wortlaut?) *dieses* Verses auf eine vorpaulinische liturgische Tradition zurückgehen kann; vielleicht hat Paulus sich kommentarlos zu eigen gemacht, was er für ein authentisches Wort Jesu hielt.

Auffallend sind am Vokabular und Inhalt dieses Verses mindestens vier Dinge: (1) die Betonung des gemeinsamen Essens und Trinkens, (2) die Zentralstellung des Todes des Herrn, (3) die Explikation der Begriffe »Gemeinschaft« bzw. »Anteil haben« und »Tun zum Gedächtnis« mit dem Verb »verkünden« und (4) der Hinweis auf das »Kommen« des Herrn in Verbindung mit der Beschreibung dessen, was am Tisch des Herrn geschieht. Jedes von diesen vier Elementen wird später intensiv zu erläutern sein. Doch dies erst nach einem Blick auf einen weiteren Abschnitt innerhalb von 1Kor 10–11.

3.   *1Kor 10,3–4.* Am Anfang der zwei Mahlkapitel spricht Paulus von einer geistlichen Speisung und Tränkung, die einer »Taufe in Wasser und Meer« entsprechen. Israels Väter »haben alle dieselbe geistliche Speise gegessen und denselben geistlichen Trank getrunken; sie tranken nämlich von dem geistlichen Felsen . . . Christus.« Das Adjektiv »geistlich« kommt, wenn Strack-Billerbeck (III, S. 329) zu trauen ist, in der altrabbinischen Sprache sowenig vor wie sein Gegenteil »psychisch«. Zu fragen ist, ob Paulus mit dem Adjektiv »geistlich« eine besondere Substanz bezeichnen will. Sollte dies nachzuweisen sein, so müßte das gebrochene Brot und der gesegnete Kelch, an denen die Korinther Anteil haben und in »Gemeinschaft« mit dem Gekreuzigten »sind« (10,16f), durch die Gabe, Herstellung oder Anwesenheit eines besonderen Stoffes bedingt und geschaffen sein. Vor allem beruht dann die in 11,17–33 gerügte Unwürdigkeit samt ihren schlimmen Folgen darauf, daß die »geistliche« Substanz von Brot und Kelch nicht gebührend unterschieden wurde von irdischer Speise und weltlichem Trank. Obwohl ein wenig verborgen in dem Adjektiv »geistlich«, wird in diesem Fall an dieser Stelle der Geist explizit in einem Text über das Mahl erwähnt – vielleicht nicht nur als Erschaffer der Besonderheit des am Tisch des Herrn Verzehrten, sondern auch als eigentliche Substanz dessen, was gegessen und getrunken wird. Spricht denn nicht auch 1Kor 12,13 von einer »Tränkung« mit Geist und 1Joh 5,6–8 von der entscheidenden Rolle des Geistes beim Kommen Jesu Christi »in Wasser und Blut«? Auf alle Fälle bedeutet Geist auch soviel wie Leben – und darum *kann* mit Did 10,3 »geistliche« Speise und (geistlicher) Trank von den Gottesgaben der alltäglichen »Speise« und des alltäglichen »Trankes zur Erlabung« unterschieden werden. Vielleicht *muß* dann auch mit Ignatius (Eph 20,2) geschlossen werden, daß das eucharistische Brot »Arznei für Un-

sterblichkeit« ist, und mit dem *Catechismus Romanus* (II 4,53), daß das Sakrament die Kraft »gleichsam eines himmlischen Medikamentes« hat.

In der Tat spricht Paulus später im 1. Korintherbrief von einem »geistlichen Leib«, der vom »psychischen Leib« ebenso radikal unterschieden ist wie Fleischarten voneinander oder wie die Substanz und Strahlungskraft der Himmelskörper von derjenigen irdischer Körper (1Kor 15,39–44). Ein sehr materialistisches Verständnis des Geistes, besonders des Adjektivs »geistlich«, scheint vorausgesetzt und kritiklos weitergegeben zu sein. Hans Conzelmann (Kommentar zu 1Kor 10,3–4) spricht von einem »realistischen Sakramentsgedanken« und einer »substanzhaften Komponente . . . in der Vorstellung vom Geist«. *Für* diese Auslegung scheint auch Jesu Brotrede im Vierten Evangelium (6,35–58) zu sprechen. Nachdem Jesus Tausende gespeist hat, vergleicht er das, was er ist und was er gibt, mit dem Manna. Was Israel vom Himmel zu essen bekam, verhinderte zwar nicht, daß die Väter starben (6,50.58). Wer aber das von Jesus gegebene Brot, d.h. das von Jesus gegebene Fleisch, ißt und kaut und wer Jesu Blut trinkt, wird ewig leben und am Jüngsten Tage erweckt werden. Er bleibt in Jesus, und Jesus bleibt in ihm. Der paulinische Ausdruck »geistliche Speise« und »geistlicher Trank« tönt wie eine treffliche Vorwegnahme oder Zusammenfassung jener Tradition, die Joh 6 zugrunde liegt.

Doch gibt es eine ganze Reihe von Gründen, eine Alternative für die Bedeutung von »geistlich« zu suchen:

a)   Der »geistliche« Leib von 1Kor 15,44 ist wahrscheinlich ein ausschließlich vom Geist bestimmter Leib, nicht aber ein aus »Geistmaterie« bestehender Körper. So ist ja auch der »psychische Leib« und der »sterbliche« oder »tote Leib« (von 1Kor 15,44; Röm 6,12; 8,10–11) nicht ein aus Psyche oder Tod bestehender Leib. Dasselbe gilt auch vom »geistlichen Haus« und »geistlichen Opfer«, die in 1Petr 2,5 genannt werden, sowie von den Galatern, die in Gal 6,1 als »Geistliche« *(pneumatikoi)* angeredet sind. Auch in 1Kor 12,1 kann der Genitiv *pneumatikon* ebensogut geistliche Personen wie Geistesgaben wie beides gleichzeitig bezeichnen.

b)   1Kor 12,13 handelt von der Geisttaufe, nicht vom Mahl des Herrn – obwohl einzelne Ausleger das Ende dieses Verses für eine Beschreibung des Mahls halten. Würden die Worte »wir sind mit einem Geist . . . getauft . . . und getränkt« als Hinweis auf Wassertaufe und Eucharistie verstanden, so wäre – einzig hier im Neuen Testament – eine Anspielung auf das Mahl des Herrn gemacht *ohne* Erwähnung des Brotes oder des Leibes, Fleisches und Blutes Jesu Christi. Ob in 1Joh 5,6–8 von einem sakramentalen Kommen des Herrn in Gestalt von Wasser und Blut die Rede ist, wird unten (Teil IV) zu erörtern sein.

c)   Joh 6 kann und darf nicht unbesehen für die Paulusinterpretation herangezogen werden. »Brot«, »Fleisch«, »Blut«, »essen«, »kauen«, »trinken« sind Teil einer johanneischen Bildrede – darauf wird zurückzukommen sein. Zwar können Inhalt und Absicht solcher Rede parallel oder konvergierend mit paulinischer Erzählung, Belehrung und Ermahnung verlaufen. Doch können die literarischen und stilistischen Unterschiede auch ein Signal für die Behandlung eines anderen Themas sein, das unmittelbar nichts mit dem Mahl des Herrn zu tun hat.

d) Nicht nur Speise und Trank in der Wüste, sondern auch der wasserspendende Fels, der in 1Kor 10,4 mit Christus, von Philo (leg all II 86) mit der die Seelen tränkenden Weisheit identifiziert wird, wird von Paulus »geistlich« genannt. Philo hält bei allen seinen Allegorisierungen jeweils auch am wörtlichen Sinn der behandelten Schriftstellen fest. Es ist undenkbar, daß Paulus an eine *Verwandlung* des Felsens in die Substanz des Leibes und Blutes Christi gedacht hat, der dann eine Trans- oder Konsubstantiation von Brot und Leib und von Wein und Blut am Tisch des Herrn entsprechen würde.

e) Hans von Soden (Sakrament und Ethik bei Paulus, 1931, abgedr. in: Urchristentum und Geschichte I, Tübingen 1951, S. 138ff), Günther Bornkamm (Herrenmahl und Kirche bei Paulus, 1956, abgedr. in: Studien zu Antike und Christentum, Ges. Aufs. II, München 1959, S. 138–178) und viele andere haben darauf hingewiesen, daß die Korinther fern davon waren, gering vom Mahl des Herrn und den dabei genossenen Dingen zu denken. Sie waren vielmehr enthusiastische Sakramentalisten, die wähnten, kraft des Genusses übernatürlicher Speise und göttlichen Trankes schon in göttliche Wesen verwandelt worden zu sein. Daher meinten sie, nichts von dem, was einst Sünde hieß, könne ihnen noch einen Schaden antun. Gerade solchen Sakramentsglauben widerlegt Paulus in 1Kor 10,8–11 und 11,30 mit dem Hinweis auf das schreckliche Ende der aus Gottes eigener Hand in der Wüste gespeisten und getränkten Israeliten – und einiger Christen.

f) Das Hauptargument gegen die materialistische Auslegung von »geistlich« besteht in einer Alternative, die durch den Kontext dringend empfohlen wird. Statt von einer substantiellen Eigenschaft von Speise, Trank und Fels spricht Paulus wahrscheinlich von einer tieferen Bedeutung der Speisung und Tränkung in der Wüste. Griechische Philosophen und Philologen hatten seit dem 6. Jh. v.Chr. besonders für die Homerinterpretation eine spezielle Art von Hermeneutik entwickelt. Der inspirierte Interpret der (von den Musen inspirierten) Schriften erkannte und entfaltete den Tiefsinn *(hyponoia)*, der unter, hinter oder über dem wörtlichen und historischen Sinn einer Aussage stand. Die Kunst der »Allegorie« oder »pneumatischen« (geistlichen) Exegese wurde spätestens im 2. Jh. v.Chr. (seit Aristobul) von jüdischen Diasporalehrern, später auch von palästinischen Gelehrten aufgenommen und von Philo von Alexandrien im Dienst der Auseinandersetzung mit griechischer Kultur und zum Zweck ethischer Ermahnung vervollkommnet. Die Alexandriner Clemens und Origenes folgten dem Beispiel des Barnabasbriefes, wenn sie diese Kunst auch für die kirchliche Verkündigung, Ethik, Liturgik und Apologetik nutzbar machten. Sie beriefen sich dabei guten Gewissens auf Paulus, der in Theorie und Praxis gerade auf diesen (»hermeneutischen«) Weg gewiesen hatte. In 1Kor 2,9–16 und 2Kor 3,14–18 sprach der Apostel von der Notwendigkeit und Ermöglichung geistlicher Auslegung. In Gal 4,24 bezeichnete er die Vätergeschichten als »allegorisch gesprochen« und legte sie daher allegorisch aus. In Eph 5,31–33 sprach er von einem »großen Geheimnis« – womit er eher den geheimen Sinn der von ihm gerade zitierten Stelle (Gen 2,24) als den sakramentalen Charakter der Ehe meinte. Setzte er doch anderen zeitgenössischen geistlichen (pneumatischen) Interpretationen seine eigene Allegorie entgegen: »Ich aber deute (diesen Text) auf Christus und die Gemeinde«. Ebenso hermeneutisch, nicht aber substantiell ist der Sinn von »Geheimnis« und »geistlich« in Apk 1,20 und 11,8. Nun hat Paulus, ungleich den griechischen Allegoristen, doch offenbar mit Ausnahme der Verwendung von Dtn 25,4 in 1Kor 9,9 (»Kümmert sich Gott etwa um die Ochsen?«), nie den wörtlichen Sinn im Wehen des Geistes aufgehen lassen. Weil er (gleich wie Philo) auch an der wörtlichen Bedeutung jedes allegorisch ausgelegten Textes festhielt, sollte man von seiner »typologischen« Interpretation des Alten Testaments sprechen. Typologie versucht ja zu zeigen, daß das, was sich einst ereignet hat und niedergeschrieben wurde, heute eine Widerspiegelung und daher Geltung auch unter veränderten Umständen hat. »Wie damals . . ., so auch heute« (Gal 4,29); »(Mose) sagt es ganz und gar um unsretwillen . . .« (1Kor 9,10); »es ist aber nicht allein seinetwegen (sc. Abraham) geschrieben . . ., sondern auch unsretwegen« (Röm 4,23–24; vgl. Röm 15,4; 2Tim 3,16). Dementsprechend bezeichnet Paulus in 1Kor 10,5 und 11 die Väter als »(Proto-)Typen für uns« und alle Vorgänge in der Wüste als »typisch«. Umgekehrt ist in Röm 5,14 wahrscheinlich Christus ebensosehr Prototyp für Adam, wie laut Hebr 8,5 das himmlische Zelt das Urbild für sein irdisches Abbild ist. Der Hinweis auf Manna, Wasser und Fels in 1Kor ist nach heutigem Sprachgebrauch als »typologisch« zu bezeichnen. Im Kontext von 1Kor 10,1–13 bedeutet das Wort »geistlich« in V. 3–4 soviel wie »mit vorbildlicher Bedeutung«. Obwohl, besonders nach Lk 22,15–18.29–30; 24,29–31, das Mahl des Herrn sich zum Messiasmahl ähnlich verhält wie die Speisung in der Wüste zum Mahl des Herrn, wird die Gemeindefeier von Paulus nie ein »geistliches« Mahl genannt. Das schließt nicht aus, daß es heute mit diesem Attribut beschrieben werden kann – solange das Mißverständnis vermieden wird, in gewissem Sinne esse und trinke man bei diesem Mahl Jesus Christus, das ewige Leben oder den Geist selbst.

Damit sollte der Weg freigelegt sein zur eigentlichen Interpretation dessen, was die scheinbar dunklen, unklaren und sicher widersprüchlich gedeuteten Verse 1Kor 10,16–17 und 1Kor 11,24–25 enthalten. Weil die Aussage von 1Kor 11,26 besonders einfach und klar ist, soll dieser Vers im folgenden als Leitfaden zum Verständnis der weniger klaren Texte dienen.

Wir zitieren noch einmal: »Denn sooft ihr von diesem Brote eßt und von diesem Kelch trinkt, verkündet (ihr) den Tod des Herrn, bis er kommt«.

Drei Aussagen über das Mahl des Herrn werden in den zwei Nebensätzen und im Hauptsatz des Verses 1Kor 11,26 gemacht: (1) An diesem Tisch wird der Tod des Herrn verkündet; (2) hier ist der kommende Herr maßgebend; (3) durch ihr Essen und Trinken vollzieht die Gemeinde einen missionarischen Gottesdienst.

Das erste Thema wird in Abschnitt B, das zweite in C, das dritte unter D zu behandeln sein.

B   Die Verkündigung des Todes des Herrn

Im Zentrum des Denkens, Predigens und Rühmens des Apostels Paulus steht der gekreuzigte Christus (1Kor 1,23; 2,2; Gal 2,20; 5,14; Phil 2,6–11 u.a.). Doch gilt dies auch für die Evangelien. Sie sind Vorgeschichten der Passionsberichte und gipfeln in der Darstellung der Verurteilung, Auslieferung und Kreuzigung Jesu. Erzählt wird, daß mitten im menschlichen Richten und Hinrichten, Leiden und Sterben ein Israel angedrohtes und auch die Völker betreffendes Gottesgericht vollzogen werde. Dieses Gericht, dieser Erweis der Theodizee (Röm 3,3–8.21.26; 4,25) ist voller Gnade und deshalb zum Heil der Welt. Der Messias und Retter wird ausgeliefert und geht doch nicht verloren; als Gesandter und Gesalbter kommt er durch seinen Tod zur Herrschaft, und nur so führt er zum Leben.

1.   Alternativen

Was Paulus unter Verkündigung des Gekreuzigten versteht, soll zunächst durch die Aufzählung einiger *Alternativen* zum paulinischen Verständnis des Todes des Herrn und des ihm angemessenen menschlichen Verhaltens erläutert werden:

(a)   Der Tod einer Person wird als natürliches Ende des Lebenslaufs betrachtet, durch eine Todesanzeige bekanntgegeben und mit einem »anständigen« Begräbnis, Leichenmahl und Grabstein öffentlich besiegelt. War der Tote eine hochgestellte Persönlichkeit, so wird der Leichnam besonders sorgfältig vor schnellem Verwesen bewahrt. War er heißgeliebt oder hochgeehrt, so wird, was heute »Leidbewältigung« genannt wird, gesucht und gefunden im Kämmerlein, in der Tiefe der Seele, im Alkohol, für Honorabeln und unter Gutbetuchten auch in Zeremonien und ernsten oder feucht-fröhlichen Gedächtnisfeiern.

(b)   War der Tod gewaltsam oder vorzeitig verursacht durch ein Verbrechen, Krieg, Unfall oder Krankheit, so reagieren nicht nur die dem Toten am nächsten Stehenden mit einer (Toten-)Klage oder Lamentation, die zeremoniellen Charakter haben kann. Das Problem ist dann, ob man sich trösten lassen kann oder will.

(c)   Der tragische Tod eines »Helden« kann, als Beispiel für das Schicksal auch der besten Menschen, nach Furcht und Mitleid rufen. In Tragödien oder Epen wird der Verzweiflung dadurch gewehrt, daß der Wille zur Nachahmung gerade angesichts des Schreckens des Todes erzeugt und gestärkt wird. Heidegger, Sartre und Hemingway hatten je in eigener Weise eine Liebesaffäre mit dem Nichts bzw. dem Tod. Auch dem deutschen Volk oder dem preußischen Soldaten wurde etwas Ähnliches nachgesagt: Nur in Konfrontation mit der Grenze und dem Ende, eben mit dem Eschaton des Menschen und der Welt, gilt das Leben als wert, gelebt zu werden. Wahre Existenz gibt es nur, wenn man in Sorge, Einsamkeit oder Kampf seinen Mann steht. *Morituri te salutant* bedeutet dann: Man begrüßt und liebt den Tod als besten Freund.

(d)   Das Martyrium eines Heiligen oder eines Wahrheitsuchers wie Sokrates beglaubigt die Echtheit der Überzeugung, der Lebensführung und der Botschaft eines Menschen. Sein Tod bleibt der Nachwelt als Aufruf zu Bewunderung und Nachfolge im Gedächtnis erhalten. Stirbt ein Prätendent, ein Erfinder, ein Künstler oder ein anderer unverwechselbarer Mensch, so stehen sich zuweilen schadenfrohe Spötter und ein kleiner Freundeskreis gegenüber, der das Gedächtnis des Toten in Ehren hält.

(e)   Die im Rahmen eines Rechtsstaates von Gerichtshöfen rechtmäßig ausgesprochene Todesstrafe und die Vollstreckung von Exekutionen erfüllt – so absurd es ist – zu allen Zeiten Menschen mit Befriedigung. Der Übeltäter soll für sein Vergehen bezahlen, büßen oder sühnen, und die Überlebenden sollen ein abschreckendes Beispiel erhalten. Doch soll der Name und das Gedächtnis des Hingerichteten ausgerottet werden.

(f)   Erfolgte der Tod eines Edlen oder Unschuldigen durch Verrat, Justizmord, Unterdrückung oder grausame Tortur, so reagieren die Freunde des Verehrten mit Verzweiflung angesichts ihrer vermuteten oder faktischen Mitschuld, mit Empörung und lauten Protesten gegen die mörderischen Machthaber, mit der Verherrlichung des Toten durch Erzählungen über seine Geburt, sein Leben und seltsame Ereignisse bei und nach seinem Tode, dazu durch Verbreitung der Überzeugung, daß die »gute Sache« weitergehen muß. Diese Reaktionen können getrennt auftreten oder miteinander verbunden werden.

(g)   Auf dem Grabe eines ermordeten Tyrannen kann man tanzen – bis eine spätere Generation ihn zu rehabilitieren sucht.

(h)   Endlich, wenn es um den Tod eines Gottes oder Halbgottes geht, der in Mythen erzählt wird, bestehen oder entstehen Riten, in denen ein zyklisches Stirb und Werde »begangen«, d.h. dargestellt und mit eigener Erfahrung der Eingeweihten oder Einzuweihenden verbunden wird.

Diese Liste verschiedener Todesarten und der ihnen entsprechenden Hauptverhaltensweisen ist nicht erschöpfend. Sie läßt sich ebensogut mit biblischen wie mit heidnischen Beispielen belegen. Fast jeder einzelne der genannten Typen, manchmal auch eine Kombination von mehreren, ist schon als Erfahrungsschatz, Denkmodell oder Schlüssel zur Interpretation der Texte, die vom Tod Jesu und vom Mahl des Herrn handeln, herangezogen worden. Der Auswahl entsprechend wurde Lehre, Liturgie und Praxis des Mahls geprägt. Warum sollte nicht ein Körnchen Wahrheit in einigen der genannten Optionen zu finden sein? Und doch dürften weder die sogenannten Passions- und Einsetzungsberichte im allgemeinen noch 1Kor 11,26 im speziellen primär oder einzig von einer Entscheidung für eine Auswahl aus diesen Alternativen bestimmt sein. Für Paulus ist der »Tod des Herrn« aus anderen Gründen wichtig als deshalb, weil er natürliches oder jähes und beklagenswertes Ende, tragischer Heldentod oder vorbildliches Martyrium, legitime und abschreckende Todesstrafe oder infamer Justizmord ist oder weil es dabei um einen zeitlosen mythischen Tod geht, der der Begehung in Riten bedarf, um existentiell wichtig und geschichtlich aktuell zu werden.

2. Opfer und Fürbitte

Der Tod Jesu Christi ist für Paulus ein einmaliges, von Gott dem Vater und
von Jesus Christus zugunsten der Menschen dargebrachtes *Opfer* (1Kor
5,7; 11,24–25; Röm 3,25; 8,32; Gal 2,20; Eph 5,2.25 u.a.). Anders als in Hos
6,6; 1Sam 15,22; Spr 21,3 steht dieses Opfer nicht im Gegensatz zu Treue
und Gehorsam, sondern erfüllt, was von Gott verheißen und geboten ist
(Röm 3,3.21–26; 5,19; 8,3–4; Phil 2,8; 1Kor 15,3). Der Tod des Herrn ist eine Tat der Liebe, der Liebe Gottes des Vaters und seines Sohnes (Röm 5,8;
8,32–35.39; Gal 2,20; 2Kor 5,14; vgl. Joh 3,16; 15,13; 17,26 u.a.), die zur Ge-
genliebe zu Gott und zu gegenseitiger Liebe unter den Menschen befähigt,
aufruft und verpflichtet (Röm 5,5; vgl. 1Joh 4,19).

Paulus arbeitet mit einem sehr qualifizierten Opferbegriff, zu dem es in
der Religionsgeschichte kaum oder keine Präzedenzfälle, Parallelen oder
Analogien gibt. Für ihn (wie für 1Petr, Hebr und Apk) ist der Tod des Herrn
das Opfer, nicht *ein* Opfer – wie Gott *der* Vater, nicht *ein* Vater und wie Jesus Christus *der* Herr und Heiland, nicht *ein* Kaiser und Retter ist.

Das paulinische Verständnis des Opfertodes Jesu Christi ist vielleicht gebildet und wird sicher gestützt durch einige alttestamentliche Geschichten, Weissagungen und Riten. Zu nennen sind insbesondere (a) die Opfer
auf den Bergen Moria und Karmel mit ihrer Betonung der von Gott selbst
bewiesenen Gerechtigkeit und Treue seinen eigenen Geboten und Verheißungen gegenüber (Gen 22 und 1Kön 19); (b) die von Gott vollzogene und
befohlene »Gabe des Blutes auf den Altar« (Lev 17,11); (c) die geheimnisvolle, von Gott selbst (nicht aber vom Hohenpriester) vollzogene Sühne
am Versöhnungstag (Lev 16) und (d) das Gottesknechtslied von Jes 53.
Für den Verfasser des Hebräerbriefs ist der Versöhnungstag der stärkste
und sachnächste Prototyp, für die Synoptiker, wohl auch für Johannes,
das Passafest und -lamm. Was der Hebräerbrief breit ausführt – die Besonderheit, Einmaligkeit und für immer bestehende Gültigkeit der vom Hohenpriester Christus vollzogenen Selbstopferung –, ist bei Paulus in äußer-
ster Knappheit in Röm 3,25 (im Rahmen der Beschreibung des rettenden
göttlichen Rechtsaktes) zusammengefaßt: »Gott stellte in (seiner) Treue
den Messias Jesus als Sühnemittel (besser: als Sühnemitt*ler*) in seinem
Blut«.

Schon früher wurde festgestellt, daß im Kelchwort von 1Kor 11,25 die
Worte »in meinem Blut« auf die alttestamentliche Bundesschließung mit
Blut hinweisen. Für Paulus, anders als für die Makkabäerbücher und
Qumran, ist ein Martyrium oder die Existenz in der Wüste allein keine
Sühne für Volk und Land. Das Besondere am Tod des Herrn, wie er am
Tisch des Herrn zu verkünden ist, besteht darin, daß er ein Tod »für« ande-
re ist. Das wird in 1Kor 11,24 (und bei Lukas) im Brotwort, in Mk 14,24
und in der Matthäusparallele im Kelchwort ausdrücklich festgestellt: »für
euch«, »für viele«. Nach Paulus gilt dieses »für« unabhängig von eingese-
hener und zugestandener Bedürftigkeit, von erwiesener oder als Vorbe-

dingung verlangter Gläubigkeit, besonders von der Erfüllung von Gesetzeswerken. Christus starb »für uns, als wir noch gottlos . . ., Sünder . . ., Feinde waren« (Röm 5,6–10).

Dieses »für« schließt nach wenigen Stellen – besonders wenn, wie in Mt 20,28 Par, im Griechischen *anti* statt *hyper* zu lesen ist – den Gedanken von Stellvertretung oder Austausch ein, wie ja auch die Anspielungen auf die Bezahlung eines Preises für den Loskauf eines Gefangenen oder Sklaven an eine Ersatzleistung denken lassen (1Kor 7,23; 2Kor 5,21; Gal 3,13; 4,5 u.a.). Doch gibt in der Mehrzahl der vom Opfer Christi handelnden Stellen ein anderer Vorgang den Ausschlag: Nach Jes 53,12; Hebr 5,1–10; 7–10 und Röm 3,25; vgl. 8,34 ist das »für« aus dem Akt des »Für-bittens« abzuleiten. Was der Fürbittende tut (in Joh 14–16 und 1Joh 2,1 wird er »Anwalt«, im Kanton Bern wird der entsprechende Beruf »Fürsprech« genannt), kann auf Bitte und unter dankbarer Anerkennung des In-Schutz-Genommenen erfolgen. Doch kann Fürsprache auch auf Geheiß eines Dritten vollzogen und wirksam werden. Das Neue Testament versichert, daß Jesus nicht von Menschen zu seinem Amt erwählt, sondern von Gott gesandt und gegeben wurde. Noch einmal: »Gott stellte ihn »(*proetheto*, Röm 3,25); »Gott gab . . .«, »Gott sandte . . . ihn« (Joh 3,16; Gal 4,4; Hebr 5,1–6 u.a.).

Der Sohn erfüllte seinen Auftrag gehorsam (Röm 5,19; 8,3–4; Phil 2,8). Er war nach Joh 19,37; Apk 1,5 u.a. ein glaubhafter Zeuge für Gottes Wahrheit und ein zuverlässiger Verteidigungsanwalt für die Sünder. Gemäß Hebr 2,17; 5,1–10; 12,24 hat er in Treue und Gehorsam (gegenüber Gott) und in Barmherzigkeit gegenüber den Brüdern gehandelt; nicht nur mit Geschrei und Tränen, sondern durch das Vergießen eines Blutes, das besser ist als Tierblut und das lauter schreit als Abels Blut. »Durch« sein eigenes Blut oder »in« seinem Blut hat er seine Fürsprache vollzogen. Fürbitte für seine Peiniger (»Vater, vergib ihnen . . .«) geschah in seiner Todesstunde, sagen einige Handschriften von Lk 23,24. Nach Joh 17 gipfelte Jesu Selbstverkündigung in seinem sogenannten »hohepriesterlichen Gebet«. Paulus sowie der Hebräer- und der 1. Johannesbrief verwenden bisweilen Derivate vom Stamm *hilas*, der seinerzeit aus *hileos* (»Erbarmen!«) gebildet zu sein scheint, für die Beschreibung der Sühne durch Jesu Tod (Röm 3,25; Hebr 2,17; 1Joh 2,2; 4,10). So kennt und bestätigt auch Paulus die priesterliche Lehre vom Sünd- und Sühneopfer. »Heraus-bitten« *(ex-hilaskomai)* ist die Funktion des opfernden Priesters nach der griechischen (LXX) Übersetzung von Lev 4–6; 8–10; 16–17 u.a. Von Mose und einigen Propheten sind Fürbittegebete überliefert.

Was aber bei Priestern und Propheten nicht geschah – obwohl Mose es nach Ex 32,32 anbot und obwohl es vom Gottesknecht in Jes 53 geweissagt wird –, wurde an Jesus erfüllt: Er betete nicht nur mit Worten und Gesten, sondern er betete sich zu Tode. Das ist mit »Fürbitte (oder: Fürbitter) in seinem Blute« (Röm 3,25; vgl. 5,9; Kol 1,20; Eph 2,13; 1,7) gemeint. Eine mechanische oder magische Vorstellung von der einzigartigen und exklu-

im Himmel inthronisiert sind (vgl. Joh 11,25–26). In den Römer- und Ko-
rintherbriefen war Paulus zurückhaltender, und in 2Tim 2,18 wird die
Lehre von einer schon erfolgten Erweckung der Christen als Irrlehre bezeichnet. Der endzeitliche Charakter nicht nur des Todes Christi selbst,
sondern auch des Mitsterbens mit Christus wird dadurch aber nicht in Frage gestellt.

Erst später wird auf die besondere Bedeutung hinzuweisen sein, die das Essen und Trinken »mit Jesus« (in Zeit und Ewigkeit) in den Lukasschriften
hat. Ein Eingehen auf die Formel »in Christus« würde an dieser Stelle zu
weit führen; sie fehlt in den paulinischen Texten, die vom Mahl des Herrn
handeln. Immerhin fassen in Röm 6,11 die Worte »in Christus Jesus« alles
zusammen, was in Röm 6,3–10 über die ». . . Gleichheit . . . mit Christus«
ausgeführt ist. Der Kontext von 1Kor 11,26 hat zur Erläuterung der Formel »mit Christus« gezwungen, weil in 1Kor 10,16 ja explizit von »Gemeinschaft *mit* Christus« gesprochen wird.

Welche Menschen sind es nun und wie viele sind es, »für« die Christus gestorben und auferstanden ist, so daß sie »mit ihm« gestorben sind und »in«
oder »mit ihm« auferweckt werden sollen?

6. Wenige, viele und alle

1Kor 11,24 sagt, daß der Leib des Herrn Jesus »für euch« geopfert wird. Eine schlecht bezeugte Variante des griechischen Textes hat statt dessen »für
euch gebrochen«, der lukanische Langtext aber »für euch gegeben«. Daß
bei Jesu letztem Mahl zwar Brot gebrochen, ausgeteilt und gegessen wurde, daß aber damit nicht ein symbolisches Brechen, geschweige Verteilen
und Essen der Person Jesu gemeint sein kann, wurde schon gesagt. Nur
wenn es bei Lukas heißen würde »euch gegeben« statt *für* euch gegeben«,
könnte die Ansicht verteidigt werden, beim Mahl werde die Person Jesu
Christi gleichsam (zerbrochen und) verteilt. Paulus spricht mehrfach vom
Geben Gottes bzw. der Selbsthingabe Jesu, ohne daß im Kontext vom
Mahl des Herrn die Rede ist. In Röm 4,25; 8,32; Gal 2,19–20; Eph 5,2.25;
vgl. Joh 1,29; 3,16 u.ö. ist dieses Geben, Sichgeben oder Gegebenwerden eine Beschreibung der Kreuzigung. Gewiß werden Brot und Kelch während
des Mahls nur den Anwesenden gegeben – doch heißt dies nicht, daß auch
Jesu Christi Leib und Blut nur als Opfer zugunsten dieser wenigen vollzogen ist und daß seine Wirkung nur ihnen zugute kommt.

Die scheinbar partikularistische Enge des lukanischen und paulinischen
»für euch« wird auf alle Fälle in der matthäischen und markinischen Formulierung des Kelchworts, dazu auch in dem nur von Matthäus und Markus überlieferten Wort vom Lösegeld (Mt 20,28; 26,28; Mk 10,45; 14,24)
gesprengt: Jesu Leben ist als Lösegeld »für viele«, sein Blut ist »für viele
vergossen«, d.h. nicht nur für Juden und/oder Christen, sondern auch für
Heiden. Sollten wirklich der Heidenmissionar Paulus und sein Reisebe-

gleiter und Biograph Lukas von dieser verschwenderischen Weite und Breite von Gottes Gabe nicht gewußt oder aber sie absichtlich in ihren Ausführungen über das Mahl verschwiegen haben? Wäre dies nachzuweisen, so wären sie Kronzeugen dafür, daß das Mahl das Nadelöhr ist, durch das gehen muß, wer Anteil an Gottes Gabe haben will.

Das besondere Zeugnis des Lukas wird noch anzuhören sein. Paulus aber antwortet z.B. in Röm 5,6–10, daß Christus für Schwache, Sünder, Feinde sein Leben gegeben hat; in Röm 14,15 und 1Kor 8,11, daß er für den schwachen Bruder gestorben ist, in Röm 5,18–19, daß »die vielen« bzw. »alle Menschen« durch die Rechtstat und den Gehorsam Christi Leben und Gerechtigkeit erhielten; in 2Kor 5,14, daß *alle* starben, als Christus für sie starb; in Eph 2,13–18, daß durch das Blut, die Person, das Fleisch, den Leib, das Kreuz, die Verkündigung Christi die Trennung zwischen den Nahen und Fernen (den wenigen erwählten Juden und der Masse der heidnischen Völker) aufgehoben sei. Welche Voraussetzung erfüllen die in solchen Versen einander gleichgestellten wenigen, »vielen« und »alle«? Sie werden alle zum Glauben aufgerufen; die Christen unter ihnen sind schon zum Glauben gekommen, getauft und Gäste am Tisch des Herrn. Als aber Christus gesandt wurde und »für sie« starb, stand nur eines für die vielen, für alle und jeden fest: Sie waren ohne Unterschied Sünder vor Gott (Röm 1,18; 2,12; 3,23; 5,12–21; 8,3–4; Eph 2,1–3). Zu diesen Texten gehört auch Gal 2,15, sobald man es aufgibt, in diesem Vers einen (nur rhetorisch reproduzierten?) Rückfall in das Pharisäer-versus-Zöllner-Denken eines unverbesserlichen Juden zu verstehen. Der Vers kann und muß übersetzt werden mit »wir sind Sünder jüdischer Geburt, nicht heidnischen Ursprungs«.

Dem entspricht das Zeugnis des Täufers in Joh 1,29.36: Jesus Christus ist »das Lamm, das *der Welt* Sünde trägt«. Samaritaner nennen denjenigen den »Retter der Welt«, der von anderen und von sich selbst mit den Titeln »Messias« und »König (Israels oder der Juden)« bezeichnet wird (Joh 1,41.49; 12,13; 19,19–21; vgl. 6,15). In Joh 3,16–17; 1Joh 4,9 heißt es schlicht: »Gott hat *die Welt* geliebt«.

Der am Tisch des Herrn verkündete Tod des Herrn hat nach Paulus bedingungslos und uneingeschränkt für alle Menschen alles verändert. Statt von einer Vermittlung (der Gültigkeit des Todes des Herrn) an sie durch Sündenerkenntnis, Glaube oder Sakramente zu sprechen, predigt Paulus die Neuigkeit, daß ein Machtwechsel stattgefunden hat, eine gnädige Rechtsordnung nach Gottes Willen in Kraft gesetzt und ein neuer Äon angebrochen ist. Dafür – nicht für noch zu erfüllende Heilsbedingungen – hat Paulus frei- oder unfreiwillig Botschafter zu sein, ohne sich der anvertrauten Botschaft zu schämen und ohne sich dem im Vollzug seines Dienstes anfallenden Leiden zu entziehen (Röm 1,16–17; 3,21–31; 5,12–21; 6–7; 8,2; 1Kor 9,16–17; 15,20–28; 2Kor 5,18–20; Eph 3,2–9.13; 6,19–20; Kol 1,24.28–29).

Die auch auf Heiden, eben auf alle Menschen »überfließende Gnade« Got-

tes (Röm 5,15.17.20; Eph 1,8) mag wie eine Verschwendung aussehen; doch
traut Paulus es allen Gästen am Tisch des Herrn zu, daß sie den Tod Christi
in seiner ganzen Tragweite kennen und verkünden. Es sind nicht die Besseren unter den Jüngern und anderen Menschen, die an diesem Tisch das
»für euch« zu hören bekommen und zu Herzen nehmen. Verkünder des
Todes des Herrn sind laut 1Kor 11,26 gerade auch jene Christen in Korinth, die Paulus wegen ihres abscheulichen Verhaltens beim Mahl und bei
anderen festtäglichen und alltäglichen Anlässen heftig tadelt. Daß ausgerechnet bei Paulus und Lukas im Brotwort die einschränkenden (»partiku-
laristischen«) Worte »für *euch*« zu lesen sind, ist keine Überraschung, wenn
man an die exemplarische Funktion denkt, die die durch die wenigen Jünger repräsentierte Kirche gerade infolge des Werks der Heidenmissionare
Paulus und Lukas in aller Welt und für alle Menschen hat. Begnadete Sünder feiern am Tisch des Herrn viel mehr als nur ihre eigene Rettung: Sie
sind bei aller Unvollkommenheit die von Gott erwählten Zeugen und Er-
weise für die weltweite, für immer und für jeden Menschen gültige Erlösung. Wäre nicht die Welt von Gott geliebt, so wären auch sie nicht in
Gottes Liebe eingeschlossen.
Sollten heutige Meß- und Abendmahlsfeiern viel mehr privater Erbauung
und Selbstbestätigung dienen, so ist 1Kor 11,26 ein befreiender Bußruf –
zurück zur rechten Ordnung und dem eigentlichen Sinn des Mahls!
Noch ist aber ein Hinweis nötig auf eine weitere paulinische Art, vom Tode des Herrn zu sprechen.

7. Rechtfertigung und Friede

Wesen, Absicht und Wirkung des Todes Jesu Christi werden mit den Begriffen Gerechtigkeit, Rechtfertigung, Heiligung, Versöhnung, Friede, Erlösung, Befreiung, Königsherrschaft usw. und mit den entsprechenden
Verben beschrieben. In 1Kor 1,30 legt Paulus selbst einen kleinen Katalog
solcher Begriffe vor: »Der Messias Jesus, der uns von Gott zur Weisheit gemacht wurde, d.h. zur Versöhnung, Heiligung und Erlösung.«
Von *Vergebung* spricht der Apostel nur viermal, immer in Zitaten aus
Schrift- oder Gemeindetradition (Röm 3,25; 4,7; Kol 1,14; Eph 1,7). In der
Wiedergabe einer Pauluspredigt (Apg 13,38–39) beabsichtigt Lukas offenbar, Vergebung und Rechtfertigung gleichzusetzen. Luther hat später dasselbe getan. Doch kommt das Wort »Vergebung« in den neutestamentlichen Berichten über Jesu letztes Mahl nur ein einziges Mal (in Mt 26,28)
vor, wobei wichtig sein mag, daß dieser Begriff im matthäischen Bericht
über Johannes den Täufer fehlt. Dieser Evangelist widerstand offenbar –
nicht weniger als der Verfasser von 1Joh 5,6–8 – der Ansicht, die reinigen-
de Kraft des Taufwassers mache den blutigen Tod Jesu überflüssig. Die
Notwendigkeit solcher Korrektur oder Widerlegung bildet jedoch keinen
zureichenden Grund dafür, gerade den Zuspruch, die Zusicherung und

den Empfang von individueller Vergebung in Liturgien und vielen Herzen zur Hauptsache für die Teilnehmer an Messe oder Abendmahl zu machen.

Nach Gal 2,11–21 sprach Paulus während eines Tischkonflikts (zum erstenmal?) in Antiochien von *Rechtfertigung*. Seine Absicht war dabei schwerlich, eine zeitlose Lehre vom rechten Heilsweg zur individuellen und universalen Seelenrettung und Glückseligkeit zu entwerfen und festzulegen. Es ging ihm um die solide Begründung der (Tisch-)Gemeinschaft zwischen Juden und Heiden. Den Zusammenhang von Glauben und Liebe (vgl. Gal 5,4–6 u.a.) hat Paulus selten so deutlich – und so militant! – wie in diesen Versen zum Ausdruck gebracht. Gottes Recht, d.h. die Rechtschaffung durch Gott, ist der Grund dieser Ordnung der Gemeinde. Herzstück der in Gal 2,15–21 enthaltenen Rede über die Rechtfertigung allein aus Gnade und Treue bildet die Erinnerung an die Liebe, den Tod und das Leben Christi. Durch Christus wurde die Mauer endgültig abgerissen, die Juden von Heiden und beide von Gott trennte (vgl. Eph 2,14–18). Wegen seines Todes ist der alte, separatistische Mensch verurteilt und tot, und wegen seiner Erweckung gibt es ein neues Leben. Auch im Römerbrief trägt der Begriff Rechtfertigung besonders viel zur Erkenntnis dessen bei, was Tod und Auferweckung Christi für den Glauben, die Kirche, die Ethik und die Welt bedeuten. Juden und Heiden sind unter dasselbe Gericht und unter dieselbe Gnade gestellt. Das erwählte Volk und die vielen Völker stehen unter *einem* Gott und der Aufrichtung des einen Gottes-Rechts, die durch das Opfer Christi und die Annahme dieses Opfers vollzogen ist. Im Philipperbrief ist die Einheit der Gemeinde der Skopus der in 3,9 resümierten Rechtfertigungslehre.

Nach Röm 5,10–11; 2Kor 5,18–20; Eph 2,14–18; Kol 1,20–21 aber heißt das große und vollkommene Werk Gottes *Versöhnung*. Das erwählte Volk und die Völker werden dadurch zu einem einzigen Gottesvolk gemacht. Nach Röm 5,1; Eph 5,14.17; Kol 1,20 u.a. ist *Frieden* der Zweck und die Wirkung von Gottes Tat. Wieder an anderen Stellen (in Gal 1,4; 2,4; 3,13; 4,1–5; 5,1.13; Röm 6,18–22; 7,1–6.14; 8,2.21; 1Kor 7,23; Kol 1,12–14.24 u.ö.) wird das Heilswerk oder die Gabe Gottes (zum Teil in Anlehnung an Exodus-Terminologie) *Erlösung, Befreiung* oder *Loskauf* genannt.

Weitere Bilder und Begriffe könnten aufgezählt werden. Doch genügen die genannten Termini, um zu zeigen, wie mannigfalt Paulus selbst »den Tod des Herrn verkünden« konnte. Auffallend ist der soziale, politische und rechtliche Charakter der paulinischen Ausführungen über diesen Tod und seine Wirkungen. Immer ist jedoch auch der einzelne inbegriffen, wenn von Gottes Tat zugunsten seines Volkes und der Völker die Rede ist. Wie die Botschaft vom Reich Gottes bei den Synoptikern, so wird von Paulus selbst der Tod Jesu und seine Wirkung einfach ausgerufen – mag auch der Glaube nicht jedermanns Ding sein und das Evangelium für einige einen tödlichen Geruch haben (2Thess 3,2; 2Kor 2,16). Es ist nötig, über den Zusammenhang zwischen Rechtfertigung, Friede und Mahl des Herrn weiterzuarbeiten und in Lehre und liturgischer Gestaltung auch die sozialen, rechtlichen und politischen Dimensionen dieses Mahls handgreiflich zur Geltung zu bringen. Doch gibt es auch ein Verständnis des Apostels und des Mahls, welches Rechtfertigung für einen (dogmatischen) »Nebenkrater« (Albert Schweitzer) in der paulinischen Theologie hält und dem individuellen Erleben während des Empfangs des Mahls größeres Gewicht zumißt als der missionarischen, sozialen und politischen Bestimmung des Mahls selbst.

8. Sakramentsmystik?

Nicht nur im Vierten Evangelium, sondern auch in den Paulusbriefen (z.B. in Gal 1,16; 2,20; 2Kor 13,13; Röm 8,10; Eph 3,17) wird von einem Sein oder Wirken Jesu Christi »in« den Glaubenden, nicht nur vom Sein der Christen »mit« und »in« dem Herrn gesprochen. Unter anderem haben besonders Ausdrücke wie »Christus in mir«, ». . . in uns«, ». . . in euch« Anlaß gegeben, von »Mystik« zu sprechen. Martin Dibelius und Rudolf Bultmann haben gründlich mit der Vorstellung (Adolf Deißmanns und anderer) aufgeräumt, Paulus gehöre in den Kreis großer individualistischer Mystiker, die so weit gehen konnten, sich selbst mit einer Gottheit zu identifizieren und Ich und Du letztlich zu vermischen. Doch ist die Frage zu stellen und wenigstens stichwortartig zu beantworten, ob nicht die paulinischen Ausführungen über Taufe und Mahl des Herrn beweisen, daß die »Mystik« dieses Apostels vornehmlich Sakraments-Mystik war.

Mit verschiedenen Begründungen haben besonders Wilhelm Bousset (Kyrios Christos, Göttingen 1935, bes. S. 107–110) und Albert Schweitzer (Die Mystik des Apostels Paulus, Tübingen 1930, bes. S. 222–284) diese Frage positiv beantwortet. In der in Taufe und Mahl erlebten Gegenwart des Herrn fand man, so wird behauptet, einen Ersatz für die enttäuschte Hoffnung auf die baldige Wiederkunft des Herrn; durch die Sakramente wurde man »mit« ihm vereinigt und »in« seinen Tod und sein Leben eingefügt; ja er kam als Geist und himmlische Speise so »in« die Seinen hinein, daß sie fortan zu seinem Leibe wurden und als Glieder an diesem Leibe wunderbar erhalten und bestätigt wurden.

»Verkündigung des Todes des Herrn« durch dieses Mahl muß in diesem Falle bedeuten: Am Tisch des Herrn schafft, erhält und bestätigt eine Erfahrung den Glauben, daß Christus »für mich«, »in mir« und »unter uns« ist und daß ich oder wir »in« und »mit ihm« sind. Es gibt echte und falsche Gegensätze zwischen Institution und persönlicher Erfahrung. Eine von ausgebildetem und geweihtem Personal durchgeführte rechte Verwaltung der von Christus selbst eingesetzten Sakramente kann als Gegensatz zum Erlebnis geistlicher Präsenz des Überirdischen und zu individueller Erfüllung mit ihrer Kraft verbunden werden. Doch überwindet eine subtile Sakramentsmystik den Gegensatz, indem sie Institution und Erfahrung vereinigt und miteinander versöhnt.

Der Preis, der für diesen Frieden bezahlt wird, kann allerdings enorm sein. Kult und Erlebnis werden nicht nur zum einzigen Kanal, sondern auch zum Kriterium des Heils. Die volle Gemeinschaft mit dem Gekreuzigten und Auferweckten wird gleichzeitig an den Raum der Kirche und die Begabung des Herzens für mystisches Erleben gebunden. Die reiche Gnade Gottes und ihre Gültigkeit wird zwar nicht bestritten, sondern bleibt hochgelobt. Doch wird sie abhängig gemacht von dem, was Menschen erfahren, erleben oder »tun zum Gedächtnis« an sie. Das freie Werk des Geistes, der wirkt, wann und wo er will, weicht der Potenz des menschlichen individuellen und Gruppengeistes und droht, von ihm ersetzt zu werden. So wird der organisierten Kirche und der Erlebnisfähigkeit des Herzens zugeschrieben, was dem Werk des Vaters, des Sohnes und Geistes faktisch abgesprochen, weil nicht zugetraut wird. Hält man aber das eigene Werk Gottes für unzureichend, unvollkommen und durch menschliches Tun bedingt, so ist man einer Verachtung und Schmähung dieses Werkes – und des Meisters, der es vollbrachte – nahe. Was Paulus in allen seinen Briefen über den Tod des Herrn sagt und was nach 1Kor 11,26 am Tisch des Herrn zu verkünden ist oder verkündet wird, ist etwas anderes. Dieser Vers macht deutlich, daß weder korrekte rituelle Handlung noch individuelle Erlebnis- und Bewußtseinsfülle, sondern schlicht und eindeutig »Verkündigung des Todes des Herrn, bis daß er kommt« beim Mahl des Herrn wesentlich und ausschlaggebend ist. Nach diesem Text setzen die am Tisch Versammelten die Vollkommenheit und Gültigkeit des im Tod Christi vollzogenen Werks voraus; sonst haben sie ja nichts, das sie schon fröhlich verkünden und feiern könnten, zuallerletzt sich selbst oder »das Sakrament«.

9. Verkündigung

Ebenso wie sich der Tod des Herrn vom Tod anderer Personen unterscheidet, ist auch das Verkünden gerade des Todes Christi ein besonderer Vorgang. In den sechs anderen Fällen, in denen Paulus das Verb »verkünden« *(kataggellō)* verwendet, meint er eine frohe, nie eine Hiobsbotschaft. Jesus Christus, das Evangelium, das Geheimnis Gottes, einmal auch der Glaube der Römer sind Inhalt der Verkündigung – ähnlich auch in der Apostelgeschichte. So ist »verkünden« ein Synonym von »eine frohe Botschaft bringen« bzw. »ein Evangelist sein« *(euaggelizomai)*. Es geht nach Paulus weder um Menschenweisheit noch um große Rhetorik, wenn das Evangelium proklamiert wird, sondern um die Bekanntmachung des Geheimnisses von Gottes ewiger Gnadenwahl, um die Weisheit, in der Gott am Kreuz und in der Auferweckung seines Sohnes die Rettung der Menschen durchführt und offenbart, um die Ausrufung und Aufrichtung des Gottesrechts: der Rechtfertigung aus Gnade. Weil Gott selbst durch seinen Geist die Verkündigung samt ihrer Aufnahme im Glauben schafft, wird die Evangeliumsverkündigung von Paulus »Kraft Gottes zur Rettung eines jeden, der glaubt« genannt (Röm 1,16–17; vgl. 1Kor 1,30 – 2,15; 2Kor 3,17–18; Eph 3,3–10 u.a.).

Ähnlich dem Sinn von *euaggelizomai* an den bisher genannten Stellen bedeutet *kataggellō* in 1Kor 11,26 eine *öffentliche* und verbindliche Anzeige und Ausrufung. Von Jesaja, Johannes dem Täufer und Jesus selbst wird – nicht weniger als von erregten Gruppen oder Volksmengen – berichtet, daß sie, was sie zu sagen hatten, »ausschrieen« (*krazo* in Röm 9,27; Joh 1,15; 7,28.37; 12,44; Apg 7,57; Mk 15,13–14). Im Winkel »verkündet« man nicht und nichts, sondern auf Straßen, Plätzen oder in öffentlichen Gebäuden, damit viele die Ansage eines Ereignisses, eines Zustandes, eines Gesetzes, eines Festtages oder einer Willenserklärung vernehmen können. Vollzieht eine Mehrzahl von Personen die Verkündigung gleichzeitig, wie es in 1Kor 11,26 der Fall ist, so kann zwar die Gemeinschaftsaktion gegenseitige Erbauung und Bestärkung einschließen, ist der eigentliche Adressat aber die Außenwelt. Die paarweise ausgesandten Jünger Jesu werden gewiß auch einander gestärkt haben – doch dies im Vollzug der ihnen anvertrauten öffentlichen Mission.

»Verkündigung des Todes des Herrn« ist daher ein missionarisches »Tun zum Gedächtnis« Jesu Christi. Die am Tisch des Herrn mit Christus, dem Gekreuzigten, bezeugte »Gemeinschaft« (1Kor 10,16–22) ist nicht ein kollektives Glück im Winkel, sondern erweist sich dadurch als Christusgemeinschaft, daß andere zu ihr eingeladen und in ihr willkommen geheißen werden. Nach 1Kor 11,17–22.27–34 sind dies besonders die Armen und Hungrigen unter den Gemeindegliedern. So ist ja auch mit Recht der Begriff »Leib Christi«, wenn er die Kirche bezeichnet (wie in 1Kor 10,17; 12,27 und bes. in den Briefen an die Kolosser und Epheser), nach Eduard Schweizer (Neotestamentica, Göttingen 1963, S. 317–327) und Karl Barth (KD IV/3,2, S. 780–1034, bes. S. 833f.863f.870–872) ein Hinweis auf die missionarische Existenz der Kirche. Die lukanische Beschreibung des Wesens und Lebens der Urgemeinde, einschließlich des Brotbrechens (Apg 2,42–47), bestätigt dieses Wesen und diese Bestimmung der Kirche.

Was bedeutet es aber, daß nach 1Kor 11,26 gerade die feiernde Gemeinde *Trägerin* der Verkündigung ist? In zahlreichen anderen Paulustexten sind doch die Gemeinde und ihre Glieder *Empfänger* der Evangeliumsbotschaft und wird diese Botschaft nur von besonders befähigten und bevollmächtigten Boten ausgerichtet – weil nur sie kompetente Träger dieses Amtes sind! Ein Überblick über die Personen, die Subjekte sind, wo immer im Neuen Testament von Verkündigung gesprochen wird, kann Licht auf die auffallende Aussage von 1Kor 11,26 werfen.

a) *Engel* sind zwar wesens- und berufsmäßige Boten Gottes und seiner Ehre, doch sprechen sie – außer in der Johannesoffenbarung (z.B. 14,6) und dem textlich unsicheren Vers über den Gethsemane-Engel (Lk 22,43) – nicht vom Tode Jesu. 1Petr 1,12 kann in dem Sinne verstanden werden, daß sie *umsonst* »begehren« zu tun, was die Evangelisten offenbar getan haben: »einen tiefen Einblick in die (Geheimnisse der) Heilsbotschaft zu gewinnen«.

b)   *Jesus Christus* selbst hat als erster (nach den Evangelien, einschließlich der Einsetzungsberichte) vor und bei seinem letzten Mahl von der Notwendigkeit und der Nähe, der Ursache und der Art, dem Wesen und der Bedeutung, dem Zweck und der Wirkung seines Todes gesprochen. Seine Selbstverkündigung ist Ursprung und Herz aller Verkündigung.

c)   Seine eigenen, im kleinen Kreis der Jünger vorgetragenen Aussagen über seinen Tod wurden seit Pfingsten nicht nur von den früheren, von Jesus selbst berufenen, instruierten und autorisierten zwölf (und mehr) *Jüngern* aufgenommen. Nach der Überlieferung hat Jesus zunächst nur wenigen Erwählten verheißen: »Wer euch hört, hört mich«; »sorget euch nicht darum, ... was ihr sagen sollt; denn der heilige Geist wird euch eben zu der Stunde lehren, was ihr sagen sollt«. Nur sie wurden – wie vor, so auch nach Jesu Tod – von Jesus selbst mit Vollmachten ausgestattet und ausgesandt, um das Reich Gottes zu verkünden und in Wort, Tat und Leiden glaubhafte Zeugen des Gekreuzigten und Auferweckten zu sein (Lk 9,1–2; 10,16; 12,11–12; Apg 1,8 u.a.). Allein »die Zwölf« oder wenige andere hatten nach Lukas und dem Vierten Evangelium das Privileg, an Oster- (oder Erscheinungs-)Mahlen teilzunehmen. Auch von den Emmausjüngern gilt der Satz »nicht allem Volk (wurde der vom Tode Erweckte sichtbar gemacht), sondern den von Gott zuvor erwählten Zeugen, uns, die wir mit ihm gegessen und getrunken haben, nachdem er von den Toten auferstanden war« (Apg 10,41; vgl. 1,4; Lk 24,19–23.36–43; Joh 21,4–14). Auch und gerade bei Mahlzeiten wurden sie dazu ermächtigt, selbst zu verkünden, was zuvor Jesus allein verkündet hatte. So trugen »Essen« und »Trinken« dazu bei, daß aus dem Verkündiger Jesus der verkündete »Herr und Christus« (Apg 2,33.36) wurde. Ohne Hinweis auf Tischgemeinschaft spricht auch 1Joh 1,1–4 von der speziellen »Gemeinschaft« derer, die Jesus gehört, gesehen und berührt haben. Ihre besonders nahe und intime Gemeinschaft mit dem Vater und dem Sohn wird in diesen Versen als Voraussetzung ihrer Verkündigung *(apaggelo)* bezeichnet, die dem Zweck dient, daß auch die Leser des Briefs Gemeinschaft mit den ersten Zeugen haben.

d)   *Paulus* ist auf eigene Weise erst nach den »Zwölfen« oder Uraposteln zum Verkünder geworden. Weder Lukas noch Paulus selbst spricht von einer Teilnahme des Heidenmissionars an Ostermahlen. Doch hat gerade er, der verspätete Augenzeuge (1Kor 9,1; 15,5–8), den Gekreuzigten als Inbegriff jener Weisheit bezeichnet, die er verkündet und durch sein Leben und Leiden bezeugt. Er war überzeugt davon, daß auch die von ihm ausgerichtete Botschaft eine Fortsetzung der Selbstverkündigung Jesu Christi war. »Es gefiel Gott ..., seinen Sohn in mir zu offenbaren«; »Christus spricht in mir«; die Thessalonicher haben sein menschliches Predigtwort mit Recht »als Gottes Wort aufgenommen«; nur kraft der Wirkung des Geistes erkannte und sprach er aus, wurde aufgenommen und recht beurteilt, was den Menschen von Gott offenbart war und noch wurde (Gal 1,15–16; 2Kor 13,3; 1Thess 2,13; 1Kor 2,9–16). So ist durch Paulus das zunächst nur unter Juden gepredigte Evangelium zur weltweit publizierten Botschaft geworden.

e)   Nach dem Tod des Paulus oder mit dem Tode des letzten Apostels hat die nachösterliche Selbstverkündigung Jesu nicht aufgehört. Neben den »Aposteln«, deren Zeugnis das Fundament der Kirche bildet, stehen nach Eph 2,20; 3,5; 4,11 auch neutestamentliche »Propheten«; neben oder unter den »heiligen Aposteln und Propheten« wirken auch »Evangelisten« und »Hirten«; die letzteren werden in Eph 4,11 auch als »Lehrer« bezeichnet. Ein guter Teil dieser *dritten Generation* von Verkündigern wird aus Apostelschülern und -freunden bestanden haben; so z.B. Timotheus und Titus. Nicht nur im gewöhnlich spät datierten Epheserbrief, sondern auch in 1Kor 12,28–31 werden unter den Gemeindegliedern (die *alle* vom Geist inspiriert sind, 1Kor 2,12–16; 12,3–4.13; vgl. Eph 1,17–18; 3,5; 4,7; 5,8 u.a.) Apostel und Propheten zuerst genannt. Ihrer Erwähnung folgt der Hinweis auf Krafttaten, Heilungen und andere Gaben des Geistes. In Röm 12,6–8 beginnt der Apostel mit Propheten, um dann von Dienstleistung, Lehre, Ermahnung, Wohltätigkeit und anderen Gnadengaben zu sprechen. Hebr 2,3 erwähnt das Heil(swort), das damit begann, daß der Herr es aussprach, es dann an die Ohren- (und Augen-?)Zeugen weitergegeben und schließlich »uns sicher überliefert wurde«. Der Verfasser des Hebräerbriefs war selbst wahrscheinlich ein frühchristlicher »Lehrer«. Wenn er sich auch zur dritten Generation der Wortträger zählt, ist er sich doch bewußt, Diener desselben »zweischneidigen« Wortes Gottes zu sein, mit welchem Gott selbst jetzt, in den letzten Tagen, das den Vätern durch die Propheten gegebene Zeugnis erfüllt und krönt (vgl. Hebr 1,1–2; 4,2.6.12).

Alle drei Generationen treiben Verkündigung primär durch Worte. Doch beglaubigen Krafttaten und Leiden Jesus und die Apostel je in eigener Weise. Leidensbereitschaft wird, wie von allen Gemeindegliedern, so auch von der dritten Generation der Verkünder erwartet, doch werden (außer in Mk 16,17–18) den Gliedern dieser Gruppe keine Heilungen und Dämonenaustreibungen zugeschrieben. Das Leiden behält zu allen Zeiten seine beglaubigende Kraft; es macht deutlich, daß sich der Verkündiger seines Wortes nicht schämt und bereit ist, einen Teil der Wehen der Endzeit auf sich zu nehmen. Zeichen und Wunder sind zweideutiger, doch geschehen auch sie weiterhin, wenn Gott einzelne Glieder der Gemeinde dazu befähigt, seine Kraft unter Beweis zu stellen.

An dieser Stelle muß der innere Zusammenhang zwischen Sakrament und kirchlichem Amt zur Sprache kommen. Treten Zeichen und Wunder deshalb schon im Verlauf des Lebens und der Mission der frühen Gemeinden mehr und mehr in den Hintergrund, weil die Sakramente ihre Funktion der Beglaubigung übernommen haben? In frühen Schriften hat z.B. Oscar Cullmann die Taufe und das Herrenmahl als die Ablösung der Wunder bzw. als gleichsam institutionalisierte Wunder dargestellt. Argumentiert man mit der seit Augustin im Westen verbreiteten Lehre und Namensgebung, so sind die Sakramente sichtbares Wort *(verbum visibile)* und »Zeichen« oder »Siegel« (vgl. Röm 4,11), eingesetzt (aus pädagogisch-psychologischen Gründen) um der Imbezillität (Schwachheit) des Menschen willen. Dieses ungläubige oder kleingläubige Geschöpf will ja dem Wort allein nicht trauen und verlangt Zeichen. Deshalb braucht der Mensch und bekommt er auch aus Gottes Gnade regelmäßige Hinweise darauf, daß das in Worten Ausgesprochene auf Ereignissen beruht. Als Sakramentsempfänger darf er fühlen, schmecken, betasten, ja schlucken: Ein Ereignis geschieht an ihm selbst, dem heutigen Menschen – ungehindert durch die große zeitliche Distanz von der Geburt, Kreuzigung und Auferweckung Jesu Christi. Durch die Erfahrung und das Erlebnis des heutigen Ereignisses darf er gewiß werden, auf dem Boden von Heilsereignissen, nicht etwa nur von Heilslehren, von Mythen oder Wunschträumen zu stehen.

Wie die rechte Verkündigung auf Bevollmächtigung beruht (»wie können sie Herolde sein, wenn sie nicht gesandt sind?«, Röm 10,15 u.a.), so liegt in diesem Fall auch der Vollzug von Taufe und Mahlzeit allein in der Hand von Amtsträgern. »Das Amt« wird in diesem Sinne auch in der Weltkirchenratsstudie »Taufe, Eucharistie und Amt« von 1982 als ein besonderes

Thema und eine der Größen behandelt, die für ökumenische Einheit un-
abdingbare Voraussetzung sind oder sein sollen. Nur kirchliche Amtsper-
sonen sind dann – bei Katholiken und Lutheranern wird allerdings für
Nottaufen eine Ausnahme vorgesehen – befähigt, die Sakramente zu
»spenden« oder zu »verwalten«. Die Riten werden damit nicht nur einer
*B*esiegelung des Wortes, sondern auch (unter Berufung auf 2Kor 1,22; 5,5;
Eph 1,13–14; 4,30; Apk 7,4) einer *V*ersiegelung der Empfänger durch den
Geist gleichgesetzt.

Der Wortlaut von 1Kor 11,26 betrifft die skizzierte Verbindung zwischen
dem traditionellen Sakramentsbegriff und dem ebenso traditionellen
Amtsbegriff und verdient viel größere Beachtung, als ihm bisher in Diskussionen über Sakrament und Amt zugebilligt worden ist.

Die Worte »*ihr* verkündet« besagen eindeutig, daß *alle Gäste am Tisch des
Herrn* Verkünder sind, wann und wo immer – vor der Wiederkunft, wie
noch zu betonen sein wird – das Mahl des Herrn gefeiert wird. Dies gilt, ob
man nun den ganzen Vers als Teil des Einsetzungsberichts und als Imperativ oder als Kommentar des Paulus in Indikativform versteht. In diesem
Text ist nicht von einer psychologisch und hermeneutisch bedingten und
nach hierarchischen Grundsätzen vollzogenen Verkündigung *an* die Gäste
die Rede, sondern von der Verkündigung *durch* sie. Analog hat Paulus in
1Kor 1,17 zwischen Verkünden und Taufen unterschieden: »Christus sandte mich nicht zu taufen, sondern das Evangelium zu verkünden«. Bei Jesu
Taufe durch Johannes ist es nach Joh 1,29ff Gott, der durch die Sendung
des Geistes dem Täufer etwas verkündet, das er bisher nicht wußte. Gemäß Mt 3,13–15 hatte der Täufling Jesus dem prophetischen Täufer einen
Befehl und eine Lektion zu erteilen. Indem der Täufling von der künftigen
»Erfüllung aller Gerechtigkeit« sprach, wies er auf seinen Leidensweg und
Tod hin. Das Entsprechende gilt laut Paulus vom Mahl des Herrn: »*Ihr* verkündet den Tod des Herrn«. Zwar ist nicht zu bestreiten, daß dieser Verkündigung *durch* die Essenden und Trinkenden die Selbstverkündigung
durch den Herrn vorausgegangen war; Paulus hat sie ja in den vorausgehenden Versen wortwörtlich zitiert. Auch hat der Apostel selbst bei der
Gründung der Gemeinde mit aller Deutlichkeit den Korinthern allein den
Gekreuzigten verkündet, und seine Schüler werden kaum dies Herzstück
paulinischer Predigt einfach totgeschwiegen haben. In 11,26 aber spricht
Paulus nur von der durch die Gemeinde getragenen und vollzogenen Verkündigung. So ruft er ja auch in 1Thess 4,18; 5,11; Röm 15,14 alle Angesprochenen dazu auf, einander gegenseitig zu belehren, zu trösten, zu warnen. Gewiß verkündet er die Grundlegung durch Jesus Christus und
spricht er nicht ohne großes Selbstbewußtsein von der Fortsetzung dieser
Verkündigung durch seinen apostolischen Dienst. Doch steht ihm in 1Kor
11,26 ein Monopolanspruch für sich selbst oder einzelne autorisierte
Amtsträger in der Gemeinde fern: »*Ihr* verkündet!« – wie er ja auch zitiert
hatte: »Tut *(ihr!)* dies zum Gedächtnis«.

So gibt es nach Paulus noch eine vierte Generation von Verkündigungsträgern. Von ihrer Aktivität als Trägern der frohen Botschaft gilt dasselbe, was auch unabdingbare Voraussetzung von Jesu eigener, von der apostolischen und von der prophetischen, »evangelistischen« und hirten- oder lehrhaften Verkündigung ist: Allein der Geist Gottes kann dazu inspirieren, sie ist Gnadengabe; sie hat das Reich Gottes, das Evangelium, Christus selber, besonders seinen Tod zum Inhalt. Diese Gnadengabe ist jetzt in die Hände aller Tischgäste gelegt. Ihrem »Tun zum Gedächtnis« wird anvertraut, was Gott allein schenkt und bewirkt. Am Tisch des Herrn sitzt laut Paulus kein einziger nur passiver Empfänger, von »inkompetenten Laien« gar nicht zu reden. Hier gibt es nur durch den Geist erweckte, belebte und daher aktive Personen, die selbst einen Dienst am Evangelium erfüllen. Indem sie auf Anweisung ihres Herrn etwas zu seinem Gedächtnis *tun*, eben indem sie zu seinen Ehren und in seinem Namen an Brot und Kelch teilhaben, dienen sie dem Herrn. Der Dienst besteht darin, daß sie einander und aller Welt verkünden, daß Jesus Christus für alle Menschen, Juden und Heiden, gestorben ist, nicht nur für die Christen, die jetzt am Tisch sitzen.

Man kann das Mahl des Herrn deshalb ein Gott wohlgefälliges Menschenwerk nennen. Gewiß geht es dabei nicht um eines jener (willkürlich aus dem ganzen Gesetz ausgewählten) »Werke des Gesetzes«, wodurch Menschen sich selbst vor Gott zu rechtfertigen wähnen (vgl. Gal 2,16; Röm 3,28 u.a.). Doch spricht die Bibel ja auch von einem »Werk unserer Hände«, das Gott selbst »fördert« (Ps 90,17). Paulus erwähnt z.B. in Eph 2,10 »gute Werke, die (oder: zu denen uns) Gott zuvor bereitet hat, damit wir in ihnen wandeln« (vgl. Röm 2,7 und die Pastoralbriefe). Gewiß tun auch die ordinierten Kleriker das Werk des Herrn. Am Tisch des Herrn aber sind alle Gäste einander gleich, weil alle Verkünder sind.

Dieses Mahl ist daher nicht nur eine Krise für jede Art von Klerikalismus; es bedeutet das Ende jeder Geringschätzung und Patronisierung der sogenannten Laien. Nur einen einzigen Amtsträger gibt es am Tisch des Herrn – Ihn, den Hausherrn und Gastgeber, der Priester und Opfer zugleich ist. Das Amt, Gott zu loben durch die Verkündigung des lebenbringenden Todes, hat er weder sich selbst noch Paulus, weder seinen zwölf Jüngern noch Lehrern, Priestern oder Pfarrern vorbehalten, sondern der ganzen Gemeinde und jedem ihrer Glieder anvertraut. Hält man es überhaupt für geboten, notwendig und heilsam, von einer Vermittlung, Übermittlung, Beglaubigung, Aktualisierung oder Realisierung des vollkommenen Werkes Gottes und seines Sohnes zugunsten der Menschen in ihrer jeweiligen Situation zu sprechen, so sollte man nur vom Heiligen Geist und von der Funktion des durch den Geist inspirierten Wortes reden. Durch den Geist allein haben Menschen Anteil an den Gaben und der Vollmacht Christi; durch den Geist sind sie versiegelt (1Kor 1,22; 5,5; Eph 1,13–14; 4,20; vgl. 1Joh 2,20.27), und durch die Verkündigung des Evangeliums – wer immer sie ausführt (Phil 1,15–18) – werden sie gerettet (Röm 1,16–17).

Zwei weitere exkursartige und z.T. kritische Hinweise auf die Geschichte der Theologie können weitere Klärung bringen:

(a)   Besonders in den Artikeln V und VII lehrt die *Confessio Augustana*, daß Evangelium und Sakrament die Mittel (im lat. Text: *tamquam per instrumenta*, »gleichsam ... Instrumente«) sind, durch die der Geist gegeben wird, der, wo und wann er will, in den Hörern des Evangeliums den Glauben schafft, und daß die Kirche die Versammlung der Heiligen ist, in der das Evangelium rein gepredigt und die heiligen Sakramente dem Evangelium gemäß dargereicht (lat. Text: *recte administrantur*, »richtig verwaltet«) werden. Davon, daß das Mahl des Herrn dazu eingesetzt wurde, den Geist zu vermitteln, steht jedoch kein Wort in 1Kor 10–11 oder in den synoptischen Einsetzungsberichten. Gewiß könnten die Korinther die in 1Kor 10,3–4 gemachten Aussagen über »geistliche Speise« und »geistlichen Trank« zunächst anders verstanden haben, als es der Kontext nahelegt; ihrem schon erwähnten, vermutlich fast oder ganz magischen Sakramentalismus entsprechend könnten sie Gabe und Einnahme von Speise und Trank am Tisch des Herrn als Akte des Übertragens, Essens, Trinkens und Schluckens von Geist und deshalb als Lebensversicherung und -garantie verstanden haben. Solche Illusionen werden jedoch durch die Hinweise des Paulus auf das furchtbare Ende der rebellischen Väter Israels und auf die an Krankheit und Tod erkennbare göttliche Verurteilung von Mahlteilnehmern (1Kor 10,5–11; 11,27–34) gründlich zerstört. Paulus zufolge werden Geist und Leben *nicht* durch eine Mahlzeit vermittelt.

Auf der anderen Seite ist es jedoch im Sinne des Apostels, wenn die evangeliumsgemäße bzw. rechte Verwaltung (der Taufe und) des Mahls als wesentlich für das Dasein, das Wesen und Leben (also für »Essenz« und »Existenz«) der Kirche bezeichnet werden. Dies immerhin nur unter einer zweifachen Bedingung: (1) Der Gemeinde darf die Gabe und der Auftrag einer Verkündigung, die sie selbst als Antwort auf das gehörte Wort zu vollziehen hat, nicht abgesprochen werden, sondern sie ist dazu zu ermutigen und dabei zu unterstützen. (2) Die Gemeinde als ganze ist als Verwalterin des Mahls ernst zu nehmen, nicht nur der Klerus, da ja alle Tischgenossen etwas »*tun* zum Gedächtnis« des Herrn und sich nicht nur an ihn erinnern lassen, indem jeder für sich das Dargebotene konsumiert. Gemeinsam preisen alle ihre Glieder das geschlachtete Lamm. Auch die inspirierte und gehorsame Antwort auf Gottes Wort ist Wort Gottes. Predigt und Mahl sind Elemente des Dialogs zwischen Gott und Mensch, der das Empfangen, das Sein und das Tun der Kirche konstituiert.

(b)   Karl Barth hat (in KD I/1, S. 89–128) eine Lehre von der »dreifachen Gestalt des Wortes Gottes« erarbeitet. Er hat zwischen kirchlicher Verkündigung, Bibelwort und dem Logos-Christus so unterschieden, daß gerade in der Verschiedenheit dieser Gestalten die gleichsam trinitarische Einheit des Wortes zur Geltung kam. Wird durch die Rede von der in ihrer eigenen Weise verkündigenden Gemeinde diese dreifache Gestalt in Frage gestellt oder um eine vierte erweitert, die dann nicht mehr eine Analogie zur Trinitätslehre (I/1, S. 124f) bildet? Barth hat in dem schon genannten Abschnitt von IV/3 (§ 72) auf diese Frage eine Antwort gegeben: Die Gemeinde ist nicht nur als hörende, sondern auch als zeugnisgebende Gemeinde das Volk Gottes; sie ist »Gemeinde für die Welt«.

Kraft der Erhöhung Christi und in Ausführung des prophetischen Amtes ihres Herrn spricht daher auch sie das Wort Gottes. Die ganze Kirchliche Dogmatik bewegt sich ja von einer Predigthilfe für Pfarrer zu einem Zuspruch, Zuruf und Aufruf an die Gemeinde.

Die Lehre von der kirchlichen (in KD I/1, S. 89–101 an erster Stelle behandelten) Gestalt des Wortes Gottes kann und muß deshalb im Sinne meines Vaters erweitert, bzw. noch mehr präzisiert werden. Noch einmal ist triadisch zu unterscheiden zwischen (1) dem Wort *an die Kirche*, das Prediger und Lehrer im Namen Christi und gemäß der Schrift an die Gemeinde richten, (2) der Antwort zum Lobe Gottes und zur Erbauung der Brüder, die *in der Gemeinde* laut wird, und (3) dem von der ganzen Gemeinde *an die ganze Welt* gerichteten Zeugnis von

Wort und Tat. Die Einheit der kirchlichen Verkündigung verbietet es, auch nur eine dieser drei sekundären Formen zu unterschätzen, zu unterschlagen oder auszuschalten.

Wir fassen diesen Abschnitt zusammen: Paulus zufolge verkündet die Gemeinde durch die ganze Feier des Mahls des Herrn, daß ein einziger, Jesus Christus, für alle Menschen fürbittend eingetreten und daß diese Fürsprache erhört worden ist. Indem sie Gott am Tisch des Herrn lobt und dankt, zeigt sie, daß jeder Jude und Heide so gut wie jeder Christ einzig davon lebt, daß der Sohn Gottes nicht umsonst für ihn gebetet hat und noch ständig Fürbitte leistet.

Im folgenden geht es darum, daß Paulus – bei aller Intimität, Publizität und Universalität, die er der Mahlfeier, dem »Tun zum Gedächtnis« und der »Gemeinschaft« mit dem Gekreuzigten zuschreibt – auch um die Unvollkommenheit und Vorläufigkeit dieses Mahls weiß, ja daß er sich sogar darüber freut.

C Wiederkunft statt Realpräsenz

In 1Kor 11,26c nennt Paulus gleichzeitig ein Ziel und einen Zweck der Verkündigung des Herrn am festlichen Tisch: »bis er kommt«. Ulrich Wilckens bemerkt (in seiner Übersetzung des Neuen Testaments, 1970) zu diesen drei Worten: »Gedacht ist an das endzeitliche Kommen Jesu (vgl. Mk 13,24–27; 1Thess 4,16–18), nicht an sein Kommen zur Abendmahlsfeier.« Jedoch scheinen andere neutestamentliche Aussagen das Gegenteil zu beweisen. Zu nennen sind z.B. die Erzählungen vom Mahl zweier Jünger mit Jesus nahe Emmaus und von anderen sogenannten Ostermahlen (Lk 24; Joh 21; Apg 1,4; 10,41), die Rede vom Kommen Jesu, des Sohnes Gottes, »in Wasser und Blut . . . nicht nur in dem Wasser, sondern in Wasser und Blut« (1Joh 5,6 und 8), die Verheißung von Joh 14,18 »Ich will euch nicht verwaist zurücklassen; ich komme zu euch« und der Satz »Siehe, ich stehe vor der Tür und klopfe an; wenn jemand meine Stimme hört und die Türe öffnet, will ich zu ihm eingehen und das Mahl mit ihm halten und er mit mir« (Apk 3,20). Auf solche Stellen geht das Gebet zurück: »Komm, Herr Jesu, und sei unser Gast . . .«. Wären diese Berichte, diese Verheißungen und dieses Gebet entscheidend und maßgebend für das, was am Tisch des Herrn geschieht, so hätte sich Paulus in 1Kor 11,26c sehr ungenau, wenn nicht irreführend ausgedrückt. An dieser Stelle spricht er ja nur von einem zukünftigen Kommen, nicht aber von einer jetzt schon am Tisch geschenkten und erlebten Gegenwart.

Zwar hatte das von Paulus in 1Kor 16,22 zitierte Gebet *Maranatha* (»Unser Herr, komm!« – Did 10,6, vgl. Apk 22,20; oder: »Unser Herr ist da«; oder ». . . ist im Kommen«) höchstwahrscheinlich seinen festen Platz in der frühchristlichen Mahlfeier, doch beweist dies nicht die Wahrheit von zwei weitverbreiteten Theorien: 1. Die kultisch erlebte Gegenwart des erhöhten

Herrn war schon Mitte des ersten Jahrhunderts zum Ersatz für die Erfüllung der als Täuschung erwiesenen Naherwartung der Parusie (Wiederkunft) und des Weltendes geworden. 2. Schon damals wurde die Präsenz Christi beim Mahl als eine dritte Form seines »Advents« verstanden; sie war zugleich Nachvollzug seiner Fleischwerdung am Weihnachtstag und Vorwegnahme seiner leibhaften Erscheinung am Ende der Tage. Die zuerst genannte These ist seit ihrer Entstehung in der Neuzeit Privatmeinung einiger Gelehrter geblieben. Die zweite aber hat ihre Wurzel, wenn nicht bei Paulus und Johannes, so doch schon im 2. Jahrhundert, und sie hat in Ost und West einen Triumphzug durch zahllose kirchliche Predigten, Lehren, Liturgien und Katechismen gehalten. Immerhin verlief diese Machtdemonstration in so verschiedenen Formen und mit so verschiedenen Akzenten, daß sie oft mehr zu Uneinigkeit, Leidenschaft und bisweilen boshaftem Streit von Christen untereinander (genannt *rabies theologorum*) beigetragen hat als zu Brüderlichkeit, gegenseitiger Liebe und Tischgemeinschaft.

Es geht um das Dogma der *Realpräsenz* Jesu Christi beim und im Mahl des Herrn. Schon der Ausdruck »Realpräsenz« ist ein seltsames Gebilde – ist doch eine Person entweder anwesend oder abwesend – und spricht man doch, wenn sie gegenwärtig ist, nicht davon, daß sie »real anwesend« ist. Dennoch verdient die Rede von der Realpräsenz des Gekreuzigten und Auferstandenen beim Mahl Beachtung. Wer vom *Christus praesens*, dem im Gottesdienst und besonders im Mahl des Herrn gegenwärtigen Herrn spricht, tut dies aus tiefer Ehrfurcht und allein, um Jesus Christus zu ehren. Er will auf das Geheimnis und den Kern des Mahls hinweisen, daß Christus selbst als einziger Geber aller Güter und zugleich als vollkommene Gabe verkündet wird. »Realpräsenz« steht im Gegensatz z.B. zu bloßer Ideal-, Funktional-, Symbol-, Signalpräsenz und ist sicher am weitesten entfernt von einer fiktiven Gegenwart, die nur ein Produkt menschlicher Bedürfnisse oder Wunschträume wäre.

In Einigungsgesprächen zwischen den Vertretern der großen orthodoxen, römisch-katholischen, lutherischen und reformierten (presbyterianischen) Kirchen versuchen alle Beteiligten sich gegenseitig zu versichern, man wolle nichts anderes als die »Realpräsenz« des Herrn bekennen und feiern. Nur in der Beschreibung der Kausalität, der Modalität, der Lokalität und des Effekts dieser Präsenz gibt es geheime oder offen ausgesprochene Unterschiede. Diese haben sich einstweilen weder exegetisch noch historisch noch liturgisch auflösen lassen. Einer der Hauptgründe, warum die Kommunion, also die Gemeinschaft mit Christus und untereinander durch Anteil an den Heilsgütern, immer noch ein Mittel und ein Zeichen ein- oder gegenseitiger Exkommunikation ist, besteht in der vorhandenen Uneinigkeit über die Art der Gegenwart Christi. Diese Uneinigkeit und ihre Folgen sind in der Tat »real präsent«, wie und wo immer das Mahl gefeiert wird.

Unmöglich können in diesem Zusammenhang die subtilen Unterschiede in Lehre und Liturgie, dazu ihre Begründungen in Schrift, Tradition und Erfahrung einzeln dargestellt und überprüft werden. Jedoch ist weder durch Gebrauch noch durch Mißbrauch des Begriffs Realpräsenz die Tatsache zu leugnen, daß 1Kor 11,26c gleich nach dem Einsetzungsbericht oder in seinem Rahmen vom Kommen des Herrn handelt.

Wo und wann ist Jesus Christus gegenwärtig? Sagt man, der Herr komme »zum« Mahl und sei »am« Tisch gegenwärtig, so redet man von Anlaß und Ort seiner Präsenz. Ist der Anlaß unbestritten, so hat die Frage nach dem Ort innerhalb des Mahls, an dem Jesus Christus als geistlich und leibhaftig gegenwärtige Person zu suchen und zu finden ist, mindestens drei Antworten gefunden. Wir stellen sie in der Art von Idealtypen vor, wobei wir uns der Gefahr einer Simplifizierung bewußt sind.

1.   Relativ selten, wenn auch durch Erzählungen von Visionen bestätigt, wird von Christi Gegenwart in einer Gestalt gesprochen, die *hinter* oder *vor* dem Altar steht. In dem ministrierenden Priester oder Pastor wird dann der Herr selbst, der Sohn Gottes, der Hohepriester und Diener der Gemeinde als Geber aller Güter »gesehen«.

2.   *Auf* dem Altar nehmen ihn diejenigen wahr, die an Transsubstantiation durch die ausgesprochenen Worte oder durch den angerufenen Schöpfergeist glauben. Unter moderneren katholischen Theologen wird die Gleichsetzung des Altarmysteriums mit der substantiellen Verwandlung irdischer Elemente in Leib und Blut Christi bzw. in eine überirdische Speise bisweilen nur noch schwach vertreten oder sogar in Frage gestellt. Nicht nur Protestanten sprechen heute von Konsubstantiation, Transsignifikation, Funktion oder persönlicher Erfahrung und Begegnung. Doch bleibt die wirkliche und wunderwirkende Gegenwart Christi selbst und des durch ihn gebrachten Heils auf dem Altar oder Tisch unbestritten. Dies trifft auch dann zu, wenn die Bedeutung des ministrierenden Geistlichen auf eine Dienstfunktion reduziert und den ausgeteilten Gaben größere Ehre als ihm selbst zugesprochen wird.

3.   Nur selten wird von einer Realpräsenz Jesu Christi in der Gestalt der vielen Menschen, die *vor* dem oder *um* den Altar (oder Tisch) stehen, gesprochen. Die Begründung für diese Auffassung lautet: Jesus könnte sehr wohl beim Aussprechen der Worte »das ist mein Leib« nicht auf das Brot in seiner Hand geblickt oder gewiesen haben, sondern auf den Kreis seiner Jünger, also auf die erste Gemeinde, die er als Repräsentantin aller späteren Gemeinden eingesetzt und behandelt hätte. Diese Auslegung des Brotwortes wird zwar in den meisten Kommentaren gar nicht erwähnt. Geschieht es doch, so nur, um mit Abscheu verworfen zu werden. Nun hat aber Karl Barth (in KD IV/2, S. 744–745 und fast gleichlautend in KD IV/3, S. 867–868, dazu in Seminaren und Gesprächen) gerade diese Auslegung wieder zur Diskussion gestellt. Er verbindet, wie schon angedeutet, die Herrensprüche »Wo zwei oder drei in meinem Namen versammelt sind, da bin ich mitten unter ihnen«, »Siehe, ich bin bei euch alle Tage bis an das Ende der Welt« (Mt 18,20; 28,20) und die Gleichungen: Die Ge-

meinde verfolgen ist Christus verfolgen; die Gemeinde ist der Leib Christi; was einem kleinen Bruder zuliebe oder zuleide getan wird, ».. . das habt ihr mir getan« (Apg 9,4; 1Kor 12,27; Mt 25,31–46) mit dem von Jesus gesprochenen Brotwort »Das ist mein Leib«. Nicht als dritter oder vierter komme der Herr zu den zwei oder drei zum Gottesdienst Versammelten, sondern die Gemeinde selbst sei, wenn sie zu seinem Gedächtnis ißt und trinkt und den Tod des Herrn verkündet, »seine eigene Aktion, das Werk seiner Realpräsenz« (IV/2, S. 744f), »seine irdisch-geschichtliche Existenzform« (IV/3, S. 867).

Außer den bisher skizzierten drei Weisen, von Realpräsenz Christi zu sprechen, gibt es noch eine unbestimmbare Anzahl von weiteren Varianten. Man kann von einer wirklichen Gegenwart des Herrn in der missionarischen Existenz der Christen sprechen: Sie bleibt nicht auf spezielle gottesdienstliche Akte an Feiertagen beschränkt, sondern ist in Mt 28,20 für »alle Tage« verheißen. Man kann auch von der Gegenwart im ganzen und in jedem gottesdienstlichen Geschehen reden: Wo immer zwei oder drei im Namen des Herrn versammelt sind, wird nach Mt 18,20 Jesus mitten unter ihnen sein. Dazu gibt es viele Stellen, die von der Gegenwart Christi im Herzen und im Innern des Menschen, in der Verkündigung des Evangeliums, beim Beten und in der Erduldung des Leidens handeln. Die Gegenwart Gottes, seines Sohnes, seines Geistes braucht nicht auf das Mahl des Herrn oder andere besondere Anlässe beschränkt zu werden. Sie trägt, belebt, richtet und erneuert vom Anbeginn bis zum Ende der Schöpfung und des Lebens sowohl die Menschen als auch die Welt. Es gibt viele Weisen und Gelegenheiten, ihrer staunend, reumütig oder dankbar gewahr zu werden. Solche Gegenwart ist wirklich und wirksam (»real«), auch wenn es nicht jedermanns Ding ist, sie anzuerkennen und ihr entsprechend zu leben.

Wird aber von der Realpräsenz Jesu Christi in Messe, Eucharistie oder Abendmahl gesprochen, so mit besonderer Freude – oder mit besonderem Ernst, wenn nicht Ingrimm. Dann wird angenommen, beim Mahl sei die Gegenwart des Herrn dichter, stärker, spürbarer als außerhalb der heiligen Orte, Stunden, Handlungen und Erfahrungen, die mit Essen und Trinken am Tisch des Herrn verbunden sind. Die Ahnung, Behauptung oder Erfahrung einer qualitativ oder quantitativ besonders starken oder greifbaren Präsenz hat in der Lehre und Praxis des Mahls des Herrn nicht erst seit dem Mittelalter eine große Rolle gespielt. Kann oder muß nun aufgrund eindeutiger Aussagen oder Hinweise, die in den Einsetzungsberichten enthalten sind, die These vertreten werden, eine ganz spezielle (eventuell materielle) Gegenwart Jesu Christi beim Mahl sei ein fester und unabdingbarer Bestandteil einer biblisch fundierten Lehre vom Mahl des Herrn? Der Beitrag anderer, besonders johanneischer Texte zur Beantwortung dieser Frage wird erst später zu erläutern sein.

Wie die in der Einleitung vorgelegte Skizze der relativ einmütig anerkannten historisch-kritischen Ergebnisse gezeigt hat, werden die erste und die zweite Variante der Realpräsenz heute kaum mehr für exegetisch sicher begründet gehalten. Nur noch in sehr konservativen Kreisen, nicht mehr unter Theologen, die offen sind für das Zeugnis der Bibel, für die Erneuerung der Liturgie und für die missionarischen und sozialen Aufgaben der Kirche, wird behauptet, die Gegenwart Jesu Christi beruhe auf einer Art Verwandlung der Person des Priesters (1) bzw. auf einer Substanzveränderung von Brot und Wein (2). Man ist sich weithin einig darüber, daß die Realpräsenz des Herrn nicht abhängig ist von Personen und Substanzen. Doch verdient die dritte Verortung der Realpräsenz (sc. in der Gemeinde) besondere Beachtung, weil ihr daran gelegen ist, eine Verdünnung der Präsenz Christi zu vermeiden. Sie möchte daran festhalten, daß sich die spezielle Gegenwart Christi an seinem Tisch deutlich von seiner Präsenz in der ganzen Schöpfung und Geschichte der Welt, auch von seiner Anwesenheit in der Geburt, der Lebensführung und der Todesstunde der Christen unterscheidet.

Für die These, im Brotwort Jesu (1Kor 11,24; Lk 22,19; Mt 26,26; Mk 14,22; vgl. Justin d.M., Apol I.66,3) sei mit den Worten »mein Leib« das gleiche gemeint, was in 1Kor 12,27 und in den Epheser- und Kolosserbriefen wiederholt »Leib Christi« genannt wird, nämlich die Gemeinde oder die Kirche, gibt es unter anderen folgende Argumente: (a) Paulus selbst geht in 1Kor 10,16–17 und 11,27.29 sehr schnell und wie selbstverständlich von der Rede über Christi Leib, *mit* dem die Gemeinde Gemeinschaft hat, über zur Bezeichnung der Gemeinde *als* Leib (Christi). (b) Unmittelbar auf die vom Mahl des Herrn handelnden Kapitel 10–11 folgt im 1. Korintherbrief das zwölfte Kapitel, dessen Thema die Gleichsetzung der Gemeinde mit *einem Leib*, dem Leibe Christi ist. In der Didache (11,4), die vielleicht schon kurz nach dem letzten Paulusbrief verfaßt wurde, wird mit folgenden Worten Gott Vater für das gebrochene Eucharistiebrot gedankt: »Wie dies gebrochene Brot über die Berge zerstreut war und zusammengebracht und eins wurde, so soll auch die Kirche von den Enden der Erde in dein Reich versammelt werden.« (c) Das Wort »Bund« *(berit),* das in allen Einsetzungsberichten vorkommt, kann im Hebräischen nicht nur den Akt einer Bundschließung, die einseitige Zusage und Verpflichtung, die Existenz einer gegenseitigen Verbindung oder die Gültigkeit einer Abmachung bedeuten. Unter den Qumranschriften zeigt vor allem die sogen. Damaskusschrift, daß *berit* auch den Sinn von »Bundesgemeinde« haben kann. Wenn im Kelchspruch Jesu das Wort »Bund« im Sinn von »Gemeinde« zu verstehen ist, wird die Auslegung von »Leib« im Sinne von »Gemeinde« unterstützt.

Diese Argumente sind jedoch nicht zwingend. Schwerwiegende exegetische Gründe verbieten die Annahme, die Gemeinde selbst sei während des Mahls des Herrn die Gestalt und die Art der realen Präsenz ihres Herrn.

1.   In allen vier Gestalten der Einsetzungsberichte, auch in der lehrhaften Beschreibung des Mahls in 1Kor 10,16, ist in paralleler Weise von Brot *und Wein,* dazu von Leib *und Blut Christi* die Rede. Wäre der Satz »Das (ist)

mein Leib« mit einer Handbewegung oder mit einem Blick in Richtung auf den Jüngerkreis verbunden gewesen, so müßte auch die Aussage »Das ist mein Bundesblut« (bei Matthäus und Markus) bzw. »Dieser Kelch ist der neue Bund in meinem Blut« (bei Paulus und Lukas) die Tischgesellschaft beschreiben. Das Kelchwort Jesu handelt jedoch von der *Schließung* des Bundes, d.h. von der einmaligen *Begründung* der Gemeinde durch Blutvergießen, nicht von der Qualität derer, die jetzt oder später zum Mahl versammelt sind. Mögen sie anderswo der Leib Christi genannt werden, so sind sie doch sicher nicht das Blut Christi.

2.   Versteht man die Erwähnung von »Leib . . .« und »Blut Christi« als bewußte Anspielung auf den Doppelbegriff »Fleisch und Blut«, der z.B. in Gal 1,16; Mt 16,17; Hebr 2,14 »menschliches Wesen« bedeutet, so hätte Jesus im Brotwort seinen Jüngern erklärt, er habe noch eine andere menschliche Gestalt als diejenige, die er jetzt als Gastgeber am Tisch hat. Weil er aber von *Leib* und Blut in getrennten Sätzen sprach, ist der Gedanke an eine Ausdehnung, Wiederholung oder Abspiegelung seiner Menschwerdung nicht nahegelegt. Weil zudem »Fleisch« und »vergossenes Blut«, wenn in demselben Zusammenhang erwähnt, auf ein Opfer anspielen, ist eher an das Mittel und den Preis der Bundesschließung, d.h. an die Kreuzigung gedacht als an die Teilnahme an Christi menschlicher Natur – um von einer Teilhabe am »göttlichen Wesen« nicht zu reden (vgl. 2Petr 1,4 und später zu behandelnde Aussagen von Joh 6).

3.   Von »Gemeinschaft« mit dem »Blut . . .« und »Leib Christi« ist in der Tat in 1Kor 10,16 die Rede. Doch bedeutet »Gemeinschaft« weder Identität noch Wechsel noch Austauschbarkeit verschiedener Gestalten. Nach 1Kor 10,17 ist ein »Anteil-Haben« gemeint, das laut 1Kor 11,26 darin besteht, daß der Tod des Herrn durch ein gemeinsames »Tun« der Tischgäste »verkündet« wird.

4.   Nur Matthäus, Markus und Justin d.M. unter den ältesten christlichen Schriftstellern könnten eventuell – wenn überhaupt jemand – unter »mein Leib« die Gemeinde verstanden haben. Sobald man jedoch mit Paulus entweder »Leib für euch« oder (mit einer häufig, jedoch nicht von den besten Manuskripten bezeugten Lesart) »Leib für euch gebrochen« oder (mit dem Langtext des Lukas) »Leib für euch gegeben« liest, kann nicht mehr an die Gemeinde gedacht werden. Sie ist ja nicht ein Opfer »*für* sich selbst (gegeben)«! Hat nun eine von Matthäus, Markus und Justin vertretene Version eine alte christozentrische Tradition (die bei Paulus und Lukas noch maßgebend ist) nicht verstanden und zugunsten eines Lobes der Kirche umgebogen, in dem behauptet wird, Christus sei mit ihr oder sie sei mit ihm identisch? Oder haben Paulus und Lukas den mehr ursprünglichen Wortlaut des Matthäus, Markus und Justin seiner hochkirchlichen Botschaft beraubt, um Christus und seinen Tod zur Hauptsache zu machen? Diese Fragen können mit den Mitteln der heutigen Forschung nicht überzeugend beantwortet werden. Auch wäre es unweise, einen Teil der neutestamentlichen Zeugnisse als tendenziöse Entstellung der ursprüngli-

chen Botschaft zu brandmarken. Am sichersten geht man wahrscheinlich davon aus, daß die vier Einsetzungsberichte einander interpretieren und in ihrer Gesamtheit sorgfältig zu berücksichtigen sind.

Die Brot- und Kelchworte erklären, wenn sie als Teil und im Rahmen eines jüdischen Passamahls interpretiert werden, weshalb Jesus dringend ein letztes Festmahl mit seinen Jüngern halten und weshalb er solch ein Mahl im Gottesdienst der Gemeinde wiederholt haben wollte. Dies ist der Grund: weil er sich selbst, sein Blut, sein Leben, für die Jünger und für viele in den Tod gibt. Seinen Tod und dessen Frucht: die Erneuerung des Bundes, nicht aber sich selbst oder die Kirche als Heilsanstalt sollen die Christen am Tisch des Herrn feiern. Die Gegenwart Jesu Christi beim Mahl ist daher nicht eine andere Präsenz als jene, deren sich Christen an allen Tagen und Orten, in der Schöpfung, in der Kirche, im menschlichen Herzen, besonders in der Verkündigung, im Gebet und im Leiden mit Furcht und Zittern gewiß sein dürfen. Die Präsenz beim Mahl ist jedoch dadurch ausgezeichnet, daß am Tisch des Herrn besonders laut und deutlich gerade der Tod des Herrn für Juden, Heiden und alle Welt verkündet wird.

Immerhin ist mit dieser Auslegung der Einsetzungsberichte nicht automatisch dargetan, daß ein großer Teil des bisherigen Pochens auf die Realpräsenz des Herrn beim oder im Mahl jeglicher biblischen Begründung entbehrt. Es könnte ja eine viel breitere Basis, als sie von den Einsetzungsberichten und den paulinischen Belehrungen und Ermahnungen zum Mahl gebildet wird, für die Zuversicht geben, daß Jesus Christus, wenn schon nicht in verwandelter substantieller oder menschlicher Gestalt, so doch im gläubigen Vollzug von gemeinsamem Essen, Trinken und Danksagen, also auch in eucharistischen Gebeten und Liebeswerken real präsent ist. Aussagen über das Kommen des verheißenen Messias Jesus Christus könnten diese Grundlage bilden. Das Neue Testament gibt folgende Kriterien für eine sinnvolle und wörtlich (nicht nur symbolisch) gemeinte Rede von der mit dem Kommen selbstverständlich verbundenen Realpräsenz:

1.   Es spricht unter Angabe von Orten, Zeiten, Zeugen, besonderen Wirkungen und Reaktionen vom Kommen des Gottessohnes in den Schoß der Maria, in die Krippe von Bethlehem, in Dörfer und Städte, auf Straßen und Plätze, in Synagogen und in den Tempel, ans Kreuz und nach der Auferweckung an Orte Judäas und Galiläas, dazu von Erscheinungen vor Paulus außerhalb des Heiligen Landes. Die verschiedenen Arten des Kommens zwischen Empfängnis und Kreuzigung, Auferweckung und Himmelfahrt werden als physisches Kommen und greifbares Gegenwärtigsein beschrieben. Obwohl Ausdrücke wie »Advent«, »Präsenz« und »Epiphanie« oder »Ankunft«, »Gegenwart« und »Erscheinung« stark und deutlich genug sind, mag zur Not auch »Realpräsenz« ein passender Name für das Erscheinen Christi im Fleisch (vgl. 1 Tim 3,16) sein. Wäre die Präsenz Christi in den Sakramenten gleichsam noch wirklicher, noch dichter oder noch offensichtlicher und weniger einer nur geistigen, symbolischen oder fiktiven persönlichen Gegenwart gleich oder vergleichbar, so könnte »Realprä-

senz« sogar ein sachnotwendiger und passender Begriff für die Heraushebung der Besonderheit des Mahlgeschehens sein. Bei den Ostermahlen war Jesus Christus leibhaftig präsent – ohne doch sich selbst zu essen, wenn er Brot, Fisch oder anderes aß! Was aber für die Ostermahle zutreffen mag, gilt nicht selbstverständlich auch für die in der Gemeinde seit Pfingsten gefeierten Mahlzeiten.

2.   Ohne Angaben von Ort und Zeit, doch mit dem Hinweis darauf, daß alle Lebenden und Toten Zeugen sein werden und die Folgen zu spüren bekommen, wird von Jesu Christi zukünftigem Kommen (vom Himmel mit Macht, in den Wolken, unter den Engeln) gesprochen. Dies Kommen wird einzig in Hebr 9,28 als »zweite« Erscheinung bezeichnet. »Wiederkunft« hat sich als Name dafür im deutschen Sprachbereich, »Parusie« im englischen durchgesetzt. Im Neuen Testament wird der zweite und letzte Advent meistens mit Verben wie »kommen« und »erscheinen«, nicht mit Substantiven beschrieben; benutzt wird immerhin das Substantiv Parusie *(parousia)*, das auch »Gegenwart« bedeutet. Die neutestamentlichen Zeugen verstehen die Wiederkunft als ebenso wunderbar, konkret und substantiell wie das Kommen Jesu in Häuser und auf Plätze vor seiner Himmelfahrt. So ist auch das (zweite) Kommen und die Gegenwart als »real« verstanden; dabei ist aber der kleine Rahmen und die entsprechende Verborgenheit des ersten Kommens durch weltweite Öffentlichkeit und Veränderung ersetzt. Meinte die Rede von realer Präsenz beim Mahl eine ebenso konkrete Gegenwart und Wirkung, so könnte sie passend sein.

3.   Wenn Jesus als wahrer Herr und guter Hirte kommt und gegenwärtig ist, so tritt er als Person neben, unter oder über anderen Personen auf. Er unterscheidet sich von ihnen in Wort und Tat, in der Tiefe seines Leidens und in der Hoheit seiner Kraft und Würde. Er trägt die Züge eines Juden, des leidenden Gottesknechts und eines geschlachteten Lammes. Weil er sich mit den Armen und Elenden solidarisiert und die Sünde Israels, der Völker und seiner Jünger zu tragen hat und wegträgt, hat er weder Gestalt noch Schönheit. Ein geschlachtetes Tier ist kein lieblicher Anblick, ein am Kreuz gestorbener Mensch noch weniger. Die reale Präsenz des Gekreuzigten beim Mahl würde Furcht und Schrecken auslösen und Gesänge vom »schönsten Herrn Jesus« ebenso unmöglich machen wie andere Äußerungen der Freude.

4.   Die Mahltexte der Evangelien und des Paulus stimmen darin überein, daß sie keinerlei Anhaltspunkte für die Annahme bieten, Jesus Christus habe *nach* seiner leibhaften Gegenwart auf der Erde (zwischen seiner Geburt und Himmelfahrt) und *vor* seiner Wiederkunft am Ende der Tage eine dritte Art seines »Kommens« oder »Erscheinens« vorgesehen.

Ein Hinweis auf Ostermahle, bei denen ausgewählte Jünger nach den Lukasschriften und Joh 21 Jesus »handgreiflich« begegneten, ihn essen sahen, von ihm zu essen bekamen oder mit ihm aßen, fehlt bei Paulus – obwohl nicht auszuschließen ist, daß er von solchen Mahlen wußte. Spricht der Apostel aber (besonders in den Briefen an die Thessalonicher) von der Nä-

he des Herrn und ruft er zu entsprechender Freude auf, wie er es z.B. in Phil
4,4–5 nachdrücklich tut, so denkt er an die Parusie. Somit gibt er selbst
keinen Anlaß, gerade das Geschehen am Tisch mit einer realen Präsenz zu
verbinden. Er kann nicht als Zeuge für ein spezifisch mahlzeitliches bzw.
sakramentales »Kommen« des Herrn aufgerufen werden.

Wie aber, wenn mit den genannten Kriterien und Bedingungen für eine
sinnvolle Rede von »Realpräsenz« die Grenzen noch einmal zu eng gezogen wären? Es könnte ja sein, daß – wie bei einer Fernheilung durch Jesus
in Galiläa – die Kraft und Wirkung des Herrn präsent ist, auch ohne daß
seine Person an Ort und Stelle sicht- und greifbar ist! Besonders in den traditionellen reformierten und presbyterianischen Abendmahlslehren und
-liturgien wird eine Alternative vorgetragen, die nicht weniger zu würdigen ist als die orthodoxen, römisch-katholischen, anglikanischen und lutherischen Lehren von einem Herabsteigen des himmlischen Herrn auf
den Altar. Physikalisch gesprochen müßte man von der Bereitstellung und
Wahrnehmung einer Fernwirkung sprechen, durch die eine mit Händen
momentan nicht greifbare Person oder Substanz doch kraft ihrer Wirkung
unter anderen Menschen und Dingen anwesend ist. Doch muß jeder Vergleich versagen, soll das eigentliche Anliegen der calvinischen Lehre nicht
profaniert oder verschleiert werden. Die Vollkommenheit des Werkes
Gottes, seine Güte, Geltung und Wirklichkeit wird als so stark gegenwärtig im Mahl, als so persönlich, gnadenreich und wirksam verstanden, daß
kein geringerer Begriff als »Realpräsenz« bzw. ein Äquivalent gut genug
erscheint zur Beschreibung dessen, was beim Mahl des Herrn Mittelpunkt
ist und immer neu Ereignis wird. »Mahl des Herrn« bedeutet im Rahmen
dieser Lehre den ganzen mahlzeitlichen Vorgang, von der Versammlung
der Gemeinde zum Gottesdienst bis zum Schlußsegen oder -lied, also
nicht nur das Tun und Sprechen des Pfarrers und der Ältesten, die Elemente, die gegessen und getrunken werden, der Glaube, die Erfahrung oder die
Erbauung der Teilnehmer.

Die Unterscheidung zwischen dem Sein Christi zur Rechten Gottes und
der Gegenwart desselben Christus in seinem Handeln auf Erden mag auf
einer heute naturwissenschaftlich und philosophisch überholten Trennung zwischen Substanz und Energie beruhen. Sie hatte immerhin die Absicht, die Einmaligkeit der Fleischwerdung und Opferung Jesu Christi und
ihre Unabhängigkeit von klerikaler Administration zu sichern. Von den
Gegnern der Calvinisten wurde sie zu Unrecht als eine lästerliche Leug-
nung der Realpräsenz Christi verstanden.

Trotz ihrer Unterstützung und Empfehlung durch die Erfahrung unzähli-
ger Gäste am Tisch des Herrn ist auch diese (reformierte) Auffassung von
der Realpräsenz problematisch. Kein Zweifel – wenn eine wichtige Person
zu anderen Menschen kommt und unter ihnen anwesend ist, bringt sie etwas oder trägt sie etwas fort; Person, Kräfte, Gaben oder Verluste sind
dann untrennbar. Jesus brachte nach den Evangelien die frohe Botschaft
vom Reich, Heilungen, Tischgemeinschaft mit Zöllnern, auch Drohungen

und Verstockung, und er nahm Schmerzen und Sünde auf sich, nahm auch
dem Tode seine Macht. Auf die Frage des Täufers hin verwies er auf die
Heilung von Blinden, das Gehen von Lahmen usw.: Das, *was* unter seiner
Hand geschah, deutete darauf hin, *wer* er war: der Kommende (Mt 11,2.4;
Lk 7,18–23). Zwar dürfen solche »Zeichen« nicht gefordert werden, doch
werden sie geschenkt, wenn er gekommen und wo er anwesend ist. Auch
seine Wiederkunft wird ein Zeichen genannt (Mt 16,1–4; 12,38–39; 24,30
u. Par; vgl. Joh 6,30ff).

Paulus verweist – statt auf Krafttaten und einzelne Züge des Leidens Jesu
– nur auf die Wirkung des Todes und der Auferweckung des von Gott gesandten und (»gleichwie ein anderer Mensch«) unter den Menschen anwesenden Christus hin. Die Kraft und Wirkung des schon Gekommenen und
Wiederkommenden wird u.a. Rechtfertigung, Heiligung, Erlösung genannt. Wo Christus ist, wirkt er; wo er wirkt, geschehen diese Ereignisse;
er selbst ist ihr Inbegriff, ihre Summe, ihre Offenbarung, ihre Gültigkeit –
kraft des Wirkens des Heiligen Geistes in aller Welt.

Doch muß man fragen, ob oder inwiefern das Verhältnis zwischen der Person und der Wirkung des gekommenen und kommenden Christus dem
Apostel zufolge auch umkehrbar ist. Ist, wie die calvinistische Tradition es
nahelegen könnte, der Kommende jedesmal real präsent, wenn ein gebro-
chener Bund erneuert, ein Sünder freigesprochen, Lebenskraft gespendet,
Freiheit geschenkt und gefeiert, das Gericht über Gottlosigkeit, Ungerech-
tigkeit und Tod erlebt wird? Nur wenn die Erkenntnis und gläubige Annahme der Wohltaten (der *beneficia*) die Wahrnehmung der Person und
Gestalt (der *naturae*) Christi ersetzen kann, ist diese Frage zu bejahen. Die
Erfahrung von Gemeinschaft, Segen und Gericht, die nach 1Kor 10–11
zum Mahl des Herrn gehören, würden dann beweisen, daß der Herr gerade zum Mahl gekommen und bei ihm anwesend ist.

Immerhin können auch Pharaos Zauberer, falsche Propheten in der alttestamentlichen Zeit, Wundertäter zu Jesu Zeit, dazu Scharlatane in der
Endzeit Wunder vollbringen. Nach 2Kor 11,13–15 verwandeln sich auch
falsche Apostel, Satan und seine Diener in Apostel Christi, Engel des
Lichts und Diener der Gerechtigkeit. Dementsprechend ist selbst die wun-
derbarste Erfahrung kein Beweis dafür, daß jetzt Gott selbst oder Christus
in Person gekommen, anwesend und der Geber aller Güter ist. So ist ja
auch der offensichtliche Besitz von Geistesgaben unter den Korinthern
keine Garantie für Einheit, gehorsames Verhalten, Liebe und Frieden in
der Gemeinde.

In jüdischen Schriften über die Endzeit (in der sogenannten Apokalyptik,
die besonders unter dem Eindruck der drohenden oder schon erfolgten
Zerstörung Jerusalems florierte) ist zwar wiederholt von der Gestalt eines
»kommenden Messias« oder Menschensohns die Rede – darauf wurde
schon oben in anderem Zusammenhang hingewiesen –, doch ist seine Ankunft nur eines unter vielen eschatologischen Ereignissen. Ungleich der
sogenannten Kleinen Apokalypse in Mt 24 u. Par und im Unterschied zur

Johannesoffenbarung, den Thessalonicherbriefen und Joh 11 wird in den jüdischen Schriften z.B. vom kommenden Paradies oder seiner Öffnung, vom herabsteigenden Jerusalem, von der Vergebung der Sünde und der Ausrottung der Sünder, von der Auferweckung und vom neuen Himmel und der neuen Erde auch ohne Erwähnung einer von Gott kommenden menschlichen Gestalt gesprochen. Wird von einem Messias geredet, so ist seine Funktion und die Dauer seines Wirkens nur vorübergehend. Für viele endzeitliche und ewige Dinge scheint er entbehrlich. Auch unter heutigen jüdischen Stimmen über Sinn und Gehalt des »Messianismus« gibt es solche, die einen Glauben an eine bestimmte Person weit hinter sich gelassen haben bzw. die den Begriff »Messias« als bloßes Symbol überpersönlicher Werte (z.B. moralischer oder sozialer Verbesserung der Lebensqualität) ansehen.

Es gibt Liturgien und Lehren vom Mahl des Herrn, die zwar (als Pflichtübung oder aus Pietät) ein persönliches (Wieder-)Kommen des Herrn erwähnen und stärker oder schwächer betonen, doch alles, was sich beim Mahl am Tisch ereignet und was dort erlebt wird, erhält oft größere (»eschatologische« und über Leben und Tod entscheidende) Bedeutung und Ehre, als sie der Parusie zuteil werden.

Die reformierte Lehre von der Präsenz Jesu Christi beim Mahl legt größtes Gewicht auf den Zustrom und Empfang besonderer Gaben. Der Heidelberger Katechismus z.B. nennt in den Fragen 75, 76 und 79 mindestens drei Geschenke: Erinnerung und Versicherung des Anteils am Opfer Christi und allen seinen Gütern; gläubige Annahme des ganzen Leidens und Sterbens Christi, wodurch man Vergebung der Sünden und ewiges Leben bekommt und kraft des Geistes mehr und mehr mit dem Leib Christi vereinigt wird; Speise und Trank unserer Seelen zum ewigen Leben. Nachdem schon bei Justin dem Märtyrer (Apol I, 66, 1–3) in den Ausführungen über die Eucharistie jeder eschatologische Ausblick, besonders die Erwähnung der Wiederkunft gefehlt hat, kommt die Parusie auch in Luthers Kleinem Katechismus und im Catechismus Romanus (außer beiläufig in II, 4, 11) im Zusammenhang von Abendmahl und Messe nicht vor. Ob und wie sehr jedoch besonders die reformierte Lehre und Gestaltung der Abendmahlsfeier, die ja die Realpräsenz Christi »nur« im Geben und Empfangen der Gaben und Wirkungen lokalisiert, der Versuchung eines unguten »Judaisierens« erlegen ist, soll hier nicht weiter untersucht werden.

Eine Verschiebung der theologischen Interessen hat auf alle Fälle in der theologischen Arbeit, liturgischen Gestaltung und praktischen Bedeutung des Mahls des Herrn in fast allen großen Kirchen stattgefunden. Gedacht, gesprochen und geschrieben wird viel mehr über die sakramentale Gegenwart Christi, das Mysterium des Sakraments, das Abend- oder Herrenmahl als über das Kommen des Herrn am Ende der Tage. Das zukünftige Kommen ist – außer in besonderen, oft kleineren Gruppen und unter sogenannten Fundamentalisten – zu einer Verlegenheit geworden. Der Realpräsenz Christi beim Mahl aber behauptet man sicher zu sein, selbst wenn man sich uneinig darüber ist, ob sie physisch, funktional, symbolisch-geistig oder psychisch zu lokalisieren und zu beschreiben ist. Das Geschenk, das die Gemeinde vom Altar oder Tisch empfängt, und die individuelle Erfahrung, die sie im Mahl zu machen hofft und zu haben glaubt, hat den Vorrang bekommen vor der Verheißung von noch viel Größerem, das aller Welt widerfahren soll. Was die Kirche administriert, wurde wichtiger als das, was Jesus Christus selbst in seiner Wiederkunft ist und tut.

Für Paulus aber ist das Mahl nicht ein Spatz in der Hand und die Wiederkunft nicht eine Taube auf dem Dach. Die Worte »bis er kommt« handeln nicht von einem geheimnisvollen Kommen zum Mahl, sondern von der weltweiten Offenbarung des Triumphs des Gekreuzigten; nicht von der Veränderung von Materie oder Psyche, die am Tisch des Herrn geschieht, sondern vom Neuen Himmel und der Neuen Erde, der Verwandlung aller Dinge. Immer, wenn der Apostel – wie in 1Kor 11,26 – irgendwo in seinen Briefen, sei es in eigenen Worten oder aus einer Tradition zitierend, vom verheißenen Kommen des Herrn spricht, meint er Jesu Christi Wiederkunft in Herrlichkeit am Ende der Tage (1Thess 1,10; 4,15–16; 1Kor 4,5; Röm 11,26; Phl 4,5 usw.; vgl. 2Thess 2,3; 5,2; Apg 1,11 u.ö.). Sowenig wie das (erste) Kommen Jesu Christi in die Welt und zur Friedensverkündigung (vgl. Tit 1,15; Eph 2,17; Joh pass) findet die zukünftige Ankunft »jedesmal statt, wenn...« oder »sooft« die Gemeinde sich am Tisch des Herrn versammelt. Die Parusie ist ein einmaliges Ereignis, auf das die Gemeinde noch wartet und hofft.

Für Paulus bedeutet das Mahl zwar Gemeinschaft mit Christus, Gedächtnis Christi, Verkündigung des Todes Christi (1Kor 10,16; 11,24–26); doch spricht der Apostel *nicht* von einem Essen und Trinken »mit« Christus im Sinne jener Tischgemeinschaft, von der die Evangelien in den Berichten über die Speisungen, die Mahle mit Sündern, das letzte Mahl und die Ostermahle sprechen. Es ist zu vermuten, daß Paulus, wenn danach befragt, zu den Wohltaten und Wirkungen des endzeitlichen Kommens des Herrn auch eine leibhafte Tischgemeinschaft mit Jesus Christus (im Sinn von z.B. Lk 22,28–30 und dem in Apk 19,9 erwähnten Hochzeitsmahl des Lammes) gezählt hätte.

Der Streit um die Art der Realpräsenz Christi beim kirchlichen (noch nicht ewigen) Mahl des Herrn ist daher dem Streit um des Kaisers Bart ähnlich. Die Kirchen, ihre Theologen, die feiernden Gemeinden haben sich über einer gegenstandslosen Frage ereifert und zerspalten. *Kein* neutestamentlicher Text, 1Kor 10–11 am allerwenigsten, spricht in demütiger oder triumphalistischer Weise von Realpräsenz Jesu Christi an jenem Tisch, an dem sich die Gemeinde nach Pfingsten und vor der Parusie versammelt. (Daß auch Joh 6 keine Ausnahme bildet, wird unten nachzuweisen sein.)

Warum müssen sich dann Christen entzweien über etwas, das gar nicht geschrieben steht? Hätten sie mit Paulus ihr eigenes »Tun zum Gedächtnis«, samt ihrem Verkünden und Leben in der Begrenzung gesehen, die ihnen allen, auch bei ihrem besten Wollen und Vollbringen, durch die Wiederkunft gesetzt ist, so hätten sie sich vielleicht weniger unwürdig des Leibes und Blutes und Mahles Christi benommen. Vor allem aber hätten Orthodoxe und Römische Katholiken, Lutheraner, Anglikaner und Reformierte viel intensiver nach einer Lehre und Gestalt der Mahlfeier gesucht, die dem klaren Text von 1Kor 11,26 entspricht. Die Bibel ruft alle auf, wieder offen zu werden und bereit zu sein für den in den Wolken Kommenden und für den mit ihm kommenden totalen Wechsel aller, auch der kirchlichen Lehren und Gottesdienstformen.

Statt den schon einmal gekommenen und wiederkommenden Christus selbst zu preisen und damit einem übersteigerten Sakramentsglauben, der bald das »Lob der Taufe«, bald »der Eucharistie« oder »der Messe« singt, einen Riegel vorzuschieben, hat sich die gelehrte Fortsetzung und Diskussion über die Parusie auf ein Nebengleis (ver-)führen lassen und ist dort einstweilen festgefahren. Die Probleme der Parusieverzögerung und der Herkunft des Titels »Menschensohn«, dazu die Varianten des Spiels um futurische versus realisierte Eschatologie schienen so dringend, daß die weltweite Rechtfertigung des Menschen durch den in Gestalt des gerichteten Menschensohns erscheinenden Sohn Gottes kaum ernsthaft behandelt wurde. Das dem Menschen von Gott verschaffte Recht und die erstaunliche Tatsache, daß Gott sich den Menschen recht sein läßt, wird sich ja erst am Jüngsten Tage, jedoch gerade dann in allen Dimensionen vollkommen durchsetzen. Zwar sprechen heute viele von einer Theologie der Hoffnung; doch nicht einmal Jürgen Moltmann scheint willig, den zentralen Platz der Wiederkunft Christi in solcher Theologie zur Geltung zu bringen.

An dieser Stelle müßte, wenn die paulinische Lehre vom Mahl, insbesondere der Inhalt von 1Kor 11,26c, vollständig eruiert werden sollte, mindestens ebenso intensiv vom Wesen der Parusie gesprochen werden wie oben von der Besonderheit des Todes des Herrn. Behält doch gerade auch im Mahl des Herrn das Leben, nicht der Tod das letzte Wort. Das Mahl ist Speisung und Tränkung auf dem Pilgerweg eines auf ein herrliches Ziel zuwandernden Volkes. Kraft Christi Tod darf das wandernde Gottesvolk vom Ende seines Weges her leben und zum Zeichen dafür essen und trinken. »*Zum* ewigen Leben« ernährt werden heißt dann etwas anderes, als dies Leben jetzt schon, gerade im Mahl des Herrn, zugeteilt zu bekommen. Das verheißene Leben in Christi und Gottes Reich, nicht das Einnehmen, seine Vorbedingungen und Modalitäten, verdienen, breit beschrieben zu werden. Weil die nötige exegetische Vorarbeit für eine theologische Klärung des Sinns der Wiederkunft noch nicht vorliegt, kann an dieser Stelle nicht auf sie verwiesen oder auf ihr aufgebaut werden – obwohl gerade die Parusie ein wesentlicher Bestandteil einer biblischen Lehre vom Mahl des Herrn ist. Einstweilen ist zu vermuten, daß ein ausführliches Kapitel über die Wiederkunft die Alternative bestätigen, wenn nicht sogar verschärfen würde: entweder die von jeder konfessionellen Kirche mehr oder weniger selbstsicher proklamierte Realpräsenz des Herrn beim je eigenen Mahl – oder ein Aufbruch aller Christen jener Einheit entgegen, die auf uns zukommt, indem der eine vollkommene Mensch, Christus, kommt. Um sein Kommen dürfen wir flehen, auf sein Kommen hoffen und vertrauen – nicht aber auf eine Zusammenlegung der Kapitalien, welche jede Kirche heute zu besitzen wähnt (vgl. Eph 4,13).

Das bedeutet nicht, wie noch nachzuweisen sein wird, daß die gegenwärtige Zeit (zwischen Himmelfahrt und Parusie) einfach eine von Jesus Christus verlassene, also Christus-lose oder unchristliche Zeit ist. Weil schon heute »Tag des Herrn« ist (2Kor 6,2), ist schon heute Feierzeit. Der Herr hat noch eine besondere, bisher nicht erwähnte Art und Weise, »mitten unter« den Seinen anwesend zu sein (s. Teil II A S. 127–141).

Vom Hinweis auf Ziel und Grenze (dem sogenannten »eschatologischen Ausblick«) des Mahls des Herrn kehren wir in den nächsten Abschnitten noch einmal zu dem zurück, was nach dem paulinischen Zeugnis am Tische des Herrn selbst jetzt schon geschieht.

D   Gottesdienst durch Essen und Trinken

Zum Abschluß der ausführlichen Interpretation von 1Kor 11,26 ist endlich der erste Teil des Satzes »sooft ihr von diesem (oder: dieses) Brot eßt und von (oder: aus) diesem Kelch trinkt, verkündet (ihr) . . .« zu erläutern. Nach Röm 14,7 »besteht das Reich Gottes nicht in Essen und Trinken«, wie ja auch nach 1Kor 15,50 »Fleisch und Blut das Reich Gottes nicht erben können«. Nach langen Ausführungen über lebensnotwendiges Essen und Trinken sagt Jesus in Joh 6,63: »Das Fleisch ist nichts nütze.« Und doch ermahnt Paulus in 1Kor 10,31: »Ob ihr nun eßt oder trinkt oder sonst etwas tut – tut alles zur Ehre Gottes.« Kol 3,17 unterscheidet zwischen dem, was ein Mensch »in Wort und Werk tut«, versichert aber, daß »alles im Namen des Herrn Jesu« und als »Danksagung an Gott den Vater durch den Herrn Jesus« geschehen darf und soll. »Alles« – das schließt Essen und Trinken ein; auch menschliche Tätigkeiten sind nicht zu gering, um zur Ehrung Gottes, zum Dienste Gottes beizutragen. Wenn, wie bisher ausgeführt, das Mahl des Herrn weder Heilsvollendung noch Heilsvermittlung noch Heilsgewährleistung ist, so ist es doch ein Geschehen und eine Tat »zur Ehre Gottes«: »Tut dies zu meinem Gedächtnis!«

Inwiefern, so ist jetzt zu fragen, wird für Paulus ausgerechnet durch Essen und Trinken am Tisch des Herrn der Gekreuzigte verkündet – als ob es keine mehr geistigen oder rein geistlichen Methoden gäbe, das Evangelium glaubhaft zu bezeugen? In den von mir konsultierten Kommentaren wird in der Regel die Meinung vertreten, Paulus betone, daß beim »Essen dieses Brotes und Trinken von diesem Kelch« *auch* eine Verkündigung des Todes des Herrn stattfinden solle. Diese Verkündigung wäre während des Mahles durch das Aussprechen von Worten zu vollziehen. Das »Verkünden« wäre somit beschränkt auf die Verlesung biblischer und kirchlicher liturgischer Texte, die vom Tode Christi handeln, und auf mehr oder weniger freie auslegende Rede des Verwalters oder der Mehrzahl von Ministranten des Sakraments, dazu eventuell auch auf die Antwort der Gemeinde in Gebeten, Ausrufen und Gesängen. In diesem Fall ist Essen und Trinken als physischer Vorgang nicht mehr als eine Begleitung der Verkündigung. Dieser Begleitung wird bald dienende, bald herrschende Funktion zugeschrieben. Untergeordnet ist das Physische, wenn es nicht mehr als ein Anlaß zur Verkündigung durch Worte ist; übergeordnet, wenn man überzeugt ist, durch Essen und Trinken gehe Christi eigener Leib und sein eigenes Blut, der Geist und das ewige Leben in den Menschen ein. So wird das Verkünden entweder zum Anlaß oder zur Konsequenz des eigentlichen Heilsgeschehens im Sakrament: der in physischer Gestalt vermittelten, besiegelten oder illustrierten Übereignung geistlicher Gaben und des gläubigen, geistlichen Empfangs himmlischer Güter.

Was immer bei der zeitlichen und sachlichen Unterscheidung und Trennung von Essen und Trinken auf der einen und von Verkündigung des Todes des Herrn auf der andern Seite als Hauptsache betrachtet wird – in jedem Fall wird ein Graben aufgerissen und ein Dilemma geschaffen, worüber sich dann kräftig und endlos unter Christen streiten läßt. Hier gilt allein das Wort als »die Kraft Gottes zur Rettung« (vgl. Röm 1,16–17), dort gilt das Wort nur dann, wenn es im Rahmen eines von und in der Kirche immer wieder veranstalteten Ereignisses ausgesprochen wird. Wie aber, wenn (einmal mehr in der gelehrten Diskussion über das Mahl) die Alternative selbst auf einer falschen Voraussetzung und Fragestellung beruhte? Paulus hat, wie die Zitierung der Einsetzungsberichte und der von Jesus bei seinem letzten Mahl gesprochenen Worte zeigt, selbstverständlich vorausgesetzt, daß am Tisch des Herrn nicht nur gegessen und getrunken, sondern auch gesprochen wird; später wird auf die Wahrscheinlichkeit hinzuweisen sein, daß auch von ihm zitierte Hymnen ihren Sitz im Leben in der Mahlfeier hatten. Wenn er jedoch gerade »Essen von diesem Brot und Trinken von diesem Kelch« als Bezeichnung für die ganze Mahlzeit, einschließlich dessen, was verlesen, gesagt, gebetet und gesungen wird, wählt, hat er offenbar einen besonderen Grund und eine spezielle Absicht. Der Nebensatz »sooft ihr eßt . . . und trinkt . . .« und der Hauptsatz »verkündet (oder: verkündet ihr) . . .« handeln von der Simultaneität, ja Synonymität von zwei nur scheinbar grundverschiedenen menschlichen Verhaltensweisen. Hier geht es um eine Verkündigung, die in der Form einer Tat vollzogen wird, und um eine Tat, deren Wesen und Charakter Verkündigung ist – nicht anders als ja auch ein ehrlicher Kuß seine eigene Sprache spricht. Der Wortlaut, die Syntax und die Logik von 1Kor 11,26a und b lassen schwerlich eine andere Auslegung zu. Ein Streit um die Priorität von Worten über Taten oder von Taten über Worte ist gegenstandslos, wenn das Abendmahl als getätigtes Wort, eben als Tatwort verstanden wird.

Tatsächlich kann das Verb »verkünden« *(kataggellō)* nicht nur eine durch Worte weitergegebene Art von Mitteilung bezeichnen. Auf die Verwandtschaft, wenn nicht Synonymität dieses Tätigkeitswortes mit *euaggelizomai* (eine frohe Botschaft ausrufen; und: Herold guter Nachricht sein) wurde schon hingewiesen. Gewiß wird der Dienst am Evangelium unabdingbar durch Worte und Reden, Zitate und Gebete, Ausrufe und Gesänge erfüllt. Doch erschöpft der verbal geleistete »Dienst am Wort« weder die Pflichten noch die Rechte des Boten. Herold Jesu Christi ist nur, wer durch seine ganze Existenz, also auch in seinem Verhalten und Leiden Evangelist ist.

Das Tun, durch das alle am Tisch versammelten Gemeindeglieder den Tod des Herrn verkünden, ist nach Paulus »Essen und Trinken«. Es geht dem wortmächtigen Apostel an dieser Stelle um ein Zeugnis »ohne Worte«, eben um ein Tun, das für sich selbst spricht – es sei denn, es werde (wie es nach 1Kor 10,14–22; 11,17–22.27–34 in Korinth der Fall war) zur Verleugnung der Gemeinschaft mit Christus, zur Schmähung des bedürftigen Nächsten und zum eigenen Unheil mißbraucht. Durch für sich selbst sprechendes Tun, durch ordentlichen »Wandel« können nach 1Petr 3,1–2 Frauen ihre Männer, nach 1Kor 11,26 aber alle Gäste am Tisch des Herrn eine unbeschränkte Zahl anderer Menschen »zum Gehorsam gegenüber dem Wort gewinnen«. Taten können deutlicher und lauter als bloße Worte sprechen. Paulus bringt die frohe Botschaft, daß gerade alltägliche Vorgänge wie Essen und Trinken bestimmt und ausgesondert (in biblischer Sprache: »geheiligt«) sind zu einem »Tun zum Gedächtnis (des Herrn)«. Wo und wann immer auf Jesu Befehl und nach seiner Ordnung gegessen und getrunken wird, verkünden alle zu Tisch Geladenen den Tod des Herrn.

Nicht weniger als viermal betont allerdings Paulus in 1Kor 11,26–29, daß weder jedes zur Ernährung dienende Essen und Trinken noch jeder festliche Schmaus (vgl. 1Kor 10,19–22) solche Verkündigung ist. Nur wenn die Gemeinde »von diesem Brot ißt«, das im Namen Christi auf sein Geheiß gebrochen wird, und »von diesem Kelch trinkt«, über dem in seinem Namen der Segensspruch gesprochen wird (vgl. 1Kor 10,16; 11,23–26), wird ausgerufen, daß der Herr zum Heil der Menschen gestorben (und auferstanden) ist.

Unvermeidlich ist nun die Frage, ob diese Verkündigung wesentlich an einzelne Elemente und Akte gebunden ist, die zum »geheiligten« Essen und Trinken am Tisch des Herrn dazugehören. In Lehre und Liturgie ist bisher in der Tat besonderes Gewicht auf Einzelheiten gelegt worden. Zu nennen sind folgende Beispiele: (a) die schon erwähnte Beschränkung der Verkündigung auf die rezitierten, frei gesprochenen und einzeln oder gemeinsam gebeteten und gesungenen Worte; (b) die zeremonielle Behandlung von Brot und Wein, d.h. das Brechen, Ausgießen und Segnen; (c) der Verzehr des gereichten Brotes und das Trinken des Weins.

Weshalb die erste Variante durch den Wortlaut von 1Kor 11,26 nur schwerlich gedeckt ist, wurde schon gezeigt. Die zweite aber setzt voraus, daß »Brechen« und »Ausgießen« Gleichnishandlungen sind, die das gewaltsame Sterben Jesu gleichsam theatralisch auf- und vorführen und somit in der Weise eines symbolischen Passionsspiels verkünden. Diese Auffassung ist deshalb schlecht begründet, wenn nicht unhaltbar, weil »Brechen« als Beschreibung der Tötung Jesu schlecht bezeugt ist. Vom geringen Wert der Lesart »Leib, für euch gebrochen« in 1Kor 11,24 und vom Gegenzeugnis von Joh 19,36 war bereits früher die Rede (s. S. 28). Vor allem aber fehlt in allen biblischen Einsetzungsberichten eine Erwähnung der Ausgießung und ein Hinweis auf die rote Farbe des Weins. Gewiß hätte eine Betonung der Füllung des Bechers mit rotem Wein eindeutig besagt, daß jetzt das brutale Ende Jesu vor Augen geführt werde. Was jedoch in allen Berichten fehlt, sollte nicht zur Basis oder zum Kernstück einer Lehre vom Mahl und einer Liturgie für das Mahl gemacht werden. Das Mahl des Herrn ist kein Theater! Nach der dritten Variante geschieht die Verkündigung in der Abfolge von Geben, Nehmen (Schmecken), Kauen oder Schlucken. Daß das Heil Gabe ist, daß die Gabe »für mich«, den Teilnehmer am Mahl, bestimmt ist, daß sie mir überreicht wird, daß ich sie annehmen und mir »einverleiben« darf, daß sie mich sättigt – dies ist dann die Serie von einzelnen Vorgängen, durch die der Tod des Herrn verkündet wird. Die Verkündigung besteht in diesem Fall in der (objektiven) Übereignung des Heil an die Tischgenossen und in der (subjektiven) Aneignung der Rettung durch jeden einzelnen von ihnen. Kurz: Sie ist dann eine Botschaft *an* die Gemeinde, eine Versicherung und Zusicherung für den sonst schwachen Glauben. Wenn aber nach Paulus die Verkündigung nicht individualistischen und egoistischen, sondern missionarischen Charakter hat und wenn sie *durch* die Teilnehmer, nicht *an* ihnen vollzogen wird, so gibt auch diese Interpretation nicht den Sinn von 1Kor 11,26 wieder.

Sind es nicht Teile, so ist es die ganze, gewiß aus mannigfaltigen Handlungen bestehende Mahlzeit, der Paulus den Ehrentitel »Verkündigung des Todes des Herrn« gibt. Wählt er ausgerechnet die Worte »essen« und »trinken von diesem . . .«, so zeigt er, daß er sich nicht scheut oder schämt, dem materiellen, biologischen, gesellschaftlichen Aspekt einer Mahlzeit allergrößte Bedeutung zuzuschreiben. War für Jesus eine Mahlzeit mit sündigen Jüngern gut genug zur eigenen Verkündigung seines Todes, so ist nach Paulus auch die am Tisch des Herrn essende und trinkende Gemeinde nicht zu schlecht, den Tod des Herrn zugunsten aller Welt glaubhaft zu bezeugen.

Wie engste Gemeinschaft und stärkste Liebe einen Pluralismus größter und letzter Intimität ausschließt, so schließt auch die Tisch- und Verkündigungsgemeinschaft mit Jesus Christus ein Hin- und Herpendeln der Gemeindeglieder zwischen dem Mahl des Herrn und Dämonenbanketten (1Kor 10,19–21) aus. Nach 10,22 würde man den Herrn sonst zu Eifersucht reizen, hat doch nur er und kein anderer sein Leben für Sünder gegeben. Seiner teuer bezahlten monogamen Liebe kann nur eine ausschließlich ihm zugewandte Liebe und eine Tischgemeinschaft mit ihm allein entsprechen (vgl. Eph 5,25–33).

Sage mir, was und mit wem du ißt und trinkst, und ich sage dir, wer du bist. Angewandt hat solch eine Maxime laut Mt 11,17 und Lk 7,34 zur Verspottung Jesu geführt. Er wurde von den Spezialisten für religiöse Fragen als Fresser, Weinsäufer und Freund der Zöllner und Sünder betrachtet – und verworfen. Die Mahle Jesu mit Sündern und die murrende Bemerkung von Pharisäern und Schriftgelehrten, daß »dieser die Sünder aufnimmt und mit ihnen ißt« (Mt 9,9–13 u. Par; Lk 15,2), zeigen, wie stark eine gemeinsame Mahlzeit für sich selber spricht. Sie verkündet ohne Worte volle Gemeinschaft und eine Solidarität, die Jesus auch durch Worte begründet, die er aber schließlich ohne viel Worte krönt durch seinen Tod zwischen Schächern. So verkündet Jesu Essen und Trinken mit Sündern seinen Tod – schon vor seinem letzten Mahl.

An dieser Stelle ist endlich auf einen gewissen Unterschied zwischen Brotessen und Weintrinken aufmerksam zu machen. Beide werden zwar parallel erwähnt, doch sprechen auch beide ihre eigene, einander ergänzende und interpretierende Sprache. Um Brot als Inbegriff der zum täglichen Leben notwendigen Speise darf die Gemeinde Gott nach dem Gebet des Herrn unablässig bitten. Arbeiten ihre Glieder für das tägliche Brot – »Wer nicht arbeitet, soll auch nicht essen« sagt die Sowjetverfassung in Übereinstimmung mit dem Neuen Testament (1Thess 3,10) –, so wissen sie doch, daß auch die Frucht ihrer Arbeit ein Geschenk Gottes ist. Das Teilhaben an einem Brot-Laib (bzw. -Fladen) ist nach 1Kor 10,17 ein zweifaches Bekenntnis: daß der Gekreuzigte das einzige Brot des Lebens ist und daß alle Tischgäste Glieder am Leibe Christi sind. Brotessen darf daher eine Anzeige und Brotesser dürfen Herolde des Todes Christi und seiner Wirkung sein. Das hat aber nicht zur Folge, daß einzig oder besonders der, der sein Brot »mit Tränen« ißt, ein glaubhafter Zeuge des Gekreuzigten ist.

Denn zum Brot tritt der Wein, zum Essen das Trinken. Das Gebot und der Vollzug des Trinkens aus *einem* Kelch ist nicht weniger deutlich als das Tatzeugnis des Essens von *einem* Brot. Schon oben – bei der Aufzählung der Unterschiede zwischen Jesu letztem Mahl und einem zeitgenössischen Passamahl – wurde auf die Ersetzung der üblichen Einzelbecher durch einen einzigen, von allen zu benützenden Kelch hingewiesen; eine Anspielung auf den Leidenskelch (Mt 20,22–23; 26,39 u. Par) war dabei nicht auszuschließen. Jetzt ist hinzuzufügen, daß Gemeinschaft mit dem Leid und Schmerz Jesu allein die – durch das »Trinken dieses Kelches« erfolgende – Verkündigung noch nicht erschöpft. Wurde bei jüdischen Festmahlen Wein getrunken – z.B. bei Kiddusch- und Passafeiern, und dann niemals ohne einen vorausgehenden Segensspruch –, so zum Beweis geschenkter oder erwarteter großer Freude. Der Wein galt ja als Gabe Gottes, die »des Menschen Herz erfreuen soll« (Ps 104,15). Nicht Könige, Fürsten und Richter sollten ihn trinken, sondern den Unglücklichen und Seelenbetrübten war er zu reichen, auf »daß sie trinken und ihrer Armut vergessen und ihrer Mühsal nicht mehr gedenken« (Spr 31,4–7). Von einem »Becher des Heils« spricht Ps 116,13. Ein Trinkspruch für das Sättigungs- und Freudenmahl, das unter anderen Opferfeiern einen Dankgottesdienst abschließen konnte, ist wahrscheinlich in Ps 22,27 enthalten: »Euer Herz soll ewig leben.« Offensichtlich geht es hier um das Trinken aus einem Becher, der sich radikal unterscheidet vom »Kelch des Grimmes Gottes« bzw. dem »Taumelkelch«, der z.B. in Jes 51,17.22; Klgl 4,21; Hes 23,31.33; Ps 60,5 erwähnt wird. Den bitteren Kelch hat Jesus allein in seinem Leiden und Sterben bis zur Neige geleert; er weissagte, daß er erst im Reich Gottes erneut Wein trinken werde. Der im Reich Gottes zu trinkende Becher entspricht höchstwahrscheinlich *nur* dem Heilsbecher, der nach Ps 116 (und 22) nach der Errettung vom Tode getrunken wird. In 1Kor 11,25–29 sollte man unter »diesem Becher«, aus dem am Tisch des Herrn getrunken wird, weder einzig den Leidenskelch noch allein den Freudenbecher verstehen. Auch hat Paulus schwerlich den Inhalt dieses Kelchs als ein Gemisch von saurem und süßem oder von schlechtem und edlem Wein angesehen. Wohl aber bezeichnet der Ausdruck »den Tod *verkünden*« eine *freudige*, nachösterliche Ausrufung (der Tatsache, der Einmaligkeit, des Opfercharakters, der Annahme und Erhörung, der Gültigkeit und Wirksamkeit) des *schrecklichen* Todes Jesu Christi. Im Akt des Trinkens aus diesem Becher sind Tränen und Lachen weder vermischt noch stehen sie (als Zeichen eines immer zu wiederholenden Stimmungswechsels) komplementär nebeneinander. Vielmehr geht es hier um einen Sieg der endzeitlichen Freude über die endzeitlichen Greuel des Gerichts, das im Tode Christi vollzogen wurde. Der Kelch sagt: »In dir ist Freude in allem Leide«, und solche Freude ruft er aus. Gerade im *Tod* Jesu Christi ist für die Mahlteilnehmer, die Vielen und alle Welt, das *Heil* errungen und gut aufgehoben. Deshalb sind alle, die »von diesem Kelche trinken«, *fröhliche* Herolde des *gekreuzigten* Herrn.

Mit Luthers Kleinem Katechismus kann man an dieser Stelle die Frage aufwerfen: »Wie kann leibliches Essen und Trinken solch große Dinge tun?« Unter den »großen Dingen« sind, wenn man paulinisches Vokabular aus 1Kor 10–11 verwendet, »Gemeinschaft«, »Anteil haben«, Glied am »Leib Christi« sein, »zum Gedächtnis tun« und »den Tod des Herrn verkünden« zu verstehen. Nach Ansätzen, die in die nachapostolische Zeit zurückführen und die spätestens im 4. Jahrhundert in Ost und West entfaltet und für die spätere Theologie- und Liturgiegeschichte maßgebend wurden, sind die großen Dinge jedoch noch viel größer. Z.B. beantwortet Luther die Frage: »Was nützt solches Essen und Trinken?« mit dem Hinweis auf »Vergebung, Leben und Seligkeit«. Daß im Heidelberger Katechismus der Nutzen des Sakraments des Abendmahls ähnlich beschrieben wird, ist schon erwähnt worden. Lutherische und reformierte (mit Ausnahme rein Zwinglischer) Lehre vom Abendmahl steht in dem, was über die von Gott geschenkte Wirkung des Mahls auf den Teilnehmer gesagt wird, eigentlich nicht hinter orthodoxen und römisch-katholischen Darstellungen zurück. Der in Lima 1982 von der Faith-and-Order-Kommission des Weltkirchenrats erarbeitete Text über Taufe, Eucharistie und Amt bestätigt den uralten, erstaunlich großen Konsens.

Doch wird die Frage: »Wie kann leibliches Essen und Trinken ...?« im Westen und Osten mit leicht verschobenen Akzenten, wenn auch letztlich mit einer analogen Auskunft beantwortet. *»Accedit verbum ad elementum et fit sacramentum«* (»Tritt das Wort zum Element, so entsteht das Sakrament«), antwortet Augustin für den Westen. Zur Mahlfeier gehört im Osten, spätestens seit Chrysostomus, unbedingt die Anrufung des Geistes und die Bitte um sein Herabkommen, damit er Brot und Wein zu Himmelsspeise und -trank werden lasse. Der Volksmund machte aus den die wunderbare Verwandlung des Brotes bewirkenden Worten »*hoc est corpus*« die Formel »Hokus-Pokus«, weil die Funktion dieses Spruches derjenigen eines Zauberwortes gleich zu sein schien.

So oder so wird dem Wort und dem Geist soviel wie eine technische Funktion zugeschrieben; Brot und Wein, dazu Essen und Trinken bekommen durch einen fest verheißenen und immer neuen gnadenhaften und schöpferischen Eingriff Gottes etwas, was sie an sich nicht besitzen. Man streitet unter Christen allerdings darüber, ob nur die Signifikation oder die Funktion verändert wird, ob man von einer Bereicherung und einem Zusatz oder sogar von einer Aufhebung, Verschluckung und Verwandlung des Natürlichen durch etwas Göttliches sprechen kann oder muß. Welche Variante auch immer gewählt wird – das Sakrament ist dann mit Einschluß seines Empfangs ein Wunder am Gegessenen und Getrunkenen sogut wie am Essenden und Trinkenden.

Paulus hingegen spricht weder von Umdeutung noch von Umfunktionierung, weder von Anreicherung noch von Verwandlung von Elementen. Auch findet man bei ihm keine Andeutungen über Transsignifikation oder Transsubstantiation physischen Gebens, Nehmens, Berührens, Kauens, Schmeckens oder Schluckens. Die Verben, die er für die Beschreibung des nachpfingstlichen Mahls des Herrn verwendet und zu deren Gebrauch ihn offensichtlich Jesu Befehl »tut dies ...« ermutigt hat, sprechen von Handlungen, die die Gemeinde tut. Erstaunlich ist, wie oft *sie* Subjekt der paulinischen Aussagen ist. Weil gerade ein feierliches Mahl der Rahmen und das Mittel sein soll, worin und wodurch die Gemeinde das »Gedächtnis« an ihren Herrn vollzieht, darf bei Paulus gemeinsames Essen und Trinken »solch große Dinge tun«. Die Gemeinde selbst darf und soll ein klares und weltweit sprechendes Zeugnis für das sein, was ein für allemal aus Gottes Gnade und Kraft im Tode des Herrn geschehen ist. Nicht ein sogenanntes »Naturwunder«, das sich regelmäßig am Tisch des Herrn ereignet, sondern das vollkommene Werk Gottes, das immer neu zur Danksagung nicht nur in Worten, sondern auch in Taten befähigt und aufruft, ist Voraussetzung für das Mahl des Herrn und alles, was in dessen Rahmen geschieht.

Statt daß z.B. allein der Intellekt, die Emotion, die Sprache des Menschen etwas sein und tun dürfen zum Lobe Gottes, darf der ganze Mensch, auch seine physische Betätigung, handgreiflich und öffentlich dokumentieren, an wen der Mensch glaubt, was er glaubt und wie dankbar er ist. Nach Paulus hat menschliches Essen und Trinken im Gottesdienst seinen legitimen Platz und aller Welt gegenüber eine missionarische Funktion. Das bedeutet jedoch nicht, daß entweder Brot und Wein, so wie sie am Tisch des Herrn vom Verwalter des Sakraments gehandhabt werden, oder daß die Vorgänge des Essens, Schmeckens usw. oder die Kombination von beidem aus eigener Kraft, »automatisch« (in der mittelalterlichen Fachsprache: *ex opere operato*) die »großen Dinge tun«.

Paulus setzt voraus, daß mit der eigentlichen Feier des Mahls des Herrn ein Sättigungsmahl verbunden war. Die Sättigungsmahlzeit ist nicht das Mahl des Herrn; an Brot und Wein kann sich sättigen, wer will, privat, »zu Hause« (1Kor 11,22.34) – obwohl nach 1Kor 10,31 auch dort alles Essen und Trinken zur Ehre Gottes geschehen soll. Immerhin setzen die von Paulus und Lukas (im Langtext) übernommenen Überlieferungen von der Einsetzung des Mahls durch Jesus voraus, daß *zwischen* dem Brot- und dem Kelch-Akt und -Wort eine volle Mahlzeit stattfand: Das Brot wird vor, der Kelch aber »nach dem Einnehmen der Mahlzeit« (*deipneō*, 1Kor 11,25; Lk 22,20) überreicht bzw. getrunken. Nur Lukas (22,17–18) berichtet auch (im Kurztext: nur) von einem Kelch, der dem Segensspruch über dem Brot, dem Brechen und Essen des Brotes und auch dem Essen des Passalamms und der Zutaten voranging. In Korinth war die volle Mahlzeit nicht mehr zwischen dem feierlichen Genuß von Brot und Wein eingebettet, sondern ging ihm voraus. Paulus protestiert nicht gegen diese Anordnung, und es ist zu vermuten, daß er auch gegen die spätere Reihenfolge (zuerst heiliges Mahl – dann Verlängerung der Gemeindefeier durch ein Sättigungs- und Liebesmahl) nichts eingewendet hätte. Implizit bestreitet er allerdings, daß das Essen und Trinken bei diesem »eigenen« Mahl den Tod des Herrn verkünde. In 2Petr 2,13 und späteren Dokumenten wird gegen »Liebesmahle« (Agapen) protestiert, bei denen gewiß niemand hungrig und durstig blieb, ja vermutlich auch über den Durst getrunken wurde. Schon in 1Kor 11,20 ist von Trunkenheit unter den Reichen beim Sättigungsmahl die Rede. Andere Kennzeichen des Mißbrauchs der Mahle sind später darzustellen.

Nur als Nachtrag und in Kürze ist zum Abschluß der Auslegung von 11,26 noch etwas zu erwähnen, was (gewöhnlich ohne Berufung gerade auf diesen Vers) mit Recht schon zum Inhalt ganzer Bücher geworden ist und noch zu werden verdient:

Brot und Wein sind natürliche Produkte, Essen und Trinken sind physische Vorgänge. Sie beeinflussen und bestimmen Geist und Seele, Wollen, Können und Vollbringen des Menschen viel mehr, als ein Nicht-Epikuräer gern zugibt.

Für Paulus jedoch sind sie nicht zu gering, nicht zu arg durch Mißbrauch verdorben, kurz: nicht zu schlecht, im Dienste Gottes und der Christusverkündigung zu stehen. Gerade sie können und sollen zeigen, daß Jesus Christus nicht nur zum Heil von Individuum und Gesellschaft gestorben und auferstanden und bis zu seiner Wiederkunft zur Rechten Gottes als Pantokrator (Allherrscher) inthronisiert ist. In seinem Wirken und Werk sind auch alles Fleisch, alles Leibliche, alles Physische (sogut wie alles Psychische), dazu alle unsichtbaren Mächte eingeschlossen. Wäre nicht der greif- und sichtbare Leib des Menschen, seine Arbeit, Mühe und Freude in der Beschaffung und dem Genuß von Lebensmitteln wie Brot und Wein, endlich seine Beeinflussung, Bedrohung oder Unterjochung durch unsichtbare böse Mächte – wäre nicht dies alles und mehr einbezogen in Christi Versöhnungswerk, so wäre auch der Mensch nicht versöhnt. Es gäbe keine wirkliche, zeitliche und ewige Erlösung, wenn nur die Seele des Menschen und nicht auch alle Kreatur von Gott das Recht bekommen hätten, auf totale Befreiung zu hoffen (vgl. Kol 1,15–20; Röm 8,19–23; Apk 21–22).

Das Mahl des Herrn ist eine öffentliche Demonstration der kosmischen Weite, Breite und Tiefe der Rechtfertigung durch Christus und aus Gnade allein. Es dient einem höheren Zweck als nur der Bestätigung der Rechtfertigung und des Glaubens auserwählter einzelner oder kirchlicher Gemeinschaften. Alle, für die Christus gestorben ist, sind zu seiner Feier eingeladen, und alles, was unter der Verheißung einer neuen Schöpfung steht, darf zu dieser Feier einen Dienst leisten. Hier jubelt das Feld und was darauf steht, hier jauchzen die Bäume des Waldes und klatschen sie in die Hände, hier brechen Berge und Hügel in Jubel aus und hüpfen wie junge Lämmer, hier loben alle den Herrn, alle seine Werke (Ps 96,11–12; 98,7–8; 103,22; 114,4–7; Jes 49,13; 55,12; vgl. den apokryphen Gesang der drei Männer im Feuerofen). Unter dem Vorbehalt der vollen Offenbarung in der Wiederkunft Christi ist schon im Mahl des Herrn vieles »sehr gut« (vgl. Gen 1,31).

Soviel zur Gemeinschaft mit Jesus Christus. Wo aber im Namen dieses Herrn das Mahl des Herrn gefeiert wird, ist auch noch ein anderer Bundespartner wesentlich:

Teil III

Gemeinschaft der Gäste untereinander

A Die Zusammenkunft der Ersten und Letzten nach Paulus

1. *Christusverkündigung und Gemeindegehorsam in 1Kor 10–11*

Die zwei Kapitel 1Kor 10 und 11 handeln – außer in den Exkursen über Freiheit und Verantwortung bei der Teilnahme an weltlichen Mahlzeiten und über Kleidung und Haltung der Frau im Gottesdienst – vom Mahl des Herrn. Doch setzen sie je eigene Akzente. 1Kor 10 spricht hauptsächlich von der im Mahl bezeugten Gemeinschaft mit Christus. 1Kor 11,23–26 fügt die Erklärung hinzu, daß auf Geheiß des Herrn diese Gemeinschaft in einer Gedächtnis- und Verkündigung*tat* der Tischgäste besteht, in einem gemeinsamen Feiern, das missionarischen Charakter hat. Besonders die Verse 17–22 und 27–34 betonen die entsprechende unabdingbare Gemeinschaft der feiernden und verkündenden Tischgäste Jesu Christi untereinander. Die Verse geben Aufschluß darüber, wer diese Gruppe von Menschen eigentlich ist, die in 1Kor 10,13–21; 11,17–22.26–34 mit dem Pronomen »ihr« angeredet wird. Dazu kommen Informationen darüber, wie sich diese Personen faktisch Christus, einander und Außenstehenden gegenüber benehmen, und endlich Verheißungen und Mahnungen, wie sie sich verhalten dürfen und sollen. Der Predigt und Lehre von Christus und Gottes vollkommenem Heilswerk (Christologie und Soteriologie) entspricht in diesen wie in anderen Kapiteln eine Beobachtung und Beschreibung, dazu eine Ermahnung und Bedrohung der Gemeinde (also eine sozialethisch orientierte Ekklesiologie). Offensichtlich machen es Christologie und Soteriologie für Paulus nicht überflüssig, daß auch Soziologie (der Korinthischen Gemeinde), dazu Ethik und Erziehung getrieben werden. Das gilt auch umgekehrt: ohne Christologie keine Sozialethik! Beides betreibt Paulus mit ganzer Energie. Neben die Christologie des Mahls des Herrn (Kap. 10) und unter ihre Herrschaft setzt er eine Soziologie desselben Mahls (Kap. 11). Während aber die Predigt und Lehre von Christus und der Rettung immer und überall im Zentrum seiner Botschaft steht, bestand für das Schreiben nach Korinth noch ein besonderer Anlaß, der in 1Kor 11,17–22.27–34 skizziert und kommentiert wird.

In Korinth hatten es sich die reicheren Gemeindeglieder angewöhnt, am

Versammlungsort der Gemeinde *vor* der Feier des eigentlichen Mahls des
Herrn, bei dem nur ein abgebrochenes Stück Brot gegessen und etwas
Wein getrunken wurde, zu einem bankettartigen Festmahl zusammenzu-
kommen. Die Teilnehmer an diesem Mahl stillten nicht nur ihren Hunger,
es wurde auch über den Durst getrunken – während alle, »die es nicht haben« (oder »die nichts haben«), auf Verachtung, verschlossene Türen oder
leergegessene Teller stießen (11,22b.33). Es wird sich bei diesen ärmeren
Gästen um die Mehrheit der Gemeindeglieder gehandelt haben, da ja
nach 1Kor 1,25–28 »nicht viele« Weise, Mächtige, Hochwohlgeborene,
wohl aber besonders Schwache und Niedriggeborene, Verachtete und
»Für-nichts-Gehaltene« zur Gemeinde gehörten. Zu denken ist dabei an
Sklaven, Lohnarbeiter, wohl auch Kleinhandwerker beiderlei Geschlechts,
die vor Eintritt der Dunkelheit oder Nacht nicht abkömmlich für eine Gemeindefeier waren. Während sich die Reichen an ihrem »eigenen Mahl«
erlabten, blieben die »Habenichtse« hungrig.
Obwohl Paulus auf diesen Zustand zurückhaltend reagiert – ». . . Ich lobe
es nicht, daß ihr nicht zum Nutzen, sondern zum Schaden zusammenkommt . . . Was soll ich dazu sagen – soll ich euch etwa loben? In dieser
Hinsicht lobe ich euch nicht« (11,17.22c) –, kocht er offensichtlich innerlich
vor Wut. Seine Beschreibung der Situation ist weit davon entfernt, kühl
und distanziert-analysierend zu sein, vielmehr ist sie von Anfang bis Ende
durchsetzt von deutlichen Verurteilungen. Das verwendete Vokabular
zeigt das: »Schaden«, »Spaltungen«, »die Habenichtse verachten und beschämen«, »schuldig an Leib und Blut des Herrn«, »darum viele Kranke,
Gebrechliche und eine beträchtliche Zahl Entschlafene«, »zum Gericht«.
Essen und Trinken können somit gerade das Gegenteil von rechtem Gottesdienst sein. Unter den Evangelisten hat, wie später zu zeigen sein wird,
Lukas diesen zweischneidigen Charakter und Effekt gemeinsamer Mahlzeiten deutlich bezeugt. Aus der neueren Sekundärliteratur zu diesem
Thema ist besonders C. F. D. Moules Artikel »The Judgment Theme in the
Sacraments« (in: The Background of the New Testament and its Eschatol-
ogy. Festschr. C. H. Dodd, Cambridge 1956, S. 464–481) zu nennen.
Schwierig, wenn nicht unmöglich ist es, in einem Heim für Behinderte
oder Alte, in einem Krankenhaus oder bei einer Beisetzung gerade über
diesen Teil der paulinischen Lehre vom Mahl des Herrn zu predigen. Mit
der Auskunft, der Apostel habe nur aufgrund seiner (durch den Verlauf
der Weltgeschichte nach seinem Tod als Irrtum erwiesenen) *Nah*erwartung der Wiederkunft so hart vom Leiden und Sterben einzelner gesprochen, ist weder einem Prediger noch einem Seelsorger und am allerwenigsten einem leidenden oder leidtragenden Gemeindeglied geholfen.
Mindestens zwei Möglichkeiten sind zu erwägen, wenn nach einer Alternative zu der Annahme gesucht wird, Paulus habe dem (z.B. in Ps 73 und
im Hiobbuch heftig bekämpften) Vergeltungsdogma gehuldigt, dem zufolge schlechte Gesundheit, früher Tod und andere Formen eines trüben
Schicksals Beweise für Gottes Zorn und den Vollzug seiner wohlverdien-

ten Strafe seien. (1) Vielleicht waren die Korinther gar nicht solch aber-
gläubige und plumpe Sakramentalisten, daß sie von (der Taufe und) der sakramentalen Speisung unmittelbare Bewahrung oder Befreiung von jedem Gebrechen, aller Krankheit, ja dem Tod erwarteten. Sie konnten ja
Taufe und Mahl auch als Gebet um ein Wunder und als Gelegenheit zu
unmittelbarer Gebetserhörung verstanden haben. Wäre dies vorauszuset-
zen, so hätte Paulus ihnen deutlich gemacht, daß Verkündigung des Todes
des Herrn (V. 26) und »Gemeinschaft« mit dem Gekreuzigten (10,16) Akte
reiner und selbstloser öffentlicher Danksagung sind, nicht aber Mittel,
sich Gott zunutze zu machen und Druck auf ihn auszuüben. (2) Nicht auszuschließen ist auch die Möglichkeit, einige Korinther hätten in aller Demut Gebrechen, Krankheit und Tod in ihren Reihen als Erinnerung an einen auf sie fallenden Schatten des göttlichen Gerichts, also als ihren Anteil
am Leidenskelch des Herrn, verstanden und angenommen. Durch ihr Essen und besonders durch ihr Trinken hätten sie dann ja gesagt zu Gottes
»Züchtigung«, hätten sie bewiesen, daß sie »sich selbst geprüft« (V. 28) und
»richtig beurteilt« haben (V. 31, nach der Übersetzung von U. Wilckens).
Dies könnte geschehen sein zwar nicht in Abhängigkeit, doch im Sinne jener weitverbreiteten rabbinischen Lehre, nach der vom künftigen Weltge-
richt befreit ist, wer schon im gegenwärtigen Leben Gottes Gericht erlebt
und für sich gelten läßt. Der Spruch »Die Leiden der gegenwärtigen Zeit
bedeuten nichts gegenüber der Herrlichkeit, die künftig an uns offenbar
werden soll« (Röm 8,18) kann so interpretiert werden, daß er in diese Richtung weist. So könnte Paulus, statt die Korinther nur anzuklagen oder (hä-
misch?!) auf ihre gegenwärtige und künftige Bestrafung hinzuweisen, sogar unter den Christen in Korinth auch demütige Menschen gefunden und
an die ganze Gemeinde appelliert haben, ihrem Beispiel zu folgen. Auf alle
Fälle macht der Abschnitt 1Kor 11,27–34 deutlich, daß der Vollzug von
sättigendem und auch von feierlichem, im Namen des Herrn geschehen-
dem »Essen und Trinken allein es freilich nicht tut« (um Luthers Formulierung im Kleinen Katechismus aufzunehmen) – am allerwenigsten dann,
wenn das Eingenommene als Lebens- und Freiheitselixier oder als »Medizin der Unsterblichkeit« angesehen und verehrt wird.
Die Anregungen oder Befehle des Apostels zu einer Rückkehr zu dem vom
Herrn eingesetzten Mahl sind sehr kurz. Weil die reicheren Christen von
Korinth Häuser haben, können sie ja zu Hause »ihr eigenes Mahl« halten;
wenn sie sich dort den Bauch vollschlagen und vollaufen lassen wollen, ist
das – wie es ja auch mit Tempelfesten der Fall ist (vgl. 1Kor 10,18–22) – ein
anderes Mahl als das Mahl des Herrn. Die Verbindung beider miteinander
duldet der Apostel nicht. Und doch verbietet er ein Sättigungsmahl in Verbindung mit dem von Jesus Christus eingesetzten Mahl *dann* nicht, wenn
Reiche und Arme gleichzeitig daran teilnehmen.
In 1Kor 11,33–34 schließt eine Ermahnung die paulinische Abhandlung
über das Mahl des Herrn ab. Sie lautet: »Wartet aufeinander«.
Für »warten« ist im griechischen Text *ekdechomai* verwendet, ein Kompo-

situm, das das Verb *dechomai* (»an-« oder »aufnehmen«) variiert. »Warten«
hat auch im Deutschen und Englischen *(wait)* mehr als nur einen zeitlichen
Sinn. Es schließt ein, daß man einem anderen aufwartet, ihn oder seiner
wartet, für ihn sorgt; auf Englisch: *wait upon.* Dies ist auch der Sinn des zusammengesetzten Verbs *prosdechomai* (z.B. in Lk 15,2: Jesus »nimmt die
Sünder an«; vgl. Röm 16,2; Phil 2,29).

In anderem, sachlich verwandten Zusammenhang spricht Paulus ausdrücklich von einem »An- oder Auf-Nehmen« (*proslambanomai* in Röm
14,1.3; 15,7) – dies mit theologischer und christologischer Begründung.
Die Synoptiker sprechen schlicht vom »Aufnehmen« (*dechomai* in Mt
10,14.40–41; ». . . im Namen Jesu«, Mt 18,5 par). Wartet jemand mit gro-
ßem Verlangen auf das Reich Gottes, den Trost, die Erlösung, die Botschaft, die Hoffnung, den Herrn, so wird im Neuen Testament meist das
Kompositum *prosdechomai* verwendet (Mt 15,43; Lk 2,25.38; 12,36; 23,51
u.ö.). Für das Ersehnte oder den auf solche Weise Erwarteten kann man
nichts Fürsorgliches oder Barmherziges tun. Das Erhoffte oder der Herbei-
gesehnte bedarf keiner Hilfe von seiten der Wartenden; sie stehen tief unter ihm und können keinen Beitrag an ihn leisten. In 1Kor 11,33 wird mit
ekdechomai ein »Warten« auf die ärmeren Glieder der Gemeinde beschrieben, das einschließt, daß auf sie gewartet wird und sie bewirtet werden.

Das den Korinthern empfohlene oder befohlene gegenseitige »Aufeinan-
der-Warten« soll verhindern, daß jeder einzelne nur »seinen eigenen Nutzen sucht« und sich selbst gefallen will, nicht aber einen »Nutzen für die
Vielen, damit sie gerettet werden« (10,33). Mit allen Mitteln will Paulus
den Mißbrauch abstellen bzw. verhindern, daß beim Mahl, diesem vom
Herrn gestifteten und der Verkündigung seines Todes dienenden sozialen
Anlaß, die einzelnen Teilnehmer versuchen, nur unter sich und ihresglei-
chen zu feiern, und daß sie gleichzeitig, wie an einem öffentlichen Buffet,
hauptsächlich je für sich um ihre eigene Ernährung und Befriedigung be-
sorgt sind. Was in 10,33 und 11,1 über alle Fragen des Essens besonderer
Speisen und in allgemeiner Hinsicht gesagt ist, gilt auch für das Mahl des
Herrn und das damit verbundene Sättigungsmahl: Man folge dem Beispiel
des Paulus, der sich seinerseits einen Nachahmer Christi nennt, und »ge-
falle allen Menschen in allen Dingen, nicht den eigenen Nutzen, sondern
den der Vielen suchend, damit sie gerettet werden«.

Somit gibt es etwas Wichtigeres als die Einnahme selbst der besten Dinge:
die *Aufnahme* von Personen. Welcher Personen? Nach 1Kor 11,17–22
denkt Paulus besonders an die Armen und Hungrigen. Innerhalb keiner
einzigen Phase der Versammlungen der Gemeinde dürfen sie fehlen; unter
keinen Umständen und in keiner Form dürfen sie »verachtet und ge-
schmäht« werden. In ganz anderem Kontext, dem allerdings Ausführungen über eine Tischgemeinschaft folgen, berichtet der Apostel, daß ihm
die Jerusalemer Gemeindeleitung nur *eines* auferlegt habe: »daß wir der
Armen gedächten«, und daß er »sich bemüht habe, eben dies zu tun« (Gal
2,10).

Später wird zu zeigen sein, wo und wie Paulus gerade die geringsten und letzten Glieder der Gemeinde als die wichtigsten und die ersten bezeichnet – weil Gott selbst sie hoch geehrt hat. Auch wird deutlich zu machen sein, daß es neben den sozial und ökonomisch Schwachen auch *an Glauben und Erkenntnis schwache* Gemeindeglieder gibt. Sie haben nach Paulus Anspruch auf viel mehr als nur eine gewisse Rücksichtnahme der Glaubensstarken und an Erkenntnis Reichen. Allein ein »Wandel in Liebe« zu diesen Schwachen und Armen ist der rechte Weg. Was den schwachen Bruder und sein Gewissen »aufbaut«, das ist das Kriterium rechten Verhaltens – auch dann, wenn es um alltägliches Essen und Trinken geht.

An der gesamten (die Verse 11,17–22 und 27–34 füllenden) Fortsetzung und Ergänzung dessen, was in 1Kor 10,16–22 und 11,23–26 über den christologischen Kern und seine am Tisch des Herrn bezeugte soteriologische Bedeutung gesagt ist, fallen vier Dinge besonders auf:

a) Vom »Kommen« des Herrn spricht der Apostel nur einmal (in 11,26c), vom »Zusammenkommen« der Gemeindeglieder jedoch fünfmal (in 11,17.18.20.33.34; vgl. 14,23.26). Das bedeutet nicht die Umkehrung der Rangordnung zwischen beiden Vorgängen. Auch die Zahl der für beide verwendeten Worte – drei kurze Worte für die Parusie, vierzehn Verse für das Verhalten der Gemeinde – bedeuten nicht, daß die Wiederkunft Christi hier so unterrepräsentiert ist wie in vielen kirchlichen Lehren vom Mahl. Im Gegenteil: Das einmalige, zukünftige Kommen ist ein Akt »des Herrn«, der mit einem Schlag seine Herrschaft aufrichtet und weltweit durchsetzt. Das wiederholte Zusammenkommen der Gemeindeglieder in der Gegenwart hat demgegenüber nicht mehr als dienende Funktion; es ist Ausdruck der Gewißheit der großen Hoffnung. Der Herr macht keine Fehler, täuscht niemanden und wendet sich in Person allen Geschöpfen zu. Seine (teuer erkauften, vgl. 7,23) Diener in Korinth aber, nicht anders als der in Mt 24,48–49; Lk 12,45–46 erwähnte »schlechte Knecht«, essen, trinken und betrinken sich in schändlicher Weise. Sie schaffen Ärgernis, Trennungen und anderen »Schaden«, jedoch weder für sich selbst noch für andere irgendwelchen »Nutzen« (vgl. 1Kor 11,17; vgl. 10,33). Die Verheißung und Verkündigung der Wiederkunft ist ein Teil der frohen Botschaft, des Evangeliums. »Freuet euch … Der Herr ist nahe!« (Phil 4,4–5). Die Beschreibung und notwendige Korrektur der Zustände in Korinth ist bei Paulus zur Schelt-, Droh- und Gerichtsrede geworden.

b) Anfang und Ende der vom Mahl des Herrn handelnden Kapitel 10–11 enthalten kein zeitloses Ethos, doch sehr konkrete ethische Ermahnungen. Die Geschichte Israels warnt die gegenwärtige Generation; sie ist ein Beispiel dafür, daß gerade von Gott selbst genährte, aus Christus getränkte Menschen in Gefahr sind, böser Begierde nachzugeben, Götzendienst zu treiben, unzüchtig zu leben, Christus zu versuchen und zu murren. Wurden damals die Väter »niedergestreckt in der Wüste«, wurden unter ihnen auf *einen* Tag 23 000 »gefällt«, starben einige am Biß von Schlangen und gingen andere durch die Hand des Verderbers zugrunde – dann gilt heute, so nahe dem Weltende, noch viel mehr: »Wer wähnt zu stehen, sehe zu, daß er nicht falle« (10,1–12). Die Mahlkapitel schließen mit Hinweisen auf die Erfahrung göttlicher Gerichtsakte (d.h. Krankheit, Gebrechlichkeit und Tod) im Leben der Gemeinde; dies, obwohl ihre Glieder mit Geist getauft sind und bekennen, daß Jesus der Herr ist (11,27–34; 12,1–3.13). Ermahnung erfolgt auch während der verschiedenen eigentlichen Beschreibungen des Mahls des Herrn (s. 10,14–15.21–22.23–33; 11,1–16.17–23.26).

Der breite Raum, der sozial-ethischem Zuspruch gewidmet ist, schließt nicht aus, daß ebenso wie in den ethischen (»paränetischen«) Teilen aller Paulusbriefe ein direktes Christus- und Trostzeugnis gerade im Zusammenhang der Ermahnung laut wird. Schon Israel hatte mit Christus zu tun (10,4.9); die jetzige Gemeinde Gottes braucht nicht dieselben Sünden wie die Väter zu begehen und dieselben Folgen auf sich zu ziehen; sie ist gewarnt (10,5–12), und der treue Gott wird den Korinthern in den besonders starken endzeitlichen Versuchungen beistehen (11,12–13). Die Christen in Korinth werden als verständige und urteilsfähige Menschen angesprochen und als solche, die wissen können, daß niemand stärker ist als Gott und daß es sich daher niemand leisten kann, Gott zur Eifersucht zu provozieren (10,14–15.18.22). Ein Exkurs handelt von der gloriosen Freiheit, dem Gewissen und der Verantwortung, die den Christen geschenkt, nicht aufgebürdet sind (10,33–11,1). Eine andere Digression vergleicht – ähnlich 2Kor 11,2 und dem späteren Text Eph 5,21–33 – das Verhältnis zwischen dem Herrn und der Gemeinde mit dem Verhältnis von Mann und Frau, hier besonders mit dem gebührenden Auftreten der Frau im Gottesdienst der Gemeinde (1Kor 11,2–16). Nur in gewissen Dingen kann der Apostel den Korinthern kein Lob spenden. Der sanft formulierte Tadel »(darin) kann ich euch nicht loben« erscheint in 11,17 und 22 erst *nach* der lobenden Anerkennung, die in 11,2 ausgesprochen ist: »Ich lobe euch, daß ihr in jeder Hinsicht meiner gedenkt und an der Überlieferung festhaltet, die ich euch übergeben habe« (vgl. 15,11: »So verkünden wir, und so habt ihr geglaubt«). Die Theologie des Paulus ist wie in allen seinen Briefen angewandte (und im rechten Sinn: pragmatische) Theologie. Doch verleugnet er gerade in den ethischen Teilen seiner Sendschreiben nie, daß sie eine evangelische praktische Theologie ist. Das Verhältnis zwischen den verkündigenden, indikativischen Aussagen von 1Kor 10 und den scheltenden und ermahnenden Äußerungen in 1Kor 11 ist daher nicht dem Kontrast zwischen Evangelium und Gesetz gleichzustellen, den z.B. Luther in seinem großen Galaterkommentar und die Lutherischen Kirchen in ihren Bekenntnisschriften nachhaltig betont haben.

c)   Alle positiven paulinischen Aussagen über Ursprung, Wesen, Ordnung, Sinn, Wirkung und Feier des Mahls, d.h. die relativ sehr kurzen Abschnitte 10,16–17 und 11,23–26 sind umgeben von ausführlichen, nicht nur erzählenden und ermahnenden, sondern auch kritischen, polemischen und mit Drohungen gespickten Ausführungen. Wie oben (in 2.1) erwähnt, wird von traditions- und redaktionsgeschichtlichen Forschern der größte Teil der genannten sechs positiven Verse einer vorpaulinischen Tradition (oder diversen Gemeindeüberlieferungen) zugeschrieben. Der eigene, affirmative und erbauliche Beitrag des Apostels wäre dann – abgesehen von der Verwandlung eines Bekenntnisses in eine Frage in 10,16 (»Der Segenskelch ... ist er nicht ...? Das Brot ... ist das nicht Gemeinschaft mit ...?«) und der Einleitung von 11,23 (»Denn ich habe vom Herrn empfangen, was ich euch weitergegeben habe«) – sehr beschränkt. Er bestünde lediglich im Inhalt von 10,17, vielleicht nur in den Teilen b und c dieses Verses; möglicherweise würde auch 11,26 dazugehören. Echt paulinisch wären dann also nur die Worte: »Denn ein Brot ist es ... wir vielen sind ein Leib ... an einem Brot teilhaben« und: »Denn sooft ... verkündet ihr ... bis er kommt«. In diesem Fall erschöpfte sich der eigene Beitrag des Paulus fast ausschließlich in der polemischen Anwendung von Traditionsgut auf die Korinthischen Verhältnisse. Paulus stünde dann einem Prediger nicht fern, der das Evangelium nur deshalb zitiert, um es alsbald zu einem Kriegsbeil oder Gesetz gegen böse Menschen zu machen! Dieser Verdacht ist jedoch unbegründet, denn Paulus identifiziert sich immer, außer wenn er explizit das Gegenteil kenntlich macht oder eine Modifikation vollzieht (z.B. in 1Kor 7,1ff; 10,23ff), mit dem Inhalt dessen, was er zitiert, also in 10,16 (–17a oder b?) mit der Aussage über die Gemeinschaft mit Christus im Mahl und in 11,23–26 mit der Einsetzung des Mahls durch den Herrn und mit seiner Deutung als einer Verkündigung des Todes Christi, die auf die Zeit *vor* seiner Wiederkunft beschränkt ist. Ohne ihre Rezeption durch Paulus wären diese evangelischen Texte uns nicht erhalten. Der eigene Beitrag des Apostels zur Mahldiskussion ist daher sowohl positiv als auch polemisch.

Auffallend ist jedoch die Proportion zwischen konzentriert-freudiger Belehrung und elaboriert-scharfer Mahnung. Hier ein heller Jubelton – dort eine finstere Drohung. Kein *sic* ohne ein *non*; kein Bekenntnis ohne ein *anathema sit* (bzw. »Damit verwerfen wir die falsche Lehre, daß ...«); keine Darstellung dessen, was Jesus beim Mahl gab und sagte, und der Gemeinschaft, an der die Seinen Anteil haben, ohne radikale Frontstellung gegen den Unfug und Skandal der in Korinth eingerissenen Praxis! Auch bei anderer Gelegenheit hat sich der Evangeliumsverkünder Paulus gerade anläßlich einer Tisch- und Speisefrage als überaus militant erwiesen. Keinem Geringeren als dem Säulenapostel Petrus »widerstand (er) ins Angesicht«, weil Simon Petrus im syrischen Antiochien in Fragen der Tischgemeinschaft zwischen Juden- und Heidenchristen »nicht geradewegs nach der Wahrheit des Evangeliums wandelte« (Gal 2,11–21). – So ist es unvermeidlich, daß gerade dann, wenn – wie bei uns – 1Kor 10–11 als Basis für eine neue Besinnung über das Mahl des Herrn respektiert und ausgelegt wird, Polemik gegen jeden individualistischen und egozentrischen Sakramentalismus einen weiten Raum einnehmen muß.

d)   Drei Stellen in 1Kor 10–11 fallen durch besonders apodiktische Formulierungen auf. Die Worte: »Ihr könnt nicht… es ist nicht möglich… unwürdig… schuldig… zum Gericht« finden sich in folgenden Aussagen: »*Ihr könnt nicht* zugleich den Kelch des Herrn trinken und den Kelch der Dämonen. *Ihr könnt nicht* zugleich am Tisch des Herrn Anteil haben und am Tisch der Dämonen« (1Kor 10,21). »Wenn ihr zusammenkommt (U. Wilckens: So wie es bei euren Versammlungen zugeht), *ist es unmöglich*, das Mahl des Herrn zu essen« (1Kor 11,20). Schließlich spricht 1Kor 11,27–34 von *unwürdigem* Genuß, von *Schuld* an Leib und Blut des Herrn, von *Gericht* wegen mangelnder Unterscheidung des Leibes Christi und von *Krankheit, Tod* und *Verurteilung* gerade von Mahlteilnehmern, die zusammen mit der Aburteilung der Welt vollzogen werden könnte.

Die Ausdrücke »ihr könnt nicht« und »unmöglich« sind nicht so zu verstehen, als ob Paulus von einer fehlenden Potentialität spräche, der dann selbstverständlich auch keine Aktualität folgen könnte. Mißbrauch und Schändung des Mahls waren in Korinth bittere Wirklichkeit. Offensichtlich behaupteten die sakramentsfreudigen Korinther, sie könnten das Mahl des Herrn feiern, auch wenn sie gelegentlich an heidnischen Tempelmahlen teilnähmen (vgl. 1Kor 8.4.10) und die Hungrigen innerhalb der Gemeinde »beschämten« (11,22). Auf solches Verhalten können sich die Korinther selbst die rechte Antwort geben: »Wir sind nicht stärker als der Herr« (vgl. 10,22). Wie in der Septuaginta zumeist das hebräische Verb *jachal* (vermögen, können, stark genug sein, ertragen) die Grundlage für das ist, was mit *dynamai* (können) übersetzt wird, so zeigt der Hinweis auf *ischyroteron* (stärker) in 10,22, daß die Worte »Ihr könnt nicht« und »Es ist unmöglich« den Sinn haben von »Ihr seid nicht stark genug«. Wie schwach, anfällig und hinfällig die Korinther in der Tat sind, können sie nicht nur aus Israels Geschichte lernen, d.h. dem »Fall« einer großen Menschenmenge, die Wasser und Manna aus Gottes Hand genommen hatte (1Kor 10,1–13), sondern auch aus ihrer eigenen Erfahrung: Gerade »viele« Teilnehmer am Mahl des Herrn »sind krank und gebrechlich, und beträchtlich viele sind entschlafen« (11,30).

Der Begriff »unwürdig« drückt mehr als nur die moralische Entrüstung des Apostels über unmoralisches Verhalten aus. Paulus bezeichnet die lieblosen Selbstversorger und Schlemmer von Korinth als »schuldig an Leib und Blut des Herrn« (11,27). Die Korinther verachten und verhöhnen den Tod Jesu Christi, der für alle erlitten wurde, und sie unterscheiden nicht zwischen der besonderen Gemeinschaft, die sie als »Leib« (»Christi!«, so in 12,27) bilden, und anderen, je ihre eigenen Mahlzeiten feiernden Gemeinschaften und einzelnen (11,29; vgl. 10,20–21; 11,21–22). Ließen sie das an ihnen allen schon vollzogene gnädige Gericht Gottes nach solider Selbstprüfung für sich selbst gelten, so konnten sie das Mahl nicht zur egoistischen und segregationistischen Demonstration mißbrauchen. Sie würden Gottes »Züchtigung«, der sie selbst zuerst unterworfen sind (da ja das Gericht beim Hause Gottes anfängt, 1Petr 4,17), annehmen, statt sie in ei

ne von ihnen selbst vollzogene Aburteilung und Ausschließung anderer
zu verwandeln.

Der erste Korintherbrief ist zwar »nur« ein Gelegenheitsbrief, doch ist die
von Paulus in Korinth angesprochene Situation weit davon entfernt, erle-
digt zu sein. Seine scharfe Reaktion auf sie hat prophetischen Charakter,
und ihre Gültigkeit ist so zeitgebunden und zugleich so unanfechtbar wie
die Botschaft der großen alttestamentlichen Propheten. Hier und dort
geht es um Sätze göttlichen Rechts – obwohl der Anspruch auf Inspiration
(vgl. z.B. 1Kor 2,4–16; 7,40; 2Kor 3,8) nur selten erhoben wird.

Wir fassen zusammen: Die skizzierten vier Beobachtungen zu Struktur
und Inhalt von 1Kor 10–11 zeigen deutlich, daß zwei Eigenschaften des
Mahls des Herrn zusammengehören: Gemeinschaft mit Christus und Gemeinschaft der Gäste untereinander. 1Kor 10 betont mehr die erste, 1Kor
11 mehr die zweite Gemeinschaft. Gäbe es solide und glaubhafte Gründe,
die zwei Kapitel (oder bestimmte Teile von ihnen mit je ihren besonderen
Akzenten) aus literarischen, überlieferungs- oder redaktionsgeschichtlichen Gründen voneinander zu trennen, so könnte man von Entwicklungs-
stufen im Denken und Lehren des Paulus oder der (hellenistischen?) Gemeinde sprechen. Kanonisiert, d.h. rezipiert für kirchlichen Gebrauch,
wurden auf alle Fälle beide Kapitel in ihrem jetzigen Zusammenhang, als
eine Ausarbeitung der Christusgemeinschaft: Es gibt sie nur in der Gestalt
gegenseitiger Gemeinschaft aller Gäste des Herrn. Zu fragen ist jedoch,
wie sich die beiden Gemeinschaften zueinander verhalten.

Hat das Mahl des Herrn zwei Seiten wie ein Blatt Papier, das *recto* mit
Evangelium, *verso* mit dem Gesetz beschrieben ist? In 1Kor 10 und 11 stehen sich zwei Kapitel gegenüber, die trotz gelegentlicher Überschneidungen deutlich voneinander unterschieden sind (wie ja auch die Aussage von
1Kor 8,10, nach der ein Christ unter Umständen in einem Heiligtum an einer Mahlzeit teilnehmen kann, verschieden ist vom Verbot solcher Teilnahme in 10,19–22). Ist Paulus daher in Sachen Mahl des Herrn ein Plura-
list, der nur durch die jeweiligen Umstände bedingte (»kontextuelle«)
Dogmatik und Ethik betreibt?

Gerade das Gegenteil ist in den Kapiteln 10 und 11 festzustellen. Die drei
zu Anfang von (d) zitierten polemisch-scharfen Stellen ergänzen einander:
(1) 1Kor 10,21 (»Ihr könnt nicht . . .«) macht deutlich, daß das Mahl nur
und ausschließlich mit dem Herrn gefeiert werden kann. Wäre es nicht
ganze Gemeinschaft mit Christus, dem Herrn, allein, so würde überhaupt
nicht zu seinen Ehren gefeiert. (2) Eine Tafelrunde aber, die z.B. nur die Gemeinschaft von Reichen mit Reichen untereinander zustande und zum
Ausdruck brächte, wäre nach Paulus nicht das Mahl des Herrn: »Es ist unmöglich . . .« (1Kor 11,20). »Kann« nach 1Kor 10 das Mahl *nicht ohne* Gemeinschaft mit Christus, sondern einzig und allein *mit* ihm gefeiert werden, so ist es nach 1Kor 11 ebenso »unmöglich«, es ohne oder gegen gewisse verachtete Mitmenschen zu zelebrieren – ist es doch *für* Sünder, Schwa-

che und Arme eingesetzt worden. (3) Endlich verklammern 1Kor 10,16–17 und 1Kor 11,27–34, besonders 11,27.29, die beiden Elemente miteinander. Gemeinschaft an Leib und Blut des Gekreuzigten ist Einheit von Vielen in *einem* Leib; und schuldig am Leib und Blut des Herrn ist, wer statt die Besonderheit der Gemeinde, d.h. den Einschluß der Armen, Schwachen, Sünder in den erneuerten Bund fröhlich anzuerkennen, eine Scheidung vollzieht, die »Habenichtse« aller Art von der Gemeinde fernhält, von ihr abtrennt und sie verachtet und schmäht (vgl. 11,18.22).

Das Verhältnis zwischen Gemeinschaft mit Christus und Gemeinschaft untereinander ist mit dem Verhältnis zwischen Gottes- und Nächstenliebe zu vergleichen. Nach Mt 12,39 (und einer Variante von Mk 12,31) ist das zweite Gebot dem ersten »gleich«; nach 1Joh 4,20 ist die Behauptung, man liebe Gott, eine Lüge, wenn gleichzeitig der Bruder gehaßt wird: Niemand »ist stark genug«, gegenüber dem, den man nicht sieht, etwas glaubhaft zu bezeugen, was er dem sichtbaren Bruder verweigert. Die Bitte des Gebets des Herrn um Vergebung und das Gleichnis vom Schalksknecht besagen dasselbe.

Für das Verhältnis zwischen Gemeinschaft mit Christus und Gemeinschaft untereinander gibt es schwerlich eine knapper formulierte Analogie, als was über die Einheit der göttlichen und menschlichen Natur in Chalzedon im Jahre 451 gesagt wurde: »unvermischt, ungewandelt, ungetrennt, unzerteilt«. Beim Mahl des Herrn geht es um strikt Persönliches, um den ganzen Christus, um den Menschen in seiner Totalität und um jeden Mitmenschen – nicht aber um ein Heil- oder Heilsmittel.

Mit zwei Hinweisen soll diese Übersicht über 1Kor 10–11 abgeschlossen werden:

a)   In beiden Kapiteln bewegt sich das Gefälle der paulinischen Belehrung und Ermahnung vom Kultischen auf das Ethische zu, oder deutlicher: vom einen Christus zu seinen vielen Brüdern. Gerade dies ist ja auch der Weg des Christus, auf dem ihm Paulus nachfolgen will (vgl. 1Kor 11,1). Ein Ausverkauf gottesdienstlicher Verehrung des Herrn ist damit unter keinen Umständen gemeint, hängt doch alles, was im Rahmen des Mahls des Herrn geschieht, an der erwarteten Wiederkunft des Herrn. Nicht auf Kosten »vernünftigen Gottesdienstes« (vgl. Röm 12,1), sondern um ihn aus einem Skandal und einem Chaos zu befreien, wie sie in Korinth entstanden waren, hat Paulus in Sätzen göttlichen Rechts zu Gerechtigkeit und Liebe gegenüber den Schwachen und Armen in Korinth aufgerufen.

b)   Der Apostel verwendet gegen Ende seiner Ausführungen über das Mahl des Herrn eine in diesem Zusammenhang überraschende Wendung: »Wartet aufeinander« (11,33; wie oben gezeigt, auch im Sinne von: »Nehmt einander auf«). Bis hierher könnte der Eindruck entstanden sein, nur die Reichen unter den Gemeindegliedern seien ermahnt; jetzt aber fällt jede Einschränkung weg. Paulus fragt nicht nach einem Gehorsam beim Mahl, der bestenfalls in der paternalistischen Kondeszendenz derer, die »es haben«, zu den Armen von Korinth geleistet werden könnte; er bit-

tet an dieser Stelle nicht z.B. als Fürsprecher für die Armen allein um Erbarmen, sondern als »meine Brüder« spricht er Arm und Reich an, wie er
ja ähnlich in Röm 15,7 die Starken und die Schwachen in Rom aufruft,
»einander anzunehmen« *(proslambanomai)*. Auch die Reichen und Starken
bedürfen kraft des auch für sie vergossenen Blutes des Herrn der Brüder,
die ihre Lasten mittragen. Weise Befreiungstheologen haben von jeher mit
Recht gesagt, daß zusammen mit den Unterdrückten und Hungrigen auch
die Unterdrücker und Ausbeuter befreit werden müssen. Die Gemeinde,
die nach Paulus »zusammenkommt«, schließt auch hohe und mächtige
Menschen ein.

Damit ist jedoch die Frage, wer eigentlich zum Mahl zusammenkommt,
noch nicht erschöpfend beantwortet. Die von uns bisher verwendeten Begriffe »die Reichen« und »die Armen« sind Verallgemeinerungen, die aus
dem Leiden und Kampf sogenannter Klassen stammen. Paulus verwendet
diese Begriffe nicht im Zusammenhang von 1Kor 10–11. Doch spricht er
im *weiteren* Kontext dieser Kapitel von einem Menschen bzw. einer Gruppe von Menschen, die unter den zum Gottesdienst Zusammenkommenden ein Recht auf mehr als nur besondere Rücksicht haben. Es geht ihm
um angeblich letzte Glieder der Gemeinde, die in Wirklichkeit die ersten
und wichtigsten sind.

2. Die Schwachen und die Starken in 1Kor 8–14

Mit der Entdeckung eines Leitmotivs, das die Behandlung scheinbar
grundverschiedener Themen in 1Kor 8–14 miteinander vereinigt und untereinander zusammenhält, hat G. Bornkamm (Herrenmahl und Kirche
bei Paulus, in: ZThK 53, 1956, S. 312–349; abgedr. in: Studien zu Antike
und Christentum, Ges. Aufs. II, 1959, S. 138–178) einen fast ebenso wichtigen Beitrag zur Erforschung der paulinischen Lehre über das Mahl des
Herrn geleistet wie vor ihm H. v. Soden in seiner schon genannten Studie
über »Sakrament und Ethik«. Die beiden Autoren unterscheiden sich in
den genannten Aufsätzen darin, daß der ältere eine Reduktion des sakramentalistischen Denkens anstrebt, der spätere aber zu einer Begründung
und Vertiefung desselben Denksystems beitragen will. Von beiden gehen
entscheidende Anregungen zur Auslegung dieser Kapitel aus.

Obwohl der Inhalt eines biblischen Abschnitts jeweils nur *nach* erfolgter
Einzelexegese erfaßt und formuliert werden kann, muß an dieser Stelle eine bloße Aufzählung der in 1Kor 8–14 aufgegriffenen und behandelten
Themen als Ersatz für eine detaillierte Auslegung und ihre Begründung
dienen:

1Kor 8 nimmt die Frage auf, ob Essen von Götzenopferfleisch erlaubt sei,
und antwortet: Der an Glaubenserkenntnis Reiche darf es essen, weil ein
Götze nichts ist. Doch soll er zugunsten der Schwachen im Glauben auf
seine Freiheit verzichten, um dem Bruder, für den Christus starb, nicht

zum Ärgernis zu werden und seine Gewissenserkenntnis nicht zu vernichten. Wo Christi Tod ausschlaggebend ist, kann man also nicht *gegen* den Bruder essen, zu dessen Schutzherrn sich der Gekreuzigte gemacht hat.

In *1Kor 9* spricht Paulus, wie er es in allen seinen Briefen gerne tut, von sich selbst. Er ist ein Musterbeispiel (vgl. 1Kor 11,1) eines zum Dienst an seinem guten Herrn verpflichteten, doch auch privilegierten und mit Vollmachten und Rechten ausgestatteten freien Menschen. Lieber will ich sterben, als auf seine Rechte und seine Freiheit zu pochen. Freiwillig oder unfreiwillig ist er immer bereit, im Dienst seines Herrn als Knecht der Juden und Heiden zu leben. Um des Evangeliums willen ist er z.B. auch schwach für die Schwachen. Zwar kämpft er wie ein tüchtiger Sportler, doch sein Kampf ist vor allem gegen sich selbst gerichtet. Nur so lebt er und sollten die Christen gemäß dem Gesetz Christi leben. Dieses Gesetz gebietet (nach Gal 6,2; vgl. Gal 5,14; Röm 13,8–10; 1Kor 13) das Tragen der Lasten des anderen, kurz: Liebe.

Der Inhalt von *1Kor 10–11* wurde, obwohl nur in Auswahl, im vorhergehenden ausführlich kommentiert. An dieser Stelle ist daher nicht mehr nötig als ein kurzes Eingehen auf die bisher ausgelassenen Stellen.

1Kor 10,23–11,1 kehrt – nach dem Exkurs über Israels Speisung und warnende Dezimierung in der Wüste und nach der positiven, mit priesterlichen Privilegien Israels vergleichbaren, jedoch mit heidnischen Tempelmahlen unvereinbaren Beschreibung des Mahls des Herrn – zum Thema von 1Kor 8–9 zurück: Die Freiheit für alle und alles hat ihre Grenze an der notwendigen Erbauung des (schwachen) Nächsten. Nur das wird wirklich zu Gottes Ehre vollzogen, was den Vielen – unter ihnen den in Fragen von Speise und Trank von Gewissensskrupeln Geplagten – »nützlich ist – damit sie gerettet werden«.

1Kor 11,2–16 scheint ein ganz neues Thema einzuführen: die Versuchung verheirateter Frauen, in einer Art Demonstration ihrer Emanzipation ihre Freiheit im Gottesdienst auszuleben. Der Versuchung nachzugeben ist eine Schande (V.6). Mit Argumenten aus der Christologie, der Bibel und der Natur (oder Vernunft) wird gezeigt, was dem Gottesdienst angemessen und was ihm abträglich oder zuwider ist. Der Gottesdienst seinerseits wird hier und überall in diesem Brief als Prototyp, Schule und Beispiel dessen dargestellt, was auch im alltäglichen Leben der Gemeindeglieder gilt und öffentlich zu vertreten ist. Wie bei Hosea, Jeremia und in Eph 5,21–33 repräsentiert auch im ersten Tel von 1Kor 11 die Frau in ihrem Verhältnis zum Mann das Verhältnis zwischen der Gemeinde und Christus (vgl. 2Kor 11,2). Wie Christus sich dem Vater freiwillig unterordnet, so soll sich der Mann dem Gesalbten Gottes und die Frau ihrem (nicht jedem) Mann freiwillig unterordnen – und die Gemeinde ihrem einzigen Herrn (vgl. Phil 2,1–11; 1Kor 15,28; Röm 14,7–9 u.ö.). Else Kähler (Die Frau in den paulinischen Briefen, Zürich/Frankfurt 1960) hat überzeugend nachgewiesen, daß diese »Unterordnung« nicht einem Ehrverlust gleichzusetzen ist, sondern ein freiwilliges »Sich-zur-Verfügung-Stellen« bezeichnet. An die Stelle unbeschränkter Freiheit im Auftreten gewisser Korinthischer Frauen soll im Gottesdienst der Christen ein Zeichen dafür aufgerichtet werden, daß eine verheiratete Frau – unbeschadet ihrer »Gaben« für Gebet und Prophetie – ihrem Manne zugeordnet bleibt und nicht unbeschränkte Emanzipation sucht (vgl. 1Kor 14,34–36).

In *1Kor 11,17–34* ist der von Paulus zitierte Bericht über Jesu letztes Mahl umgeben von einer mit scharfer Kritik durchsetzten Darstellung dessen, was bei den Mahlversammlungen der Korinther vorgeht. Zugefügt sind Vorschläge oder Gebote des Paulus über eine des gekreuzigten Herrn würdige Mahlfeier. Kriterien für die rechte Feier sind, wie schon erläutert, Gleichberechtigung und Liebe zwischen *allen* Gliedern der Gemeinde.

Mit *1Kor 12* wechselt das Thema. Standen nach 8,1 die Kapitel 8–11 unter dem Titel »Betr. Götzenopferfleisch«, so nennt 12,1 den neuen Gegenstand, um dessen Behandlung Paulus offenbar von seiten der Korinther gebeten worden war: »Betr. Geistesgaben« bzw. (in ebenso wörtlicher Übersetzung) »Betr. Geist-Begabte«. Der Heilige Geist wurde zuletzt in 7,40 ausdrücklich (in 10,3–4 nur als Schlüssel zur Bibelinterpretation) genannt: Paulus erinnerte die Korinther daran, daß er ihn »habe« und deshalb mehr als nur unverbindliche Meinungen äußern könne. Jetzt aber werden alle Christen in Korinth und ein jeder unter ihnen als inspiriert bezeichnet. Niemand bekennt, daß Jesus Herr ist, außer durch den Geist (V. 3). Neben der Gnadengabe dieses Bekenntnisses stehen zahlreiche andere Gaben; da ist keiner, der nicht ein Charisma empfangen hat; jeder ist ein Charismatiker – doch nicht zwecks Aufblähung seiner Persönlichkeit, sondern zum gemeinsamen Nutzen. Weil alles vom Geist, vom Herrn und von Gott kommt, ist gleichzeitig Einheit *und* Vielheit innerhalb der Gemeinde von Gott selbst gewährleistet. Hier gibt es weder Egoismus noch uniformierte Gleichmacherei (V. 4–11).

In den V. 12–27 wird die durch die Geistes-Gabe, -Wirkung, -Taufe oder -Tränkung geschaffene (V. 7.11.13) Vielheit in Einheit und Einheit in Vielheit durch das Bild vom Leib und seinen Gliedern weiter entfaltet. Längst vor Paulus hatten Rhetoriker dieses Bild verwendet, um den einzelnen Bürgern einer griechischen Polis ihre Verbundenheit mit dem Ganzen und ihre Pflichten in seinem Rahmen deutlich zu machen. Paulus selbst hatte das Bild schon in 1Kor 10,17 und 11,29 benutzt (vgl. Röm 12,4). In den Briefen an die Kolosser und an die Epheser wird es in *einer* Richtung ausgearbeitet: Ungleich 1Kor 12,21, doch in Aufnahme eines Ansatzes von 1Kor 11,3, ist das Haupt nicht ein Glied unter anderen, sondern Herrscher, Seele, Leben und Einheit des ganzen Leibes. Der Abschnitt 12,12–27 schaut in andere Richtung und macht folgende Gedankenschritte: (a) Der menschliche Körper ist einer und hat viele Glieder; (b) dasselbe gilt von der Person Christi, auf die getauft wird; (c) jedes der vielfältigen Glieder hat seine bestimmte Funktion im Rahmen des ganzen Leibes und ist angewiesen auf die Gesundheit und Mitarbeit jedes einzelnen; (d) das gilt besonders für die schwächsten Glieder; (e) die Gemeinde lebt nur dann als der

Leib Christi, wenn alle ihre Glieder zusammenwirken und sich gern gegenseitig dienen.

Den Abschluß des Kapitels bildet (vor dem Übergangsvers 31 und in leicht
variierter Aufnahme des Inhalts der V. 8–11) eine Aufzählung der für die
Gemeinde grundlegenden, unentbehrlichen und kennzeichnenden Personen und Funktionen.

Innerhalb von 1Kor 12 sind die V. 22–26 besonders wichtig für das, was
Paulus in 1Kor 11,17–34 über Brauch und Mißbrauch des Mahls sagt. Innerhalb des Leibes Christi gibt es eine Anzahl von Gliedern, die als
»schwächer . . ., weniger ehrenwert und weniger anständig« gelten. Eine
ähnliche Gruppe wird von jenen gebildet, die beim Mahl des Herrn zu spät
und zu kurz kommen: Sie werden als »Habenichtse . . . verachtet und beschämt« (11,22), und sie bleiben hungrig (11,21). Grundsätzlich gleich wie
beim Mahl geht es überall zu: Nicht nur *eine* »Spaltung«, sondern »Spaltungen« (*schisma* in 12,25; *schismata* in 11,18; vgl. 1,10) sind im Leben der
Gemeinde entstanden und beherrschen das Bild. Gegen ein Verhalten, das
Trennungen schafft, und gegen sein Resultat verwendet Paulus – wie er es
z.B. auch in 9,3–14 in Sachen seiner apostolischen Rechtsansprüche und in
11,5–16 betr. »Die Frau im Gottesdienst« getan hatte – eine Kombination
von anthropologischen *(common sense)* und theologischen Argumenten.
(a) Gerade die angeblich »schwächeren« Glieder sind »notwendig« für den
ganzen Körper; die als »weniger ehrenhaft« gelten, umkleidet man mit
überfließender Ehre; die »unanständigen« haben überfließenden Anstand;
die »hochanständigen« haben das ja nicht nötig. (b) Gott selbst hat die
Glieder so eingesetzt (V.18) und »zusammengemischt«; er selbst gab den
Mangelleidenden überfließende Ehre (V. 24). (c) Menschliche Erfahrung
und göttliche Schöpfung streiten daher gegen eine Spaltung in demselben
Leib und ersetzen sie durch das Gebot gegenseitiger Fürsorge; Leid und
Freude jedes Gliedes werden von jedem anderen geteilt.

In seinem Kampf zugunsten der hungrigen Mahlteilnehmer in Korinth in
11,17–34 hatte Paulus christologisch argumentiert, in 12,3–13 war der
Hinweis auf das Wirken des Geistes hinzugetreten. Noch früher, d.h. in
1,25–30, gab er zu bedenken, daß die Mehrzahl der Gemeindeglieder aus
Menschen bestand, die nach menschlichen und weltlichen Maßstäben weder weise noch mächtig noch hochwohlgeboren noch sonst »etwas sind«,
sondern die als »törichte«, »schwache Menschen« »niedriger Herkunft«
verachtet sind und für »Nichtse« *(ta mē onta)* gelten. Es war Gottes Werk,
seine in Christus vollzogene Erwählung und Berufung, wodurch eine
heilsnotwendige »Beschämung« erfolgte: die Erniedrigung der angeblich
Hohen. In 1Kor 11,27–34 haben die hungernden Habenichtse *(hoi mē
echontes,* 11,22) am Tisch des Herrn und in 1Kor 12,22–26 die Verachteten
und Beschämten in allen Lebensäußerungen der Gemeinde dieselbe Stellung vor Gott und den Menschen, die die ganze Gemeinde vor den Augen
der Welt hat. Mit anderen Worten: Nach Gottes Ordnung verhält sich die
Gemeinde zur Welt wie die verachteten zu den geehrten Gliedern in der

Gemeinde. Dasselbe kommt zum Ausdruck im Verhältnis zwischen Armen und Reichen am Tisch des Herrn. Immer ist nach Gottes Setzung und Recht gerade die Gruppe, die wie ein Paria aussieht, von Gott auf Kosten der sich brüstenden einheimischen und herrschenden Schicht besonders geehrt. Wem aber Gott »überfließende Ehre gibt« (12,24), den soll der stolze Mensch nicht »beschämen«. Sind es doch im Gegenteil die Großen, die von Gott selbst durch die Erwählung der Kleinen »beschämt« werden (1,27; 11,22). Deshalb gebührt dem schwachen Glied auch von seiten der Gemeinde »überfließende Ehre« (12,23). Der von Gott Erwählte ist nicht eine Last, sondern er ist »notwendig« (12,22). Doch ist dies nicht alles: Das nächste Kapitel erklärt ihn auch für liebenswert und liebenswürdig.

1Kor 13 handelt in strahlenden hymnischen Aussagesätzen, niemals unterbrochen von Imperativen, von der Liebe. So spricht Paulus überall sonst von der Liebe Gottes und Jesu Christi (Röm 8,35.39; 9,13.25; Gal 2,20; 2Kor 5,14; Eph 2,4; 5,2.25 u.ö.). Immer wird auf diese Weise die Liebe zu Menschen beschrieben, also jenes Empfinden, Denken, Verhalten, Sprechen und Leiden, wodurch alle Gebote gekrönt, zusammengefaßt und erfüllt werden (Röm 13,8–11; Gal 5,14; vgl. Kol 3,4; 1Tim 1,5; Jak 2,8 u.ö.). Liebe *zu* Gott erwähnt Paulus zwar (in Aufnahme einer traditionellen Diktion?) in 1Kor 2,9; Röm 8,28; Eph 6,24 – eventuell auch in Röm 5,5. Während jedoch z.B. Dtn 6,5 und Mt 22,36–38 das Gebot der *Liebe zu Gott* besonders groß schreiben, erwähnt Paulus dieses Gebot nicht, und es kann auch in 1Kor 13 nicht gemeint sein, weil in diesem Kapitel beim Geliebten Eigenschaften und Verhaltensweisen vorausgesetzt sind, die sich bei Gott und Jesus Christus nicht finden.

Im Folgenden präsentieren wir nur eine partielle Inhaltsangabe. Statt zu versuchen, skizzenhaft darzustellen und zu erläutern, was Nächstenliebe eigentlich nach Paulus ist oder was nach seiner Botschaft und impliziten Ermahnung im liebenden Menschen vorgeht, geschehen darf und erlitten werden sollte, beschränken wir uns auf eine einzige Frage: Was für ein Mensch ist es, dem zuliebe das Charisma der Liebe durch den Geist geschenkt und wirksam wird? Fragt man in dieser Weise, so läßt sich vielleicht vermeiden, daß Liebe zu einer Tugend erklärt oder alle Aufmerksamkeit dem Potential des Liebenden oder seiner Seelenkräfte zugewendet wird. Nicht eine Idee, ein Ideal oder eine (Halb-)Göttin – wie es die klassischen Tugenden doch wohl sind – und auch nicht die liebende Psyche bildet das Wesen der Liebe. Sie ist nicht ein Allgemeines, das gleichmäßig hier und dort appliziert werden kann oder muß, sondern sie ist (bei allen jeweils einander ähnlichen und entsprechenden Zügen) gegenüber jedem Bruder und jeder Schwester etwas Neues. Mit Recht empfinden wahrhaft Liebende, daß »so noch niemand geliebt hat«, daß in der Liebe also etwas ganz Einzigartiges und Unwiederholbares geschieht. Der Nächste in seiner Eigenart ist der Inhalt und die eigentliche Substanz der Liebe. Er prägt ihre Form – lautet doch das Gebot »Liebe deinen Nächsten«, nicht aber: Liebe

Adam, die Menschheit oder die Humanität. Um was für einen Mitmenschen geht es da?

Der Geliebte oder zu Liebende braucht laut 1Kor 13 Langmut und Geduld;
er reizt zu Eiferung, Prahlerei und Selbstaufblähung; er gibt Anlaß genug zur Aufstellung eines Katalogs seiner Übeltaten oder aber zur Zustimmung zu dem Unrecht, das er getan oder erlitten hat; er hat mehr als
nur eine einzige Last zu tragen; es ist gar nicht selbstverständlich, *für* ihn
zu glauben, zu hoffen und all das zu tragen, was er an Lasten auflegt. Dementsprechend besteht Nächstenliebe nach Gal 6,2 darin, daß einer die Lasten des anderen trägt. Nach Röm 14,1.15; 15,1 wandeln die im Glauben
Starken dann in der Liebe, wenn sie »die Schwachheiten der Machtlosen
tragen«, statt selbstgefällig zu sein. Eph 4,2 sagt, daß ein Gemeindeglied
für das andere ein Gewicht ist, das in Liebe zu »ertragen« ist. Kol 3,13–14
nennt ausdrücklich Vergebung angesichts von Vorwürfen, die man dem
andern (mit Recht) machen kann. Nach Mt 5,23–24 genügt es, daß der andere »etwas gegen dich hat«, um dich zum ersten Schritt zur Versöhnung
mit ihm zu verpflichten.

Wer so zu lieben ist oder geliebt wird, ist ähnlich dem in 1Kor 11,17–
22.27–34 beschriebenen armen, hungrigen, zu spät kommenden, verachteten und beschämten Gast am Tisch des Herrn. Auch ist er das mit den
angeblich unehrenwerten Körperteilen verglichene hinterste Glied der
Gemeinde, von dem 12,22–26 spricht. In 1Kor 11 wurde nur die Verachtung und Beschämung des Kleinen an den Pranger gestellt; nicht mehr
wurde verlangt, als daß man aufeinander warte bzw. einander an- und auf-
nehme. 1Kor 12 sprach von der unabdingbaren Funktion und Notwendigkeit des schwachen Gliedes, dem Gott einzigartige Ehre zuteil werden ließ
und das auch höchster menschlicher Ehrung wert ist; der hohe Rang jenes
Gliedes wurde anerkannt, zusammen mit der ihm geschuldeten Fürsorge;
Mit-Leiden und Mit-Freude wurden als selbstverständliche Folgen genannt. Das alles schloß jedoch nicht aus, daß man den Armen, Schwachen
und Anstößigen eventuell als ein notwendiges Übel betrachtete. Mit solch
einem Übel kann man durch Toleranz, wenn es denn sein muß: auch durch
Integration sich abfinden oder fertig werden. Es gibt ja pädagogische und
sozial-fürsorgliche Maßnahmen, unter ihnen nicht zuletzt auch liturgische Schritte, das Unvermeidbare zu verdauen und wenn nicht gerade zu-
träglich, so doch erträglich zu machen!

Doch gerade mit dem Glauben an solche Manipulationen – sei es beim
Mahl des Herrn oder bei anderen kirchlichen Anlässen – räumt das Hohe-
lied der Liebe endgültig auf. Warten auf den anderen, ihn annehmen und
aufnehmen, wie er nun einmal ist, ihn ehren, für ihn sorgen, ihn satt werden lassen, seine Lasten tragen, ihn selbst ertragen, mit ihm weinen und
lachen, aufhören damit, ihm Ärgernis zu bereiten, ihn für nichts zu halten
und zu beschämen, ja, seinetwegen sich arm zu machen und das Leben
dranzugeben – dies alles »nützt nichts . . ., wenn ich nicht Liebe habe«
(13,3). Wo Liebe waltet, halten die Gemeindeglieder einander gegenseitig

für höher als ihr eigenes Ego (Phil 2,2–3); Liebe ist das Recht, das der Nächste aus Gottes Hand an mir und über mich bekommen hat. Ohne diese Gerechtigkeit – keine Liebe!

Fragt man, ob solche Liebe zu schön ist, um wahr zu sein, oder ob sie je in der Welt der Tatsachen vorgekommen ist, so lese man 1Kor 13 meditierend einmal so, als ob statt von Liebe jedesmal von Jesus Christus die Rede ist. Dann ist die Frage beantwortet und kein anderer Weg gewiesen als derjenige der Nachfolge und des Zeugnisses. Nicht umsonst wird gerade das Mahl des Herrn von Paulus eine Tat der »Verkündigung des Todes des Herrn« und seit Ignatius (Smyrn 8,2; Röm 7,3), trotz des in 2Petr 2,13 und Jud 12 signalisierten Mißbrauchs, eine *Agape* (Liebesfeier) genannt. So ist ja auch nach Joh 13 Jesu letztes Mahl, bei dem der Herr sich selbst als Sakrament für die Rettung der Jünger und für ihren Lebenswandel als Beispiel offenbarte, ein Liebesmahl gewesen. Glaubensgemeinschaft mit ihm ist Liebesgemeinschaft untereinander.

1Kor 14 handelt von Zungenreden und Prophetie im Gottesdienst. Dieses Kapitel fordert im selben Ausmaß wie die zwei vorhergehenden detaillierte Inhaltsangabe und Kommentierung. Statt der Liebe wurde in Korinth das Reden, Singen und Beten »in Zungen« (einer den Engeln zugeschriebenen, nur Gott verständlichen Sprache, »Glossolalie« genannt) als markanteste, wenn nicht als größte Geistesgabe betrachtet und in Gottesdiensten lautstark und ausgedehnt praktiziert. In dieser Gemeinde blitzte und donnerte, kreischte und brummte, rauschte und tönte es gewaltig. Paulus gibt zu, daß dies unter dem Strom und der Überschwemmung (1Kor 12,13: der Taufe und Tränkung) geschah, die vom Heiligen Geist verursacht waren. Der Apostel hat nichts gegen die enthusiastische (inspirierte) Zungenrede, spricht er doch diese Sprache auch selbst. Die Gemeinde soll sich jedoch dessen bewußt sein, daß das, was zur Ehre Gottes und zur eigenen Erbauung des Enthusiasten bestimmt ist, unnütz bleibt, wenn es für die ganze Gemeinde unverständlich bleibt. Was die Gesamtgemeinde braucht, sind prophetische Stimmen und Auslegungen, durch die *alle* Glieder aufgebaut, ermahnt, ermutigt und belehrt werden. Ein chaotischer Wettkampf von sich wichtig machenden und einander übertönenden Stimmen widerspricht nach Paulus einem anständigen und ordentlichen Verlauf des Gottesdienstes.

Die Verse 1Kor 14,22–25 sind besonders wichtig für das Verständnis dessen, was Paulus in 1Kor 11,17–24 über die gegenseitige Gemeinschaft der Gäste am Tisch des Herrn geschrieben hat. Bei Jesu letztem Mahl waren – obwohl Paulus das nicht ausdrücklich erwähnt – unter den Jüngern auch der Verleugner Petrus und nach Lukas der Verräter Judas anwesend. Ebenso findet der Gottesdienst in Korinth nicht im geschlossenen Kreise von lauter frommen Gläubigen statt. »Ungläubige« und *idiōtai* kamen manchmal als Besucher in den Gottesdienst, wenn er schon in vollem Gang war, also ebenso verspätet wie die Armen zum Mahl.

Ein »Ungläubiger« ist im Zusammenhang dieser Verse ein aus Neugier,

Not oder aufrichtigem Suchen angelockter Heide; Paulus spricht alle Korinther als frühere Heiden an (12,2). Ein *idiōtēs* war in der Sprache jener
Zeit fern von einem »Idioten«; er konnte gescheit, angesehen, gesund,
stark und reich sein. Doch wurde mit diesem Begriff ein Laie im Unterschied zu einem Experten (z.B. einem Arzt, Philosophen, Redner, Künstler) bezeichnet; ein Zivilist – nicht ein Soldat; ein Untergebener – nicht ein
Offizier; ein privatisierender Bürger, der zur Zeit kein öffentliches Amt be-
kleidete. In religiöser Sprache war damit ein gewöhnlicher Teilnehmer an
einem Kult im Unterschied zu einem Priester oder ein noch nicht voll Ein-
geweihter im Gegensatz zu einem in alle Geheimnisse z.B. einer Myste-
riengemeinschaft Eingeweihten (vgl. 1Kor 13,2) gemeint. Von den Ungläubigen war er deutlich unterschieden. Wie die Proselyten (»die Hinzukom-
menden«) in der Synagoge, hatte er einen besonderen Platz (1Kor 14,16)
im Versammlungsraum. Er stand dem Priester, dem Rabbi und dem Pharisäer nicht näher als der Zöllner, der sich »ferne« zu plazieren hatte (vgl. Lk
18,13). Sowohl »Laie« als auch »Uneingeweihter« sind unpassend als Übersetzung für *idiōtēs*, weil die früheren Gemeinden die verhängnisvolle Unterscheidung von Klerus und Laien nicht kannten und weil Juden und Heiden nicht durch eine »Weihe« in die Gemeinde aufgenommen wurden,
sondern durch die Taufe. Diese war – wenn Jesu Taufe als ihre Einsetzung
betrachtet wird – praktisch das, was heute Ordination oder Amtseinset-
zung heißt. Im folgenden nennen wir, um den späteren Titel »Katechume-
nen« nicht vorwegzunehmen, die *idiōtai* »Lehrlinge«. Wollte man in heutiger Sprache das Gemeinte noch deutlicher wiedergeben, so müßte man
von »unreifen Konfirmanden« sprechen. Auch sie stören ja bisweilen den
Gottesdienst der Frommen. Der Status des Ungläubigen und Lehrlings
stempelt einen Menschen zu einem Schwachen, Armen, Kleinen in der
Gemeinde. Was alle andern reichlich haben, fehlt ihm: der Heilige Geist.
Auch er ist ein Habenichts – er ist und hat doch zunächst scheinbar nichts,
das er zum Gottesdienst beitragen könnte. Mag der Ungläubige ein Zeichen empfangen, wenn in Zungen gesprochen wird, so ist doch diese Sprache für den Lehrling so unbegreiflich, daß er nicht einmal weiß, ob oder
wann »Amen!« in den Wortschwall hineinzurufen ist. Eher wird er meinen, unter Wahnsinnige geraten zu sein (1Kor 14,16.22–23).

Paulus jedoch setzt sich mit gleicher Energie für heidnische Zuzügler und
Zaungäste ein wie zuvor für die schwachen Brüder (in Kap. 8–9), für die
Armen und Hungrigen (in 11,17–20, vgl. Gal 2,10; Apg 20,35) und für die
letzten Glieder (in 12,22–26). Liebe, nicht Zungenrede, ist nach 1Kor 13 die
höchste und beste Geistesgabe. Ohne sie ist Zungenrede wie das Geräusch,
das entsteht, wenn man auf dünnes Metall schlägt (13,1). Zugunsten der
Ungläubigen und Lehrlinge schafft die Liebe Platz und läßt sie Raum für
Prophetie und Deutung in vernünftiger Sprache. Zweck des Gottesdienstes ist die Erbauung der *ganzen* Gemeinde, und diese Erbauung umfaßt
nicht nur die Stärkung derer, die schon Glieder sind, sondern auch den

Einbau zusätzlicher Steine. So gehören auch die bloß Neugierigen und die unsicheren Kunden zu der Gemeinde, die zu erbauen ist.

Die Gemeinde *und* die Eindringlinge oder Gäste sind durch ein gemeinsames Bedürfnis und Interesse auf Gedeih und Verderb im Gottesdienst miteinander verbunden. Was die Gemeinde selbst nötig hat: die klare Prophetie und Deutung, Trompetenstöße, auf die hin man sich zum Streite rüstet, dessen bedürfen auch die Menschen, die den Geist (noch) nicht haben. Andererseits wird für die Habenichtse kein Anspruch erhoben, der nicht auch dem Recht der ganzen Gemeinde entspricht. Sollte die Gemeinde der Inspirierten vergessen, wessen sie bedarf und wozu sie berechtigt ist, so erinnern sie die marginalen Gottesdienstteilnehmer an die Not, das Recht, die Pflicht aller Christen. Somit liegt es im eigenen Interesse der Gemeinde, die erbaut werden will, daß auch Ungläubige und Lehrlinge im Gottesdienst nicht als Fremdkörper und Störenfriede, sondern als wesentliche Glieder eingebaut werden und sind. Ohne die Kleinen, die man so leicht ärgert oder deren man sich schämt, könnte der Gottesdienst zu einem Selbstbefriedigungsprozeß werden, währenddessen die Gemeinde selbst nicht erhält, was sie braucht. Darum leisten gerade Ungläubige und Lehrlinge einen wesentlichen Beitrag zum Gottesdienst – wie ja auch bei der jüdischen Passafeier die Anwesenheit des frechen, skeptischen und unfrommen Kindes zur Erbauung der ganzen Tischgemeinschaft einen Dienst leistet, den kein frommer Jude missen möchte.

Doch kann der Beitrag der Eindringlinge, Eingeschlichenen oder Zaungäste zusätzlich noch eine andere Gestalt annehmen. Paulus mißt den Gottesdienst der Gemeinde in 14,16.23–29 daran, ob auch diese Menschen Buße tun können, vor Gott niederfallen und verkünden können: »Wahrlich, Gott ist in eurer Mitte!« An den Jüngern Jesu geschah es, daß Hörer der Verkündigung zu Verkündigern des Herrn wurden, und am Tisch des Herrn in allen Gemeinden geschieht es noch, daß Hörer des Wortes vom Kreuz sogar mit ihrem Essen und Trinken »den Tod des Herrn verkünden«. Dasselbe soll auch mit Ungläubigen und Lehrlingen geschehen; ihre Buße und ihr Bekenntnis, beides Wirkungen des Heiligen Geistes, machen auch sie aktiv im Gottesdienst und damit zu Gliedern der Gemeinde, die Gott anbetet und lobt. Gerade im Gottesdienst treibt die Gemeinschaft mit Christus daher nicht zu einer dauernden Unterscheidung zwischen Geistlosen und Geistbesitzern, sondern zielt auf Einheit und Gleichheit unter allen verschiedenen Gliedern.

Von einem *cogite intrare*, einem sanften oder groben Zwang gegenüber alten oder jungen Menschen außerhalb, am Rande oder innerhalb der Gemeinde, am Gottesdienste teilzunehmen, ist bei Paulus nicht die Rede. Doch ist eindeutig, daß er niemand deshalb hinausstößt, weil er schwach, klein oder aus irgendwelchen Gründen nur herzugelaufen ist. Die Ränder der Gemeinde und die Grenzen des Gottesdienstes werden in 1Kor 14 nicht scharf abgesteckt. Gibt es eine Gefährdung wie drohendes Chaos, so steht der Störenfried innerhalb der Gemeinde: Es sind jene, die ein Monopol auf Redefreiheit beanspruchen, nicht zuhören und nicht nüchtern denken wollen; in 1Kor 5,11–13 und 16,22 u.a. werden andere derartige Fremdkörper genannt. Auf alle Fälle bedeutet Gottesdienst nach 1Kor 14, daß eine Mauer eingerissen ist und die Tür offensteht auch für solche, die aus der Ferne hinzutreten (vgl. Eph 2,13–19). Auch sie sollen und dürfen Bausteine im Gottesdienst und in der Gemeinde, Glieder am Leibe Christi werden. Weil nur Gott selbst ihnen seinen Geist und seine Gaben schenken kann, sind sie der Gemeinde gegenüber nicht Wohlfahrtsempfänger, für welche bestenfalls Brocken vom Tische fallen, wenn sie bestimmte Bedingungen erfüllen. Obwohl sie noch nicht getauft sind, werden sie von Paulus als aktive künftige Mitbeter, Mitverkünder und Mitarbeiter dargestellt.

Der rote Faden, der sich durch 1Kor 8–14 zieht, ist ein solides Seil, aus verschiedenen Strängen gewunden. Unter den miteinander verschlungenen Motiven sind hervorzuheben: (a) der Gegensatz und die drohende oder vollzogene Spaltung zwischen Starken und Schwachen, ob es nun um den Glauben, das Gewissen, die soziale Stellung oder den Besitz von Geistesgaben geht; (b) der falsche und der rechte Gebrauch der Freiheit derer, die sich als stark betrachten; das Fundament der Gemeinde ruht nicht auf Rechtsansprüchen ihrer starken Glieder, sondern wird gebaut und zusammengehalten durch freiwilligen Machtverzicht; (c) da die Schwachen die Gemeinde in besonderer Weise an den gekreuzigten Herrn erinnern und unter seinem Schutz stehen, leisten sie nicht nur einen ebenso wichtigen, sondern den ehrenvollsten Dienst im Leben der Gemeinde; (d) Gott selbst, der Herr Jesus und der Heilige Geist schaffen und erhalten die Gemeinde als eine durch Jesus Christus zusammengehaltene, mit ihm unlöslich verbundene Gemeinschaft, die nach innen vielfältig und fürsorglich, nach außen aber gerade wegen ihrer Treue zu ihrem Herrn einheitlich und missionarisch ist.

Die leuchtende Krone dieses Teils des 1. Korintherbriefes ist 1Kor 13, der Gesang von der Liebe. Es gibt jedoch bei Paulus noch ein anderes gewaltiges Thema, das mit gleicher Würde neben den Themen Rechtfertigung und Liebe steht, in den westlichen Kirchen jedoch wegen des besonderen Interessen der Theologie an Sünde und Sündenvergebung kaum scharf genug erkannt und sicher nicht hoch genug gewürdigt worden ist. Es ist das Thema Kraft und Schwachheit, der starke Gott und der schwache Mensch. Noch viel mehr als in 1Kor 8–14 ist Gottes Kraft im schwachen Menschen das eigenartige und beherrschende Thema des ganzen 2. Korintherbriefes, auf den hier jedoch nicht näher eingegangen werden kann. Statt dessen soll jetzt auf einige Konsequenzen der bisher erfolgten Auslegung des ethischen Gehalts der paulinischen Lehre hingewiesen werden.

3. Der Kommende und die Zusammenkommenden

a) Ein Mahl ohne Christus?

Beim Mahl des Herrn ist der Tischherr und Gastgeber deutlich unterschieden von den Gästen, die seiner Einladung folgen und zusammenkommen. Er ist nicht einer von den Zusammenkommenden, etwa der dritte oder vierte, der zu zwei oder drei in seinem Namen Versammelten hinzutritt. Das war zwar bei den Ostermahlen (bei Emmaus, am See Genezareth und anderswo) nach Lukas und Johannes der Fall; doch wurde schon oben gesagt, daß Paulus niemals Mahlzeiten erwähnt, die zwischen Ostern und Himmelfahrt in Anwesenheit Jesu zur Ernährung oder in Gemeinschaft seiner Jünger stattgefunden haben. Er mag zeitgenössische Hoffnungen auf das zukünftige Messiasmahl geteilt haben. In 1Kor 10–11 spricht er jedoch nur von Jesu letztem Mahl und über das von der Gemeinde gefeierte Mahl. Das Gemeindemahl unterscheidet sich von jenem letzten Mahl dadurch, daß es an einem »Tisch des Herrn« stattfindet, an dem der Herr sowenig leibhaft anwesend ist, wie der Hirte Israels nach Ps 23 selbst mit den Seinen zu Tische liegt.

Paulus ist fest davon überzeugt, daß derselbe Messias Jesus, der schon einmal gekommen ist, als er aus dem Schoß einer Frau geboren wurde, um schließlich am Kreuz für Sünder zu sterben, noch einmal kommen wird. Bei Paulus gibt es keine Mahlfeier ohne den Ausblick auf dieses neue Kommen. Doch gibt es nicht nur das Warten und Hoffen auf ein künftiges Kommen; denn jetzt schon gibt es am Tisch, der im Versammlungsraum der Gemeinde aufgestellt wird, ein für den Apostel überaus wichtiges Kommen. Paulus spricht nie davon, daß der Herr schon zu den Feiern im Schoß der Gemeinde kommt. Wohl aber erwähnt er in 1Kor 11 und 14 wieder und wieder das »Zusammen-Kommen« der Glieder der Gemeinde.

Sollte dies bedeuten, daß nach Paulus die Gemeinde zwischen Himmelfahrt und Parusie in einer christuslosen Zwischenzeit lebt, einem Interregnum, das noch mehr als die mittelalterliche kaiserlose Zeit eine »schreckliche Zeit« sein müßte? Er würde damit allem widersprechen, was in den Evangelien und anderen Schriften des Neuen Testaments verheißen und z.B. in Joh 14,18 in den Worten zusammengefaßt ist: »Ich will euch nicht als Waisen zurücklassen; ich komme wieder zu euch.« Zwar hätte Paulus damit nicht verleugnet, daß der Geist das scheinbare Vakuum durch das füllt, was er an, in und durch einzelne und Gemeinden in aller Welt wirkt. Und doch wären dann Geisteswirkungen und -gaben das einzige, was von Jesus Christus zurückgelassen wurde und übriggeblieben ist. Das »Kommen« des Herrn in Person wäre dann gleichsam suspendiert oder durch ein Surrogat ersetzt: durch die Tatsache und rechte Art des »Zusammenkommens«. Verkündigung, Glaube, Freiheit, Gehorsam, Liebe – solche Gottesgaben, die gesamthaft und in je besonderer Weise menschenfreundliche, d.h. mitmenschliche Existenz begründen und beweisen, wären dann nicht nur ein Zeugnis *für* Jesus, das Jesu eigenes Zeugnis aufnimmt, sondern auch der einzige heute gültige Ersatz für seine Person.

Unter dem Einfluß des sogenannten »Entmythologisierungs«-Programms R. Bultmanns – doch in eindeutiger Abwendung von manchen ihm anhängenden existentialistischen und individualistischen Elementen und in voller Hinwendung zu den brennenden weltweiten Fragen von Hunger, Unterdrückung, Unrecht und Kriegsvorbereitung – haben H. Braun und D. Sölle in Europa, dazu Schwarze und Befreiungstheologen in Übersee einen theologischen Vorstoß gemacht, der die Übernahme und Ausübung sozialer und politischer Verantwortung zum einzigen Wahrheitskriterium macht. Christologie wurde ex- oder implizit zu einer Chiffre für Mitmenschlichkeit erklärt. So wurde alles, was durch und an Jesu Person geschehen war und was von ihm noch erwartet wurde, jetzt Symbol einer Freiheit zur Selbsthingabe im Dienst von Gerechtigkeit, Liebe, Barmherzigkeit und Frieden.

Obwohl Paulus (z.B. wegen seiner Ermahnungen zur Unterordnung) oft als erzkonservativer Ethiker verdächtigt, angeklagt oder verurteilt wird, ermöglicht gerade seine Lehre vom Mahl des Herrn, wie sie in 1Kor 10–11 und dem Kontext dieser Kapitel entfaltet ist, ein ganz anderes Verständnis seiner Ethik. Hier scheinen Christus und die Gemeinschaft mit ihm einzugehen in ein soziales Gestalten und Geschehen und damit aufzugehen in zwischenmenschlichen Beziehungen. Tatsächlich wartet Paulus, der Verfasser der Freiheitsbotschaft des Galaterbriefes und des achten Kapitels des Römerbriefes, noch darauf, von sogenannten »radikalen« Theologen als Protagonist eines solide begründeten Kampfs für Gerechtigkeit und Frieden entdeckt zu werden. Die Grundlage seiner Lehre ist der einmalige Opfertod, der am Kreuz erlitten wurde. Auf dieser Basis stehen die Ausführungen über ein gemeinsames Mahl, dessen Teilnehmer sich zu dem Gekreuzigten bekennen und ihre Gewißheit bekunden, daß er und seine Sache nicht nur weitergehen, sondern weltweit triumphieren werden. Der eigentliche Höhepunkt aber scheint erreicht – wenn man der Gedankenfolge der Mahlaussagen von 1Kor 10–11 folgt – in der Ermahnung zu einer dem Gekreuzigten und seiner Verkündigung entsprechenden rechten Art des Zusammenkommens und -lebens verschiedener Menschen.

Wird Paulus so verstanden, so könnte – besten- oder schlimmstenfalls – gewiß von einer sozialethisch orientierten Entmythologisierung der Begriffe Opfer und Wiederkunft gesprochen werden. Paulus wäre dann nicht nur neu verstanden und zur Geltung gebracht, sondern auch als vorbildlich und beifallswürdig empfohlen. Eine Alternative wäre aufgestellt zum Aufgehen Jesu Christi in Kirche und Sakrament: An die Stelle eines Privilegs der Kirchenglieder wäre dann Offenheit getreten für Menschen guten Willens in aller Welt, an die Stelle sakralen Handelns durch Befugte der totale Einsatz aller, die Unrecht und Hunger leiden, und derer, die den Leidenden engagiert beistehen, um die ungerechten und mörderischen gesellschaftlichen Strukturen radikal und schöpferisch zu verändern.

Unvermeidlich ist dabei allerdings, daß die Pendelbewegung vom Sakralen zum Sozialen oder vom Institutionellen zum Evolutionären (wenn nicht zum Revolutionären) eine Bewegung auf derselben Ebene bleibt. Die Vergegenwärtigung Jesu Christi erfolgt hier und dort durch Heilsmittel, die – wenn auch unter Berufung auf Gottes Willen – von Menschen administriert werden. So oder so hat man einer Heilsanstalt und Heilsveranstaltung eine Monopolstellung in Sachen Repräsentation und Aktualisierung Jesu Christi zugesprochen und dem Medium den Rang der Botschaft und ihres Inhalts verliehen.

So deutlich und stark das soziale Gefälle der paulinischen Lehre vom Mahl auch ist – das Mahl des Herrn ist doch für den Apostel mehr als nur Anlaß, Anstoß und Einübung sozialer Aktion. Bei Paulus wird Christus weder als Gekreuzigter noch als Wiederkommender irgendwo im Schatten mythischen oder legendären Dunkels und apokalyptischer Wahnideen zurückgelassen – um alsbald in Gestalt leidenschaftlicher sozialer Moral wieder hervorgeholt und schmackhaft gemacht zu werden. Unbestreitbar besteht nach Paulus die greifbare Außenseite des Mahls des Herrn in einem gleichzeitig gottesdienstlichen, sozialen, rechtschaffenden und caritativen »Tun« der Mahlteilnehmer; die Tat dieses Mahls wird in einer durch Dämonenfurcht und -dienst, durch Unterdrückung und Selbstsucht geprägten Umwelt vollzogen. Doch hat nach den paulinischen Ausführungen gerade dieses Mahl auch ein Herz und eine Seele. Was alles Soziale und Moralische begründet, trägt und überstrahlt, ist der Herr Jesus Christus selbst. Er ist gekreuzigt worden und lebt doch nicht nur in der freundlichen Erinnerung seiner Freunde, sondern noch viel mehr kraft seiner Auferstehung. Er wird nicht in einem Warte- oder Ruhestand immer älter und schwächer, sondern läßt durch seinen Geist seine Liebe und seine Macht wirken. Er ist bereit, endgültig in Person wiederzukommen. Dieser lebendige Herr ist umgeben von mehr als nur einem Geheimnis und vollzieht mehr als nur ein einziges Wunder.

In Teil I hatten wir die geheimnisvolle und wunderbare Gemeinschaft mit Israel beschrieben, derzuliebe das Mahl des Herrn eingesetzt ist. In Teil II wurde das alle Menschen umfassende Ereignis der Kreuzigung und Wiederkunft Christi, das die Gemeinschaft mit Christus im Mahl konstituiert und beim Mahl von den Teilnehmern aller Welt verkündigt wird, betrachtet. Jetzt aber ist noch auf einen dritten, nur von Gott selbst, seinem Sohn und seinem Geist bewirkten und in seinem Wesen nicht weniger geheimnisvollen Vorgang hinzuweisen: Bei und in der Gemeinschaft der am Tisch zum Mahl versammelten Gäste geht es um viel mehr als nur ein Zusammenströmen, Auftanken, Verstärken, Einsetzen menschlicher Devotion, Kameradschaftlichkeit und Aktivität.

b) Verschiedene Gäste

Gemeinschaft und Einheit untereinander setzen Verschiedenheit der sie bildenden Glieder voraus und sind einer langweiligen, alles Eigenleben er-

stickenden Uniformität niemals gleichzusetzen. Zwar kann eine Bruderschaft durch Störungen von seiten einzelner oder Gruppen so großen
Spannungen ausgesetzt sein, daß sie zeitweilig oder endgültig auseinan-
derbricht. Paulus kennt die Gefahr von Spaltungen (1Kor 1,10; 11,18;
12,25); doch liegt ihm daran zu zeigen, daß die Gemeinde nicht nur trotz
der Verschiedenheit ihrer Glieder, sondern gerade dank der vorhandenen
Unterschiede eine lebendige, echte, dauernd erneuerte und zu erneuernde
Gemeinschaft bilden darf.

Paulus geht davon aus, daß es »viele« Glieder gibt. »Wir Vielen sind ein
Leib«; »der Leib ist einer und hat viele Glieder ...; obwohl viele, sind sie zusammen doch ein Leib«; »der Leib besteht nicht aus einem Glied, sondern
aus vielen ... Ihr aber seid Christi Leib, und je zu eurem Teil Glieder« (1Kor
10,17; 11,12.14.27 usw.). Die Glieder sind einander insofern gleich, als sie
alle in ihrer Vielzahl dem einzigen gekreuzigten und wiederkommenden
Herrn gegenüberstehen. Doch nicht nur der numerische Unterschied
zählt. Ohne Unterschied sind sie alle Sünder, nur durch Gnade geliebt, gerechtfertigt und gerettet, einer und eins in Christus, endlich: geheiligt und
mit Geist begabt (Röm 3,22–25; Eph 2,1–10; Gal 3,28; 1Kor 1,2; 12,2.7.13
usw.). Dazu kommt, daß die Christen von Korinth fast ausnahmslos zum
verachteten Teil der Menschheit zählten (1Kor 1,25–28).

Diese Gleichheit hat jedoch nicht zur Folge, daß jedermann mit dem Eintritt in die Gemeinde sein eigenes Gesicht verliert, in eine geschichtslose
Existenz eingeht und keinen eigenen Beitrag mehr zu leisten hat. Paulus
bezeichnet ja die Christen als (verschiedene!) *Glieder* an demselben einen
Leibe, nicht als Sandkörner im Sandhaufen oder Wassertropfen in einem
vollen Eimer, die ohne Schaden für das Ganze untereinander austauschbar
wären. Solange die Unterschiede zwischen den einzelnen, auch die verschiedenen Geistesgaben, nicht zur Bildung von Spaltungen benutzt und
ausgebaut werden, bestätigt der Apostel sie nicht nur, sondern begrüßt
und unterstützt er sie. Sie sollen nicht zur Selbstgefälligkeit verleiten, sondern dem Heil der Vielen zum »Nutzen« sein (vgl. 1Kor 10,33); und sie sind
»notwendig«, damit offenbar wird, wer und wer nicht »bewährt« ist
(11,18–19). Wie Paulus es selbst zu tun versucht (9,27; 10,33), so soll auch
jedes Glied der Gemeinde »sich selbst prüfen« und »richtig beurteilen«, damit es den gemeinsamen Nutzen und den ganzen Leib »richtig beurteile«
(11,27–29.31).

Innerhalb der vom Mahl handelnden Kapitel des 1. Korintherbriefes lenkt
Paulus die Aufmerksamkeit nur auf zwei Gruppen in der Gemeinde, an
denen »Gemeinschaft untereinander« zum Problem geworden ist und sich
als echt erweisen muß. In 1Kor 11,22 wird von den verachteten und beschämten armen Gemeindegliedern, in 11,30 von den »ziemlich Vielen«
gesprochen, die krank, gebrechlich und gestorben sind. Ihnen stehen
Hausbesitzer gegenüber, die es sich gern unter sich wohl sein lassen und
die kein Auge und kein Herz für Schwachheit, Gebrechlichkeit und Tod in
den Reihen der Gemeinde haben. In den Kapiteln, die die Behandlung des

Mahls umgeben und deren Themen auch in 1Kor 10–11 hineinragen, werden vor allem folgende Gruppen unterschieden: (a) Männer und Frauen (Kap. 7 und 11); (b) Starke und Schwache an Erkenntnis und im Glauben (8 und 10); (c) gebürtige Juden und frühere Heiden (9 und 10); (d) prominente und mit Verachtung behandelte Gemeindeglieder (12); (e) lautstarke Zentral- und bestenfalls geduldete Randfiguren im Gottesdienst (14). Unterscheidungskriterien für die »Zusammenkommenden« sind bald das Geschlecht, bald die ethnische und religiöse Herkunft; hier die Stärke des Glaubens oder die Empfindlichkeit des Gewissens, dort der Geldbeutel oder die soziale Position; einmal das Alltagsleben der Gemeinde – ein andermal die gottesdienstlichen Anlässe, und anderes.

Indem nun Paulus auf jedem Gebiet immer nur zwei Gruppen unterscheidet und Extremfälle ihres Verhaltens und Befindens schildert (z.B. »hungern« und »betrunken sein« in 11,21), scheint er einem simplifizierenden Entweder-Oder-Denken verfallen zu sein, das der Darstellung komplexer Verhältnisse in einem sozialen Gebilde unangemessen ist. In der Tat zeigt der Apostel in 10,32, daß es auch eine dritte Gruppe bzw. ein *tertium genus* neben den sich ausschließenden Alternativen geben kann: Es spricht von »Juden, Griechen *und* der Kirche Gottes«. Gerade dieser Vers zeigt aber, warum Paulus nicht an Grauzonen oder Neutralität zwischen Schwarz und Weiß interessiert ist. Er will vielmehr darlegen, daß die Überwindung vorhandener Gegensätze und Spannungen nicht in einem Mittelding oder einer Mischung von »heilig« und »unheilig«, Entscheidung für oder gegen das, was des Leibes und Blutes Christi würdig ist, oder in einem Kompromiß zwischen Recht und Unrecht zu suchen ist. Gegenüber Gruppen, die zueinander in Spannung stehen und auseinanderzufallen drohen, kann nach Paulus kein Christ sagen: Weil ich mit Christus Gemeinschaft habe, gehen mich die Menschen auf dieser oder jener Seite samt ihrem Leiden aneinander und ihrem Kampf gegeneinander nichts an. Gerade die behauptete oder erlebte Gemeinschaft mit dem Gekreuzigten und Wiederkommenden zwingt jeden zur Selbstprüfung (11,28) und Entscheidung. Gehört doch jedes Gemeindeglied, selbst wenn es in einer Hinsicht offensichtlich zur schwächeren oder Minderheitsgruppe gehört, in anderer Hinsicht auch zu den Starken. Überschneidungen waren und sind unvermeidlich zwischen den vielen Alternativen, von denen Paulus spricht. Z.B. können einige Frauen sich zu den Glaubensstarken gezählt und beim Sättigungsmahl mitgepraßt haben und doch der Zungenrede nicht mächtig, dagegen mit diesem oder jenem Leiden geschlagen gewesen sein. Ein reicher Mann jedoch mag ein überängstliches Gewissen gehabt und erst gerade dem Status der Ungläubigen oder Lehrlinge entwachsen sein. Da ist keiner, der nur stark oder nur schwach, nur Erster oder nur Letzter wäre. Die breite Streuung, die Mannigfaltigkeit und Ineinanderschachtelung der paulinischen Ausführungen über hochgeachtete und mißachtete Gemeindeglieder hat den Zweck und die Folge, daß jedes Gemeindeglied nicht nur angesprochen ist, sondern sich auch betroffen fühlen muß. Kein Glied, das

nicht gleichzeitig einen trostreichen Zuspruch und eine demütigende
Warnung erhielte: Zuspruch, sofern es wirklich zu den Kleinen gehört;
Warnung, sofern es sich für stark und frei von Verantwortung hält. Ein Sakramentalist kann ebensogut ein Kleiner am Tisch des Herrn sein wie sein
antisakramentalistischer Bruder.

In allen Lebensbereichen, in allen Begegnungen ist es für die Gemeinde,
die im Namen Jesu zusammenkommt und zur Ehre Gottes »ißt oder trinkt
oder sonst etwas tut« (10,31), wesentlich, daß *verschiedene* Glieder zusammenkommen und daß keiner nur sich selbst gefallen will, sondern das
sucht, was den Vielen (also den anderen!) von Nutzen ist,damit sie gerettet
werden« (vgl. 10,33). Das Kriterium für »würdigen« Genuß des Mahls des
Herrn besteht daher nicht in dem, »was ich davon habe«, sondern in der
»Erbauung« des Nächsten und der Stärkung der Gemeinschaft.

Solcher Aufbau kann unmöglich dadurch erfolgen, daß die Präsenz von
Armen und Kleinen am Mahl entweder nur zur Kenntnis genommen oder
einigermaßen freundlich begrüßt oder durch organisatorische Maßnahmen – *cogite intrare!* (»zwingt sie einzutreten, ... zur Teilnahme!«) – gefördert wird. Dann wären die Schwachen und Letzten nicht mehr als Fürsorge-
gefälle und Wohlfahrtsempfänger. In Wirklichkeit hat jedoch der Schwache und Kleine seinen Platz weder unter dem Tisch noch unten am Tisch.
Denn nach Paulus »ist Gottes Schwäche stärker als die Menschen« (1Kor
1,25) und wird, was hoch ist in der Welt, gerade durch den, der am Kreuz
zum Ärgernis wurde, beschämt. Gastgeber und Tischherr ist beim Mahl
des Herrn gerade der »in Schwachheit Gekreuzigte«, der aber »aus Gottes
Kraft lebt« (vgl. 2Kor 13,3–4). Geht es bei diesem Mahl um die Verkündigung des Todes dieses »schwachen« Herrn und ist Christus gerade für den
»schwachen« Bruder gestorben (1Kor 8,11), so gebührt dem Schwachen
der Ehrenplatz am Tisch des Herrn.

c)   Der wichtigste Gast

Unter den Menschen, die in der Gemeinde zusammenkommen und sich
zum Mahl des Herrn versammeln, gibt es nach Paulus solche, deren Auftreten und Anwesenheit von den Tonangebenden als störend empfunden
wird. Paulus wechselt in 1Kor 8–14 hin und her zwischen Einzahl und
Mehrzahl, wenn er vom schwachen Bruder und den angeblich weniger eh-
renhaften Gliedern des Leibes spricht (vgl. z.B. 8,7–13; 10,26–33; 12,22–
26; 14,16–25). Der einzige Gastgeber beim Mahl des Herrn, Jesus Christus,
der den vielen Gästen als Hauptperson gegenübersteht, gibt der Minderheit der Schwachen und Kleinen am Tisch mehr als nur eine Chance, die
wichtigste Funktion zugunsten aller Anwesenden auszuüben. Es ist unter
den vielen, die in dieser oder jener Hinsicht reich und hoch sind, gerade der
kleine Bruder und die kleine Schwester, die am deutlichsten an den schwachen und ärgerlichen Herrn erinnern. Mehr als alle anderen gleicht ihre
Gestalt derjenigen Jesu Christi. Mehrfach (z.B. in Röm 6,5; 8,17.29; 2Kor
4,9–12; Phil 3,10.21) verwendet Paulus Begriffe wie »gleichgestalten«,

»gleichgestaltet«, »Gleichheit«, »Nachahmen« (*symmorphizō, symmorphos, homoiōma, mimētēs* u.a.), um zu zeigen, daß jener Mensch dem Herrn gleichgestaltet ist, der in der gegenwärtigen Zeit in der Nachfolge Christi leidet, schwach ist, Verachtung erträgt, anderen ein Ärgernis ist oder von anderen geärgert wird. Gerade und einzig solchen Menschen ist die Erweckung und Verherrlichung mit Christus verheißen. Gerade sie stellen ihren Mitmenschen die Gestalt Christi vor Augen.

Daher leisten beim Mahl des Herrn, bei dem Starke und Schwache, Reiche und Arme zusammenkommen, die jeweils kleineren den vermeintlich Großen einen wesentlichen Dienst. Die Kleinen tragen und bilden, ja sie sind die Gestalt, in der der Herr der Gemeinde in der Gegenwart begegnet. Er, der seine besondere Würde als Herr dadurch offenbarte, daß er Diener an Vielen wurde, beweist seine Herrschaft heute durch den Dienst, den die Kleinen anderen leisten.

Die Gestalt, in der der Gekreuzigte und Kommende jetzt noch und jetzt schon zur Gemeinde an den Tisch kommt, ist die Person des kleinen Bruders und der schwachen Schwester. Während die Gemeinde die Botschaft vom Kreuz als Heil der Welt verkündet und in der Zeit, in der sie sehnlich auf die Wiederkunft, den neuen Himmel und die neue Erde wartet, ist sie nicht dazu verurteilt, als hilf- und trostlose Waise ihr Leben zu fristen. Der Kommende ist in der Gestalt des Schwachen unter den Zusammenkommenden gegenwärtig.

Die oben in Teil II 3 für eine sinnvolle Rede von »Realpräsenz« aufgestellten Bedingungen werden erfüllt durch die leibhafte Gegenwart der Geringsten unter Jesu Brüdern am Tisch des Herrn. Der Inhalt von 1Kor 8–14 zeigt, daß dies für alle Gelegenheiten gilt, bei denen verschieden geprägte und begabte, situierte und motivierte, beachtete und geschätzte Gemeindeglieder zusammenkommen. In eminenter und exemplarischer Weise aber gilt es, wie die zentrale Position der Mahlkapitel 1Kor 10–11 zeigt, vom Mahl des Herrn. Wer sich den Dienst der Kleinen nicht gefallen läßt, wer auf sie nicht wartet, sie nicht aufnimmt und umsorgt, auf sie nichts gibt und sie nicht hört, ehrt und liebt – der hat dem Herrn die Tür gewiesen. Noch mehr, er hat nach Paulus durch sein Vergehen am kleinen Nächsten gegen den Gekreuzigten gesündigt und Schuld auf sich geladen (8,12; 11,27). Was zum Leben und Heil gegeben ist, hat er für sich selbst verdreht zu einem Ereignis, das zum Tod und Gericht wirkt. Eine glaubhafte Verkündigung des Todes des Herrn und Gemeinschaft mit dem Gekreuzigten gibt es einzig dann, wenn der dienende und schwache Christus im kleinen Bruder wiedererkannt, erwartet und geehrt wird.

Die drei ersten Evangelien überliefern Jesusworte, die diese Auslegung der paulinischen Lehre vom Geheimnis und Wunder des Mahls in eigener Weise bestätigen. An dieser Stelle können diese Worte ohne besonderes Eingehen auf ihre Überlieferungs- und Redaktionsgeschichte zitiert und erläutert werden: »Siehe, ich bin bei euch alle Tage bis zum Ende der Welt«; »wo zwei oder drei versammelt sind in meinem Namen, da bin ich in ihrer Mitte« (Mt 18,20; 28,20). Mit Recht hat Karl Barth bestritten, daß Jesus Christus in diesen Worten verheiße, der dritte oder vierte im Bunde zu sein. Zwar war der Herr während des letzten Mahls und bei den Ostermahlen eine zusätzliche Person neben den anderen Zusammengekommenen; und er wird sich auch im zukünftigen Messiasmahl als besondere Person, die oben am Tisch sitzt, von den Gästen unterscheiden. Doch seine Gegenwart hat beim Mahl des Herrn, zwischen Himmelfahrt und Parusie, eine andere Gestalt. Diese Gestalt sollte *nicht* mit der als homogene Gemeinschaft vorhandenen Gemeinde oder Kirche identifiziert, sondern unter Berücksichtigung der (von Paulus besonders betonten) Verschiedenheit der Gemeindeglieder näher bestimmt werden. »Wer euch (Jünger) aufnimmt, nimmt mich auf« (Mt 10,40). Dazu Joh 13,20: »Wer den annimmt, den ich sende, nimmt mich an.« Beide Aussagen werden ergänzt durch die Verheißung: »Wer mich . . ., nimmt den auf (oder: an), der mich gesandt hat.« Nicht die Gemeinde als ganze, sondern bestimmte einzelne Menschen werden zur Auf- und Annahme empfohlen. »Wenn ihr nicht umkehrt und so werdet wie die Kinder . . ., wer sich so klein macht wie dies Kind hier, der wird im Himmelreich der Größte sein. Und wer ein solches Kind aufnimmt um meines Namens willen, der nimmt mich auf . . . Wer aber einen einzigen von diesen Kleinen, die an mich glauben, zum Abfall verführt . . . Sehet zu, daß ihr niemanden von diesen Kleinen geringschätzig behandelt . . .« (Mt 18,3–10, vgl. 14; ähnlich, doch kürzer, Mk 9,36–37.42; Lk 9,47).

»Wer das Reich Gottes nicht annimmt wie ein Kind, wird nicht hineingelangen« (Lk 18,17). Dieser Spruch erlaubt verschiedene Übersetzungen und Auslegungen: (a) Wird »wie ein Kind« als Nominativ verstanden, so kann der Vers paraphrasiert werden mit den Worten: »Wer das Reich Gottes nicht so schlicht, gutgläubig, passiv und unterwürfig annimmt wie ein braves Kind . . .« Kindlichkeit wird dann als Vorbedingung, quasi als Tugend des Annehmenden dargestellt – eine Auffassung, zu deren Gunsten Mt 18,3–4 und 20,26–27 zitiert werden könnten. (b) Ist jedoch »wie ein Kind« als Akkusativ zu interpretieren, so besagt der Lukasvers: »Wer das Reich Gottes nicht so annimmt, wie man aus reiner Liebe ein kleines, hilfloses, mühsames und bisweilen ärgerliches Menschlein annimmt . . .« Diese Auslegung wird durch Mt 18,5; Mk 9,37 und Lk 9,48 empfohlen. Sie verdient den Vorzug nicht nur deshalb, weil sie von einem idealisierten Bild des Kindes absieht, sondern vor allem wegen der eindeutigen Aussagen von Mt 25,40 und 45: »Was ihr einem von diesen meinen geringsten Brüdern getan habt, das habt ihr mir getan . . . Was ihr (ihm) nicht getan habt, das habt ihr auch mir nicht getan.« Sicherer Lohn wird dem verheißen, der »einen dieser Kleinen« auch nur »mit einem Becher kalten Wassers tränkt« (Mt 10,42; Mk 9,41).

Läßt sich weder eine Beeinflussung der paulinischen Lehre vom Mahl durch die genannten Jesusworte noch ein paulinischer Einfluß auf die Ausformulierung dieser Worte durch Matthäus, Markus und Lukas nachweisen, so sind die verschiedenen Aussagen des Paulus und Jesu doch in der Sache konvergent. Sie bezeugen gemeinsam die Solidarität des Herrn Jesus Christus mit den Kleinen.

d) Das Geschenk des Nächsten

Die These, daß Jesus Christus in der Gestalt des Kleinen und Letzten an seinem Tisch auf Erden anwesend ist, bedarf der Entfaltung, damit sie nicht verzerrt und mißverstanden wird. Das Spektrum dieser These läßt zum mindesten folgende sechs Farben unterscheiden:

(1) Einzig von Gott selbst, niemals aber von oder durch Menschen wird einer Person oder Gruppe die Last, der Dienst und die Ehre des »Kleinen« zugeteilt. »Gott hat die Glieder eingesetzt, jedes einzelne von ihnen (mit seiner Funktion) im Leibe – wie er es wollte ... Gott hat den Leib so zusammengemischt, daß er dem Mangel leidenden (Glied) überfließende Ehre gab« (1Kor 12,18.24). Somit kann sich keiner selbst zum Kleinen und Schwachen machen oder erklären. Er kann auch nicht die entsprechende Aufnahme und Ehrung von seiten der Menschen beanspruchen – sowenig er sich selbst in Israel zum König oder in der Kirche zum Apostel »Paulus« machen kann. Endlich steht es ebensowenig in der Macht des Volkes Gottes oder seiner begnadeten prophetischen oder administrativen Leiter, jemandem das Amt und die Würde des Kleinen zu übertragen. Von Menschen wird niemand zum Schwachen erwählt und erhoben. Wer aber – wie z.B. David nach Ps 18 oder Maria nach dem Magnifikat (Lk 2,46–55) – gerade aus und in seiner Niedrigkeit und Armseligkeit durch Gottes Willen und Macht, Recht und Setzung zu einer besonderen Funktion innerhalb des Gottesvolkes und der Welt erkoren ist, auf den soll man warten, den soll man aufnehmen, ihn soll man tragen und überfließend ehren, ihm soll man Anteil geben an allem, was man empfangen hat. Ihn darf und soll man lieben. Am allerwenigsten sind diejenigen, die in der Gemeinde als stark gelten, berechtigt, diesen Bruder zu ärgern, zu verachten, zu beschämen oder zugrundezurichten. Die freudige Anerkennung und liebevolle Aufnahme der von Gott Erwählten und ihres besonderen Dienstes ist nach 1Kor 8,1 und 13,2 das Gegenteil einer Erkenntnis, die aufbläht.

(2) Das große Geschenk, für das im Mahl des Herrn gedankt wird, ist die Gabe des Sohnes durch den Vater an die Welt und die gehorsame Selbsthingabe des Sohnes. »Seht, was Gott uns hat gegeben: seinen Sohn zum ewgen Leben!« In dieser Person sind alle anderen Gaben – Rechtfertigung, Vergebung, Heiligung, Versöhnung, Frieden, dazu auch die mannigfaltigen Geistesgaben – eingeschlossen. »Wie sollte er uns mit ihm nicht zugleich alles schenken?« (Röm 8,32) Und doch ist Jesus Christus nicht Gottes einzige Gabe in menschlicher Gestalt. Nach dem vierten Evangelium bezeichnet Jesus die von ihm erwählten Jünger als Menschen, die Gott ihm »gegeben hat« (Joh 6,37.39; 17,6.7.9–12.24; 18,9; »Nathanael« = Gottesgabe, 1,45–49; vgl. Hebr 2,13). Nach Lukas wächst die Gemeinde, weil Gott selbst ihr Menschen »hinzufügt« (Apg 2,41.47; 6,7; 9,31 u.ö.). In demselben Sinne ist zu verstehen, was Paulus über die Anwesenheit von schwachen und kleinen Gliedern in der Gemeinde sagt: Wer sie erwartet, aufnimmt, ehrt und liebt, der empfängt von Gott geschaffene und geschenkte Glieder. Der Nächste ist für Paulus ein Geschenk, nicht ein Ge-

setz. Er ist gegenwärtig, damit man sich an ihm freue, nicht damit man Anlaß zu Pflichtübungen habe. Begegnet den Reichen Christus in der Gestalt des Armen, so ist das Licht im Dunkel, nicht abgrundtiefe Nacht, eine Bereicherung, nicht Gebot der Askese.

Um die Gabe und den Empfang des Mitmenschen geht es laut Paulus beim Mahl des Herrn. Noch einmal: Ohne den Nächsten keine Gemeinschaft mit Christus! Eine Privatmesse oder eine Abendmahlsfeier, bei der Mitgäste am Tisch entbehrlich oder die übrigen Anwesenden nicht mehr als gleichzeitige Mitkonsumenten sind – solch eine Feier ist ein Akt notorischer Verachtung des von Gott geschenkten Nächsten. Der Nutzen der Vielen geht über die Selbstgefälligkeit und den Nutzen des einzelnen (vgl. 1Kor 10,33). Paulus selbst war bereit, zugunsten der Rettung seiner Brüder von seiner eigenen Gemeinschaft mit Christus getrennt zu werden (Röm 9,3). Mitmenschen sind unendlich größer als die amtliche Würde des Mannes vor oder hinter dem Altar.

Das Mahl des Herrn ist dann eine kräftige und glaubhafte Verkündigung des Todes des Herrn und ein Erweis, daß die Tischgäste sich auf seine Wiederkunft verlassen und freuen, wenn dabei Kleine und Schwache den vermeintlich Großen und Starken zu Nächsten werden. Nur dann feiert man den Herrn, der selbst in Schwachheit und für den schwachen Bruder starb; allein dann läßt man es sich gefallen, daß gerade der leidende und verachtete Mitmensch dem Herrn Christus gleichgestaltet ist, seine Gestalt trägt und ihn in der gegenwärtigen Zeit, bis zum Tage der Wiederkunft, sichtbar werden läßt. Einzig so wird unter Beweis gestellt, daß die Wiederkunft keines anderen als des Gekreuzigten sehnlich erwartet wird.

(3)   Damit soll nicht gesagt sein, daß nach Paulus der Nächste entweder zum eigentlichen Sakrament oder zur Stellvertretung oder zum Ersatz für Christus zu erklären ist. Wenn Gott einen Niedrigen erhöht und ihn einen besonderen und notwendigen Dienst an allen Großen und Hohen erfüllen läßt, erhebt er ihn nicht zum Rang eines Dings, eines Heilsmittels oder eines Trostpreises. Sonst würde ja gerade dem jeweils Geringsten unter Jesu Brüdern eine zweifelhafte Ehre angetan. Würde ihm auch hoher Respekt gezollt – wirkliche Liebe wäre ihm damit nicht erwiesen, daß man ihn mit Titel und Funktion eines Sakraments belastete. Brüder und Schwestern, Alte und Junge haben ein Recht darauf, als Du und nicht als ein Es erwartet, aufgenommen, ernst genommen, angesprochen und geliebt zu werden. In ihrer Einmaligkeit ist jede Person unendlich größer und wichtiger als eine Substanz, als die Verwandlung oder Funktion einer Materie, als eine zeichenhafte Handlung oder ein erschütterndes Erlebnis. Auch sollten Mitmenschen nicht degradiert werden zu Gelegenheiten, Liebe zu üben. Weil sie Geschöpfe, Geliebte und Geschenke Gottes sind, dürfen und wollen sie um ihrer selbst willen, nicht nur um eines höheren Interesses willen geliebt und geehrt werden.

Wird der am Tisch des Herrn den Starken begegnende Schwache als »Stellvertreter« Christi bezeichnet, so ist er zwar als Person anerkannt.

Seine Gegenwart und sein Wirken wird dann als Präsenz und Aktivität Jesu Christi selbst respektiert – wie ja auch Paulus sich selbst und die Galater daran erinnert, daß er als kranker Mann zwar anstößig (»eine Versuchung«) war, doch als solcher »weder verachtet noch angespuckt, sondern wie ein Engel Gottes, wie Christus Jesus aufgenommen« wurde (Gal 4,13–14). Was Luther mit den kühnen Worten »einander zum Christus werden« ausgedrückt hat, ist dort und damals in Galatien offensichtlich geschehen. Es kann und soll sich auch in der Gemeinde, besonders am Tisch des Herrn, unter den Zusammenkommenden immer neu ereignen. Wer einem anderen als Kleiner begegnet, »tut Barmherzigkeit« an seinen Mitmenschen und ist nach Lk 10,36–37 der Nächste, der zu lieben ist. Ihm wird nach Röm 13,8 Liebe »geschuldet«.

Immerhin besteht die Gefahr bzw. die Versuchung, daß der Nächste nur deshalb als liebenswert betrachtet und behandelt wird, weil er eine wichtige Rolle als Transparent für etwas Größeres oder als Mittel zu einem höheren Zweck spielt. Gibt man dies dem Nächsten zu verstehen oder merkt er es, so wird er sich mit Recht für solche Liebe bedanken. Er will und darf ja in und mit, wegen und trotz seiner ihm eigenen und ganz speziellen Art, Abart und Unart, samt den Lasten, die er trägt und anderen auflädt, angenommen sein. Zu ihm gehört, was ihn lachen und was ihn weinen macht. Wirklich für solch ein Glied der Gemeinde »Sorge tragen«, es ehren und lieben bedeutet, daß die anderen Glieder mit ihm leiden und sich mit ihm freuen (1Kor 12,26). Liebe ist auf jeden Fall nicht etwas Generelles, überall auf dieselbe Weise Applizierbares. Sie ist zwischen jedem Liebenden und Geliebten etwas Originelles und Einzigartiges, das sich zwar ähnlich auch zwischen anderen Menschen ereignen kann, nie aber genau dasselbe ist. Dies ist wahrscheinlich der Grund, weshalb die Bibel *nur* von Liebe zum Nächsten, zum Bruder *(philadelphia)*, zum Fremdling, ja zum Feind spricht – trotz Calvins gegenteiliger Meinung jedoch nicht von Liebe zu jedermann (oder von Allerweltsliebe). Unter den Menschen kann man nur solche Personen lieben, denen man begegnet ist und wieder begegnet, mit denen man zusammenkommt, kurz, die man kennt. Auch andere haben einen von Gott geschenkten und gewährleisteten Anspruch auf Brot, Recht, Freiheit, Respekt und Barmherzigkeit – Liebe aber ist mehr, kostet mehr, leistet mehr und bringt mehr.

Ein Stellvertreter kann sich seine Funktion und Würde selbst verschafft haben: Er kann von höher- und von gleichgestellten, auch von weniger kompetenten Menschen in sein Amt gebracht sein und für seine Arbeit unter Umständen adäquate Belohnung heischen und erhalten. So oder so spielt er eine theatralische Rolle, gleichsam »als ob« er die repräsentierte Person sei. In der Bibel aber sind die Personen, die für andere auftreten, handeln, sprechen und leiden, von Gott selbst erwählt und in ihren Dienst eingesetzt. Der Titel »Gesandter Gottes« (Gal 4,13: »Engel Gottes«) ist stärker, klarer und besser als die Rede von Repräsentation und Stellvertretung. War der Begriff Gesandter gut genug für die Propheten, Jesus und seine Jünger, so ist er auch nicht zu bescheiden für alle, die unter den Gästen am Tisch ihrem Herrn gleichgestaltet sind. »Ich habe dein Angesicht schauen dürfen, wie man Gottes Angesicht schaut, und du hast mich gütig aufgenommen« (Gen 33,10); »Du bist mir lieb wie ein Engel Gottes« (1Sam 29,9) – solch ein gegenseitiges Verhältnis ist nicht nur bei der Versöhnung zwischen Jakob und Esau oder der Trennung von Achis und David, sondern auch am Tisch des Herrn angemessen.

(4) Die Erkenntnis, wer unter den vielen Zusammenkommenden in besonderer Weise Gesandter Jesu Christi ist und seine Gestalt hat, ist keine Selbstverständlichkeit und erfolgt nicht automatisch nach dem Maßstab unfehlbarer Kriterien. Einmal (in 1Kor 1,25–29) hat Paulus die Korinthische Gemeinde als ganze daran erinnert, daß sie fast nur aus den Letzten der örtlichen Bevölkerung bestand. Nicht weniger als sieben Kapitel (1Kor 8–14) aber verwendet er für immer neue Hinweise darauf, daß es innerhalb der Gemeinde selbst Erste und Letzte gibt und daß die als Letzte Behandelten dem gemeinsamen Herrn mehr gleichen als die Glaubens-, Besitz- und Lautstarken. Ein jeder hat sich selbst, seine angebliche Stärke, seine Vorurteile, seine Blindheit und Hartherzigkeit gegenüber dem Bruder und den Zaungästen zu überprüfen, damit er nicht Gottes Gericht verfalle (1Kor 11,28–29.31–32). Verschiedene Gemeindeglieder stehen jetzt diesem, jetzt jenem als Letzte und zugleich als Wichtigste am ganzen Leib gegenüber. Auf alle Fälle braucht es ein Auftun der Augen und ein Entflammen des Herzens – um Begriffe aus der Emmausgeschichte zu verwenden –, damit erkannt wird, mit wem man zu Tische sitzt und was diese Tischgemeinschaft bedeutet.

Nicht nur der Nächste, sondern auch die Erkenntnis des Nächsten, der vielleicht aus einer nach weltlichen Begriffen unbedeutenden, wenn nicht verpönten Gruppe stammt, ist daher ein Geschenk Gottes. Das Mahl des Herrn ist nach Paulus die Gelegenheit zur Erwartung, Entdeckung und Annahme des Nächsten, mit andern Worten: zur Nächsten-Werdung. Geschieht diese Entdeckung und Verbindung nicht, so »ist es unmöglich, das Mahl des Herrn zu essen« (1Kor 11,20). Mag man »Herr, Herr« sagen und behaupten, Gemeinschaft mit Christus auch ohne die Anwesenheit der Letzten in der Gemeinde feiern zu können – so hat man ein »Privatmahl« *(idion deipnon)* konsumiert, das besser zu Hause eingenommen würde (1Kor 11,21–22.34). Für das Mahl des Herrn ist es wesentlich, daß alle Gemeindeglieder »aufeinander warten« (1Kor 11,33). Ein Weg führt von Offenheit füreinander zur Hoffnung auf den anderen; er führt weiter zur Ahnung über seine Sendung und zur Entdeckung der Barmherzigkeit, die er einem tut; er endet einstweilen mit der dankbaren Anerkennung des Geschenks des Nächsten. Das Suchen, Finden und Beschreiten dieses Wegs ist die rechte Feier des Mahls des Herrn und der Gemeinschaft mit dem Gekreuzigten und Wiederkommenden.

(5) Der Weg zum kleinen und armen Nächsten hat für alle, die ihn finden wollen, eine gemeinsame Richtung. Er entspricht dem Weg Jesu Chri-

sti, der von Paulus in Phil 2,7–8; Gal 2,20; Eph 5,2.25 mit Worten wie »er entäußerte sich selbst . . . er nahm Knechtsgestalt an . . . er erniedrigte sich . . . er liebte mich (oder: uns) . . . er gab sich selbst für mich (uns)« beschrieben wird. Noch einmal gilt es: Der Nächste, seine Entdeckung und das Ereignis, daß man einander zum Nächsten wird, sind reine Gnadengaben Gottes. Um diese Geschenke darf und soll ersucht und gebetet werden – in der Gestalt menschlichen Tuns. »Tut dies zu meinem Gedächtnis« – das bedeutet nach Paulus im Kontext des Mahls nicht nur Verkündigung in Gestalt von Essen und Trinken, sondern auch Zeugnis in Gestalt von »aufeinander warten« bzw. einander aufwarten, annehmen, dienen. »In Demut achte einer den anderen höher als sich selbst, und ein jeder sehe nicht auf das Seine, sondern auf das, was dem anderen dient« (Phil 2,3–4; vgl. dazu K. Barth, Erklärung des Philipperbriefes, 1933, S. 50–55).

Nach Joh 13,1–20 war das letzte Mahl Jesu die Gelegenheit, bei der er darauf bestand, selbst den Jüngern die Füße zu waschen, und bei der er diesen verachteten Dienst seinen Jüngern zur gegenseitigen Aufgabe machte. Die Erzählung vom Rangstreit der Jünger (anläßlich dessen Jesus den Jüngern verbot, sich wie heidnische Machthaber zu verhalten und ehren zu lassen, und gebot, ihre Größe durch Dienstleistung an anderen, nach seinem eigenen Beispiel, unter Beweis zu stellen) ist in Lk 22,24–27 in den Bericht über Jesu letztes Mahl eingebettet. Was Paulus über das Verhältnis der Hausbesitzer zu den zu spät kommenden Hungrigen in 1Kor 11 sagt, bezeugt dasselbe: keine Gemeinschaft mit Christus, dem Knecht Gottes, ohne gegenseitige Erniedrigung und Dienstleistung der Gemeindeglieder.

Damit ist etwas anderes als Kondeszendenz gemeint, wie sie durch theatralische Gesten vollzogen werden kann. Demut, die nicht spontan, sondern sich ihrer selbst bewußt ist, ist ja nicht mehr als die raffinierteste Art von Hochmut und Selbsterlösungstaktik, wie Paulus in Kol 2,18 und 23 andeutet. Der Apostel erwartet von den Korinthern, daß sie sich immer und überall, darum auch am Tisch des Herrn zu den Kleinen und Letzten stellen und sich mit ihnen solidarisieren. Weil Christus selbst die Sache der Schwachen zu seiner eigenen gemacht hat und den Kleinen gleichgeworden ist, können die reichen Korinther Gemeinschaft mit Christus nur bei, mit und unter den Armen finden. Die Ermahnung »ein jeder sei der Kleinste«, wie sie G. Tersteegen formuliert hat, ist für sie nicht ein schweres Joch, sondern eine Aufforderung, Christus fröhlich und getrost an dem Ort und auf die Weise zu finden, die er selbst für sich gewählt hat. So ist das Mahl des Herrn eine Einübung zur Erkenntnis des Dienstes, den einem der Nächste leistet, und zum Dienst am Nächsten. Ohne solchen Dienst ist die Dankbarkeit für das Geschenk des Nächsten unmöglich echt; nur in freudigem Dienst kommt sie zum Ausdruck.

(6)   Die Betonung des Dienstes des »kleinen und letzten« Nächsten und der Ruf nach Erniedrigung vor ihm bedeuten nach Paulus nicht, daß durch das Zusammenkommen der Christen das zukünftige Kommen des Herrn ersetzt oder überflüssig geworden wäre. Noch ist ja verborgen, daß Chri-

stus wie am Kreuz so auch endgültig und in alle Ewigkeit auf der Seite der Schwachen steht. Noch schaut die Gemeinde nicht mit Augen, was sie glaubt. Noch muß weltweit durchgesetzt und als recht erwiesen werden, was sie jetzt unter Zittern und Zagen oder in falscher Sicherheit und mit groben Verzerrungen zum Gedächtnis des Gekreuzigten tut. »Wir erwarten im Geist aus dem Glauben die Erfüllung unserer Hoffnung auf die Gerechtigkeit. Denn in Christus Jesus gilt ... einzig der Glaube, der durch Liebe zur Wirkung kommt« (Gal 5,5–6).

Das Mahl des Herrn ist eine aktive, in Taten bestehende Form des Wartens auf die Wiederkunft Christi. Es ist daher eine Tat gelebter Hoffnung. Für das »Warten aufeinander« beim Mahl bzw. das damit gemeinte Aufwarten, Annehmen und Umsorgen verwendet Paulus, wie schon gesagt, in 1Kor 11,33 das Verbum *ekdechomai*, für das Warten auf den Kommenden aber die längere Form *apekdechomai:* »sehnlich erwarten« (1Kor 1,7; Röm 8,19.23.25; Gal 5,5; Phil 3,20; vgl. Hebr 9,28). Der kleine Unterschied in der Wortwahl signalisiert einen enormen Unterschied zwischen dem Erwarteten. Ist der Nächste beim Mahl Jesu gleichgestaltet, so ist er doch nicht der für die Sünde der Welt gekreuzigte oder der wiederkommende Messias. Dennoch ist das Verhalten dem Nächsten gegenüber der Prüfstein dafür, ob jemand mit Recht behauptet: »Herzlich lieb hab ich dich, o Herr.«

Wollte sich jemand darüber ärgern, daß Jesus in der niedrigen Gestalt des Kleinen erscheint und unter den Zusammenkommenden anwesend ist, oder wollte er sich erdreisten, den Kleinen zu ärgern, zu verachten oder auszuschließen, weil er mehr vom Mahl des Herrn erwartet als nur die Begegnung mit einem oder vielen kleinsten Brüdern, so wäre er unwürdig und schuldig. Ist doch der Nächste niemals »nur« der Nächste! Wer sich seiner schämt oder ihn beschämt, weil er schwach ist, nichts ist, nichts hat, zum Leben der Gemeinde nichts beizutragen zu haben scheint, der schämt sich Jesu Christi – und Jesus wird sich nach Mk 8,38 und Lk 9,26 dessen schämen, der sich seiner schämt. So steht der schwache Bruder, für den Christus starb, unter dem besonderen Schutz des in Schwachheit gekreuzigten, aber in Macht wiederkommenden Herrn.

Die Parusie Jesu Christi verhält sich zu dem von Jesus eingesetzten Mahl der Gemeinde wie der Heilige Geist zu der auf Jesu Befehl vollzogenen Taufe: Nur ein direktes Eingreifen Gottes zur Zeit und Stunde, die er selbst wählt, kann beweisen, daß das Buß- und Bittgebet der Taufe und das Dankgebet der Eucharistie erhört ist. Wie sich aber das vollkommene Werk des Geistes schon jetzt in vielen Geistesgaben als kräftig und wirksam erweist, so hat auch der kommende Herr seine Vorläufer und ganz speziellen Gesandten. Paulus warnte ebensosehr vor einer Verachtung des kleinen Bruders wie vor einer Dämpfung des Geistes.

Nach Calvin (Institutio IV, 17, 38 in der Übersetzung von O. Weber) »haben wir dann beim Sakrament herrlich viel gelernt, wenn in unseren Herzen der Gedanke festgeprägt und eingegraben ist: Wir können keinen unter unseren Brüdern verletzen, verachten, von uns stoßen, schmählich behandeln oder auf irgendeine Weise kränken, ohne daß wir zugleich in ihm Christus mit unseren Ungerechtigkeiten verletzen, verachten und schmählich behandeln; wir können nicht mit unseren Brüdern in Zwietracht leben, ohne zugleich mit Christus in Zwietracht zu sein; wir können Christus nicht lieben, ohne daß wir ihn in unseren Brüdern lieben«.

Dies alles mag wie eine radikale und totale Ethisierung, wenn nicht Moralisierung des Geheimnisses des Mahls des Herrn aussehen. Eine Verächtlichmachung der Einordnung (der Taufe und) des Abendmahls in die Ethik (der Versöhnungslehre, wie sie von Karl Barth in Band IV/4 seiner Dogmatik teils vollzogen, teils vorgesehen war) und eine Verdammung eines »*nur* ethischen« Verständnisses der Aussagen von 1Kor 10–11 wären allein dann angebracht, wenn ethisches Verhalten identifiziert würde mit einer verdienstvollen menschlichen Leistung. Sobald aber die Gegenwart, Entdeckung, Ehrung des Nächsten als Gnadengeschenk Gottes im Gebet gesucht und mit Dankbarkeit anerkannt wird, ist Ethik nicht länger der Gnadenbotschaft und dem Glauben, den Gott den Hörern seines Wortes schenkt, untergeordnet.

Der Nächste und die Geistesgaben, unter denen Liebe die größte ist, sind ein Hereinleuchten des wiederkommenden Herrn, der Verwandlung des sterblichen Leibes durch den Geist zu einem geistlichen Leib und der Erschaffung eines neuen Himmels und einer neuen Erde. Er, der Kommende, und alles, was mit ihm kommt, kündet sich an schon im gegenwärtigen Zustand von Kirche und Welt. Wem der Geringste unter Jesu Brüdern zu gering ist, den Tod des Herrn zu verkünden und auf seine Wiederkunft hinzuweisen, dem wird auch Ethik und Liebe zuwenig sein, um Herz und Seele des Mahls der Gemeinschaft mit Christus zu sein. Mit der Verachtung und Abweisung niedrigster Gäste würde er beweisen, daß ihm der schwache und gekreuzigte Tischherr und Gastgeber nicht paßt. Paulus verwendet die Worte »unwürdig ... schuldig ... zum Gericht« zur Beschreibung des Menschen, der so denkt und handelt (1Kor 11,27–34).

Der Apostel schließt seine Ausführungen über das Mahl in solch dunkler Tonart – nicht mit einem *happy end*. Wagte ein Paulusausleger es nicht, ihm darin zu folgen, so würde er mehr tun, als nur den Ernst der Situation im alten Korinth zu verschleiern. Er würde es auch seiner eigenen Generation ersparen, sich selbst zu prüfen und mit sich selbst ins Gericht zu gehen. Luther und Calvin haben nicht den bequemen Weg gewählt, sondern in allen ihren Anweisungen zum Abendmahl ebenso deutlich die Mißstände ihrer eigenen Zeit gegeißelt, wie sie sich bemühten, den biblischen Grund, Sinn und Gebrauch des Mahls wiederzuentdecken.

Weil nun Paulus nicht der einzige explizite Zeuge für eine mitmenschliche Art der Mahlfeier ist, sondern in Lukas einen zweiten Hauptzeugen zu seiner Seite stehen hat, ist es jetzt geboten, diesem Evangelisten besonderes Gehör zu schenken.

B   Die Mahlzeiten in den Lukasschriften

Etwa ein Fünftel des dritten Evangeliums handelt von Mahlzeiten. Beim
Essen und Trinken werden Jesus und seine Jünger, Pharisäer, Zöllner und
andere Menschen noch und noch angetroffen oder behaftet. Besonders Jesus selbst spricht häufig – bald in Gleichnissen, bald in offener Rede, jetzt
bei Tisch und dann anderswo – über festliche und alltägliche Mahle. Er beobachtet nicht nur, was dabei vorgeht oder durch sie offenkundig wird, er
gibt auch Warnungen und Anweisungen. *Alles*, was Lukas in narrativer
und zitierender Weise vom Essen (und Trinken) sagt, hat große Bedeutung
für die Feier, die in der Kirche Eucharistie oder Messe, Abend- oder Herrenmahl genannt wird. Eine Zusammenfassung und Krönung *alles* dessen,
was der Evangelist über Brotbrechen, Essen und Trinken aussagen will,
findet sich in dem auffallend langen Abschnitt Lk 22,15–38, in dem der
Evangelist beschreibt, was während des letzten Mahls Jesu geschehen und
gesagt worden ist. Unabhängig von der Entscheidung, ob dem Lang- oder
dem Kurztext des genannten Abschnitts der Vorrang zu geben ist, hat Lukas weit mehr als Matthäus und Markus zusammengetragen, um zu zeigen, daß Jesus gerade am letzten Abend seiner irdischen Laufbahn an einem Tisch den Schlüssel zum Verständnis des Sinns und der Wirkung seines Todes aushändigte. Nur bei Lukas finden sich gleich drei Hinweise auf
das zukünftige Messiasmahl – bei Matthäus und Markus genügen je ein
einziger. Nur Lukas macht den Bericht über das letzte Mahl zum Sammel-
becken von Ereignissen und Worten, die bei den anderen Evangelisten außerhalb des Rahmens des Mahls datiert sind oder gar nicht vorkommen.
Die Bezeichnung des Verräters, der Rangstreit der Jünger und der Ruf zur
Nachfolge im Dienen, die Anzeige der Verleugnung des Petrus und die
Aussendung der Jünger mit dem geheimnisvollen Wort von den zwei
Schwertern finden sich nur bei Lukas *innerhalb* des Einsetzungsberichts.
Unter allen Evangelisten ist nur der vierte ähnlich leidenschaftlich wie Lu-
kas an mahlzeitlichen Vorgängen und Worten interessiert, wie ja auch nur
Lukas und Johannes von Mahlzeiten zwischen Ostern und Himmelfahrt
berichten.

Unter neueren Autoren hat das Mahlzeugnis des Lukas mit Recht besondere Beachtung gefunden. Zu nennen sind vor allem: J. Wanke, Beobachtungen zum Eucharistieverständnis
des Lukas, Leipzig 1973; P. E. Leonard, Luke's Account of the Lord's Supper, Diss. Manche-
ster 1973/76, bes. S. 89–142; W. Bösen, Jesusmahl, Eucharistisches Mahl, Endzeitmahl,
Stuttgart 1980; D. Moessner, The Lord of the Banquet, Diss. Basel 1982.
Rein formal lassen sich drei Gruppen von lukanischen Mahlzeugnissen unterscheiden: (1)
Berichte über den Vollzug von Essen und Trinken, sei es in Gesellschaft Jesu oder ohne ihn;
(2) Sprüche, Beobachtungen, Mahnungen, Drohungen, die von Jesus als Gast oder Gastgeber geäußert wurden oder die sich auf das Verhalten bei Mahlzeiten beziehen; (3) kurze und
lange Gleichnisse oder Beispielerzählungen, in denen Mahlzeiten vorkommen. Eine andere
Einteilung unterscheidet mindestens fünf Elemente, die die Substanz betreffen: (1) die alttestamentlichen und/oder späteren jüdischen Einflüsse auf die lukanische Berichterstattung

über Mahlereignisse und -worte; (2) die Aufnahme, Umformung, Kritik oder Erfüllung traditioneller Elemente durch Jesus selbst (sofern die Authentizität der Jesusüberlieferung feststellbar ist); (3) die Gestalt, die die Jesustradition in galiläischen, samarischen und jüdischen Gemeinden und (4) die sie in gemischten, juden- und heidenchristlichen Gemeinden außerhalb des von Gott verheißenen Landes angenommen hatte; endlich (5) die Redaktionsarbeit des Lukas.

Die Berücksichtigung inhaltlicher und sachlicher Gesichtspunkte dürfte jedoch wichtiger sein als formale Kategorisierungen und genetische Rekonstruktionsversuche. Wir gehen im folgenden von dem aus, was Lukas (als sog. »Redaktor«) mit dem vielfältigen Überlieferungsmaterial angefangen hat und was der heute vorliegende Wortlaut der Lukasschriften enthält. In der Form knapper Nacherzählungen und mit einem Minimum eigener Bemerkungen versuchen wir eine Statistik der lukanischen Gedanken zum Thema »Mahlzeit« zu erstellen und damit die Doppelfrage zu beantworten: Was sagen die Lukasschriften über Essen und Trinken, und welche besonderen Betonungen sind zu unterscheiden? Die Qualität der erzielten Resultate und ihre Überprüfbarkeit entscheidet darüber, ob diese Methode brauchbar, nützlich und wissenschaftlich ist.

Mindestens sieben Gruppen von Aussagen können unterschieden werden. Es wird sich zeigen, daß jede von ihnen in eigener Weise für das Verständnis des letzten Mahls Jesu und für die Bedeutung des in den Gemeinden vollzogenen »Brotbrechens« wichtig ist.

1.   Essen, um zu leben

Der Mensch muß und darf essen, um zu leben; sonst hungert oder verhungert er. Der Mensch lebt vom Brot – wenn auch nicht vom Brot allein (Lk 4,2–4). Was Arme und Reiche, Böse und Gute, Juden und Heiden wohl wissen, wird auch von Jesus, seinen Jüngern und dem Evangelisten Lukas vorausgesetzt. Paulus spricht in Kol 4,14 von einem Arzt Lukas. Jener Mann kann mit dem Evangelisten identisch sein. Sicher zeigen die lukanischen Schriften im Neuen Testament (das Evangelium und die Apostelgeschichte), daß ihr Verfasser an allem Physischen (mit Einschluß des Umgangs mit Speisen, Geld und Grundstücken) und allem Psychischen besonders interessiert ist – nicht auf Kosten, sondern zur Unterstützung und Exemplifikation seiner theologischen Botschaft. Essen und Trinken werden nicht nur als selbstverständliche oder bittere natürliche Notwendigkeit dargestellt; sie können auch von großer Freude und Liebe bestimmt und ein Mittel sein, das vielen zur Mitfreude hilft. Doch wird auch deutlich, daß eine Mahlzeit ein zweischneidiger (»dialektischer«) Vorgang ist, weil durch sie unter Umständen etwas besonders Boshaftes und Verhängnisvolles zum Ausdruck kommt.

Jesus wird an der Brust seiner Mutter gestillt (Lk 11,27). Am Ende eines langen und totalen Fastens leidet er Hunger (Lk 4,2). Nach dem Urteil von Pharisäern und Gesetzeslehrern ist sein Essen und Weintrinken mindestens so verwerflich wie das Fasten Johannes des Täufers (7,33–34). Gerade angesichts seines Leidens und Sterbens feiert Jesus auf eigenen Wunsch mit seinen Jüngern das zu seiner Zeit sehr fröhliche Passamahl, an dem mehr als nur *ein* Becher gelehrt wurde. Die Trauer der Emmausjünger über das, was sich zur Zeit des Todes Jesu in Jerusalem ereignet hat, hindert sie nicht daran, wegen einer Mahlzeit in ein Haus einzutreten (24,28–29). Der vom Tode erweckte Jesus bedarf zwar keiner Speise. Damit er jedoch nicht mit einem Gespenst verwechselt werde und zum Zeichen der Fortsetzung der früheren Tischgemeinschaft mit den Jüngern, ißt er etwas (24,36–42; Apg 1,4; 10,41).

Die enge Verbindung zwischen Arbeit und Brot in 2Thess 3,10 wird sowenig verhehlt oder bestritten wie die Notwendigkeit der Ernährung. Im Lukasevangelium ist die Rede von der mühevollen und ergebnislosen Nachtarbeit von Fischern (5,4), von der Arbeit, dem Mißerfolg und der reichlichen Belohnung des Bauern (8,5–8), vom Zeitdruck, unter dem der um seine Stelle und Zukunft bangende Angestellte steht, und von der Reduktion von Pachtzinsen (16,5–7), von freiwilligem Kommunismus, vom Grundstücksverkauf und von Geldunterschlagung (Lk 16,9–13; Apg 4,32–5,11). Hinzu kommen Ausführungen über die Sorge ums Brot (12,22–31), über zweifelhafte Mittel zur Beschaffung und Sicherstellung des Lebensunterhalts (4,3; 12,16–21; 16,1–7), über Bestrafung von Faulheit und Verschwendung (15,30; 16,1–2) und über Sabbatarbeit (6,1–4; 13,14; 14,3–5). Erwähnt wird ferner der Anspruch des Arbeitenden auf Lohn und Anerkennung (10,7–8; 15,29), wobei ein gewisses Vorrecht des Arbeit- und Brotgebers nicht in Frage gestellt wird (17,7–10; 15,31–32).

Neben Mahlzeiten, die nur zur Sättigung dienen, werden Festessen erwähnt, bei denen aus besonderem Anlaß mehr als nur genug aufgetischt wurde (9,12–17; 14,1–24; 15,23.30; 16,19–21). Für den Reichen im Gleichnis vom armen Lazarus ist jedes Mahl solch ein Fest (16,19.21), und der Verlorene Sohn erinnert sich in seinem Elend daran, daß sogar die Tagelöhner seines Vaters tagtäglich verschwenderisch viel zu essen bekamen (15,17).

»Und ich komme hier vor Hunger um.« Jesus weiß vom Hunger, der freiwillig durch Fasten z.B. in der Wüste, zur Zeit einer Hungersnot in der Fremde oder auch im Lande selbst im Angesicht von Überfluß erlitten wird (4,2; 5,33; 6,1–3; 15,14–17; 16,20–21). Er spricht von der Abweisung müder und hungriger Boten vor den Türen von Hausbewohnern (9,5.53; 10,10–11). »Wehe« ruft er über die Reichen und Satten; den Armen und Hungrigen aber verheißt er vollen Ersatz für das, was ihnen jetzt fehlt (6,20–21.24–25; 16,19–31). Indem er Petrus zu einem gefährlich großen Fischfang verhilft und 5000 Hungrige überreichlich speist, führt er schon vor seinem Tode exemplarisch aus, was er für die Zukunft verheißen hat. In der Gestalt der Krafttaten des von vielen verworfenen und schließlich am Kreuz sterbenden Jesus hat das Reich Gottes die Zeitgenossen Jesu überfallen und ist jetzt schon »mitten unter ihnen« (11,20; 17,21). Das Unser-Vater-Gebet gebietet, verheißt und schenkt das Vertrauen, von Gott das tägliche Brot zu erbitten (11,3). Jesu Dankgebete oder Segenssprüche über dem empfangenen und zu verteilenden Brot (9,16; 22,19; 24,30) zeigen, daß jede Speise als eine Gabe Gottes zu empfangen ist. Sowenig wie ein irdischer wird der himmlische Vater seinen Kindern eine Schlange statt des erbetenen Fisches oder einen Skorpion statt des erbettelten Eies geben. Zum guten Vater und zur freudigen Liebe gehört gutes und reichliches Essen (11,9–13).

Wer Speise aus Gottes Hand empfängt, erhält sie nach der Speisungsgeschichte (9,12–17) weder allein noch zuerst für sich selbst. Wer »unser« tägliches Brot von Gott erbittet, wird zwar auch das für ihn selbst nötige Brot empfangen; doch ist dieses Brot eine Speise zum Teilen und Verteilen. »Was sollen wir denn tun? ... Wer zwei Hemden hat, gebe dem ab, der keines hat; und wer zu essen hat, tue ebenso« (3,10–11) – sowohl diese Frage als auch ihre Beantwortung durch den Täufer ist durch Jesu Auftreten nicht überholt. Der scharfe Befehl: »Gebt ihr ihnen zu essen!« (9,13) scheint zwar angesichts der vorhandenen beschränkten Nahrungsmittel unerfüllbar. Doch wird in den Händen Jesu aus »viel-zu-wenig« »überreichlich-genug« für eine große Menge. Daß gerade die geschenkte Nahrung weitere harte Arbeit einschließen kann, zeigt die Geschichte vom Fischzug des Petrus (5,6–7); daß es eine Versuchung ist, nur für sich selbst Brot zu machen, selbst wenn man Gottes Kind oder der Messias ist, wird in der Begegnung zwischen Jesus und dem Teufel deutlich (4,1–4). Der reiche Mann, der spekulierende Kornbauer und der böse Knecht essen und sorgen für sich selbst und nehmen ein furchtbares Ende (16,19.23–26; 12,16–21.45–46). Lukas hat deshalb das Mahl der Gemeinde mit dem Ausdruck »Brotbrechen« bezeichnet, weil es bei diesem Mahl nicht um ein »eigenes Mahl« zu privater Sättigung ging (vgl. 1Kor 11,20.34), sondern um ein Teilen und Austeilen, das die Speisung Hungriger einschloß. »Sie verwalteten ihre ganze Habe als Gemeinbesitz« (Apg 2,42.44.46–47; 20,7.11; 27,34–36). Die Einsetzung von Diakonen zugunsten bedürftiger Witwen (Apg 6,1–6) entsprach der in jüdischen Gemeinden üblichen Einsammlung und Verteilung von Almosen und verlieh der Liebestätigkeit institutionellen Charakter.

Die Geschichten von der Speisung der Fünftausend, von Jesu letztem Mahl und von den Emmausjüngern enthalten keinen ausdrücklichen Hinweis darauf, daß Jesus und die Jünger selbst etwas von dem Ausgeteilten aßen. So wird ja von den sieben Diakonen ebensowenig erzählt, daß sie auch sich selbst ernährten, wie es irgendwo ausgesprochen ist, daß die Glieder der Urgemeinde nach dem Brechen des Brotes selbst von dem Brot aßen. Für einen Gastgeber ist es selbstverständlich, daß er selbst (nach dem Brauch verschiedener Völker: zuerst) ißt, was er anderen vorsetzt oder bevor andere essen (17,8–9). Gerade wer andere im Namen des Herrn beschenkt, geht auch selbst nicht leer aus. Dies hat Jesus im Gleichnis von einem gerechtfertigten Sünder (vom ungerechten Haushalter und seinem gütigen Herrn, 16,1–10) besonders deutlich gemacht. Obwohl die Knechte des Herrn auch nach der Leistung vollen Gehorsams und bester Arbeit bekennen sollen: »Wir sind unnütze Knechte« (17,7–10), ist Liebe zu Gott in Gestalt von Nächstenliebe eine Haltung, ein Verhalten und eine Tat, die nicht unbelohnt bleibt. Sie kommt auch dem Liebenden selbst zugute: »Du sollst Gott deinen Herrn lieben . . . und deinen Nächsten *wie dich selbst*« (10,27) – das heißt, auch zu deiner eigenen Erbauung.

Mahlzeiten sind somit bei Lukas ein Mittel zum Leben und oft eine Lebensform übler Art. Sie können aber auch im Dienste einer der Verheißung und dem Gebote Gottes gemäßen Lebensführung stehen. Gerade beim Essen und Trinken geht es nicht um einen neutralen Grund oder ein harmloses Mittel zum Leben, sondern um ein Ja oder Nein zum Glauben, zum Gehorsam und zur Liebe.

2.   Leben, um zu essen

Der Empfang, die Austeilung und der Verzehr von Speise sind in den Lukasschriften mehrmals eine Folge und Bestätigung schon geschenkten Lebens. Zum Zeichen, zum Beweis und zur Verkündigung, daß die Rettung vom drohenden oder schon eingetretenen Tod vollzogen und daß sie wirklich, total und greifbar ist, wird nach Ps 22,27 vom zuvor von Gott Verlassenen nicht nur ein wenig Speise gegessen, sondern fröhlich zusammen mit der Gemeinde getafelt. Daß man leben kann und darf, um zu essen, ja, um großartig zu feiern, bezeugt Lukas auf mannigfaltige Weise: Jesus befiehlt, daß man der vom Tode erweckten Tochter des Jairus zu essen gebe (8,55). Die von einem starken Fieber geheilte Schwiegermutter des Petrus dient bei Tische (4,39) – sicher nicht ohne eigene Kostproben und eigenen Anteil an der Speise. Paulus »nahm Speise zu sich und kam wieder zu Kräften«, *nachdem* eine Folge seines »Falles zur Erde« (die Blindheit) wieder von ihm genommen war (Apg 9,18–19). Der trotz seines Fenstersturzes lebende Eutyches gehört zur Mahlfeier der Gemeinde (Apg 20,10–12). Paulus bricht Brot im sinkenden Schiff, *weil* er der Rettung gewiß ist (Apg 27,34–36). Für den Sohn, der tot war und wieder lebendig wurde, wird ein Festmahl veranstaltet (Lk 15,23–24.32). Lazarus erhält »in Abrahams Schoß« – also an einem Tisch an des Patriarchen Brust liegend – nicht nur Wasser, um die Finger einzutauchen, sondern den handgreiflichen Trost, den Jesus den Armen und Hungrigen versprochen hatte (16,22.24; 6,20–21). Jesus selbst ißt vor den Augen der Auferstehungszeugen und mit ihnen während der vierzig Tage zwischen Ostern und Himmelfahrt (24,28–32.41–43; Apg 1,4; 10,41; vgl. Joh 21,4–14). Zugunsten seiner Jünger verfügte er testamentarisch, daß sie an seinem Tisch in seinem Reich essen und trinken sollten (Lk 22,29–30). Er hat nichts einzuwenden gegen den Ausruf eines Tischgastes im Haus eines führenden Pharisäers: »Selig, wer im Reiche Gottes Brot ißt« (Lk 14,15). Er macht jedoch unzweideutig klar, daß bei jenem Mahl »Letzte« (d.h. Leute von Osten und Westen, Norden

und Süden, Arme, Krüppel, Blinde und Lahme von den Landstraßen und
Zäunen) die Ersten in der Gesellschaft der Patriarchen und Propheten sein
werden. Dies wird auf Kosten derer geschehen, die zuerst eingeladen waren, und derer, die es jetzt lieben oder erreicht haben, oben am Tisch zu sitzen (13,23–30; 14,7–24).
Erstaunlich, wenn nicht anstößig ist die Selbstverständlichkeit, mit der
vorausgesetzt, dargestellt, gelehrt und verheißen wird, daß zeitliches *und*
ewiges Leben durch Essen und Trinken zum Ausdruck kommt und gefeiert wird. Hat sich denn Lukas – und vor ihm Jesus selbst – die von älteren
und jüngeren Epikuräern und Lebenskünstlern befolgte Maxime zu eigen
gemacht, daß der Mensch nicht nur ißt, um zu leben, sondern auch lebt,
um (reichlich, gut und in angenehmer Gesellschaft) zu essen? Sicher ist,
daß sich Jesus nach Lukas nicht gescheut oder geschämt hat, zur besonderen Freude der Hungrigen, Armen, Ausgestoßenen und Kranken zu verkünden und zu zeigen, was wie Materialismus oder Hedonismus aussieht:
Christus-Zeit ist Essens-Zeit! Das gilt für die Zeit Jesu und seiner Versuchung in der Wüste bis zu und mit seinem letzten Mahl; es gilt aber auch
für die vierzig Tage zwischen Ostern und Himmelfahrt, für das Brotbrechen der Gemeinde zwischen Pfingsten und den »Zeiten der (ewigen) Er-
quickung«, die auf die Wiederkunft folgen (Apg 3,20). Was F. Mußner als
Resultat seines Galaterbrief-Kommentars (1974, S. 423; vgl. auch seinen
Aufsatz in »Mysterium der Gnade«, Festschr. J. Auer, Regensburg 1975, S.
92–102) bezeichnet, gilt auch für die Lukasschriften: »Das Wesen des Christentums ist *synesthiein*« (gemeinsames Essen).

3. Essen statt Fasten oder Schlemmen

Das materialistisch-hedonistische Element in den Lukasschriften steht im
Gegensatz zu asketischen Lebensformen, besonders zu dem von Johannes
dem Täufer, den Johannesjüngern, den Pharisäern und ihren Schriftgelehrten verlangten und vollzogenen Fasten (5,33; 7,33; 18,12). Durch sein
Fasten spricht ein Mensch ein Todesurteil über sich selbst und beginnt es
zu vollziehen. Er tut es nicht willkürlich, sondern in Anerkennung eines
ihm drohenden Gerichts. Bei der Begleitmannschaft des Paulus auf der
Fahrt nach Malta bedeutet der Verzicht auf Speise soviel wie eine Absage
an eine Überlebenschance und an alle Hoffnung. Wenn Jesus selbst, vom
Heiligen Geist getrieben, vierzig Tage lang fastet (Lk 4,1–2), dann zum
Zeichen seiner Solidarität mit denen, die nur Sünden zu bekennen haben
und in deren Mitte er sich hatte taufen lassen. Wenn er unmittelbar vor
seinem Tode und angesichts des festlich gedeckten Passa-Tisches vom
»Nicht-mehr-Essen« und »Nicht-mehr-Trinken« spricht (22,16–18), dann
als Hinweis auf seine in Leiden und Tod innerhalb kürzester Frist zu erfüllende Aufgabe eines Gott-Geweihten. Die Tage seines Leidens, Sterbens
und Begrabenseins werden (in 5,35) als Tage der Abwesenheit des Bräuti-

gams bezeichnet, an denen auch seine Jünger fasten werden. Zu den Schrecken der Zerstörung Jerusalems und der letzten Tage vor der Wiederkunft Christi gehört es, daß nach menschlichem Urteil sogar das Gebären und Stillen von Kindern nicht mehr Anlaß zur Seligpreisung einer Frau ist: Dann wird die Unfruchtbare selig gepriesen werden (23,29; im Gegensatz zu 1,30–33.42; 11,27). Fasten und ausgesprochenes Mißvergnügen an Geburt und Speisung sind das Gegenteil der Freude des zukünftigen und ewigen Messiasmahls. Fasten bedeutet Bußetun, und Bußzeit ist Fastenzeit. Doch kann das Fasten mißbraucht werden, wenn man es vor Gott und den Menschen zum Selbstruhm, wenn nicht gar als Mittel der Erpressung von göttlichem Lohn und menschlicher Bewunderung, benutzt (18,12; vgl. Mt 6,16–18).

Schon die Zeit, in der Jesus auf der Erde unter den Seinen weilt, ist Freudenzeit. Seine Präsenz wird mit der Gegenwart des Bräutigams am Hochzeitsfest verglichen: Jetzt »können« die Hochzeitsgäste nicht fasten (5,34). Das gilt nicht nur für die Jünger Jesu, sondern auch für Jesus selbst. »Der Menschensohn kam essend und trinkend«, und ihr sagt: »Sieh, was für ein Fresser und Weinsäufer, ein Freund der Zöllner und Sünder« (7,34); »dieser nimmt Sünder auf und ißt mit ihnen« (15,2). Es gilt auch für die Zeit nach Jesu Himmelfahrt: Wer nach furchtbarer Angst, Not und Gefahr wieder guten Muts *(euthymos)* ist, folgt dem Beispiel und der Mahnung des Apostels Paulus und nimmt Speise zu sich (Apg 27,21–25.33–38). Das bedeutet nicht, daß bei Lukas jedes Essen in jeder Gesellschaft zu allen Zeiten als eine gute Sache dargestellt wird. Als zur Zeit Noahs und Lots auf bevorstehende Gerichtsakte Gottes mit Essen und Trinken (Heiraten und Sich-heiraten-Lassen, Pflanzen und Bauen) reagiert wurde, erwies sich die trotzige oder gleichgültige Fortsetzung der üblichen Methoden zum Lebensunterhalt als katastrophal (17,26–29). Ein angestellter Verwalter, der angesichts der verzögerten Rückkehr seines Herrn Knechte und Mägde schlägt, selbst aber ißt und bis zur Berauschung trinkt, wird »in Stücke gehauen« werden (12,45–46). Der jetzt prassende Reiche wird umsonst um einen Tropfen Wasser betteln (16,19.24). Die jetzt Satten stehen unter dem Gericht (6,21). Dem reichen Kornbauern nützt es nichts, daß seine erweiterten Scheunen voll sind und daß er meint, fröhlich und in Ruhe auf Jahre hinaus essen und trinken zu können. Sogar Menschen, die sich rühmen oder damit trösten, daß sie in der Gegenwart Jesu gegessen und getrunken, dazu auf den Gassen seine Lehre gehört haben, werden schroff abgewiesen (13,26–27). Ist Jesus bei Pharisäern zu Gast, so ereignen sich peinliche Zwischenfälle, die Jesus zu scharfen Worten an die Adresse des Gastgebers und dessen Gesinnungsfreunde veranlassen (7,36–50; 11,37–52; 14,1–24). An Jesu eigenem Tisch sitzen nicht brave Jünger, sondern die Hand des Verräters ist auf dem Tisch, und der Verleugner Petrus ist unter den Versammelten (22,21–22.31–34). Da ist keiner, der nicht andere beschuldigt, sie könnten der Verräter sein (22,23; oder: keiner, der nicht fragen muß, ob er es selbst sei, Mt 22,22; Mk 14,19); keiner, der nicht selbst gern der Größte

unter allen wäre (Lk 22,24); keiner, der sich nicht drückt oder die Flucht er-
greift, und keiner, der dem Gekreuzigten den gebührenden letzten Liebesdienst erfüllt, d.h. für das Begräbnis des Meisters sorgt. So besteht auch
nach Lukas das Reich Gottes nicht im Essen und Trinken (vgl. Röm 14,17);
auch er kennt ein Essen und Trinken zum Gericht (vgl. 1Kor 11,17.29.34).
Ist es geboten und erfreulich, zu essen und zu trinken, so ist es gleichzeitig
nicht minder gefährlich und eventuell verderblich.

Bevor weitere Gruppen von lukanischen Mahlaussagen genannt werden, ist ein Zwischen-
halt angebracht, um den bisher in der Lukasdarstellung zurückgelegten Weg kurz zu über-
denken. Lukas hat in seinen Berichten über Jesu Wandel und Worte ebenso wie in seinen
Erzählungen von der vom Geist bewirkten und bestimmten Entstehung, Ausbreitung und
Ordnung der Kirche drei Dinge eindrücklich bezeugt: (1) Das für alles, besonders aber für
rechtes Leben notwendige Brot wird von Gott geschenkt und von Jesus Christus verwaltet
und unter viele verteilt. Speisung hat daher bewirkende (ontische und kausative) Kraft.
(2) Wie jetzt schon festliche Mahlzeiten den Vollzug und die greifbare Gültigkeit vollzoge-
ner Heilung, Vergebung und Lebensrettung bestätigen, so wird auch in Ewigkeit ein großes
Mahl den Sieg der Gnade über alles Unrecht und Leid beweisen. Tischfreuden haben somit
die (noëtische und kognitive) Funktion einer glaubhaften Anzeige und dankbaren Anerkennung der schon geschenkten Rettung vom Tode. (3) Die Zeit solcher effektiven Speisung
und die Zeit jubelnden Dankes ist jetzt und heute.
Gesetzt den Fall, man dürfe oder müsse diese drei Bestandteile der lukanischen Aussagen
über Essen, Trinken und Mahlzeithalten kurzerhand miteinander verbinden, amalgamie-
ren und auf das Mahl des Herrn beziehen, so scheint eine radikale Konsequenz unausweich-
lich: Was heute Eucharistie, Messe, Abendmahl, Herrenmahl u.ä. genannt und in den Kirchen gefeiert wird, hat sowohl heils *bewirkende* als auch heils *bestätigende* Kraft. Darum
muß es als Mysterium oder als Sakrament verstanden, geglaubt und vollzogen werden. So
wird z.B. im *Enchiridion Patristicum* des Jesuiten M. J. de Journal (10.–11. Auflage 1937) im
Index theologicus (S. 777) folgende Definition der »Sakramente im allgemeinen« vorgeschlagen: »Sakramente sind sinnfällige Zeichen, welche gleichzeitig Gnade bedeuten und übertragen (*gratiam simul significant et conferunt*). J. Wanke und W. Bösen (s.o. S. 142), dazu auch
die sehr gründlichen Arbeiten H. Schürmanns über die lukanischen Abendmahltexte und
dessen Lukaskommentar argumentieren zwar weithin auf viel breiterer Grundlage, als sie
die bisher von uns zusammengestellten Beobachtungen zu Lukas bieten. Doch nicht nur *ein*
Weg führt nach Rom! Gerade die *Lukas*-Auslegung der oben Genannten scheint auf alle
Fälle zu bestätigen, daß exakte exegetische Arbeit kein anderes Resultat erreichen kann als
die Feststellung: Das Mahl des Herrn ist nach dem lukanischen Schrifttum ein Sakrament
im traditionellen Sinn dieses Begriffs. Unter philologisch- und historisch-kritischen Forschern scheint bisher einzig der früher schon genannte Lutheraner A. Vööbus – aufgrund
seiner Entscheidung für den Kurztext des lukanischen Einsetzungsberichts (NTS 15, 1968/
69, S. 451–463; ZNW 61, 1970, S. 102–110) – zu einem ganz anderen, *nicht*-hochkirchlich-
sakramentalistischen Ergebnis gekommen zu sein. Sollte aber die Meinung der Mehrheit
der Fachgelehrten unbestreitbar sein, so wäre Lukas einer der neutestamentlichen Kronzeugen für die kirchliche Lehre, daß am Tisch des Herrn in der Form von irdischer Speise
ewiges Leben ausgeteilt und empfangen wird und daß dieses Mahl eine Antizipation und
Bestätigung der ewigen Freude und Ruhe im Reich Gottes ist.
Immerhin ist vor voreiligen Schlüssen zu warnen. Keine Frage – eine Deutung *kann* mit
Hilfe der Verbindung der Elemente »Essen, um zu leben«, »Leben, um zu essen« und »Heute
ist Essenszeit« zu dem Fazit kommen: Lukas bezeugt das sakramentale Wesen des Mahls

des Herrn. Fraglich ist aber, ob diese Kombination von Lukas selbst geboten und daher für die Auslegung unvermeidlich ist.

4. Das Menü bei Extramahlen

Lukas legt mehr Gewicht auf den Anlaß und den Zweck, die Tatsache und den Verlauf von Mahlzeiten als auf das, was gegessen und getrunken wird. Zwar fehlt es in seinen Schriften nicht an Angaben über das Konsumierte. Auch haben bei ihm Speise und Trank wiederholt symbolische Bedeutung. Ist von Brot oder Brotlaiben unter gleichzeitigem Hinweis auf andere Lebensmittel (Kelch/Wein in Lk 22,15–20; Fische in 9,13.16; vgl. Joh 21,9.13) die Rede, so ist gewöhnliches Gersten- oder Weizenbrot, beim Passamahl ungesäuertes Brot gemeint. Wenn Brot allein genannt wird (wie z.B. in 4,4; 11,3; vgl. die Erwähnung des »Brotbrechens« in 24,30.35; Apg 2,42.46 u.ö.), so steht »Brot« für alles, was für die physische Ernährung nötig ist. In Lk 11,27 wird auf Muttermilch angespielt, doch gibt es bei Lukas (anders 1Kor 3,2; Hebr 5,12–13 und gewisse Mysterienkulte, vgl. 1Petr 2,2) keine metaphorische Verwendung des Begriffs Milch und kein symbolisches Milchtrinken. Dem Schweinefraß, der dem hungrigen Aushilfsarbeiter verweigert wird, steht physisch und symbolisch das gemästete Kalb – natürlich samt köstlichen Beigaben – gegenüber, das für die Glieder des großen Haushalts zubereitet wird; auch ein Ziegenbock wird erwähnt (Lk 15,16.23.29.30). Jesus weist darauf hin, daß ein irdischer Vater seinem bittenden Kind nicht eine Schlange statt eines Fisches und einen Skorpion statt eines Eies geben wird – Gott aber gibt vielmehr als wahre Speise: den Heiligen Geist (11,11–13).

Die Speise des auferstandenen Jesus ist nach 24,41–43 Fisch (Textvariante: Honigwabe; nach dem Wortlaut von Apg 1,4: Salz); Apg 10,41 deutet an, daß der Auferweckte auch etwas trank. Wein hat Jesus sicher getrunken: im Hause von Zöllnern und bei seinem letzten Mahl, dazu höchstwahrscheinlich, wenn immer er bei Pharisäern zu Gast war. Nach 7,34 wurde er ein »Weinsäufer« genannt, ohne daß er dagegen protestierte. Beim jüdischen Passafest war das Trinken von Wein ein Ausdruck von Freude an der von Gott geschenkten Freiheit und den Früchten des Landes. Jesus hat nicht nur keine Tränen in den Passawein gegossen, sondern seinen Jüngern ihren Anteil daran gegönnt und schwerwiegende Worte zur Überreichung des Bechers gesprochen. In metaphorischer Redeweise bittet er den Vater, ihm das Trinken des Bitter- oder Taumelkelchs zu ersparen, doch unterwarf er sich dem Willen Gottes (22,42). Zum Spott und vielleicht um Zeugen eines Wunders zu werden, sicher aber um der Wirkung willen, den Kampf mit dem Tode zu verlängern, reichen Glieder des Exekutionskommandos dem Gekreuzigten billigen sauren Wein oder Essig (23,36–37).

Zum gemeinsamen »Salz-Nehmen« des Auferstandenen mit seinen Jüngern (Apg 1,4) sind einige besondere Bemerkungen nötig. Hätte Lukas nicht nur Jesu letztes Mahl (in dem Licht, das die vorausgehenden Taten und Worte Jesu bei Speisungs-, Sünder- und Pharisäermahlen darauf werfen), sondern auch die Ostermahle als konstitutiv für das Brotbrechen im Rahmen der Gemeinde verstanden, so hätte er statt von Salz-Nehmen *(synhalizomai)* wahrscheinlich vom »Brot-Brechen«, eventuell auch vom »Wein-Segnen« oder »-Trinken« gesprochen – heißt es doch in Apg 10,41: »Wir (die von Gott zuvor erwählten Zeugen) haben mit Jesus nach seiner Auferstehung von den Toten gegessen und getrunken.«

Zur Erklärung des seltsam tönenden Begriffs »Salz-Nehmen« sind zwei allgemeine Anmerkungen zu den in den Erzählungen von den Ostermahlen erkennbaren Absichten nötig, bevor die Rolle des Salzes bei einer besonderen Gelegenheit erläutert werden kann.

a)   Die Ostermahle sind ein Hinweis auf die Leibhaftigkeit und Wirklichkeit der Auferstehung. Würde der vom Tode erweckte Jesus nicht betastet, könnte er nicht zu essen geben und selbst essen – und umgekehrt. Hätte er nicht – was für einen unbekannten Gast ungebührlich war – das Sprechen des Tischsegens (in einer ihm eigenen Weise?) selbst übernommen, ja usurpiert, könnten die Jünger ein Gespenst gesehen, eine andere, Jesus ähnliche Person unter sich gehabt oder eine Vision in der Art eines Traums gehabt haben. Es wäre dabei geblieben, daß Berichte von der Auferstehung ihnen und anderen als unglaubhaftes »Geschwätz« hätten vorkommen müssen (vgl. 24,11). Die mit der Erscheinung, dem Anblick, den Worten, der Berührung des Auferstandenen verbundenen Mahle aber überzeugen sie, daß »er wahrhaftig *(ontōs)* auferweckt ist« und daß sie ihn *selbst*, nicht ein Gespenst, vor sich haben (24,28–43, bes. V. 34.39). Für die Ostermahle ist diese Offenbarung wesentlich; doch fehlen in den lukanischen Erzählungen vom Brotbrechen der Gemeinde jedwede Hinweise darauf, daß eine Fortsetzung gerade *dieser* Selbstkundgabe Jesu Christi und daß entsprechende Erlebnisse auf seiten der Gemeinde gerade bei der Feier des Mahls des Herrn erwartet oder Ereignis wurden.

b)   Die Ostermahle gehören zur Ausrüstung der Jünger, kraft deren sie innerhalb Israels und unter den Völkern eine ganz besondere Funktion zu erfüllen haben. Diese Mahle befähigen nach Apg 10,40–42 besondere, »von Gott zuvor erwählte« Menschen, glaubhafte »Zeugen (der Auferstehung)« unter Juden und Heiden zu sein – eine Autorisation, ein Privileg und eine unter Verfolgung zu vollziehende Aufgabe, die »nicht allem Volk« zugeteilt wird. So beruhte ja auch nach dem Selbstzeugnis des Paulus und der lukanischen Darstellung das Apostolat auf der Erscheinung und dem Sehen des Auferstandenen (1Kor 9,1; 15,8; vgl. Gal 1,16; Apg 1,22; 2,32 u.ö.; 9,22.26; vgl. 1Joh 1,1–3). Doch enthalten die Lukasschriften nicht nur die scharfe Unterscheidung zwischen Augenzeugen und »allem Volk«; sie unterscheiden auch zwischen Zeugen der Auferstehung auf der einen und Paulus und Matthias auf der anderen Seite. Matthias war nach Lukas durch Los zum Ersatzmann für den Verräter im Zwölferkreis bestimmt, Paulus von Gott durch eine Erscheinung Christi zum Heidenapostel – doch hatten beide nach den vorhandenen Berichten nicht an Ostermahlen teilgenommen. Man kann diesen Mangel damit in Zusammenhang bringen, daß Matthias *nach* Apg 1,15–26 nie wieder erwähnt wird und daß Paulus selbst in Anspielungen auf seine Berufung (Gal 2,15–16; 1Kor 9,1; 15,8–10) nie von Erscheinungsmahlen spricht. Vielleicht hat Lukas, wie es ja auch seine Zurückhaltung in der Verwendung des Aposteltitels zeigt, Paulus und Matthias auf einem weniger hohen Rang als »die Elf« gesehen. Auf alle Fälle stellt Lukas die Ostermahle und die mit ihnen zusammenhängende besondere Qualifikation einiger Apostel als ein besonderes Ereignis innerhalb der vierzig Tage zwischen Ostern und Himmelfahrt dar – *nicht* aber als etwas, das in der Zeit nach Pfingsten dauernd wiederholt werden soll oder kann.

Die Verwendung des Begriffs »zusammen Salz nehmen« fügt zu den genannten Funktionen der Ostermahle eine dritte. Nicht nur die Tatsache, *daß* nach Ostern dies oder jenes von Jesus oder seinen Jüngern einzeln oder gemeinsam gegessen (und getrunken) wurde, scheint betont zu sein. Auch der *Substanz* des Verzehrten fällt jetzt besondere Bedeutung zu. Salz wird in der Bibel jedoch nie als eine »geistliche« Speise bzw. als eine himmlische oder Wunderspeise mit übernatürlichen Eigenschaften bezeichnet. Der Ausdruck »zusammen Salz nehmen« hat in Apg 1,4 höchstwahrscheinlich bildliche (metaphorische oder idiomatische) Bedeutung.

In Lev 2,13; Num 18,19 und 2Chron 13,5 (vgl. Ex 30,35; Hes 43,24; Esr 6,9) wird eine u.a. auch in Mesopotamien nachweisbare kultische Tradition reflektiert, die Salz mit dem Tempel, mit Opfern oder Weihrauch verband. An den zuerst genannten drei Stellen ist von einem »Salzbund« oder »Bundessalz« die Rede. Besondere (asketische) Speisen, die zu den Festmahlen einer besonders frommen Gemeinschaft maßvoll zu konsumieren sind, erwähnt beispielsweise Philo in seiner Beschreibung der Sekte der Therapeuten (De vita contemplativa 37: »Nichts Teures, nur gewöhnliches Brot mit Salz, gewürzt mit Hyssop . . ., und Quellwasser«; vgl. 64ff). Solchen Texten entsprechend wird Lukas an eine Art von kultischen Bundesmahlen gedacht haben.

In den Ostermahlen zeigte Jesus, daß er intime Gemeinschaft gerade mit solchen Menschen wiederaufnahm, die notorisch versagt hatten und nichts Besseres als enttäuschte, verzagte und traurige Gestalten waren. Zur Buße gerufene und bewegte Sünder durften schon vor Jesu Tod mit ihm zu Tisch sitzen oder sich am Tisch des Vaters laben. Die Ostermahle aber machen deutlich, daß der Tod Jesu solche Gemeinschaft nicht aufhebt, sondern erst recht begründet. Was bei diesen Mahlen geschieht, entspricht genau jener Erneuerung des Bundes durch den Tod Jesu, von der im Weinwort anläßlich des letzten Mahls Jesu gesprochen war: Hier geht es um die Feier des neuen Bundes »in meinem Blute« (22,20). »Friede sei mit euch!« – so heißt es bei Lukas gerade zwischen seinen zwei Berichten über Erscheinungsmahle (24,36). Bei allen Mahlen wird durch die Tischgemeinschaft Jesu der neugeschaffene Bund oder Frieden geweissagt, geoffenbart, erklärt, bestätigt oder gefeiert. Er wird aber nicht durch eine Mahlzeit begründet, bewirkt, geschlossen, in Kraft gesetzt oder erweitert. Der Bundesschluß erfolgte ja durch die Ausgießung des Blutes Jesu, nicht durch die Speisung, die Speise oder den Vollzug von Essen und Trinken. Was nach Paulus das Wesen jeder Feier des Mahls des Herrn bildet – »Gemeinschaft« mit dem Gekreuzigten und untereinander (1Kor 10,16–17; 11,17–34) –, ist, wenn diese Auslegung des Begriffs »zusammen (mit dem Auferstandenen) Salz nehmen« richtig ist, bei Lukas das Wesen aller Mahle Jesu, mit Einschluß der Ostermahle. Die späteren Gemeindemahle werden anders bezeichnet und immer *nur* als ein Tun der Gemeinde dargestellt, z.B. in Apg 2,46: »Sie brachen das Brot, indem sie Speise zu sich nahmen unter schallendem Jubel . . .« Nie aber heißt es: Jesus Christus brach sich selbst in Gestalt des Brotes vor ihren Augen und übereignete sich im Mahle an sie. Deshalb darf und kann der lukanischen Beschreibung der Gemeindemahle nicht jener sakramentalistische Gehalt zugeschrieben werden, den 1Kor 10,16–17 und Lk 22,18–20 und Parallelen im Verständnis der Großkirchen erhalten haben.

Daß »Salz« auch als Metapher für anderes als Opfer und einen durch Opfer geschlossenen Bund verwendet werden kann, zeigt Jesu Ermahnung an die Jünger: »Habt Salz bei euch und Frieden untereinander« (Mk 9,49). Zwar steht dieser Spruch nicht im Lukasevangelium, doch warnt Lk 14,34 so gut wie Mt 5,13 und Mk 9,49 vor einem Fadewerden des Salzes.

Lukas spricht sonst nicht von bestimmten Speisen. Immerhin warnt nach seinem Zeugnis Jesus – auch in diesem Fall: in symbolischer Sprache – vor dem Sauerteig der Pharisäer (Mt 16,6.11.12: auch der Sadduzäer; Mk 8,15: auch des Herodes), d.h. vor ihrer Heuchelei (Lk 12,1). Weil die geheime und totale Wirksamkeit des Sauerteigs in Lk 13,20–21 als Gleichnis für das Reich Gottes dient, ist jene Warnung nicht als grundsätzliches Nein zu Gesäuertem zu verstehen. Entsprechend spricht Paulus in 1Kor 5,7–8 nur vom Ausräumen des alten Sauerteigs: dem Bösen und Schlechten. Nach Lk 5,37 hatte Jesus weder gegen neuen noch gegen alten Wein etwas einzuwenden, doch warnte er vor der Aufbewahrung des ersten in alten Schläuchen und vor der Unterschätzung des zweiten.

Alle wörtlich oder bildlich gemeinten Aussagen über Speise und Trank sind das Gegenteil der Lehre, der Mensch müsse dieses essen oder jenes trinken, um Zugang zum Reich Gottes und Anteil am ewigen Leben zu erhalten. Gewiß enthält Joh 6 die Bedingung und Verheißung, daß nur, wer Jesu Fleisch ißt und sein Blut trinkt, ewiges Leben erhalten wird; diese Speise ist noch besser als das Himmelsbrot Manna, das den Tod der Väter in der Wüste nicht verhindern konnte, und als die bei der Speisung der 5000 verteilten Gottesgaben, die – wenn recht verstanden – ein Hinweis auf Jesu Selbsthingabe, nicht aber auf seine Qualifikation als zweiter Mose oder als König Israels waren. Lukas (9,12–17) berichtet zwar von einer quantitativen Veränderung, d.h. einer Vermehrung von Brot. Von einer

qualitativen Verwandlung (Transsubstantiation) jedoch ist nirgends die
Rede. Das vermehrte Brot ist nichts anderes als – Brot. In Joh 2 wird von
einer Verwandlung berichtet: Bei der Hochzeit von Kana wurde gewöhnliches Wasser zu köstlichem Wein. Das beweist jedoch nicht, daß nach den
lukanischen Mahlberichten mit Einschluß der Einsetzungsgeschichte in Lk
22 aus einer Substanz eine andere wird. Lukas kennt und nennt keine festen oder flüssigen Paradiesspeisen nach der Art von »Milch und Honig« in
alttestamentlichen Texten oder von Nektar und Ambrosia in der griechischen Mythologie. Spielt »Brot« bei Lukas eine repräsentative und symbolische Rolle, so wird es doch in vielen wichtigen Mahlberichten, Mahlgleichnissen und Tischworten und -reden gar nicht erwähnt. Auch ist Lukas nicht ein Kronzeuge für die Eucharistiefeier nur mit Brot *(sub una)* –
als ob gerade Brot immer und überall (oder doch im »Sakrament«) alle anderen für Zeit und Ewigkeit nötigen Heilsmittel in sich enthielte. So komplizierte und tendenziöse Lehren wie die Doktrin von der Konkomitanz
(Anwesenheit des ganzen Christus, seines Fleisches und Blutes in der Hostie, auch wenn den Laien der Meßkelch vorenthalten wird) lagen nicht im
Gedankenbereich des Lukas. Gerade »Brot allein« tut's laut Lukas (und
Matthäus) nicht. Es genügt nicht einmal dann, wenn Jesus es sich durch
ein Kraftwort oder eine Krafttat leicht beschaffen könnte (4,3–4) oder
wenn es zusammen mit Fisch oder Wein als Gabe Gottes mit Danksagung
empfangen und unter viele reichlich verteilt wird (9,16). Nach Matthäus
(4,4, vgl. Weish 16,26) hat Jesus in seiner Antwort an den Versucher die
zweite Hälfte von Dtn 8,3 vollständig zitiert: Was zusätzlich zum Brot nötig ist, ist das Wort Gottes, das alles für den Menschen Notwendige – auch
das Brot! – schafft.
Lukas bestätigt gerade in seinem sogenannten Sondergut (z.B. den Geschichten von Maria und Martha, vom Lobpreis der Maria durch eine Frau
aus dem Volk, von den ausgeschlossenen Gästen, vom letzten Mahl, die er
nicht mit Matthäus und Markus oder mit dem Vierten Evangelium teilt)
die Unterordnung des Beschaffens und Verzehrens von Speise unter die
Verkündigung und Aufnahme des Wortes (8,15.21; 10,38–42; 11,27–28;
22,15–38). Auch die Emmausgeschichte legt viel größeres Gewicht auf die
von Jesus gesprochenen Worte (mit Einschluß seiner Schriftauslegung) als
auf das Mahl. Der Prophet Jeremia (15,16) spricht bildhaft von einem »Ver-
schlingen des Wortes Gottes« zur »Wonne« des mit *dieser* Speise Versorg-
ten. Ez 2,8–3,3 und Apk 10,2.8–11 beschreiben Visionen, die vom Gebot
und Vollzug des Essens des schriftlich fixierten Offenbarungswortes handeln; es hat zunächst süßen Geschmack. Bei Lukas sucht man jedoch ver-
geblich nach einer Bildrede vom Essen des gesprochenen oder fleischgewordenen Wortes Gottes.
Menschen mögen auf Bitten hin edle statt widerliche Speise geben, sie
mögen Kalbfleisch auftischen, statt Johannisbrotbaumschoten zu verwei-
gern (11,11–13; 15,16.23.27.30); aus Gottes Hand kommt gewiß *auch* »Brot
und Fisch« und Wein (9,12–17; 22,17.19–20), als ganz besondere Gabe hin-

gegen der Heilige Geist (11,13; vgl. 1,34). Von einem Essen oder Trinken dieses Geistes, auch von einem für die Geistausschüttung notwendigen Verzehr einer anderen Speise ist weder in direkter noch in metaphorischer Weise je die Rede. Dementsprechend wird den Jüngern vor der Himmelfahrt weder besonderes Brot noch eine andere besondere Speise oder ein anderer Trank, sondern einzig der Heilige Geist als Kraftquelle für ihre Missionstätigkeit verheißen (24,27–28; Apg 1,4–8). Wenn sie unterwegs sind, dürfen und sollen sie essen, was immer ihnen vorgesetzt wird (10,7–8), also auch unreine Speise. So erhält ja auch Petrus während einer Vision den Befehl, unreine Tiere zu schlachten und zu essen (Apg 10,10–16; 11,5–10).

Lukas ist nicht Johannes; er hat das Recht, neben Johannes, der vom Kauen des Fleisches und vom Trinken des Blutes Jesu Christi spricht (Joh 6,51–58), in seiner eigenen Sprache sein eigenes Zeugnis vorzulegen. Die Tatsache, daß unter den lukanischen Aussagen über verzehrte Substanzen explizite Aussagen fehlen, die eine sakramentale Mahllehre suggerieren oder bestätigen könnten, beweist jedoch nicht eindeutig, daß Lukas eine solche Lehre entweder gar nicht kannte oder aber kannte und bekämpfen wollte. Argumente *e silentio* dürfen nur dann ernsthaft berücksichtigt werden, wenn sie durch andere Argumente, die auf expliziter Affirmation eines Zeugen beruhen, übertönt werden. Immerhin spricht das totale Schweigen des Lukas über eine Substanzverwandlung oder eine himmlische Wundersubstanz, über eine heilsnotwendige Speise oder ihren Verzehr eine deutliche Sprache. Es gibt keine Lukastexte, die eindeutig zu dem Schluß zwingen, daß am Tisch des Herrn von Brot und Wein besondere Wirkungen ausgehen und daß das Mahl des Herrn ein unabdingbares Mittel zum Zweck der Heilsmitteilung, des Heilsempfangs und der Heilsgewißheit ist. Es ist zwar unbestreitbar, daß das Mahlzeugnis des Lukas im Bericht über Jesu letztes Mahl seinen Brenn- und Höhepunkt hat. Doch geben die von Lukas überlieferten (und redigierten?) Berichte über vorausgehende und nachfolgende Mahlzeiten und Mahlworte keinen Anlaß, (mit Wanke, Bösen, Schürmann und anderen) das Mahl des Herrn als Sakrament in einem traditionellen Sinn dieses Begriffs zu verstehen.

Was aber ist das Wichtigste am Mahl des Herrn, wenn sein Geheimnis weder in den verzehrten Substanzen noch in ihrer Wirkung auf die Teilnehmer zu suchen ist?

5. Gemeinschaft mit Jesus

Wichtiger als das, was man ißt, ist für Lukas die Frage, mit wem man ißt. In der Gegenwart einer geliebten und verehrten Person kann das erbärmlichste Mahl zum Freudenmahl werden; schlechte Gesellschaft oder offener Konflikt am Tisch vermögen das köstlichste Mahl zu verderben. Ob, wie und wozu *mit Jesus* gegessen und getrunken wird, dieses Kriterium ist bei Lukas entscheidend. Ist Jesus Gastgeber, Tischherr oder Gast, vermag nicht einmal die Anwesenheit von Judas und Petrus das Festmahl zu ruinieren; dies zeigt der Bericht vom letzten Mahl Jesu (Lk 22,21–23.31–34). Auf der anderen Seite garantiert auch das Essen und Trinken in Gegenwart Jesu nicht automatisch den Willkommensgruß und die Aufnahme durch Jesus. Zu einigen Gästen sagt der Herr: »Ich weiß nicht, woher ihr seid« (13,23–27). Andere sind zwar von ihm selbst eingeladen, lehnen es aber ab, der Einladung zu folgen (14,16–24) – selbst wenn sie wissen und mit dem Munde bekennen, daß »selig ist, wer Brot ißt im Reich Gottes« (14,15).

Schroff verurteilt werden auch solche, denen überhaupt nicht daran liegt, ob jemand mit ihnen ißt. Die Noah-Generation ignoriert mit ihrem Essen und Trinken das bevorstehende Gericht (17,26–30). Dieselbe Haltung kennzeichnet den reichen Kornbauern, den bösen Knecht und den reichen Mann, der »alle Tage herrlich und in Freuden lebt« (12,16–21.45–46; 16,19). Während andere vor ihren Augen Hunger leiden, sind solche Menschen überzeugt, daß nur Selberessen fett macht und das Überleben sicherstellt. Wie schon gesagt, gibt es nicht nur bei Paulus, sondern auch bei Lukas eine asoziale Art, sein »eigenes Mahl« ohne Beteiligung der Hungrigen vor der Haustür zu verspeisen.

Jesus aber weigerte sich, für sich selbst Brot zur Stillung seines Hungers herzustellen (4,2–4). Nach Lukas hat der Herr vor und nach seinem Tod und seiner Auferweckung immer nur zusammen mit anderen gegessen. Zur Tischgemeinschaft ließ er sich von Frauen, Sündern, Pharisäern und Jüngern einladen; auch veranstaltete er selbst Mahle für andere. Die Speisungs- und die Emmausgeschichte z.B. (9,12–17; 24,28–35) zeigen in je eigener Weise, daß sich Jesus, der Gast, als der eigentliche Gastgeber enthüllt. Das Gebet »Komm, Herr Jesu, sei du unser Gast und segne, was du uns bescheret hast« nimmt gerade diese Verwandlung des Gastes zum Gastgeber auf.

Am Tisch von Pharisäern (7,36–50; 11,37–52; 14,1–24) erwies sich der eingeladene Jesus als Hauptperson in der Tafelrunde – auch ohne daß er einen Ehrenplatz für sich beanspruchte. Diese Mahle gipfeln in Kontroversen und scharfen Worten. In den Häusern der Zöllner Levi und Zachäus (5,27–32; 19,5–10) wird die Sendung Jesu zugunsten der Sünder gerade durch seine Tischgemeinschaft mit den Verachteten und Ausgestoßenen offenbart und unter Beweis gestellt. »Heute ist diesem Hause Heil widerfahren« (19,9): Dieses Heil besteht sowenig in bestimmten Speisen wie im Essen und Trinken (vgl. Röm 14,17). Es besteht aber im freudig begrüßten Eintreten des Retters in die Häuser von Sündern und in seinem Eintreten für Sünder auch in Wohnungen, in denen ihm widersprochen wird.

Nur wegen Jesu Anwesenheit, nur weil »mit ihm« gegessen und getrunken wurde, führte das Mahl am Tisch von Pharisäern zu Konflikt und Gericht, diente aber am Tisch von Zöllnern zum Besten. Derselbe Jesus Christus ist »zum Fall und zur Erhebung Vieler in Israel und zum Zeichen, dem wi-

dersprochen wird, gesetzt . . ., damit die Gedanken vieler Herzen offenbar
werden« (1,34–35). Der Konflikt mit jenen, die sich als Erste in Israel betrachten und »es lieben, den Vorsitz zu haben« (13,30; 14,7–11), hat regelmäßig seine Wurzeln gerade in Jesu Einsatz für die Letzten und in seiner
Solidarität mit ihnen. Statt des einladenden Pharisäers Simon ist es die im
Pharisäerhaus unwillkommene Sünderin, der viel vergeben ist und die
große Liebe zu Jesus unter Beweis stellt.

In paulinischer Sprache ausgedrückt, kann gerade das Mahl in »Gemeinschaft« mit Christus »zum Gericht« für diejenigen werden, die sich nicht
»selbst geprüft« haben. Nach dem (oben erläuterten) Zeugnis des Apostels
in 1Kor 11 schaffen gewisse Glieder der Korinthischen Gemeinde »Spaltungen«, indem sie sich so verhalten, daß geistlich oder materiell schwache
Gemeindeglieder als ärgerliche Störenfriede und Zielscheiben von Spott
und Schande dastehen. So kann sich nur benehmen, wer der Tatsache un-
eingedenk ist, daß Jesus Christus gerade auch für die kleinen und ärgerlichen Brüder gestorben ist. Paulus ließ es diese Vergeßlichen wissen, daß,
wer am schwachen Bruder sündigt und auf sein Gewissen einschlägt, gegen Christus sündigt und nicht in der Liebe wandelt (1Kor 8–14, bes. 8,12;
vgl. Röm 14,15). Mag das Lukaszeugnis vom Essen und Trinken nicht nur
in sprachlicher, sondern vielleicht auch in sachlicher Hinsicht vom Mahlzeugnis des Vierten Evangeliums verschieden sein. In sprachlicher Form,
in der Anschaulichkeit der Darstellung und in der Substanz gibt es sicher
große Ähnlichkeit, ja Einstimmigkeit zwischen Lukas und Paulus.

Indem Jesus nach Lukas an Tischen und durch Tischgemeinschaft den
Frommen und den Unfrommen in je eigener Weise verkündet, daß er die
Sünder annimmt und rettet, leistet er den irdischen Gastgebern und allen
Gästen einen Dienst, den niemand von ihm nehmen und mit ihm teilen
kann. Er stellt den um ihren Vorrang streitenden Jüngern die Frage, ob der
zur Mahlzeit hingelagerte Essende oder der zu Tisch dienende Sklave größer sei – und er kennt die übliche Antwort. Seine Eigenart ist es, daß er das
Amt des Dieners für sich selbst wählt und an seinen Jüngern vollzieht
(22,27). Zwar hätte er das Recht, sich bedienen zu lassen (17,7–10) – doch
gürtet er sich, um seinen Knechten zu helfen, sich zum Mahl zu lagern,
und um sie zu bedienen (12,37; vgl. Joh 13,4–8). Der Höhe- bzw. Tiefpunkt
des Dienstes, den nur er allein leisten muß und kann, ist sein Tod. Selbst
der bestgemeinte Dienst *an* Jesus aber, wie ihn z.B. Martha als eifrige
Hausfrau leistet, kann Jesu eigenen Dienst nicht ersetzen. Die schroffe Be-
urteilung der Arbeit Marthas (Lk 10,28–32) könnte einen ihrer Gründe
darin haben, daß sie in eigener Dienstfreudigkeit die Annahme des besonderen Dienstes Jesu verweigert.

Am Tisch besteht dieser besondere Dienst darin, daß Jesus in kurzen Sprüchen und längeren Reden sich selbst und das Reich Gottes verkündet. Lukas verbindet viel mehr und längere Worte Jesu mit dem letzten Mahl Jesu
als Matthäus und Markus (22,15–38); nur das Johannesevangelium (13,1–
14.31 bzw. 13,1–17,26) überbietet Lukas noch mit der Länge und dem Ge-

wicht der »Abschiedsreden«. Auf alle Fälle entscheidet sich am Hören und
Bewahren des Wortes, ob das »Essen und Trinken mit Jesus« (vgl. Lk 13,26;
Apg 10,41 u.ö.) zum Heil oder zum Gericht gereicht. »Maria aber hat das
gute Teil erwählt« (Lk 10,42). Solange der ältere Bruder im Gleichnis nicht
auf den Vater hört, steht er draußen (15,25–32). Hätten Judas und Petrus
gehört, was Jesus beim letzten Mahl sagte (22,21–23.31–34), wäre Judas
nicht als Verräter und Petrus nicht als Verleugner in die Geschichte eingegangen.

Somit hat im Lukasevangelium nicht einmal das Essen, Trinken und Dienen in Gemeinschaft mit dem leiblich anwesenden Jesus Christus die sakramentale (oder zauberhafte) Kraft eines *ex opere operato* (wegen korrek-
ten Vollzugs) wirksamen Heil- oder Heilsmittels. Essen und Trinken mit
Jesus kann zwar echteste und intimste Gemeinschaft zum Ausdruck bringen; doch liegt auch die Hand des Verräters auf dem Tisch. Dem Brotbrechen innerhalb der Gemeinde kann unmöglich mehr zugeschrieben werden, als für die zahlreichen vorösterlichen Mahle und Tischreden eigen-
tümlich ist.

6. Gemeinschaft mit Jesu Gästen

Gemäß den Erzählungen und Reden des Lukasevangeliums kann niemand
Gemeinschaft mit Jesus haben, ohne gleichzeitig ja zu sagen zu den Tischgenossen und Gästen Jesu und sich ihrer freudig anzunehmen. Paulus hat
durch die Verbindung von 1Kor 10 mit 1Kor 11 gezeigt, daß Christusgemeinschaft ohne Gemeinschaft der Gäste untereinander »unmöglich«
(1Kor 11,20) ist. Bei Jesu Mahlen im Hause von Zöllnern und von Pharisäern wird dasselbe deutlich: Der Herr entscheidet sich für die Schwachen,
ruft dadurch aber auch die Starken zur Buße. Mag der Zöllner in Sachen
vorzeigbarer Frömmigkeit schwach, dazu ein Schwindler, Erpresser, Kol-
laborateur und Ehebrecher sein, der sich kraß von dem (sich seiner Stärke,
seines Gottesdienstes, seines Fastens, seiner Erfüllung der Zehntenpflicht
bewußten) Pharisäer unterscheidet! Jesus entscheidet sich für den Zöllner,
der Buße tut, und ruft die selbstbewußten Gerechten, die die anderen verachten, dazu auf, dasselbe zu tun. »Gerechtfertigt« *von Gott* ist der Zöllner
(Lk 18,9–14). Finanziell gesehen gehörten viele Pharisäer zum ärmeren
Teil der Bevölkerung, während Zöllner zu den Reichen gezählt wurden. Jesus hat sich von beiden einladen lassen; aber besonders die Pharisäer hat er
zur Buße gerufen (Lk 7,36–50; 11,37–52; 14,1–24). So kann niemand mit
Jesus essen und trinken, ohne Arme und Sünder ganz verschiedener Art,
eben Zöllner und Pharisäer, an seinem Tisch zu finden. Verschieden sind
die Personen und die krassen Verfehlungen von Judas und Petrus; doch
nehmen beide am letzten Mahl Jesu teil. Es ist nicht ihre Sache, den Tisch-
herrn davon zu überzeugen, daß jeweils der andere nicht an diesen Tisch
gehört. Jesus hat beide eingeladen und die Gegenwart beider ertragen

(22,21–23.31–34). Sollte der tüchtige, selbstbewußte, moralisierende und anklagende ältere Bruder der Einladung des Vaters folgen und wie der jüngere Buße tun, so findet er den notorischen Sünder als hochgeehrte Hauptperson am väterlichen Tisch. Er wird mit diesem Bruder zusammen essen – wie ja auch der jüngere dann mit ihm Tischgemeinschaft haben wird.

Matthäus (10,40; vgl. Joh 13,20) geht nur scheinbar noch weiter als Lukas, wenn er den Spruch überliefert: »Wer euch aufnimmt, nimmt mich auf«; wird doch gerade bei Lukas (10,5–7; vgl. 12,32) ausdrücklich festgestellt, daß Aufnahme eines Gliedes aus der kleinen Herde und das gemeinsame Essen und Trinken mit ihm der Verkündigung und dem Bleiben des messianischen Friedens gleich ist. Wird aber das Friedenswort dieses Boten Jesu und der Bote selbst nicht »gehört« und »aufgenommen«, sondern beiseite gesetzt, so wird Jesus selbst und Gott, der ihn sandte, abgewiesen. Sodom, Tyrus und Sidon (zu denen nie ein Gesandter Gottes kam) wird es im Gericht besser ergehen als Chorazim, Bethsaida und Kapernaum. Jesu verstoßene Gesandte aber dürfen den Staub von ihren Füßen schütteln und getrost ihres Weges ziehen, das Reich Gottes ist doch gerade ihnen nahe (Lk 10,10–16).

Noch einmal: Wer das Reich Gottes nicht in seiner kleinen und anstößigen Gestalt, eben in der Gestalt eines »Kindes« aufnimmt, wird nicht hineingelangen (18,17). Will der ältere Bruder nicht an demselben Tisch essen, an dem die Heimkehr des jüngeren Bruders gefeiert wird, so schließt ihn seine Hartherzigkeit aus von Nahrung und Freude, ja vom Vaterhaus. Der Vater aber hat das Mahl für alle bereitet (15,25–32). Das »Haus wird voll« werden selbst dann, wenn nur »Arme, Krüppel, Blinde und Gelähmte« es füllen und keiner der zuerst eingeladenen, kaufkräftigen und ihrer Familienpflichten bewußten Freunde des Gastgebers am Festmahl teilnehmen (14,15–24).

Die Liebe des Gastgebers ist schrankenlos – er lädt Hohe und Niedere ein. Ob sich die Eingeladenen aber seine Liebe recht sein und gefallen lassen und ob sie ihn wirklich lieben, entscheidet und offenbart sich daran, ob sie bereit sind, auch ihrerseits die Kleinen zu lieben und mit ihnen an einem Tisch zu sitzen. Wo Liebe ist, da ist auch Tischgemeinschaft. Ohne Gemeinschaft mit zuvor Verachteten und Verstoßenen keine Gemeinschaft mit dem Herrn. Nach Paulus – Gal 2,11–21 bilden einen zusammengehörenden Abschnitt! – bedeutet die Aufhebung der Tischgemeinschaft zwischen Sündern jüdischen Ursprungs und Sündern heidnischer Abstammung nicht weniger als Verwerfung des Christus, »der mich geliebt hat«, und der Rechtfertigung aus Gnade allein.

Offensichtlich sind für Lukas die Personen, mit denen man zum Essen und Trinken zusammenkommt, wichtiger als die Speisen und Getränke auf dem Tisch. Nicht das ungesäuerte Brot oder der Wein (geschweige denn das geschlachtete Lamm), die beim Passamahl gereicht werden, sondern die Tischgemeinschaft Jesu mit sündigen Jüngern (die um ihren Rang

streiten und die ihren Meister verraten und verleugnen werden), dazu die
Worte, die Jesus spricht, geben dem letzten Mahl Jesu seinen einzigartigen
Charakter, seine Würde und Wirkung. Die unreinen Speisen jedoch, die
die Samaritaner und andere Halb- oder Ganzheiden den siebzig Jüngern
vorsetzen werden und die der unreine, wenn auch fromme Proselyt Cornelius dem Apostel Petrus vorgesetzt hat, hindern nicht, daß Tischgemeinschaft in Frieden und im Namen Jesu stattfindet (Lk 10,7–8; Apg 10–
11; vgl. Gal 2,11–21).

Was wird nun eigentlich (nach dem lukanischen Zeugnis) am Tisch getan
und bewirkt, wenn Jesus vor seinem Tode und in den vierzig Tagen zwischen Ostern und Himmelfahrt mit anderen Menschen zusammen ißt
und wenn nach Pfingsten die Glieder seiner Gemeinde zu seinem »Gedächtnis« ein feierliches Mahl halten?

7. Die Taten der Gäste

Als zu Tisch geladene Gäste des Gekreuzigten sind alle Mahlteilnehmer
ermächtigt und aufgerufen, selbst etwas zu tun. Was ist mit dem Fürwort
»dies« gemeint, wenn es heißt: »*Dies tut* zu meinem Gedächtnis« (Lk
22,19b; vgl. 1Kor 11,24–25)? Mindestens acht menschliche Tätigkeiten
können unterschieden und, zu vier Paaren gruppiert, kurz beschrieben
werden: a) Hier werden Produkte der von Gott gesegneten Natur und harter menschlicher Arbeit *gegessen* und *getrunken*. b) Hier wird aus Liebe und
in großer Demut *gedient*, damit der Niedrige gestärkt und *geehrt* werde.
(c) Hier wird zugehört und geantwortet oder erkannt und bekannt (verkündet), was im Mittelpunkt des Glaubens steht. d) Hier lassen sich Herzen er-
wärmen und so mancher Mund auftun zu freudigem Jubel. Diese oder jene
Tätigkeit und Wirkung, dieses oder jenes Paar wird in den verschiedenen
Mahlgeschichten, -gleichnissen, -sprüchen oder -reden, die Lukas gesammelt und über das Evangelium und die Apostelgeschichte verstreut hat,
stärker als andere betont. Doch laufen in seiner Darstellung von Jesu letztem Mahl alle (*vor* der Erzählung der Kreuzigung Jesu gesponnenen
und *nach* den Auferstehungsberichten weitergesponnenen) Fäden zusammen.

a)   Gegessen wird aus Getreide hergestelltes Brot, und getrunken wird
von der »Frucht des Weinstocks«. Sowenig wie Jesus bei irgendeinem Mahl
sich selbst gegessen und getrunken hat, essen die Volksmengen, die Zöllner, die Sünder oder die Jünger ihn selbst, wenn er Tischherr oder Gast ist.
Wie schon gesagt: Eine materielle, mirakulöse, symbolische oder metaphorische Verbindung zwischen Christus auf der einen und Brot und Wein
auf der anderen Seite ist bei Lukas nicht bezeugt. Nicht einmal Joh 1,14
oder Joh 6 behaupten, das Wort sei Brot geworden oder Brot werde in
Fleisch verwandelt.

Sollte aber einzig und allein das Brotwort »dies ist mein Leib« (Lk 22,19) einen Substanz- oder Bedeutungswechsel nicht nur anzeigen, sondern (als sog. *forma sacramenti*) auch mit der Kraft eines schöpferischen Wortes und mit dem Effekt einer Krafttat bewirken? Dies könnte nur dann angenommen werden, wenn Lukas in seinem Bericht über die Einsetzung des Mahls des Herrn seinen lieben Theophilus (Lk 1,3; Apg 1,1) bzw. alle seine Leser mit einem Mysterium und Wunder überfiel, auf das er in vorhergehenden Mahlgeschichten und -worten niemanden vorbereitet hatte und auf das er in späteren Berichten auch nie wieder hinwies! Schlechthin unmöglich ist dies zwar nicht; doch würde diese Annahme der Klarheit und Folgerichtigkeit des Schriftstellers Lukas ein bedenkliches Zeugnis ausstellen.

Eine Beobachtung am Wortlaut des Einsetzungstextes bestätigt den Eindruck, daß Lukas weder an eine Substanzveränderung oder -bereicherung noch an eine Umfunktionierung oder -deutung von Brot und Wein gedacht hat. Das Weinwort gibt er im Langtext, ähnlich wie Paulus, in der Fassung wieder: »Dieser Kelch ist der neue Bund in meinem Blut«, nicht in der Form: »Dies (bzw. dieser Wein) ist mein Blut«. Sicher wird *der Kelch* (mit seinem Inhalt oder ohne ihn) nicht in Blut verwandelt, durch Blut bereichert oder zu einem Blutsymbol gemacht! Vielmehr sind im Kelchwort Opfer-, Bundes- und andere Traditionen aufgenommen und zusammengefaßt: Zu einem feierlichen Bundesschluß gehört das Vergießen von Opferblut; in seinem Zorn oder zur Prüfung gibt Gott einen Bitter- oder Leidenskelch zu trinken; Gottes Erwählten aber wird auch ein Kelch des Heils gereicht, und sie trinken ihn mit Freuden; endlich edler Rebensaft – gerade ohne Manipulationen an seiner Substanz! – darf des Menschen Herz erfreuen.

Nach Lukas wird am Tisch des Herrn echtes Brot und natürlicher Wein als Gabe Gottes anerkannt, ausgeteilt, zum Munde geführt und hinuntergeschluckt. Das Brot ist der Inbegriff aller unentbehrlichen Nahrungsmittel; das zeigt Jesu Versuchung in der Wüste und die vierte Bitte des Herrengebets. Dazu wird die Frucht irdischer Weinstöcke als Gottesgabe gepriesen: Bei aller Mühe und Arbeit darf der Mensch sich auch freuen. Die von Gott gegebenen irdischen Gaben, die aus seiner Hand empfangen, durch menschliche Arbeit kultiviert, unter hungrige und traurige, verräterische und versagende Menschen verteilt, auf der Zunge geschmeckt werden und schließlich in den Magen gelangen, sind nicht zu gering, von Jesus in einen heiligen Dienst gestellt und beim Mahl des Herrn verwandt zu werden.

b)   Zum festlichen Mahl gehören *Dienst*leistungen. Sie sind unentbehrlich *vor* der eigentlichen Mahlzeit, *beim* Eintritt der Gäste ins Haus und *während* der Mahlzeit. Nur die nach dem Fest anfallenden Aufräumarbeiten – außer in der Speisungsgeschichte – und die bei Griechen und Römern zuweilen vollzogene Heimgeleitung von Gästen werden nicht erwähnt. Das Lukasevangelium spricht von der eventuell wiederholten Einladung, der Revision der Gästeliste, der Erstellung und Korrektur der Sitzordnung, endlich der Zurüstung des Raums und der Speisen. Daß Jesus selbst gesandt war, zu dienen (12,37; 22,27; *diakoneō* bedeutet ursprünglich »zu Tische dienen«), zeigte er nach Joh 13,1–20 besonders deutlich durch den Vollzug der Fußwaschung. Seine Selbsterniedrigung erklärt er nicht nur als unabdingbare Voraussetzung der Gemeinschaft des Petrus mit ihm, sondern auch als »Vorbild« für das gegenseitige Verhalten der Jünger (Joh 13,8.14–15). Nach Lukas (7,37–46) hat er sich diesen Dienst einmal auch selbst leisten lassen – um den Preis eines unausgesprochenen Vorwurfs von seiten des gastgebenden Pharisäers; schien es doch, als ob Jesus nicht fähig wäre, Distanz zu Unwürdigen zu halten. Jedermann, besonders jedoch seine Jünger, forderte Jesus auf, statt nach Vorrang zu streben, niedrigen Tischdienst zu leisten (Lk 22,24–27) oder aber, wenn selbst zu einem Mahle geladen, Plätze unten am Tische zu suchen (14,7–11). Zur vollen Bezeugung Jesu Christi und zum Leben der Gemeinde genügte Wortverkündigung allein nicht; weil die Apostel als Diener des Wortes sich als unfähig erwiesen, gleichzeitig auch alles für die Armenfürsorge Nötige durchzuführen, wurden nach Apg 6,1–6 Diakonen (»Tischdiener«) zum Dienst an vernachlässigten Witwen bestimmt. Wahrscheinlich wurde zudem durch verschiedene Gemeindeglieder das im Gottesdienst gebrochene Brot in die Wohnungen Hungriger, Behinderter und Zu-kurz-Gekommener gebracht.

Am Tisch wird jedoch nicht nur Demut, Dienst- und Arbeitsbereitschaft gezeigt, wird auch nicht nur Selbsterniedrigung eingeübt. Hier geschieht gerade durch Dienstleistung Ehrung und Erhöhung. Wer sich selbst für einen der Ersten hält oder sich zu dieser Position hinaufschwingen will, scheitert; wer sich aber selbst erniedrigt, ehrt und erhöht entweder andere oder erhält vom Hausherrn einen Ehrenplatz. »Freund, rücke weiter nach oben!« (14,10). Jesus schützt die Sünderin in Simons Haus und lobt *ihre* Liebe – eine Liebe, deren der Gastgeber nicht fähig war (Lk 7,39–50). Wenn Jesus von Zöllnern und Sündern eingeladen ist, verkündet er, daß seine Gastgeber durch *ihn* gerufen und geheilt werden, d.h. in paulinischer Sprache: daß Gott Sünder aus Gnade rechtfertigt (vgl. Lk 5,29–32; 19,7–10). Wenn die Jünger in seiner Gegenwart nicht fasten, sondern essen, sogar, wenn sie sich durch Sabbatarbeit Nahrung verschaffen, erklärt Jesus sie als Gäste an seiner Hochzeit und Teilhaber an einem Privileg Davids (5,33–35; 6,1–5). Er selbst ehrt seine Knechte, indem er sie bedient (12,37). Am Tisch verspricht er den mit ihm versuchten und durchhaltenden Jüngern die Teilnahme am künftigen Messiasmahl (22,28–30). So wird geehrt, wer jetzt mit Jesus an demselben Tisch sitzt, dem Knecht Gottes und Diener der Menschen, und mit den von Jesus Eingeladenen und Bedienten. Hier wird exemplarisch demonstriert, daß, »wer sich selbst erniedrigt, erhöht werden wird« (14,11; 18,14; vgl. Mt 18,4).

c)   Zum festlichen Essen gehören *Tischgespräche und -reden*, zum Trinken Trinksprüche. Wenn Jesus Gast oder Gastgeber ist und wenn in Gleichnissen »der Herr« oder jemand anderes ein Mahl hält oder gibt, wird immer gesprochen. Nicht nur die Arbeit geht munter fort, wenn gute Reden sie begleiten. Gewiß ist am Tisch die verbale Äußerung von Erinnerungen, Gefühlen, Hoffnungen, Lehren oder Ermahnungen durch angebliche oder wirkliche Hauptpersonen unangebracht, solange jemand sein Brot mit Tränen essen muß. Raum für Fragen, Bemerkungen, Proteste oder Zustimmungen von seiten der anderen Tischgäste wäre dann nicht vorhanden.

Die Mahlzeiten, an denen Jesus bzw. der Herr in den Gleichnissen teilnimmt, erhalten ihren besonderen Charakter durch das, was von Jesus gesagt wird – ob er nun Gott dankt, bestimmte Tischgäste besonders anspricht oder im Sinn hat, sich an die ganze Tafelrunde wendet oder für jedermann gültige Sprüche formuliert. Hätte Jesus bei seinem letzten Mahl nicht gesprochen und gäbe es keine Überlieferung von dem, was er dabei sagte, so könnte kaum jemand wissen, was das Besondere am Mahl des Herrn ist. Bis zum heutigen Tage gehört es jedoch zum Wesen des Passamahls, daß die Frage gestellt und beantwortet wird: Was ist der Unterschied dieser Nacht und dieses Mahls von anderen (vgl. Ex 12,26)? Obwohl nicht in Dialogform, anerkennen auch bisherige kirchliche Mahlliturgien die Berechtigung solcher Fragen und die Notwendigkeit ihrer Beantwortung.

Unter der Voraussetzung, daß man unter »Element« die ganze Mahlzeit und alles versteht, was die Teilnehmer am Mahl sind, tun und empfangen, kann hier der schon erwähnte Satz Augustins (in Ioann. Ev. tract. 80,3) als treffliche Auslegung des *lukanischen* Mahlzeugnisses zitiert werden: »Tritt das Wort zum Element, so entsteht das Sakrament.« In diesem Fall wäre »das Wort« (in mittelalterlicher Terminologie: die *forma sacramenti*) frei von dem Verdacht, die Funktion eines magisch wirkenden Kraftwortes oder eines *hieros logos* übernommen zu haben. Sicher hat Jesus nach Lukas während seines letzten Mahls Brot und Wein nicht so »besprochen«, wie ein Zauberer oder Medizinmann z.B. einen gebrochenen Knochen bespricht. Auch hat Jesus seinen Jüngern sowenig wie späteren Priestern und Pfarrern den Befehl und die Vollmacht gegeben zu tun, was er selbst nicht getan hatte. Nach den lukanischen und den johanneischen Berichten über Jesu Reden bei seinem letzten Mahl sprach Jesus von Dingen, die seine ganze Mission, das ganze Mahl und das ganze Leben der Jünger betrafen. Statt von einem Brot- und Weinwunder oder einem Mysterium von Brot und Wein redete er vom Geheimnis seines Todes. Wie beim Fischzug des Petrus, bei den Mahlen am Tisch von Sündern und Pharisäern, bei der Speisung der Fünftausend und bei den Ostermahlen, gab er auch bei seinem letzten Mahl mehr als nur diese oder jene Information und Instruktion: Er gab sich selbst zu erkennen und half seinen Jüngern, ihn recht zu verstehen und zu bekennen.

Die Tischreden machen somit das Mahl zu einem Mittel der Offenbarung, der Erkenntnis und des Bekenntnisses. Zwar sprechen Taten Jesu und Ereignisse um Jesus auch für sich selbst; zwar gilt dies auch für die Mahle Jesu in der Wüste, am Tisch von Zöllnern, im Haus von Pharisäern, in der Wohnung Marias und Marthas und im Obergemach mit den Jüngern. Doch kann die wortlose Sprache der Tischgemeinschaft so gut wie das Tatzeugnis anderer Ereignisse auch überhört bzw. ignoriert werden; oder sie können mehrdeutig sein und falsch verstanden werden. So konnten Krafttaten Jesu wie die Dämonenaustreibungen einer Bevollmächtigung durch Beelzebub, den Oberteufel, zugeschrieben werden (11,14–16). Die Tatsache, daß Jesus (außer zu Beginn und am Ende seiner öffentlichen Laufbahn auf der Erde) nicht fastete, sondern am Tisch von Sündern feierte, sah man als Gefräßigkeit, Trinklust und Freude an dubioser Gesellschaft an (7,33–34; 15,2). Der Festlärm im Vaterhaus genügt nicht, den älteren Bruder von Ursache, Zweck und Recht des Festmahls zu überzeugen. Die Speisung der Fünftausend allein ging zwar – nur bei Lukas! – der Frage »Wer sagen die Leute . . ., was sagt ihr, daß ich sei?« und dem Petrusbekenntnis (»der Gesalbte Gottes«), der Leidens- und Auferstehungsankündigung und dem Ruf Jesu zur Nachfolge im Leiden fast unmittelbar voraus (9,12–26); doch konnte die Speisung derselben Menge (nach Joh 6,5–15) die Wohlgenährten auch dazu verleiten, Jesus für den wiederbelebten Mose zu halten und seine Erhebung zum politischen König zu planen. Selbst Taten, die als »Zeichen« gemeint sind und verstanden werden, sind vor falschen Interpretationen nicht gefeit. Worte – so z.B. die große Brotrede von Joh 6,35–59 – sind unentbehrlich, soll groben Mißverständnisses gewehrt werden. Ein wortloses Mahl kann unmöglich ein Festmahl sein, das seinen Sinn erfüllt. Deshalb erklärt Jesus in seinen Tischreden und bei seinen sonstigen Aussagen über Essen und Trinken, warum, was, wie und mit wem zu feiern ist. Grund und Anlaß ist sein Tod bzw. die Erweckung des Gestorbenen. Dieses Ereignis geht nicht nur ihn selbst, sondern alle an, gerade die Sünder. Die Gesellschaft, die er liebt und die ihn liebt, besteht aus Sündern, die er angenommen hat, die ihn aufnehmen und deren Glieder einander annehmen.

Hält man den Kurztext des lukanischen Einsetzungsberichts (also das Fehlen der Verse Lk 22,19b–20) für ursprünglich, so hat Lukas einzig in Apg 20,28 *Opfer*terminologie zur Beschreibung von Jesu Tod verwendet. Bei der Beschreibung des Mahls hat der Opfergedanke dann keine Rolle gespielt. Auf alle Fälle wird der Wortlaut des Kurz- oder Langtextes vergewaltigt, wenn man ihn im Sinne einer Gleichsetzung von Mahl und Opfer verstehen würde. Sicher hat auch im Falle der Ursprünglichkeit des Kurztextes der Tod Jesu beim dritten Evangelisten keine kleinere Bedeutung als überall dort, wo ihn das Neue Testament als Opfer bezeichnet. Im Tode Jesu gipfelt Jesu Solidarität mit den Sündern und sein Eintreten für sie. Was seine Mahle und Mahlreden nur andeuten, ist am Kreuz zwischen »Räubern« vollständig durchgeführt und bestätigt.

Der am Tisch Sprechende will *angehört* werden, und wer zuhört und gehorcht, hat reichen Lohn oder wird vor Schaden bewahrt. Petrus fängt vie-

le Fische; die Jünger werden befähigt, Tausenden Brot und Fisch auszuteilen; Maria wird auf Kosten der sorgenden und dienenden Martha gelobt
(Lk 10,38–42). Die Lobwürdigkeit der stillenden Mutter wird zwar nicht
bestritten, doch überboten durch den Segen, der auf dem Hören und Bewahren von Gottes Wort liegt (11,27–28). Jedoch garantiert weder das Reden Jesu noch das Zuhören des oder der Angesprochenen, daß die Tischgemeinschaft mit Jesus und Jesu Tischreden recht verstanden werden und
daß die Belehrung, Gleichniserzählung oder Mahnung des Gastes und
Gastgebers beherzigt werden. Denjenigen, die (Augen haben zu) sehen
und doch nicht sehen, können auch Ohren zum Hören nichts nütze sein:
»Sie verstehen (oder hören) nicht« (8,10; vgl. Mt 13,13–15; Mk 4,12; 8,17).
Lukas weiß von einer abgrundtiefen, bodenlosen und katastrophalen Verstockung auch unter Tischgästen – z.B. bei Judas –, obwohl Jesus am Tisch
nicht nur zu seinen Jüngern, sondern auch zur Menge, zu Pharisäern und
zu Zöllnern so spricht, daß er gehört und verstanden werden kann. Durch
Worte gibt Jesus sich als den zu erkennen, der er in Wahrheit ist. Gerade
der zeitweise unscheinbare Gast am Tisch erweist sich – besonders in der
Emmausgeschichte – durch seine Reden und sein Tun als der Gekreuzigte,
als kompetenter Lehrer der Schrift und als Tischherr (Lk 24,13–35). Noch
einmal: Mißverstanden, nicht wirklich angehört, nicht ehrlich auf- und
angenommen, sondern verworfen ist Jesus dann, wenn man sich am Tisch
an seiner Solidarität mit Sündern ärgert und die von ihm angenommenen
Kleinen verurteilt und verstößt.
Zum Beweis rechten Hörens und Sehens aber gehört bei Lukas nun nicht
nur die Erkenntnis, wer jener ist, mit dem das Mahl eingenommen wird,
sondern auch die *Selbsterkenntnis* der Tischgenossen. Der Ruf zur Buße
und der Versuch, begangenes Unrecht wiedergutzumachen, wird im Rahmen der Berichte über die Zöllnermahle erwähnt (5,32; 19,8). Weil der
verlorene Sohn den in seinem Vaterhaus sogar für Tagelöhner »überfließend« gedeckten Tisch mit seinem bevorstehenden Hungertod vergleicht,
»geht er in sich«, kehrt er heim und tritt er mit dem Bekenntnis: »Ich habe
gesündigt..., ich bin nicht würdig...« vor seinen Vater (15,17–19). Gerade
die Festfreude aufgrund der Erweckung und Wiederauffindung des Bruders, der »tot war und wieder lebendig geworden ist«, soll den älteren Bruder von seinem Murren weg und vom stolzen Roß herab zur Teilnahme
am Festmahl veranlassen (15,25–32). »Geh weg von mir, Herr, denn ich
bin ein sündiger Mensch« – so spricht Petrus, *nachdem* er Jesu Macht und
Güte beim wunderbaren Fischzug erlebt hat (5,8). Am Tisch, an dem sich
Jesus hinlagert, wird zwar die Sünde der Sünderin durch ihr demütiges
Verhalten reuig bekannt; auch der gastgebende Pharisäer gedenkt ihrer
Sünde; doch läßt sich Jesus die Liebe gerade dieser Büßerin gefallen. Ihr
wird vergeben, so daß sie »in Frieden« ihres Weges ziehen darf. Der Phari-
säer aber sollte sich der Gesellschaft Jesu und dieser Sünderin nicht schä-
men; er wird seinerseits zu Buße und Liebe aufgerufen (7,39–50).
Offensichtlich ist es die Anwesenheit und die »Güte« des Herrn, die »zur

Buße treibt« (vgl. Röm 2,4) – mehr noch als beispielsweise die Ankündigung des Gerichts durch Johannes den Täufer. Zur Buße wird aufgerufen, Zeit zur Buße ist gegeben, *weil* das Reich Gottes nahe herbeigekommen ist (Mt 4,17; Mk 1,14–15). Lukas deutet niemals an, daß das Essen und Trinken mit Jesus ein Bußakt ist – zur Buße würde ja gerade Fasten gehören, und die Sünderin zu Jesu Füßen hat *nicht* mit Jesus gegessen. Wohl aber macht Lukas deutlich, daß Vergebung für büßende Sünder gerade durch ein Mahl gefeiert wird und werden soll. Zusätzlich zeigt jedoch der Evangelist, daß ein Mahl auch zur Buße und zu Früchten der Buße und neuem Leben führen kann: »Die Hälfte von meinem Vermögen gebe ich den Armen . . .; heute ist diesem Hause Heil widerfahren« (19,8–9); »von jetzt an sollst du Menschenfischer sein« (5,10).

Als wesentliche Teile dessen, was beim Essen und Trinken am Tisch des Herrn geschieht, müssen mindestens die folgenden gelten: Jesu Christi Selbstverkündigung als Freund der Sünder, die Erkenntnis seines Weges durch Leiden zur Herrlichkeit auf der einen, die Selbsterkenntnis der Mahlteilnehmer und exemplarische Darstellung eines neuen Lebensinhalts für sie auf der anderen Seite.

d)   Mehr als alle anderen Teile des Neuen Testaments, doch kräftig unterstützt durch die sehr alten (wahrscheinlich aus der Mitte des 1. Jahrhunderts stammenden) Mahlgebete der Didache (IX–X), die alles Gewicht auf den Preis der Ehre Gottes und die Danksagung (»Eucharistie«) legen, betonen die Lukasschriften die Untrennbarkeit von Mahlzeit und *Freude*. Was schon im Deuteronomium (12,7.12.18; 14,26; 27,7) miteinander verbunden war (»vor dem Herrn das Mahl halten und fröhlich sein«), bezeugt auch Lukas. Aus Freude über das Wiederfinden von etwas Verlorenem und mit der Einladung an andere, sich mitzufreuen, veranstaltet ein Hirte, eine Frau, ein Vater ein Festmahl (Lk 15,6–7.9–10.23–30). Weil der Bräutigam anwesend, weil Hochzeitswoche ist, können Jesu Jünger sowenig fasten, wie er selbst es tut (5,33–34; 7,34). Hat Jesus »sich mit Sehnsucht danach gesehnt«, sein letztes Mahl, »dies Passamahl mit euch (den Jüngern) vor meinem Leiden zu essen« (22,15), so ist das Zustandekommen dieses Mahls und das, was Jesus bei diesem Mahl zu tun, zu sagen und einzusetzen hat, eine Freude für ihn und die Seinen. Trotz aller Beleidigung durch Absagen gelingt es dem Gastgeber eines Banketts, ein volles Haus zu haben (14,16–24). Freut sich keiner von den eingeladenen Reichen an diesem Mahl, so benutzen doch die zusammengelesenen Armen die Gelegenheit, sich im Festsaal gütlich zu tun. Nachdem die Emmausjünger am Tisch erkannt haben, wer schon auf dem Wege mit ihnen gesprochen und ihnen »die Schrift aufgetan hatte«, erinnern sie sich an demselben Tisch an ihr »brennendes Herz« (24,25–32). Jetzt wird es noch heißer entflammt. In der nachpfingstlichen Gemeinde erfolgt das »Brechen des Brotes« und die »Einnahme von Speise« »unter schallendem Jubel« (*agalliasis* Apg 2,46–47). Der Gefängnisaufseher von Philippi wusch seinem Gefangenen Paulus und Silas die Wunden, »führte sie in sein Haus, setzte ihnen ein Mahl vor und jubelte *(ēgalliasato)* mit seinem ganzen Hause darüber, daß er zum Glauben an Gott gekommen war« (Apg 16,33–34). Auch vom älteren Bruder im Gleichnis erwartet der Vater nur dies eine: daß er sich am festlichen Tisch von Herzen freut an der Rettung des jüngeren. Die 275 Seeleute und Soldaten, die zusammen mit Paulus in Todesnot waren, »gewannen wieder Mut und nahmen Speise zu sich«, nachdem Paulus über einem Stück Brot das Dankgebet gesprochen, es gebrochen und davon gegessen hatte (Apg 27,33–38).

Es geht jeweils nicht nur um private Erbauung und innere Freude dieses oder jenes einzelnen. Im Vordergrund steht vielmehr immer die Einladung an andere, sich mitzufreuen – also der Anteil an der Freude von Mitmenschen. Keine echte Freude ohne Mitfreude! Der Ausruf »Freut euch mit mir!« ist fast automatisch einer Einladung zu einem Mahl gleich (Lk 15,6.9.29.32; vgl. 15,24). »Große Freude, die dem ganzen Volke widerfahren wird« ist ein Lieblingsthema, fast ein Refrain in den Lukasschriften, wie Lk 2,10; 13,17; 19,6.37; 24,41.52; Apg 8,8; 13,52; 15,3 und andere Stellen zeigen. Diese Freude herrscht nicht nur in Gestalt und im Rahmen von Tafelfreuden, doch darf und soll in der Gemeinde, die durch das Kommen Jesu Christi und die Predigt des Evangeliums entstanden ist, die freudige Bewegung des Herzens einzelner auch in der Gemeinschaft vieler und unter dem Genuß materieller Dinge zum Ausdruck kommen.

Das gilt besonders vom Mahl des Herrn. Unmöglich kann dabei Brot gegessen, Wein getrunken und einander zugedient werden zu Ehren der Kleinsten, dazu etwas Großes verkündet, erkannt und bekannt werden, *ohne* daß die Herzen der Beteiligten mit großer Freude an allen Mahlvorgängen beteiligt sind. Sonst würde nicht jenes Mahl gefeiert, auf das Lukas mit allen seinen Mahlberichten, -gleichnissen und -worten hinweist.

Das Mahl des Herrn ist ein Freudenmahl, eine Danksagungsfeier (»Eucharistie«). Die Teilnehmer nehmen darin die Verkündigung auf, die Jesus selbst zuerst mit Vollmacht durch sein Wort, seine Taten und sein Leiden vollzogen hat. Sie beantworten seine Selbstverkündigung durch das, was sie zu seinem Gedächtnis jetzt selbst *tun.* Zu ihrem Tun gehört wesentlich der Ausruck dessen, daß sie sich von Herzen und öffentlich freuen.

Diese Freude schließt Gottesfurcht, ja auch Angst vor Gott und seinem Erscheinen nicht aus. Die Furcht hat allerdings nichts zu tun mit dem Staunen, Erschauern, Zittern und Beben vor dem Geheimnis des Bösen (vgl. 2Thess 2,7), dem jeder Mensch immer ausgesetzt ist. Es geht aber um eine unvermeidliche Reaktion auf die Konfrontation mit dem Geheimnis des Kreuzes. Eine alltägliche, ausbalancierte, »normale« Haltung ist angesichts des Geheimnisses des Kreuzes unmöglich; nur wer überhaupt nicht gemerkt hat, worum es dabei geht, kann unerschüttert bleiben. Auf alle Fälle geht es bei denen, die von Jesu Christi Geburt, den Erweisen seiner *dynamis,* seiner Kreuzigung und seiner Auferweckung unmittelbar betroffen sind, ohne große Furcht nicht ab. Kein Evangelium spricht so oft von

großer Freude über Jesu Erscheinen wie das Lukasevangelium. Doch findet
sich gerade bei Lukas das Verb »sich fürchten« 23mal im Evangelium,
14mal in der Apostelgeschichte und das Substantiv Furcht insgesamt
12mal in beiden Schriften (Lk 1,12–13.30.50.63; 2,9; 5,26 u.ö.; Apg 2,43;
5,5.11; 6,38; 18,9 u.ö.).
Wie das Leiden und der Tod Jesu Christi durch seine Erweckung und Erhöhung begrenzt und aufgehoben wird, so geht es auch mit der menschlichen Furcht und Angst: Sie haben Raum in der Nähe, der Güte und der
Liebe Gottes. Statt Freude und Jubel über Gottes Hilfe zu verhindern, ver-
größern sie sie. Statt einen Gegenbeweis gegen die Angemessenheit größter Dankbarkeit zu liefern, bedeutet der Rückblick auf sie eine Verstär-
kung des Lobes Gottes. Heißt es in 1Joh 4,18, daß Liebe die Furcht aus-
treibt, so ist nicht Gottesfurcht, sondern Menschen-, Dämonen- oder Ni-
hilismusfurcht gemeint.
Die Lukasschriften sind voller Hinweise auf die Voraussetzung des fröhli-
chen Mahls des Herrn: Grundlage ist die Verkündigung bzw. die Lehre der
Apostel, die gehört und beherzigt wird. Ohne Gehorsam, Glauben, Treue
gegenüber dem Gehörten und Gelernten kann das Mahl nicht gehalten
werden, ist es doch eine Form gemeinsamen Gebets zu Gott und gelebten
Gotteslobs. Besonders eindrücklich und ausdrücklich wird in Apg 2,42–47
die innere Verbindung von a) zähem Festhalten an der Lehre der Apostel,
b) der Gemeinschaft aller Glieder, c) dem Brotbrechen, d) dem schallenden
Jubel mit lauterem Herzen, e) dem Lob Gottes und f) der Wirkung dieses
Tuns auf solche, die nicht am Mahl teilnehmen, beschrieben. Es geht dabei
nicht um eine Addition von Elementen, von denen einzelne auch entbehrt
werden könnten, sondern um Faktoren. Ist auch nur einer nicht vorhanden, kann man nicht mehr von der Gemeinde und vom Wesen ihrer feierlichen Mahlzeit sprechen.
Immerhin fehlt in dem genannten Text die geringste Andeutung dafür,
daß es neben dem *einen* Freudenmeister Jesus Christus auch noch besonders geweihte Personen gibt, die ein ausschließliches Recht auf Organisation des Freudenmahls und auf den Vorsitz bei dieser Mahlzeit haben.
Zwar bezeichnet der Begriff »Jünger« im lukanischen Sprachgebrauch
manchmal nur die Zwölf oder die Siebzig; doch wird er auch für jedes Gemeindeglied verwendet. *Allen* Jüngern ist das Gebot gegeben: »Tut dies zu
meinem Gedächtnis«, und *alle* dürfen das Mahl des Herrn als Freudenmahl spontan feiern, ohne institutionelle und klerikale Zwänge.

Soviel zu den Elementen und Akzenten des lukanischen Mahlzeugnisses.
Schien es zunächst möglich, auf dem Wege der Kombination und Amalga-
mierung unserer ersten drei Beobachtungen zu einem hochsakramentali-
stischen Ergebnis zu kommen, so führten die späteren vier Beobachtungen
zu einem anderen Resultat. Die Verbindung und Verbindlichkeitserklä-
rung ausschließlich der ersten drei Beobachtungen ist ein Willkürakt und
Mittel, einem von der Lektüre und der Auslegung der Lukasschriften un-

abhängigen und durch sakramentale Interessen vorherbestimmten Zweck
zu dienen. Dieser Zweck kann die verwendeten Mittel nicht heiligen.

8. Vergleich mit Paulus

Werden *alle* lukanischen Aussagen und besonderen Betonungen angehört
und ernst genommen, so muß man schließen: Der Verfasser des dritten
Evangeliums und der Apostelgeschichte hat in erzählender Form ein
Zeugnis vom Mahl des Herrn abgelegt, das in der Sache dem christologischen und ethischen Charakter und Inhalt von 1Kor 10–11 zum Verwech-
seln ähnlich ist.

Die zwei Zeugen Lukas und Paulus stimmen u.a. in folgendem überein: Sie
benutzen – ob nun der eine vom anderen abhängig ist oder nicht – dieselbe
Tradition von Jesu letztem Mahl. Anders als die Einsetzungsberichte des
Matthäus und Markus hat bei beiden z.B. das Brotwort einen längeren
Wortlaut: Statt nur zu sagen: »Das ist mein Leib«, fügt Jesus die Worte »für
euch . . .« und eventuell noch mehr hinzu. Das Kelchwort beginnt mit den
Worten: »Dieser Kelch ist . . .« statt mit: »Das ist mein Blut«. Nicht von
»Bundesblut«, sondern vom »neuen Bund in meinem Blut« wird gespro-
chen. Endlich wird der Wiederholungsbefehl (»das tut . . .«) bei Lukas einmal, bei Paulus gleich zweimal zitiert. Die kleinen Unterschiede zwischen
Lukas und Paulus fallen dabei kaum ins Gewicht. Beide Zeugen machen
nicht nur Aussagen über das Mahl des Herrn, sondern auch über andere
Mahle und entsprechende Probleme. Bei Lukas bildet die Erzählung vom
letzten Mahl die Kulmination früherer Berichte über Ereignisse, Konflikte
und Worte, die mit Tischgemeinschaft zu tun hatten. Paulus erörtert Tatsachen, Probleme, Spannungen, die mit dem Essen von Manna in der Wüste, von Opferanteilen im Heiligtum Israels, von Götzenopferfleisch in
den Wohnungen von Christen und in heidnischen Tempeln zusammenhängen. Er tut dies vor und während seiner Erwähnung des Mahls des
Herrn (1Kor 8,1–13; 10,3–10.18–22; vgl. Gal 2,11–21).

Auch bei Paulus ist, was am Tisch des Herrn geschieht, Mittelpunkt und
Maßstab für alle Speise- und Tischgemeinschaftsfragen. Lukas wie Paulus
wissen, daß nicht nur außerhalb, sondern auch innerhalb von Gottes Volk
und Gemeinde nicht alles mit rechten Dingen zuging, wenn man zu einem
Mahl zusammenkam. Gerade an Tischen wurde der Herr und wurden die
von ihm Erwählten verworfen. So sprechen auch beide Zeugen von einem
Essen und Trinken zum Gericht – dies jedoch nicht, um schadenfreudig
andern die Hölle heiß zu machen, sondern um mit allen Mitteln zugunsten der kleinsten und ärmsten unter Jesu Brüdern zu sprechen und um
zur Nächstenliebe hinzuführen.

Der Tisch des Herrn ist ein Ort, an dem die Einheit der (durch die Gnade
Jesu Christi, die Liebe Gottes und die Gemeinschaft des Heiligen Geistes
geretteten) Gemeindeglieder untereinander manifest werden soll. Wie bei

Lukas den in sozialer, ökonomischer und religiöser Hinsicht Armen besondere Aufmerksamkeit und Liebe zugewendet werden und wie ihm alles daran liegt, daß sie nicht nur ernährt, sondern wirklich aufgenommen, betreut und getröstet werden, so hat Paulus für die Kleinen aller Art gekämpft und Verantwortung übernommen. Das wird nicht nur in 1Kor 11,17–34 deutlich, sondern auch in der Inpflichtnahme und Selbstverpflichtung des Apostels für die Armen von Jerusalem, wovon der Schlußsatz seiner Beschreibung des Apostelkonzils und die Organisation der Kollekte für Jerusalem spricht (Gal 2,10; 1Kor 16; 2Kor 8–9; Röm 15). Auffallend ist, daß sowohl bei Lukas als auch bei Paulus – obwohl in sehr verschiedener Weise – Frauen im Zusammenhang mit Mahlzeiten und Belehrungen über das Mahl des Herrn eine besonders große Rolle spielen (1Kor 7; 11,2–16; 14,33–36).

Obwohl Lukas einmal (in Lk 19,9) innerhalb eines Berichts über ein Mahl vom »Widerfahren des Heils« spricht, ist weder bei ihm noch bei Paulus das Mahl des Herrn ein Heil- oder Heilsmittel. Vielmehr ist es eine Bestätigung und Danksagung für vollzogene Rettung, dazu ein Ausdruck der festen Hoffnung – bei Paulus auf die Wiederkunft, bei Lukas auf das Messiasmahl. Keiner von beiden liefert Anlaß oder Nahrung für die späteren theologischen Kontroversen um die Realpräsenz. Die Reihe harmonischer Töne oder ebenso wichtiger Orte gemeinsamen Schweigens könnte verlängert werden.

Damit aber eine Harmonie entsteht, müssen Töne und Pausen auch verschieden sein. Unter den vielen Unterschieden zwischen beiden Zeugen fallen die folgenden besonders auf: Zu den lukanischen Aussagen über Ostermahle und das künftige Mahl in Abrahams Schoß oder am ewigen Tisch des Messias fehlen bei Paulus Parallelen. Tischreden Jesu haben bei Lukas viel größere Breite und größeres Gewicht als bei Paulus, der nur die Brot- und Kelchworte, den Wiederholungsbefehl und (eventuell) eine eigenartige Form des endzeitlichen Ausblicks zitiert. Nur Joh 6 übertrifft proportional den breiten Raum, den Lukas den unterschiedlich langen Tischreden in seinen Berichten von Mahlzeiten einräumt. Bei Paulus fehlen (außer in den Hinweisen auf die »Spaltungen« anläßlich der Korinthischen Mahlfeiern) Hinweise auf den Wortlaut und Verlauf von Disputen und Kontroversen über Tischfragen. Das Mahl des Herrn hat bei ihm zwar exemplarische Bedeutung für alle Vorgänge in der Gemeinde, die die Einheit und Liebe bedrohen oder vernichten; doch bringt er keine Mahlgleichnisse Jesu – und diejenigen, die er selbst verwendet, sind unoriginell oder satirisch. So z.B. »Ein wenig Sauerteig durchsäuert den ganzen Teig«; »wenn ihr euch gegenseitig beißt und freßt, dann seht nur zu, daß ihr nicht einer vom andern aufgefressen werdet« (Gal 5,9.15).

Bei Paulus dominiert scharfe Polemik die ganze Mahldiskussion in 1Kor 10–11. Zwar hat seine Behandlung des Themas »Mahl des Herrn« etwas Lapidares, weil die Verkündigung des gekreuzigten Christus alle anderen Argumente bestimmt oder zusammenfaßt. Doch fehlen Zeichen eines

mühsam zurückgehaltenen Zorns und Ingrimms nicht. Lukas seinerseits
kennt sowenig wie Paulus einen anderen Höhepunkt und ein anderes Zentrum des Evangeliums als den gekreuzigten und auferweckten Jesus Christus. Doch beschreibt er, wie es ja auch die Didache tut, die Mahle mit
Jesus und das Mahl des Herrn als Anlaß und Ausdruck von Freude und
Jubel.

Z.T. wegen solcher Unterschiede hat H. Lietzmann die Meinung geäußert,
der Apostel habe durch seine Kritik an überschwenglichen Gemein-
schafts- und Danksagungsfeiern den Grundstein gelegt zum Opfercharakter und der ängstlichen und tiefernsten Art der Mahlfeiern in den nach-
apostolischen Gemeinden. Doch entspricht diese Wirkung des apostolischen Zeugnisses schwerlich der Absicht des Apostels. Daß schon in der
Mitte der fünfziger Jahre des ersten Jahrhunderts zwischen einer enthusiastischen Zelebration des »Herrenmahls« und einer opferartigen Feier der
»Messe« gewählt werden mußte, kann aufgrund der vorhandenen Texte
nicht endgültig bewiesen werden. Immerhin ist der unterschiedliche Ton,
Charakter und Effekt der paulinischen und der lukanischen Aussagen
über das Mahl nicht zu bestreiten. Dazu gehört der Charme des lukanischen Erzählstils (besonders im Evangelium), der den Leser viel beredter
einlädt, überzeugt und mitreißt als die doktrinäre und eindringliche Diktion der Briefe »unseres lieben Bruders Paulus«, in denen »manches schwer
zu verstehen ist, so daß die Ungebildeten und Ungefestigten es zu ihrem
eigenen Schaden verdrehen, wie sie es auch mit den übrigen Schriften
tun«. Diese Kritik an Paulus findet sich in 2Petr 3,15–16, einem Brief, der
so gut wie die Lukasschriften und die Paulusbriefe in den neutestamentlichen Kanon aufgenommen wurde! Lukas geht – weil er Arzt ist? – ver-
ständnisvoll auf psychische und physische Dinge ein; der rechtsgelehrte
Rabbi Paulus aber hat Anlaß zu flammenden Protesten gegeben. Wenn
beide mehrfach im Zusammenhang ihrer Mahlaussagen von Frauen sprechen, tun sie es in sehr verschiedener Weise. Lukas beobachtet und beschreibt die Unterschiede, die die Herzensbewegungen, die Worte und das
Verhalten der einen Frau von den inneren und äußeren Reaktionen einer
anderen unterscheiden. Paulus aber spricht – außer in Grußlisten am Ende
seiner Briefe – eher pauschal vom Wesen und Wirken der Frau(en) im Ehe-
leben, im Gottesdienst und im öffentlichen Auftreten.
Diese und andere Unterschiede zwischen den Zeugnissen des Lukas und
des Paulus sind beachtlich. Sie verbieten den Gedanken, man habe die
weitgehende Harmonie der zwei Zeugen als mögliches Resultat und als
Beweis eines verschwörerischen Komplotts zwischen beiden zu betrachten. Früher oder später müßte ja wohl, wie es bei den falschen, gegen Jesus
auftretenden Zeugen der Fall war (Mk 14,56–59), die Verschwörung an
unvereinbaren Widersprüchen offenkundig werden. Wie bei den biblischen Zeugnissen über die Erscheinungen des auferstandenen Jesus, so
trifft es auch auf die Mahlzeugnisse des Paulus und Lukas zu, daß gerade

die unbestreitbaren Divergenzen in Einzelheiten eine Bestätigung für die Wahrheit dessen sind, was sie gemeinsam bezeugen.

Seit den fünfziger Jahren dieses Jahrhunderts, wenn nicht schon früher, hat Lukas als Geschichtsschreiber und Theologe einen schlechten Namen unter vielen namhaften neutestamentlichen Gelehrten. Vorgeworfen wurde ihm unter anderem, er habe geschichtliche Dinge tendenziös verdreht wiedergegeben und die Botschaft des Paulus mißverstanden. »Haut den Lukas!« wurde eine oft befolgte Parole, die jedoch mehr und mehr durch sorgfältigere Lukasstudien ersetzt wird. Sicher ist das Zeugnis des Lukas über die Mahle Jesu und das Mahl des Herrn so reich, so wesentlich und so befreiend, daß es nicht zugunsten des traditionellen sakramentalen Paulusverständnisses nur kurz gestreift oder ganz verschwiegen werden kann. Im Gegenteil, Lukas steht als zweiter Zeuge für dieselbe Sache neben dem Apostel Paulus. Beide verbinden Ethik, Nächstenliebe, Gemeinschaft der Mahlteilnehmer untereinander aufs engste mit der Gemeinschaft mit Christus. Keiner behauptet, das Mahl des Herrn sei ein Mysterium oder Sakrament, durch das Gnade und Heil zu- und ausgeteilt und von den Mahlteilnehmern je einzeln empfangen und angeeignet werden. Im Zeugnis beider ist das eine und einzige Sakrament und Geheimnis Jesus Christus allein. Das im Alten Testament vorgesehene Minimum von zwei Zeugen für eine Rechtssache (Dtn 17,6; 19,15; Num 35,30) ist damit erfüllt.

Bevor jedoch die Frage gestellt und beantwortet werden kann, ob nicht in Joh 6 und anderen johanneischen Texten die Stimme eines dritten Zeugen in Sachen »Mahl des Herrn« laut wird, die die Zeugenaussagen des Paulus und des Lukas bestreitet oder bestätigt, ist noch auf die Tragfähigkeit und Tragweite der bisher bei der Auslegung gefundenen *ethischen* Lehre vom Mahl hinzuweisen. Auch diese Lehre will ja an ihren Früchten erkannt sein.

C   Festtag und Alltag bei Paulus und Lukas

Das alttestamentliche Verbum *ābad* (dienen) und die entsprechenden Substantive (*äbäd* = Knecht und *abōdā* = Werk, Arbeit, Dienst) bezeichnen nicht nur ein Verhältnis zwischen Menschen und Dingen oder zwischen Menschen und Mitmenschen, sondern auch das rechte Verhältnis zwischen Mensch und Gott. Die in westlicher Denkweise geläufige Unterscheidung zwischen kultisch-zeremonialem und ethisch-existentiellem Gottesdienst mag mit der prophetischen Kritik an bloß institutionellem Gottesdienst zusammenhängen, beweist aber nicht, daß im Alten Testament eine deutliche Trennung zwischen Kult und Ethik begründet und vorgeschrieben wird. Beide liegen ursprünglich »ineinander« (C. Westermann, in: THAT II, 1976, S. 196). Entsprechend wird im Neuen Testament der Dienst des Gottesknechts Jesus Christus ebenso nachdrücklich als (kultisches!) Opfer wie als (ethischer!) Akt des Gehorsams und der Treue beschrieben. Lukas ist am Tempel ebenso interessiert wie an der Ausrichtung und Erfüllung der Botschaft Jesu zugunsten der Armen.

Im 1. Korintherbrief sind Ausführungen über feierliche gottesdienstliche (»liturgische«) Handlungen (wie Predigt, Gebet, Taufe, Mahl) und Ermahnungen über das alltägliche Verhalten der Gemeindeglieder ineinandergeschachtelt. Wird das festliche Geschehen pervertiert, so herrscht Chaos auch im täglichen Umgang der Gemeindeglieder miteinander. Man kann Festtag und Alltag, Gemeindeversammlung und tägliches Leben zwar voneinander unterscheiden; wenn aber derselbe Herr zu beiden Zeiten und an beiden Orten regiert und wenn dieselben Menschen hier und dort unter dem Kreuz und in der Hoffnung auf die Auferstehung stehen, kann beides nicht grundsätzlich getrennt werden. So kurzfristig und klein die gottesdienstliche Versammlung auch sein mag, sie ist doch Sauerteig und Senfkorn in allen Dimensionen menschlicher Existenz, von Bekleidungs- bis zu Essensfragen, vom Gebrauch der Zunge bis zum sexuellen Bereich. Gewisse Dinge, Beziehungen, Verrichtungen und Verhaltensweisen sind so profan, daß sie scheinbar mit dem Kult nichts zu tun haben. Und doch machen sie sich in der gottesdienstlichen Versammlung bemerkbar und beeinflussen sie mehr oder weniger stark. Jene Verheißung Sacharjas, nach der selbst die Schellen der Rosse und die Töpfe im Haus des Herrn heilig sein werden (Sach 14,20), kündet vom Ende der Unterscheidung zwischen profan und sakral. Unter dem *einen* Herrn stehen Festtag und Alltag in so enger Beziehung zueinander, daß eines Tages eine saubere Trennung zwischen heilig und weltlich nicht mehr möglich sein wird. »Die Erde ist des Herrn!« So sehr ist die Zukunft schon da, die ewige Rettung schon nahegerückt (vgl. Röm 13,11), daß alttestamentlich-priesterliche Trennungslinien nicht mehr unbesehen maßgebend sein können. Als das Wort Fleisch ward, wurde das Irdische und Weltliche in die Einheit mit dem Worte aufgenommen. Das gilt vom Mahl des Herrn in besonders deutlicher und exemplarischer Weise. Bei Lukas stehen die Feier des letzten Mahls Jesu und die Einsetzung des Gemeindemahls in ebenso starker Verbindung mit dem künftigen Messiasmahl wie mit der vorhergehenden Tischgemeinschaft mit Hungrigen und mit Sündern frommer und weltlicher Art. Gleichnisse aus dem profanen Leben und Regeln für den Alltagsgebrauch (z.B. bezüglich Gästeliste und Sitzordnung) weisen auf das *Besondere* des Tisches des Herrn hin! Endzeitlicher Zuspruch und weisheitliches Zureden sind friedlich miteinander verbunden. Nicht nur in der Gegenwart Jesu und in der Gemeindeversammlung, sondern auch im Alltag, d.h. im Umgang mit allen Menschen und Dingen zu aller Zeit, steht erfreuliches und heilsames Essen und Trinken in Kontrast zu unerfreulichen und heillosen Mahlzeiten.

So kann nach Paulus gerade zum feierlichen Mahl des Herrn, bei dem der Tod Christi verkündet wird, bis er in Person wiederkommt, ein Sättigungsmahl gehören. Letzteres wird nur dann in die Privatsphäre verwiesen (1Kor 11,21.34), wenn es auf Kosten der Armen und Geringen in der Gemeinde die Gemeinschaft mit dem gekreuzigten Herrn Lügen straft. Weil Christus gerade für den schwachen Bruder gestorben ist, gehört die liebevolle Rücksicht auf die kleinen und unansehnlichen Glieder der Gemeinde auch ins Privatleben der sogenannten Starken. In 1Kor 8,1–13; 10,19–33 (vgl. Röm 14,1–15,6) handelt Paulus viel ausführlicher über den Konsum oder die Abstinenz von Götzenopferfleisch als in 1Kor 10,16–17; 11,17–34 vom Mahl des Herrn. In beiden Zusammenhängen aber erklärt er die Liebe zum Nächsten zum Kriterium rechter Gesinnung und ordentlichen Verhaltens (vgl. 1Kor 8,1; Röm 14,15; 1Kor 13). Was beim Mahl des Herrn sichtbar wird, ist die Spitze eines Eisbergs bzw. der oberste Stein einer Pyramide.

Wegen des engen Zusammenhangs zwischen Festmahl und Alltagsmahlzeiten ist es kein Wunder, daß es sowohl bei Paulus als auch bei Lukas Stellen gibt, die es (absichtlich?) offenlassen, ob vom Mahl des Herrn oder vom alltäglichen Umgang mit Speise und Trank die Rede ist. In Gal 2,11–21 erzählt Paulus, daß in der Gemeinde von Antiochien zunächst Juden- und Heidenchristen (unter den ersteren auch Petrus) an *einem* Tische »zusammenaßen«. Nach der Ankunft einer Gruppe von Leuten aus Jerusalem, die Tischgemeinschaft zwischen Juden und Heiden für einen von Gott verbotenen Greuel hielten, schickten sich Petrus, die übrigen Juden(-Christen) in der antiochischen Gemeinde und sogar Barnabas an, die Tischgemeinschaft aufzulösen. Mit seinem flammenden Protest und seiner Rede über das durch Jesu Christi Tod und Leben zugunsten der *Gemeinschaft* von Juden und Heiden aufgerichtete Gottesrecht widersetzte sich Paulus der Auflösung der Tischgemeinschaft.

Die Predigt von der Rechtfertigung aus reiner Gnade durch Christus allein und entsprechend jenem Glauben, der letztlich Treue ist, und die freudige Aufnahme des befreienden Wortes von Gottes Recht ist die Alternative zum Zerschneiden von Tischtüchern. Mit seinem schroffen Nein gegen eine Spaltung am Tisch handelte Paulus in Einklang mit der Gemeindeleitung in Jerusalem. Denn er selbst nennt in Gal 2,4 solche Juden(-Christen), die die Beschneidung der Heiden als Vorbedingung ganzer Gemeindezugehörigkeit erzwingen wollen, »falsche, hinten eingeschmuggelte und eingeschlichene Brüder«, die nichts anderes als eine Verknechtung der Gemeinde unter überholte Regelungen erreichen wollen. Nach Apg 15,24 wurden solche Brüder am Apostelkonzil in Jerusalem von den Leitern der Gemeinde ausdrücklich desavouiert: »Einige von uns, denen wir keinen Auftrag gegeben haben, verwirrten eure Seelen.«

Ob Paulus in Gal 2,11–14 »nur« von der Gemeinschaft am festlichen Tisch des Herrn oder auch von gegenseitigen Einladungen von Juden- und Heidenchristen spricht, kann nicht entschieden werden. Es ist wahrscheinlich, daß er wie in 1Kor 8–11 an beides denkt: an den Konsum von Götzenopferfleisch im Hause »Starker« – im Unterschied von Koscherem und »Gemüse« (Röm 14,2), das in den Häusern »Schwacher« verzehrt wurde – *und* an die Teilnahme am Mahl des Herrn. Weder die eine noch die andere Art von Mahlzeit soll dem Wiederaufbau einer Trennungsmauer dienen (Gal 2,18; vgl. Eph 2,14).

Das Essen darf nicht dazu dienen, daß man »einander anbeißt und aufißt«, weil das gegenseitiger Menschenfresserei gleichkäme. So drastisch drückt sich Paulus in Gal 5,15 aus, nachdem er unmittelbar vorher die Nächstenliebe als Erfüllung des *ganzen* Gesetzes bezeichnet hat. Ob er dabei an die festtäglichen Mahlfeiern der Galatischen Gemeinden oder an ihre alltäglichen Sättigungsmahle gedacht hat – oder ob er nur in bildlicher Weise vor Kannibalismus gewarnt hat, läßt sich wiederum nicht entscheiden. Mahl des Herrn, alltägliche Mahlzeiten und bildliche Redeweise über den gesamten Lebensstil verhalten sich zueinander wie konzentrische Kreise.

Vier Beispiele aus der Apostelgeschichte bestätigen diesen Eindruck:

a) *Apg 2,42 und 46:* Unter gelehrten Auslegern gibt es einen noch unentschiedenen Streit darüber, ob mit der »Gemeinschaft« und dem »Brotbrechen« nur die gottesdienstlichen Zusammenkünfte der Urgemeinde (so z.B. Jeremias und Schürmann) oder das ganze Leben und Verhalten der Christen (so z.B. Haenchen und Conzelmann) gemeint ist. Wahrscheinlich ist es unweise, sich auf ein Entweder–Oder einzulassen; nicht nur in diesem Fall ist eine falsche Alternative Ursache für einen unlösbaren Konflikt. Die Diktion des Lukas – ob sie nun ganz, teilweise oder überhaupt nicht von einer Tradition übernommen ist – könnte mit Absicht mehrdeutig sein und die Gemeinde gleichzeitig als Kult- und als Lebensgemeinschaft beschreiben. Gerade die Beschränkung der Auslegung auf nur die eine oder die andere dieser sozialen Existenzformen ist dann unzulässig.

b) *Apg 10–11:* Durch eine Vision erhält Petrus den für jüdische Ohren skandalösen Befehl, Unreines zu essen (10,9–16). Diese Anweisung räumt auf mit der von heidnischen Nachbarn der Diasporajuden beobachteten und verpönten jüdischen *amixia*, d.h. der Verweigerung der Tisch-, Haus-, Ehegemeinschaft usw. zwischen Juden und Heiden. Petrus folgt diesem göttlichen Befehl und einer persönlichen Einladung, wenn er »einige Tage lang« im Haus des getauften Proselyten Cornelius zu Gast ist. Doch gibt die Tischgemeinschaft des Apostels mit diesem und anderen »Unbeschnittenen« in Jerusalem sowohl den anderen Uraposteln als auch judäischen Brüdern Anlaß zu Kritik und Anklage: »Du bist eingegangen zu Unbeschnittenen und hast mit ihnen gegessen« (11,2–3). Wieder kann mit exegetischen Mitteln nicht entschieden werden, ob diese Tischgemeinschaft nur aus Sättigungsmahlen bestand oder auch die Feier des Mahls des Herrn einschloß, bei dem sich alle Anwesenden als Gäste des von Petrus verkündeten Herrn verstanden und benahmen. Es ist unwahrscheinlich, daß eine Krönung der ohnehin festlichen Gemeinschaft durch das von Jesus Christus gestiftete Mahl unterblieb.

c) *Apg 27,21–27.35–38:* In dem vom Sturm gepeitschten und schon fast auseinandergeborstenen Schiff hat Paulus gleichzeitig zur Einnahme stärkender Speise ermutigt und auf den rettenden Herrn hingewiesen. So und nicht anders trug er dazu bei, daß auch seine heidnischen Reisegenossen »wohlgemut wurden«. Lebensgefahr und Rettung vom Tode, Gotteslob und Magenfüllung sind in dieser Geschichte nicht weniger miteinander verbunden als Sünde und Vergebung, Unheil und Heil in den Berichten von Jesu Mahl im Haus des Zachäus (Lk 19,5–10) und von Jesu letztem Mahl.

d) *Apg 15:* Deutschsprachige Gelehrte sind heute mehrheitlich der Meinung, es gehe in Apg 15 um eine tendenziöse und daher geschichtlich fast wertlose Version des in Gal 2,1–10 zuverlässig und glaubhaft beschriebenen Apostelkonzils. Weil aber der Anlaß, das Hauptthema, der Verlauf und das Resultat der jeweiligen Zusammenkunft sehr verschieden beschrieben werden, ist mit einigen angelsächsischen Gelehrten immer noch die Ansicht vertretbar, es gehe um mehr als nur ein einziges Konzil. Nicht weniger als drei feierliche Versammlungen fanden statt, falls man die Berichte von Apg 11,1–18 (vgl. 11,22.29–30); Gal 2,1–10 und Apg 15 chronologisch aneinanderreihen darf. Am ersten Konzil wurde anläßlich der Taufe des Cornelius durch Petrus und der (ersten) Tischgemeinschaft zwischen Juden- und Heidenchristen die Legitimität der Heidenmission *und* der Tischgemeinschaft mit Unbeschnittenen besprochen und bejaht. Bald darauf besiegelte eine in Antiochien organisierte Kollekte für Jerusalem das friedliche Verhältnis zwischen der Urgemeinde und der Missionsgemeinde. Trotzdem wurde ein weiteres Konzil nötig – diesmal in Sachen der Missionstätigkeit des Paulus. Nach Gal 2,1–10 endete es mit der bedingungslosen Anerkennung des göttlichen Segens auf der Missionsarbeit – nicht ohne daß wieder von der Unterstützung der Armen (von Jerusalem) die Rede war. Es gibt Forscher, die die in Apg 11,1ff und in Gal 2,1–2.6–11 beschriebenen Zusammenkünfte für ein und dieselbe Konferenz halten. Auf alle Fälle stand auf dem in Apg 15 beschriebenen Konzil nur die Frage der Auferlegung des Gesetzes zur Debatte, wie die Verse 1.5.10 und 19 zeigen. Der gefaßte und in einem offiziellen Brief niedergelegte Beschluß, d.h. das Aposteldekret (Apg 15,20.29; 16,4; 21,25), bezieht sich in der besseren Textüberlieferung nur auf (kultische) Speisefragen, hat jedoch in der sogenannten »westlichen« Version einen mehr moralischen Charakter. Damit Tischgemeinschaft zwischen Juden und Heiden ohne Vergewaltigung der jüdischen Gewissen fortgesetzt oder eingeführt werden kann, wird nur an einem (z.B. schon in Lev 17,10–16 angedeuteten) Minimum von Reinheits- und Speise- bzw. ethischen Gesetzen festgehalten. Wieder ist nicht gesagt, ob an die Gemeinschaft am Tisch des Herrn oder an alltägliche Mahlzeiten gedacht ist. Auch in diesem Fall werden Festtag und Alltag nicht auseinandergerissen. Überall soll die Gemeinde eines Herzens und einer Seele sein und gerade deshalb alles gemeinsam haben. Nach Apg 2,42–47 ist diese Art von »Gemeinschaft« die in Jerusalem ausgeübte, ursprüngliche und maßgebliche Art, »Gott zu loben«. Zwar geschieht solches Gotteslob nicht ohne Worte; es beruht ja auf der »Lehre der Apostel« und ist von »schallendem Jubel« (in der Gestalt von Hymnen und Zungenrede?) begleitet. Doch spricht die Tischgemeinschaft auch ohne Worte für sich selbst. Es gab eine Zeit, in der die Christen von Jerusalem »beim ganzen Volk beliebt waren« (Apg 2,47).

Vor der Gefahr, die in einem einseitig kultischen oder festtäglichen Verständnis des Gottesdienstes besteht, warnt unter den Paulusbriefen besonders das Schreiben an die *Kolosser.* »Alles, was ihr tut mit Worten und Taten, das tut im Namen des Jesus und danket Gott dem Vater durch ihn« (Kol 3,17). Das Substantiv *eucharistia* (Dank, Danksagung oder Dankbarkeit) und das Verb *eucharistein* (danken) erscheinen in den vier Kapiteln dieses Briefes in größerer Regelmäßigkeit und Dichte als in anderen Paulusbriefen; auch finden sich nur hier globale Ermahnungen wie »überfließt in Dankbarkeit« und »seid dankbar« (2,7; 3,15; vgl. 1,3.12; 3,17; 4,2). Der Ausdruck von Dank und der Aufruf zum Dank bestimmen den ganzen Inhalt und Charakter der Botschaft an die Kolosser.

Auch der eher grimmig polemische, wenn nicht ironische Mittelteil ändert daran nichts. In seinem ersten Teil (1,3–2,5) handelt die Epistel vom Dank gegenüber Gott, der sich in Christus, gemäß dem Evangelium, als einzig tragfähige Grundlage von Glauben und Leben erwiesen hat. Der zweite Teil (2,6–3,4) ruft zur Dankbarkeit dafür auf, daß Christus der Gemeinde in zuverlässiger Weise als einziger Mittler zwischen Gott und Mensch bekannt gemacht ist – als vollkommener und vollkommen machender Vermittler. Er kann nicht als eine weitere Kultgottheit unter andere vermittelnde Mächte und sakrale Vorgänge eingeordnet werden, sondern gibt sie der Lächerlichkeit preis. Der letzte Teil (3,5–4,6) handelt von der angemessenen Art und Gestalt der Danksagung: Nur eine Leib und Seele, die Gemeinschaft und jeden einzelnen umfassende neue Lebensführung entspricht der von Gott in Christus vollzogenen Versöhnung von Sündern mit Gott und untereinander.

Trotz der gegenteiligen Meinung einiger Ausleger und trotz des unbestreitbaren liturgischen Hintergrundes des Begriffs, der Notwendigkeit und der Angemessenheit der »Danksagung« (vgl. z.B. Ps 22,26–27 und R. D. Aus, in: JBL 92, 1973, S. 432–438) antizipiert der Kolosserbrief noch *nicht* die spätere, gleichsam technische Einengung des Hauptwortes »Eucharistie« und des Tätigkeitswortes »danksagen«, so daß es *nur* noch das Mahl des Herrn bezeichnet. Gewiß ist die liturgische Beschränkung schon früh bezeugt (Did IX 1,5; X 1,3; XIV 1; IgnEph XIII 1; Philad IV 1; Smyrn VII 1; Justin d.M. apol. I 66). Doch verwendet der Verfasser des Kolosserbriefs das Substantiv und das Verb in einem weiteren Sinn, der zwar das Mahl der Gemeinschaft nicht ausschließt, sich aber nicht darin erschöpft. Die Gegner, vor denen Paulus im Kolosserbrief warnt, waren – ähnlich den Korinthern, immerhin in eigener Weise – tief mysteriengläubig und devote Teilnehmer an kultischen Akten. Durch ihre Gläubigkeit an vermittelnde Mächte und durch ihre sakramentale und asketische Praxis hofften sie, die »Fülle der Gottheit« zu erfahren und selbst mit Vollkommenheit »erfüllt zu werden«. Die Botschaft des Apostels hingegen ruft sie von allen von Menschengehirnen und -händen fabrizierten Traditionen zurück zu dem *einen* Mysterium oder Sakrament. Nur in *einem* Mittler ist Gott leibhaftig unter ihnen, nur ein einziger kultischer Akt macht sie vollkommen. Der Brief verkündet (1) den Gottessohn, der im Fleisch erschienen ist, (2) die wahre Beschneidung der Welt bzw. der Juden und Heiden, die im Tod Jesu Christi erfolgt ist (vgl. Kol 2,11 mit Gal 6,12–16; Eph 2,11– 19 und E. Lohmeyers Kommentar z.St.), (3) die Überwindung der Mächte und der Sünde durch die Kreuzigung, (4) endlich die Erscheinung des jetzt verborgenen Lebens in der Wiederkunft des Herrn. Christus und sein Werk ist besser als der Inhalt kultischer Visionen und als der Nutzen, den man sich von sakramentalen Verrichtungen und fleischlichen Entbehrungen verspricht (Kol 1,19–22; 2,8–23; 3,4 u.a.). Er macht sowohl die vermittelnden als auch die gefürchteten irdischen und himmlischen Mächte, Elemente und Traditionen durch seinen Tod ebenso zum Gespött, wie es ein Kaiser oder General mit seinen gefangenen Feinden in einem Triumphzug tut (Kol 2,15). An die Stelle von Heilsmitteln, welche Menschen für heilsnotwendig halten, wird hier Jesus Christus und sein Gottesdienst gesetzt. Er, der vollkommen ist und vollkommen macht, bedarf keiner Extension seiner Fleischwerdung, keiner Applikation seines Opfertodes, keiner Beglaubigung seines Wortes durch Akte, die mit Magie verwechselt werden können.

Was aber den Menschen zu tun bleibt, ist nur eines: aus Glauben sich dankbar zu erweisen – in einer Weise, die ihr ganzes Leben betrifft und bestimmt, nicht nur an gewissen Festtagen und durch subtile kultische Akte. Man könnte oder müßte von einer durchgeführten Ethisierung, wenn nicht von einer Profanierung des Gottesdienstes im Kolosserbrief reden – wenn nicht dieser Brief in besonders deutlicher Weise zeigen würde, daß weder Ethik noch Weltlichkeit die Menschen mit Gott und miteinander versöhnt, sondern einzig der Christus, an denen Juden und Heiden kraft seines Kommens, Sterbens und Wiederkommens glauben dürfen. Ist eine Theologie so stark im Christuszeugnis begründet und verankert wie die des Paulus, so braucht sie sich einer Ethik nicht zu schämen, die so weltlich und moralisch wie die der Haustafeln aussieht. So warnt ja auch der Hebräerbrief gerade deshalb, weil er nur den von Christus vollzogenen priesterlichen und kultischen Gottesdienst gelten läßt, vor einer Rückkehr zu überholten Kultformen. Der Brief an die Hebräer ruft zu einem getrosten Wandel auf der Erde und im Alltag auf, dem näherkommenden Ziel entgegen.

Die Kultkritik und Hinweise auf den rechten Gottesdienst im Alltag, die sich in den Briefen an die Kolosser und Hebräer finden, könnten durch die Erwähnung von ähnlichen »ethisierenden« Tendenzen bei den Propheten, in der Bergpredigt, im Galater- und Römerbrief, im Jakobusbrief und anderswo ergänzt werden. Daß auch institutionelle kirchliche Akte wie die Taufe und das Mahl des Herrn solcher Kritik unterworfen werden konnten und eventuell mußten, zeigen die Ausführungen über die sogenannten »Sakramente« im 1. Korintherbrief. Doch richtet sich solche Kritik seit der Zeit der Propheten nicht gegen die Feier von bestimmten Festakten an festgesetzten Festtagen. Nur der Mißbrauch der heiligen Handlungen und die Trennung ihres Wesens und Sinns vom alltäglichen Verhalten werden gegeißelt. In paulinischer Diktion: Nur isolierte »Werke des Gesetzes«, nicht die Erfüllung und das Tun des ganzen Gesetzes sind nutzlos zur Rechtfertigung durch Gott und negieren die Gnade, die allein rettet.

Warum aber ist das, was die Teilnehmer am Mahl des Herrn nach Jesu Befehl »*tun* zum Gedächtnis«, nicht ein fruchtloses Gesetzeswerk, das den Festtag und den liturgischen Gottesdienst vom Alltag und dem ethischen Gottesdienst trennt? Die gleichzeitige Verwendung von alltäglichem (also nicht von ungesäuertem) Brot und festlichem Wein beim Mahl des Herrn ist ein Signal für die Verbindung von Alltag und Festtag. Es liegt Paulus fern, das Alltägliche, das Festliche oder eine Verbindung von beiden unter das Verdikt »fruchtloses und schädliches Gesetzeswerk« zu stellen. Doch bestehen zwischen festlicher und alltäglicher Erfüllung der Gebote Gottes viel stärkere Beziehungen, als sie durch die symbolische Bedeutung der beim Mahl konsumierten Substanzen angedeutet werden:

1. Beim Mahl des Herrn geht es um betätigte und gelebte *Liebe* zu Gott und dem Nächsten. Ist dieses Mahl nicht *Agape*, Liebesmahl, sondern nur oder primär ein Festakt zur eigenen geistlichen Ernährung, Erbauung und Bestätigung jedes einzelnen Teilnehmers (um von einer bloßen Füllung seines Magens nicht zu reden), so wird es in perverser (»unmöglicher«, 1Kor 11,20) Weise gefeiert. Dann ist es nicht öffentliche Verkündigung des Todes Jesu Christi, nicht missionarisches Bekenntnis zu seiner Kreuzigung für *alle* Menschen, nicht Hinweis auf seine Wiederkunft zum Gericht über alle, auch die kirchliche und christliche Welt. Kommt man aber »zusammen« mit solchen, die anders sind als man selbst (z.B. mit gebürtigen Juden oder Heiden, mit Starken oder Schwachen, mit Großen oder Kleinen), um den jeweils Nicht-Beliebten aufzunehmen, zu ehren und zu lieben, so erfüllt dieses Mahl mitten im Alltag eine für alle Tage nötige und gültige festliche Funktion.

2. Das Mahl des Herrn ist Aktion und Demonstration der *Dankbarkeit*. Wäre dieses Mahl etwas anderes als *Eucharistie*, dankbare Anerkennung und Ausrufung des vollkommenen Werkes des Herrn, das keiner von Menschenhänden manipulierten Vermittlungen bedarf, um aktuell und wirksam zu sein – so wäre es nicht mehr als einer von den Kultakten, die alle Religionen kennen. Dank an Gott für das, was er durch Christus getan hat, noch tut und tun wird, und für die Ermächtigung zu sinnvoller Existenz kommt in diesem Mahl exemplarisch zum Ausdruck. Daß es in allen Lebenslagen und allen zu treffenden Entscheidungen um ein Empfangen, nicht ein Leisten, ein Dürfen, nicht ein Müssen, ein staunendes Anerkennen, nicht ein respektloses Erklären oder Manipulieren geht – das wird hier deutlich. Im Heidelberger Katechismus (Fragen 86–129) wird die Leh-

re von der Bekehrung, den Geboten und dem Gebet, also die gesamte
Ethik, unter den Titel »Von des Menschen Dankbarkeit« gesetzt – und
dies, *nachdem* direkt zuvor unter dem Obertitel »Von des Menschen Erlösung« vom Heiligen Abendmahl die Rede war. Zwar wird das Mahl des
Herrn in der reformierten Tradition noch als Vermittlung und Vergewisse-
rung der Wahrheit und Wirklichkeit der Früchte des Todes Jesu dargestellt
– doch ist es im Heidelberger Katechismus wenigstens räumlich der in
Dankbarkeit bestehenden Antwort des Menschen auf die Gnade, d.h. der
Ethik, schon sehr nahe gerückt. Wie gesagt, geht Karl Barth in KD IV/4
(Vorwort) einen Schritt weiter: Er plante, das Abendmahl *im* Rahmen der
zur Versöhnungslehre gehörenden Ethik zu beschreiben.

3.   Der Tisch des Herrn ist ein Ort der *Freude.* Zwar schließt das *Agape-*
Mahl Tafelfreuden nicht aus; doch hat die eucharistische Freude einen besonderen Charakter. Sie beruht nicht darauf, daß man im Überschwang
einer Feststimmung unangenehme Dinge vergißt oder übertüncht – z.B.
die Mühe und Arbeit, die hinter der Hervorbringung und Verteilung von
Brot und Wein steht, die Hungernden und Betrübten in der Nähe und Ferne, die heute aus ihrem Elend nach Hilfe und Rettung schreien, oder das
Leiden des Messias, der verfolgten Gemeinden und aller Menschen, das
satten und glücklichen Menschen so fern zu stehen scheint. Vielmehr geht
es um Freude, die in Christus mitten »in allem Leide« gegeben ist und gefunden wird. Noch gibt es nicht nur den Schweiß des Angesichts, sondern
auch einen Segen auf den Fluren und in Produktionswerkstätten, kraft
dessen man Brot mit anderen teilen (»brechen«) kann, um sie zu ernähren
und zu ermutigen. Oft legen gerade verfolgte und leidende Menschen ein
besonders starkes Zeugnis für Christus ab. Das festliche Mahl weist darauf
hin, ja es beweist in greifbarer Weise, daß es eine Freude ist, für Gott und
die Mitmenschen zu arbeiten, ihnen zu dienen, und, wenn die Stunde dafür gekommen ist, zu leiden. So bildet es einen guten Anfang und eine nötige Unterbrechung der Woche. Statt sich dem Schweren und Harten zu
entziehen oder ihm zu entfliehen, stellt man sich hier zur Arbeit und zum
Dienst. Hier lernt und merkt man, daß auch die biblischen Imperative
(»tut dies...«) eine Verkündigung des Evangeliums von Jesus Christus, eine frohe Botschaft, ein Gesetz der Freiheit sind. »Greif an das Werk mit
Freuden, dazu mich wollt bescheiden mein Gott in meinem Stand.« Das
Mahl des Herrn ist wie der Morgen, mit dem ein neuer Tag beginnt; im
Unterschied zu den Juden, die auf den Sabbat hinleben, dürfen Christen
schon jetzt vom Festtag und Festmahl her ihre Wege gehen und tun, was
ihnen unter die Hand kommt. Ihr Weg ist nicht eine Flucht in die Höhe,
sondern ein getrostes Herabsteigen vom Berge – wie ja auch das Ende der
Zeit durch die Herabkunft des Christus auf die Erde bestimmt ist. Dazu
zeigt dieses Mahl, daß Hoffnung bzw. der Inhalt ihrer Hoffnung (vgl. Kol
1,5 und Röm 8,24) der Grund ihrer Ethik und nicht ein Ersatz dafür ist.

4.   Endlich ist das Mahl des Herrn eine soziale, ja eine *politische Aktion,*
die mit einer Demonstration verglichen werden kann. Unter sich üben sich

hier die Christen in Demut voreinander, im Dienen aneinander, in rechtem Gebrauch von Freiheit und in greifbaren Erweisen von Toleranz, Brüderlichkeit und Vertrauen zueinander. Dies geschieht nicht mit dem Anspruch oder in der Hoffnung, eine Elite zu bilden, die eines Tages noch die Welt erobern will. Das Mahl des Herrn ist ein stiller Akt, durch den beispielhaft und für die Teilnehmer verpflichtend die Weltmission der Kirche aufgegriffen und schon ein wenig erfüllt wird. Hier ist die Verkündigung des Todes Christi eine Fürbitte für alle Menschen. Hier wird es gefeiert, daß eine Mauer, die Menschen voneinander und von Gott trennte, niedergerissen ist, nicht mehr besteht und nicht wieder aufgerichtet werden darf. Hier freut man sich eines Sieges, der nicht mit Waffen errungen ist, und eines Friedens, der nicht durch Eide oder Papiere, sondern durch Gott und seinen Gesalbten selbst geschlossen und gewährleistet ist. Durch die Versöhnung, die am Tisch des Herrn gefeiert wird, erhält alle Welt einen Beweis und eine Demonstration dafür, daß schwache und arme, doch mit ihnen auch bußfertige starke und reiche Menschen schon vor dem Weltende in Frieden leben dürfen.

Zusätzlich zu Liebe, Danksagung und Freude könnten weitere Kernbegriffe genannt werden – wie sie z.B. im vorausgehenden Abschnitt (in dem von der lukanischen Beschreibung des Mahlgeschehens am Tisch des Herrn *und* an anderen Tischen die Rede war) aufgezählt wurden. Die Paulusbriefe enthalten längere und kürzere Listen (sog. »Kataloge«) von solchen Begriffen (z.B. Gal 5,22–23; Eph 5,9).
Weil der Apostel Liebe, Frieden, Langmut, Gütigkeit, Gerechtigkeit, Wahrheit und anderes als Frucht des Geistes und des Lichts bezeichnet, sollten diese Begriffe nicht mit den zwischen den Göttern und den Menschen residierenden griechischen oder lateinischen *arētai* bzw. *virtutes* gleichgesetzt und kurzerhand »Tugenden« genannt werden. Diese Verhaltensweisen sind auch nicht Teilerfüllungen des Gesetzes Gottes, d.h. »Werke des Gesetzes«. Vielmehr sind sie Geschenke Gottes, die in je verschiedenen Dimensionen das *ganze* Leben der Kinder Gottes beschreiben. Zuerst sind sie Eigenschaften Gottes und Christi. Dann werden sie aus Gnade allein durch den Geist auch den Erwählten überreicht. »Die Liebe Gottes ist ausgegossen in unsere Herzen durch den Heiligen Geist, der uns gegeben ist« (Röm 5,5). Daß gerade das Mahl des Herrn der Ort und die Stunde der Überreichung und Aneignung der Geistesgaben (»Charismen«) sei, wird von Paulus nie behauptet. Daß sie aber am Tisch des Herrn maßgebend sind, zur Geltung kommen und eingeübt werden sollen, so daß gerade sie auch das Tun und Lassen auf den Straßen und in den Häusern bestimmen, wird im 1. Korintherbrief eindrücklich gezeigt.
Da für einzelne Gemeindeglieder und Gemeinden angesichts unterschiedlicher Situationen, Bedrohungen und einmaliger Gelegenheiten bald diese, bald jene Geistesgabe besonders nötig und wirksam ist, brauchen nicht alle feierlichen Versammlungen am Tisch des Herrn nach demselben Mu-

ster, geschweige denn der gleichlautenden Liturgie zu verlaufen. Der Vorrang bestimmter Prioritäten und die Setzung gewisser Akzente ist, wie die Mahlberichte aller vier Evangelien und die Apostelgeschichte zeigen, ein Zeichen für die alle Tage neue Lebensnähe der Feier des Herrenmahls. Hätte Paulus Anlaß gehabt, z.B. auch den Römern und Kolossern spezielle Anweisungen über das Mahl zu geben, so hätten sie schwerlich nur aus Zitaten aus 1Kor 10–11 bestanden. Ohne Spontaneität und Mut, doch auch ohne entsprechende Risiken kann man sich nicht zu diesem Mahl versammeln.

Ist doch die Mahlfeier eine Station auf dem Weg und eine Wegzehrung für Menschen, die noch nicht am Ziel, sondern unterwegs sind. Die vom Gekreuzigten und Auferstandenen zu Tisch geladenen Gäste sind Glieder des wandernden Gottesvolkes, die Ruhe und Frieden sowenig in Händen und unter ihrer Kontrolle haben wie ihre Väter (Hebr 3,7–4,13; Hebr 11; 1Kor 10,1–3 und Joh 6,31.49.58). Gerade weil sie alles einzig und allein vom kommenden Herrn erwarten, pflanzen sie Weinstöcke und Ackerfrüchte an und genießen, was ihnen aus Gottes Hand täglich geschenkt wird. An den (fälschlich Luther zugeschriebenen) Ausspruch vom Apfelbäumchen, das heute noch zu pflanzen ist gerade von dem, der weiß, daß morgen das Weltende kommt, ist hier zu erinnern.

Das gilt auch für die Fortsetzung und Weiterführung theologischer Arbeit am Wesen und an der Reformation der kirchlichen Feier des Mahls des Herrn. Sofern sich auch Theologen als Glieder des wandernden Volkes verstehen, sind sie mitverantwortlich für die Einheit dieses Volkes. Einheit schließt Freude an der Vielfältigkeit der Geistesgaben – auch der Formen der Mahlfeiern – ein. Sie schließt aber gegenseitige Exkommunikationen sowohl im festtäglichen wie im alltäglichen Verhalten aus. Für Leute, die allesamt Gäste des Gekreuzigten und Brüder sind, ziemt es sich, daß sie sich »auf dem Weg nicht streiten«.

Einen einzigen Sammelbegriff, der die Beziehung zwischen dem Mahl des Herrn und dem alltäglichen Essen und Trinken, zwischen dem liturgischen Akt und der Ethik, zwischen Festtag und Alltag adäquat beschreiben würde, gibt es wahrscheinlich nicht. Zwar haben wir im Vorhergehenden zur Veranschaulichung von der Spitze eines Eisberges oder einer Pyramide, von einem Berg oder einem Morgen, von einem Beispiel oder einem Anfang, von einem Kriterium oder einem Test, von Sauerteig oder Senfkorn, von Schule oder Einübung, von Erinnerung an die Grundlage oder Ausrichtung auf das Letzte, dazu von konzentrischen Kreisen oder einer Krönung gesprochen. Auch versuchten wir alles zu vermeiden, was an Vorbedingung, Vermittlung, Kanalisierung, Beitrag, Garantie oder Lohn erinnern könnte. Kritische Einwände sind aber nicht nur gegen die zuletzt genannten Begriffe möglich, sondern auch gegen die von uns vorgeschlagenen. Gerade in seiner Beziehung zur Alltagsethik birgt das Mahl des Herrn ein Geheimnis in sich, das rational nicht aufzulösen ist. Sichere Grundlage für alle weitere Besinnung und Gestaltung ist einzig das Gebot des Herrn:

»Tut dies . . .«. Kein gehorsamer Wandel von Christen ohne die Feier dieses Mahls! Keine Tischgemeinschaft mit dem Herrn ohne Gemeinschaft mit Israel und ohne Gemeinschaft der Gäste Jesu untereinander!

Das für jeden Tag Richtige und Wichtige ist aufgenommen in das, was am Tisch des Herrn geschieht. Das festliche Mahl aber strahlt in den Alltag und heiligt ihn zum Lobe Gottes.

Teil IV

Das Christuszeugnis von Johannes 6

A   Ein unzweideutiges Gegenzeugnis?

Drei Ergebnisse standen am Ende der Auslegung jener Texte in den drei ersten Evangelien und im paulinischen Schrifttum, die vom Mahl des Herrn handeln: Dieses Mahl ist (1) eine Erfüllung des Gottesdienstes Israels, (2) eine Verkündigung des gekreuzigten und wiederkommenden Herrn und (3) eine Verbindung aller zum Tisch geladenen Gäste untereinander durch das Band der Liebe. Der paulinische Begriff »Gemeinschaft« (1Kor 10,16–17) hält diese Dimension des Mahls zusammen; er umfaßt ja alles, was im Alten und Neuen Testament über den von Gott erneuerten »Bund« mit den Menschen und über das Verhalten der Bundesgenossen Gottes untereinander gesagt wird.
Bei den Auslegungen wurde deutlich, daß sich die neutestamentlichen Zeugnisse in Einzelheiten durch verschiedene Akzentsetzungen voneinander unterscheiden. Doch ergab sich auch eine Konvergenz, Symphonie, ja Harmonie der verschiedenen Stimmen. Auf den ersten Blick steht nun das, was in Joh 6, besonders in den Versen 51b–58, über das Essen des Fleisches und Trinken des Blutes Jesu Christi gesagt ist, in schroffem Widerspruch zu allem, was bisher aus Paulus, Matthäus, Markus und Lukas zusammengetragen wurde.

1.   Gegen die Juden statt mit Israel?

Nur beiläufig wird in Joh 6,4 erwähnt, daß die Speisung der Tausende kurz vor dem »Passafest der Juden« stattfand, und in 6,59, daß der schärfste Teil der Brotrede Jesu in der Synagoge von Kapernaum (an einem Sabbat?) vorgetragen wurde. Im Verlauf der in Joh 6 dargestellten Ereignisse und Reden wird Jesu Auseinandersetzung mit den Galiläern und Juden von Schritt zu Schritt schärfer. Jesus entzieht sich ihrer Absicht, ihn nach der Speisung zum König zu machen (6,14–15). »Die Juden« begreifen nicht, wie er während der Nacht über den See gekommen sein kann (6,22–25). Sie verkennen den Sinn des gegebenen »Zeichens«, ja aller Zeichen (6,14.26.30). Sie wollen zwar die Vielzahl von Werken (im Dienste) Gottes tun, bekommen aber zu hören, daß »das Werk Gottes« einzig im Glauben an den von Gott Gesandten besteht (6,27–29). Zwar haben ihre Väter durch Moses Hand Brot vom Himmel empfangen – doch mußten sie trotzdem sterben. Die gegenwärtige Generation verlangt nach regelmäßiger Speisung durch ein Brot, das ewiges Leben verschafft, doch muß sie sich überraschen lassen durch die Mitteilung, daß Jesus allein dieses Brot und daß der Glaube an ihn die einzige Art und Weise ist, dieses Brot und durch dieses Brot: das ewige Leben zu empfangen (6,31–35.40.47–51.58). Besonders antijüdisch tönen die Verse 53–56; wird doch in ihnen den Juden zugemutet, was das Gesetz Gottes (Lev 17,10–15 u.a.) und (nach Apg 15,29 u.a.) eine Regel der judenchristlichen Gemeinde von Jerusalem verbieten: Blut zu trinken.

»Die Juden« – unter ihnen auch »viele von den Jüngern« Jesu – antworten auf diese Rede Jesu mit »Murren« und heftigen »Disputen« untereinander; sie finden seine Worte »hart« und »ärgern sich« darüber (6, 41.43.52.60–61). Wer sich aber an Jesus ärgert, statt ihm zu trauen und an ihn zu glauben, empfängt die wahre Lebensspeise nicht, sondern bleibt sowenig in Jesus wie Jesus in ihm (6,53–57). Die Mehrzahl der Juden und der Jünger ist nach Joh 6 – anders als die »zwölf Erwählten« – vom Vater dem Sohn nicht »gegeben«; darum »kommen« sie nicht zu Jesus und »bleiben« sie nicht bei und in ihm. Sie haben keine Gewähr, daß Jesus sie nicht »hinauswirft« und »verliert«; obwohl sie sehen, was Jesus (in seinen Zeichen) tut, glauben, hören und lernen sie nicht (6,36–40.45.60.64–66). Für die Zwölf aber legt Petrus ein Glaubensbekenntnis ab – was nicht ausschließt, daß gerade auch unter ihnen einer »ein Teufel ist«: Judas, der Verräter (6,66–71).

Der sogenannte johanneische Antijudaismus, der im Verlauf der heftigen Auseinandersetzungen zwischen Jesus und jüdischen Sprechern in Joh 5–12 zu einem Höhe- bzw. Tiefpunkt kommt, wenn Jesus sagt: »Euer Vater ist der Teufel« – diese antijüdische Haltung scheint in Joh 6 einmal mehr klar dokumentiert zu sein. Infolge der Verkennung, Bekämpfung und Verwerfung durch die Juden sieht es so aus, als ob Jesus seinerseits, gerade auch in seinen Aussagen über das Brot des Lebens, die Juden verwirft. Das Ja zum Lebensbrot ist von einem Nein begleitet; dem großen Licht, das auf dieses Brot fällt, entspricht eine finstere Schattenseite. So ist es vielleicht schon in 1Kor 16,22 (»Wer den Herrn nicht liebt, sei verflucht«) und sicher im 2. Jahrhundert bezeugt, daß mit kirchlichen Feiern des Mahls und mit Lehren über die Kommunion mit Jesus eine Exkommunikation zuerst der Juden, dann auch von Häretikern verbunden war. Auf alle Fälle widerspricht das skizzierte Verständnis von Joh 6 der Auffassung, das Mahl des Herrn sei »Gemeinschaft mit Israel«.

Sollte eine antijüdische Spitze wesentlich für das Mahl sein, zu dem Jesus Christus einlädt und das mit der größtmöglichen Verheißung, dem Geschenk des ewigen Lebens, verbunden ist? Auch Jesu Eingehen auf die Erfahrung der Väter Israels in der Wüste sieht ausgesprochen unfreundlich aus, weil Jesus nur daran interessiert gewesen zu sein scheint, daß die Väter trotz Empfang des Wunderbrotes *starben*.

2.   Kauen statt Verkünden?

Wie Paulus und die ersten drei Evangelisten, jedoch in eigener Sprache,
handelt Joh 6 von Gemeinschaft mit Christus. Auch hier, vor allem in den
Versen 51–58, steht das Kreuz Christi im Zentrum. Indem Christus sein
Leben hingibt, gibt er den Menschen ewiges Leben. Durch seinen Tod und
aus seinem Tod empfangen sie jenes Leben, das den Vätern in der Wüste
noch versagt blieb. Während jedoch in den paulinischen und synoptischen
Berichten vom letzten Mahl Jesus selbst seinen Tod verkündet und während nach Paulus die Gäste am Tisch des Herrn dieselbe Verkündigung bis
zur Wiederkunft des Herrn fortsetzen, spricht Joh 6 von Essen, Kauen und
Trinken besonderer Substanzen: Jesu, seines Fleisches und seines Blutes!
Zwar wird in Joh 6 auch nachdrücklich von Glauben und Bekennen gesprochen. Jenes physische Essen aber, das sowohl in der Speisungsgeschichte als auch in den Anspielungen auf die Gabe des Manna unzweideutig vorausgesetzt wird, scheint auch von jenem Mahl zu gelten, das
Christus den Seinen bereitet.
Nach O. Cullmann (Urchristentum und Gottesdienst, [2]1950, S. 96) wird
hier »die materielle Seite dieses Sakramentes in geradezu anstößiger Weise gesteigert«. Ohne physisches Essen und Trinken von himmlischen Substanzen, wie es allerdings nur im Glauben vollzogen werden kann, kein
Anteil an Christus und am ewigen Leben! Dieser Satz scheint die Summe
des Mahlzeugnisses von Joh 6 zu bilden.
Zur Begründung und Bestätigung dieser Auslegung hat Cullmann (ebd., S.
94–98) auf »stark antidoketische Interessen« hingewiesen, die die Christologie des Ersten Johannesbriefs mit der des Johannesevangeliums verbinden. »Doketisten« werden Vertreter der Ansicht genannt, Jesus Christus
habe nur einen Scheinleib gehabt. Besonders in Joh 1,14; 1Joh 1,1–4; 4,1–
3; 2Joh 7 wird ihre Lehre scharf bekämpft. Sakramentaler Doketismus
würde bestreiten, daß der zum Himmel erhöhte Christus in der niedrigen
fleischlichen Gestalt von Brot und Wein am Tisch des Herrn erscheint und
gegenwärtig ist. Nach Cullmann zeigt Joh 6, daß dem Ärgernis der niederen, menschlichen Gestalt des Sohnes Gottes das Ärgernis der Gegenwart
des Auferstandenen in einfachem Brot entspreche. In seinem Auferste-
hungsleib sei der Erhöhte personhaft und handelnd, allerdings nicht ding-
haft, gegenwärtig. Was das Weinwunder von Kana (Joh 2,1–11) für den
eucharistischen Kelch und das Speisungswunder für das Brot anzeigen, sei
das »Brot- und Weinwunder, das sich immer wieder in der Gemeinde, in
der Eucharistie vollzieht«. Immer sei das Fleisch, im Abendmahl aber speziell Brot und Wein »Mittler . . . der Geistwirkung«.
A. Schweitzer (Die Mystik des Apostels Paulus, 1930, S. 222–284.342–
346) hat diese Art von Sakramentalismus als hellenistische »Sakramentsmystik« bezeichnet (Einzelheiten der These Schweitzers werden später
noch zu nennen und kritisch zu beleuchten sein).
Katholische Kommentare und Monographien über die Sakramente im

Johannesevangelium drücken sich sorgfältiger und zurückhaltender aus. Doch veranlassen sie entweder die Gleichsetzung von Brot und Fleisch bzw. von Wein und Blut Christi oder ihre Treue zur katholischen Tradition (oder eine Kombination von beiden) zur Erneuerung und Bestätigung der Auffassung, das Sakrament des Altars sei ein Wunder, in dem Christus sich selbst, besonders seine Fleischwerdung und seinen Tod, real präsent mache. Eine Bestreitung der Einmaligkeit und Besonderheit des Wunders der Weihnacht und des Todes Jesu am Kreuz ist damit nicht beabsichtigt. Vielmehr soll die Offenbarung dessen, was im Stall von Bethlehem und am Kreuz von Golgatha einst im Verborgenen geschehen ist, die gegenwärtige Wirksamkeit und Gültigkeit des Lebens und Leidens Jesu Christi für viele, endlich die Vorwegnahme der zukünftigen (eschatologischen) Vollkommenheit als Kern des Wesens und des Geheimnisses der Messe, zur Geltung gebracht werden. Mit Recht wird betont, daß es Christus selbst und allein ist, der den Vater offenbart, der durch seine Selbsthingabe (und seinen Geist) das Werk Gottes ausführt und der das Heilswerk vollenden wird. Wird jedoch von der Realpräsenz Christi in Gestalt des die Eucharistie zelebrierenden Priesters, in der Form der verwandelten Elemente Brot und Wein, endlich im Akt ihres gläubigen Verzehrs gesprochen, so liegt doch der Gedanke an eine gleichsam zusätzliche, wenn auch nur abbildhafte Fleischwerdung und Opferung des Herrn nicht fern.

Damit ist schon ein erstes von weiteren möglichen Bedenken gegen die skizzierte Auslegung von Joh 6 angedeutet. (a) Nicht nur Protestanten auf der einen und Katholiken oder Orthodoxe auf der anderen Seite, sondern z.B. auch römische Katholiken unter sich sind einstweilen unfähig, in positiven Aussagen genau zu sagen, wie sich nach Joh 6 das Einmalige zum Wiederholten verhält. Trotz immer neuer Eucharistischer Kongresse gibt es noch kein als unfehlbar proklamiertes Dogma, das genau bestimmt oder beschreibt, was unter Realpräsenz Christi zu verstehen ist, was mit den Elementen geschieht, wenn die rechten Worte ausgesprochen werden, und was eigentlich gekaut, getrunken und hinuntergeschluckt wird. Nur gewisse Negationen sind bisher eindeutig. (b) Daß das Johannesevangelium nicht nur als das »geistliche« unter den vier Evangelien bezeichnet werden kann, sondern daß es zugleich auch das materialistischste ist, sollte nicht bestritten werden. Doch ist weniger sicher, ob sich in Joh 6 Geist und Fleisch bzw. ewiges Leben und eucharistisches Essen und Trinken zueinander verhalten, wie eine Medizin sich zu dem Mittel verhält, mit dessen Hilfe sie eingenommen wird. Der Spruch »der Geist macht lebendig, das Fleisch nützt nichts«, dazu die Gleichsetzung der *Worte* Jesu mit »Geist und Leben« in Joh 6,63 widersprechen dieser Auslegung. (c) Viele Ausleger von Joh 6 machen das Mahl des Herrn zu einem Geheimnis, Mysterium oder Wunder, das dem Wesen und Rang der Geheimnisse der Geburt, des Todes und der Wiederkunft, auch der Zeichen und Krafttaten Jesu Christi gleich, wenn nicht an Höhe und Tiefe überlegen sei. Das Neue Testament aber spricht zwar von einer Vielzahl von Geheimnissen *(mystēria);* es erwähnt Geheimnisse des Reiches Gottes, der Erwählung Israels, der Bosheit, der Frau auf dem Tiere und bestimmter Schriftstellen. Ignatius seinerseits kennt »drei schreiende Geheimnisse, die in der Ruhe Gottes vollzogen sind« (Eph 19,1). In keinem Fall werden die Sakramente oder die Eucharistie im besondern genannt. Das eine »Geheimnis Gottes«, das »jetzt offenbart ist«, besteht nach 1Kor 1,18–2,8; Kol 1,27; 2,2; Eph 1,9–10; 3,3–6 in einer Person, besonders ihrem Tod und ihrer Bedeutung für *alle* Menschen, d.h. in Jesus Christus selbst.

3. *Christusglaube mittels Sakramentsglaube?*

Im Großen Katechismus schreibt Martin Luther: »Das wöllen aber die Blindenleiter nicht sehen, daß der Glaube etwas haben muß, das er glaube, das ist, daran er sich halte und darauf stehe und fuße. Also hanget nu der Glaube am Wasser und gläubt, daß die Taufe sei, darin eitel Seligkeit und Leben ist ... Wenn ich nu solches gläube, was gläube ich anders denn an Gott als an den, der sein Wort darein geben und gepflanzt hat und uns dies äußerlich Ding furschlägt, darin wir solchen Schatz ergreifen künnden?«
Was Luther über die Taufe gesagt hat, findet sich – unter Berücksichtigung der Unterschiede zwischen Taufe und Eucharistie – auch in kirchlichen Lehren über das Mahl des Herrn. Wie in Mk 16,16 (»Wer glaubet und getauft wird, der wird selig«), so wird, wie es scheint, auch in Joh 6 die Eucharistie aufs engste mit dem Glauben verbunden.
Vom Glauben und Unglauben ist im Johannesevangelium (fast 100mal) und im Ersten Johannesbrief (10mal) nachdrücklich die Rede. Das rechte Verhältnis zu Gott dem Vater und seinem gesandten Sohn, auch zu Mose, zu den Schriften und zu den Worten und Werken Jesu, die rechte Wahrnehmung und Einschätzung der Zeichen, das Bleiben bei und in Jesus, der Wandel in der Nachfolge, der Eingang ins ewige Leben und anderes wird mit dem Verb »glauben« bezeichnet. Immer geht es um ein bundesgemäßes Verhalten, das der mit dem Kommen Christi angebrochenen Heilszeit entspricht.
Gerade auch in Joh 6 wird das Verbum »glauben« noch und noch verwendet. In den Versen 29–30.35–36.40.47.64.69 wird es absolut gebraucht (ohne Erwähnung dessen, dem, an den oder was geglaubt wird); oder die Rede ist vom Glauben an *(eis)* ..., vom Glauben (mit Dativ) im Sinn von Sichverlassen auf ... oder vom Glauben, daß.... Einladungen zum Glauben und Hinweise auf seine Notwendigkeit finden sich am Ende des Exkurses über die Arbeit für unvergängliche Speise (6,26–30), innerhalb der Brotrede (6,35–47) und im Zusammenhang mit dem Bekenntnis des Petrus (6,64–69). Die »Zeichen«, die Jesus getan hat – außer der Speisung der Fünftausend ist auch der Seewandel als gegebenes und gesehenes »Zeichen« zu verstehen (6,1–26) –, werden von ihm selbst interpretiert. Sie laden ein zum Glauben an den, der sich selbst für die Welt in den Tod hin-

gibt, damit alle Menschen, nicht nur Israel, Anteil haben an seinem Triumph über die Macht des Verderbers – sei es des Hungers, des Meeres oder des Todes. Unter den vielen Themen, die in Joh 6 behandelt werden, sticht das Thema »Glauben an Jesus Christus« schon deshalb hervor, weil es in immer neuen Variationen aufgegriffen wird.

Zu fragen ist jedoch, ob neben diesem Hauptthema auch ein zweites steht: Glaube an Wesen und Wirkung des Mahls des Herrn, also das, was man Sakramentsglauben oder -gläubigkeit nennen kann. Dieses zweite Thema wäre gewiß dem ersten strikt untergeordnet. Glaube an ihn, der das Mahl mit Wort und Tat gestiftet und mit seinem Tod und seiner Auferstehung die Grundlage, den Sinn und die Wirkung des Mahls bestimmt hat, bliebe die Hauptsache. Fast alle Kapitel des Johannesevangeliums sprechen vom Glauben (an den Vater und) an Jesus Christus, ohne gleichzeitig von der Eucharistie zu sprechen. Doch könnte Joh 6 den Sakramentsglauben als Eingangspforte, Geleitschutz, Vorbedingung, Kennzeichen oder Kriterium des rechten Glaubens an Gott und den Menschensohn darstellen.

Schon seit der Abfassung oder Verbreitung des Vierten Evangeliums wurde die genannte Frage gestellt und die Möglichkeit gesehen, in Joh 6 eine esoterische (nur für Eingeweihte und wahrhaft Gläubige bestimmte) Sakramentslehre zu finden. Die Frage wurde nicht einhellig beantwortet; selbst wenn die Entscheidung zugunsten des Eucharistiemahls ausfiel, wurde das Wesen des Sakraments sehr unterschiedlich beschrieben. Immerhin setzte sich dann stets eine Version des Sakramentalismus durch.

In seinem Kommentar über das Johannesevangelium (Anchor Bible, New York, Bd. 1, 1966, S. 272) stellt R. E. Brown, S. S. zunächst zwei Auslegungstypen von Joh 6 einander gegenüber:

Mit Ignatius von Antiochien und Justin dem Märtyrer setzt in der ersten Hälfte des zweiten Jahrhunderts eine sakramentale Auslegung ein. Dank Johannes Chrysostomus, Gregor von Nyssa, Cyrill von Jerusalem und Cyrill von Alexandrien gewinnt sie nicht nur im Osten, sondern auch im Westen die Oberhand, um schließlich die Hauptströme der Scholastik und der Reformation zu beherrschen. Doch haben seit dem Ende des zweiten Jahrhunderts Clemens von Alexandrien und Origenes, um das Jahr 400 Augustin (in Ioann. Ev. tract. XXVI), unter den Reformatoren Zwingli, seltsamerweise auch einer der katholischen Hauptgegner Luthers, der Dominikaner J. de Vio Cajetan, der sakramentalen Auslegung von Joh 6 eine (in Browns Sprache) »spirituelle« oder »weisheitliche« entgegengestellt. Der große Respekt, der Augustin im frühen, hohen und späten Mittelalter gezollt wurde, hatte wenigstens im Westen zur Folge, daß zu keiner Zeit nach dem Tode dieses Kirchenvaters sein Satz »an Ihn glauben – das ist, das lebendige Brot verzehren« bezweifelt wurde. Nach dieser Interpretationslinie handelt die Brotrede von Joh 6 mit Einschluß der V. 51–58 *nur* vom Glauben an Christus. Unter den neueren Auslegern hat besonders A. Schlatter (Der Evangelist Johannes, [2]1948, S. 182) dieselbe Meinung vertreten: Johannes »beschrieb« der Kirche »Jesus nicht als Stifter eines Sakraments, wohl aber als den, der sie durch seinen in den Tod gegebenen Leib mit dem Leben speist«.

In der heutigen gelehrten Diskussion sind nach Brown nicht weniger als vier Partner zu unterscheiden. Für die erste Gruppe ist der ganze Abschnitt Joh 6,32–58 bzw. 6,35–58 (die Brotrede mit den Worten über das Essen von Fleisch und das Trinken von Blut) als bildliche

Rede über den Glauben, also geistlich-weisheitlich zu verstehen. Für eine zweite Gruppe verlangt die Brotrede bis zu V. 51a nach einer geistlichen Interpretation, doch sollen die V. 51b–58 eucharistisch-sakramentalen Charakter haben. Eine dritte Gruppe lehrt, daß alles, was in Joh 6,32(35)–58 stehe, einen direkten Bezug auf das Mahl des Herrn habe. Schon in V. 35 ist ja (nur deshalb, weil schon so früh in Jesu Rede an Brot *und Wein* bei der Mahlfeier gedacht ist?) von Hungern *und von Dürsten* die Rede. Endlich vertritt eine vierte Gruppe die These, daß die ganze Rede Jesu (6,35–58) eine Abhandlung sowohl über den Empfang des Lebensbrotes durch Glauben als auch über die Überreichung von Fleisch und Blut in der Gestalt von Brot und Wein sei. X. Léon-Dufour, S.J. (bes. in: Abendmahl und Abschiedsrede im Neuen Testament, Stuttgart 1983, S. 325–343) schließt sich der zuletzt genannten Schule an. Brown selbst folgt A. Feuillet, wenn er modifizierend feststellt, die V. 35–50 handelten hauptsächlich von Offenbarung (und Glauben), doch *auch* von der Eucharistie, während der zweite Teil der Rede (V. 51–58) *nur* die Eucharistie beschreibe.

Mögen die genannten vier Gruppen die Behandlung der zwei Themen verschiedenen Verseinheiten zuschreiben und dieses oder jenes Thema stärker als das andere betonen, so sind sie sich doch darüber einig, daß Glaube das beherrschende Thema der Brotrede ist. Der einseitigen Auslegung Augustins, der zufolge der Glaube *an Jesus Christus* alles umfasse, was mit Essen (und Trinken) gemeint sei, begegneten unter anderen Luther und Calvin nicht mit einem schroffen Nein, sondern mit Zustimmung und Umdeutung: Joh 6 bezeuge die Verheißung und die Notwendigkeit, »im Glauben« am Mahl des Herrn teilzunehmen, da dieses Mahl sonst zum Gericht gereiche, wie Judas der Verräter und die Unwürdigen von Korinth bewiesen.

Die zuletzt genannte Auslegung von Joh 6 hat schwerwiegende Konsequenzen. *Wenn* Joh 6 wirklich in zweifacher, d.h. in christologischer und sakramentaler Hinsicht »antidoketisch« und wenn der Empfang der Selbsthingabe Jesu und des daraus fließenden ewigen Lebens durch das Sakrament heilsnotwendig »zur Stärkung und Erhaltung zum ewigen Leben« ist – *dann* sind nicht nur der Herr, sein Tod und seine Erweckung, sondern auch das von Jesus eingesetzte kirchliche Mahl eine Voraussetzung, ein Vermittler und ein Kriterium des Glaubens. In diesem Fall ist auch die Eucharistie Gegenstand, Substanz oder Inhalt des Glaubens. Neben dem einen Vermittler steht dann die immer neue sakramentale Vermittlung und Stellvertretung. Zwar ist nach Joh 14–16 und 21 einzig der Heilige Geist solch ein zusätzlicher Beistand der Christen, doch steht nach der sakramentalen Auslegung von (Joh 3,1–8 und) Joh 6 (die Taufe und) die Eucharistie mit gleicher, wenn nicht mit stärkerer Wirkung neben dem Heiligen Geist. Weil in Joh 6,63 der Geist explizit erwähnt wird, können in der Tat Lebensvermittlung durch den Geist und durch das Mahl sich gegenseitig ergänzen oder interpretieren. Im Dienste der Vermittlung zwischen Gott und den Menschen stehen dann Jesus Christus mit der Einmaligkeit und Vollkommenheit seines Werkes *und* der Geist (in der Vielfältigkeit und mit der Freiheit seiner Erscheinungen, Wirkungen und Gaben) *und* die Eucharistie. Eine Konkurrenz der drei untereinander ist ausgeschlossen, weil Christus selbst den Geist verheißt und schenkt und weil auch er selbst (nach Paulus, den Synoptikern und eventuell Joh 13) das Mahl gestiftet hat.

Wie Glaube an den Heiligen Geist nach dem Apostolikum durch den Glauben an Gott den Vater und den Glauben an den Sohn Jesus Christus nicht ausgeschlossen, sondern geradezu gefordert ist, so könnte auch *vom Glauben an das Sakrament* oder an die Sakramente die Rede sein, gerade wenn und wo dem Glauben an Jesus Christus der gebührende Ehrenplatz zugesichert ist. R. Bultmann (Das Evangelium des Johannes, 1941, S. 166) stellt – unter Berufung auf hellenistisch-sakramentale (Mysterien-) Mahle und den (gnostischen) Dualismus, der solche Kultbräuche mitbestimmte – fest: »Sakramentaler Glaube und Glaube an das Offenbarungswort sind oft verbunden.« Bei A. Schweitzer (Mystik, a.a.O., S. 342–345) trägt ein Unterabschnitt den Titel »Glaube an den Logoschristus als Glaube an die kommenden Sakramente«. Andere haben von einer inneren Verwandtschaft des Ärgernisses, das am Gekreuzigten genommen wird (1Kor 1,23; Gal 5,11), und des »Ärgernisses«, das Jesus nach Joh 6,41.43.52.60f durch seine Brotrede erweckt, gesprochen. Wieder andere »loben« (die Taufe und) die Eucharistie, weil man gerade und einzig im gläubigen Empfang dieser Sakramente und im Glauben an ihre Wirksamkeit den Stifter dieser Heilsmittel und Gott selbst ehre. Gibt es endlich auch größere sprachliche und sachliche Zurückhaltung bei wieder anderen Verehrern der Sakramente, so gilt doch wohl für alle, daß sie einen Glauben *an* das Sakrament für schriftgemäß halten.

In der Tat bezeugen mehrere biblische Stellen, besonders johanneische Texte, daß das Verbum »glauben« mit mehr als einem einzigen Bezugspunkt verbunden werden kann. Werden zwei Quellen, Inhalte oder Kriterien genannt, so könnte man vermuten, statt mit einem Kreis und seinem einen Mittelpunkt habe man es mit einer Ellipse zu tun. Doch versagt das Bild, weil im Neuen Testament der zweite Brennpunkt immer eine dem ersten deutlich untergeordnete Stellung einnimmt.

Frühere und spätere Bücher des Alten Testaments sprechen davon, daß die »Kinder Israel« an den Herrn glauben und an »seinen Knecht Mose«; sie werden ermahnt, »auf den Herrn . . . (und) auf seine Propheten zu vertrauen« (Ex 14,31; 2Chr 20,20). Gerade dieses Volk »verneigte sich tief und warf sich nieder vor dem Herrn und vor dem König« (1Chr 29,20). Recht gefeierter Tempelkult beruht auf der Gewißheit, daß Gott allein »Sühne schaffen« könne, daß man aber dank der Einsetzung von Priestern und Opfern durch Gott im Kult ein unentbehrliches Hilfsmittel habe. Unter den Psalmen gibt es Loblieder von Tempelwallfahrern, die *Glaubens*zeugnisse für das Heil darstellen, das man im Tempel zu finden hofft oder gefunden hat. Der Glaube an den einen Gott schloß den gläubigen Gang zu dem von Gott erwählten Heiligtum ein; doch wird von einem »Glauben an« kultisches Geschehen im Alten Testament nie ausdrücklich gesprochen. Jesus selbst hat nach Joh 12,44; 14,1 (vgl. 17,3 u.ö.) nicht nur vom »Glauben an Gott« und »Glauben an mich«, sondern nach Joh 4,46–47 auch vom Glauben an Mose und an die Schriften gesprochen. Seine Jünger »glaubten der Schrift und dem Wort, das Jesus gesprochen hatte« (Joh

2,22). Nicht nur Jünger, sondern auch »die Juden«, Galiläer, Samaritaner, Pharisäer und Volksmengen werden angeblich oder wirklich durch das »Sehen von Zeichen« zum Glauben an Jesus Christus motiviert (Joh 2,18; 4,41–43; 6,14.26.30; 7,31; 9,16.34–38; 11,45–48; 20,25.30–31; vgl. 1Kor 1,22; Mt 12,38).

Nach dem Zeugnis des Evangelisten ist Jesus nur daran gelegen, daß er selbst und der Vater Glauben finden, nicht aber daran, ob ein Mensch einzig auf das Wort Jesu hin zum Glauben kommt oder aufgrund der Worte anderer (z.B. der Samariterin, Joh 4,40–42) oder wegen der Zeichen, die Jesus in aller Öffentlichkeit gegeben, bzw. der Wunder, die er getan hat. Vom Glauben *an* ein Zeichen oder *an* mehrere Wunder wird nicht gesprochen. Auch wird bei Johannes weder das Lebensbrot noch die Identität des Gebers mit der Gabe noch das Essen des Fleisches oder das Trinken des Blutes noch der Tod oder die Auferweckung Jesu ein Zeichen genannt. Die Meinung Cullmanns (Urchristentum, a.a.O., S. 88.91.93), der zufolge Taufe und Abendmahl in gleichsam institutioneller Form »immer« (Joh 6,34) die einmaligen, zur Zeit von Jesu Wandel auf der Erde vollzogenen Wunder der Heilung fortsetzen, wenn nicht ersetzen, ist schwerlich haltbar. Entspräche sie dem Sinn und der Absicht des Vierten Evangeliums, so würde sie unter die Vorbehalte fallen, die Jesus gegenüber einem Glauben macht, der sich nur auf Zeichen stützt oder Zeichen fordert. Zwar war es Thomas als einem Glied der privilegierten Zwölfergruppe gestattet, zu glauben und zu bekennen, *weil* er den Auferstandenen gehört, gesehen und mit Händen betastet hatte (vgl. 1Joh 1,1–3). Doch besteht dies Privileg nicht mehr nach der Himmelfahrt Jesu; denn dann sind »selig, die nicht sehen und doch glauben« (Joh 20,28–29).

Mögliche Bedenken gegen den angeblich in Joh 6 (zusätzlich zum Glauben an Christus) verkündeten, geforderten oder verheißenen Sakramentsglauben können in folgender Weise zusammengefaßt werden: Spricht dieses Kapitel vom »Glauben«, so immer und einzig vom Glauben an (den Vater und) Jesus Christus, wie es auch die anderen Kapitel des Evangeliums tun. Von einem notwendigen Glauben *an* einen Nachvollzug oder eine Ausdehnung der Wunder oder Zeichen, der Fleischwerdung und Kreuzigung, an eine Vergegenwärtigung und reale Präsenz des Menschensohns im Mahl des Herrn wird nirgends gesprochen. Gerade in den entscheidenden, sogenannten »eucharistischen« Versen 51–58 fehlt jeder explizite Hinweis auf den Glauben. Auch wenn Paulus und die Synoptiker vom »Glauben« sprechen, meinen sie allein den Glauben an Gott bzw. Jesus Christus. Das gilt auch für Lk 22,32 (die Fürbitte Jesu für Petrus, daß sein Glaube nicht schwinde), d.h. für den einzigen neutestamentlichen Mahltext außer Joh 6, in dem ausdrücklich vom Glauben die Rede ist. Immerhin können auch Berichte über das »Erkennen« Jesu durch Jünger während der Ostermahle als Äquivalente betrachtet werden. Nie aber wird an diesen Stellen vom Glauben an das Mysterium eines Sakraments gesprochen.

4.   Der einzelne anstelle der Gemeinschaft?

Die verschiedenen Versionen der Einsetzungsberichte, die sich in den drei ersten Evangelien finden, haben unter anderem folgendes gemeinsam: Das Mahl findet im Kreis der zwölf (elf) Jünger statt, also in einer Gemeinschaft, deren einzelne Glieder wegen ihrer Bindung an Jesus auch unter- und miteinander verbunden sind – bis Judas aus ihr herausfällt. Die paulinische Version erwähnt die Jünger nicht, doch betont Paulus im Kontext, daß alle Gäste am Tisch des Herrn ein Leib sind und daß das Mahl nur gefeiert werden kann, wenn die Geringsten unter den Teilnehmern von den anderen am höchsten geehrt werden. Bei Paulus und den Synoptikern gehören darum Begriffe wie »Bund«, »Gemeinschaft«, »ein Leib« zur Beschreibung des Wesens des Mahls. Der Tod Christi »für viele« oder »für euch« verbindet die Vielen bzw. alle Jünger auch untereinander. So hatte ja auch der alttestamentliche Gottesbund gleichzeitig eine vertikale und eine horizontale Dimension. Er verband Gott mit Israel und Israel mit Gott; er bestimmte auch das gegenseitige Verhalten der Glieder des Gottesvolks und ihre gemeinsame Verpflichtung gegenüber den Völkern.

Spricht Jesus aber nach Joh 6 von der Speise, die er selbst gibt, die in ihm selbst, seinem Fleisch und Blut, besteht und die zum ewigen Leben ernährt, so steht er jedem einzelnen, der seine Worte hört und zu ihm kommt, direkt und unmittelbar gegenüber und zur Verfügung. »Wer zu mir kommt . . ., wer glaubt . . ., wer davon ißt . . ., wer mein Fleisch ißt und mein Blut trinkt . . .« usw. (6,35.47.50.54). Statt des sehr allgemeinen Pronomens »wer« kann auch die Anredeform »ihr« verwendet werden: »Wenn ihr nicht das Fleisch des Menschensohns eßt . . .« (6,53). Hier wird nichts von einer wechselseitigen Beziehung der Angesprochenen untereinander gesagt – es sei denn in den Bemerkungen über ihr »Murren« untereinander und den gemeinsamen »Ärger« der Juden an Jesu Reden (6,41.43.61). Werden die »Väter« bzw. Israel in der Wüste als eine Einheit betrachtet, die gesamthaft mit Manna gespeist wurde (6,31.58), so gibt Jesus sein Leben »für die Welt« bzw. »das Leben der Welt« (6,33.51). »Welt« aber ist eine Kollektivbezeichnung, die dem Individualismus der mit den Worten »wer glaubt« und »wer ißt« beginnenden Sätze und den entsprechenden Negationen (»wer nicht . . .«) entspricht. Ein Leib besteht aus verschiedenen Gliedern, deren Kooperation für das Leben des Leibes wesentlich ist; die Welt aber scheint aus anonymen und uniformen Individuen zu bestehen, die sich nicht mehr voneinander unterscheiden als Sandkörner in einem Sandhaufen oder die Wassertropfen, die einen Bach bilden und einen Eimer füllen. Jedes Individuum muß scheinbar für sich entscheiden, ob es glauben, die besondere Speise erkennen und essen, auferweckt werden und ins ewige Leben eingehen will. Hier herrscht Gleichheit!

Das resultierende Bild vom Mahl hat demgemäß folgende Gestalt: Wer immer hungrig ist, von einem Gratis-Buffet hört, von den hervorragenden Eigenschaften des Wirtes und der angebotenen Verpflegung überzeugt ist,

zum Mahl eingeladen und der Einladung zu folgen willig ist – der darf her-
zutreten. So nimmt er dann am Mahl teil und sieht, schmeckt, ißt und
trinkt, wobei er die dort angebotene Liebe zu Herzen nimmt und die dort
angebotene physische Speise mit seinem Magen aufnimmt. Anschließend
geht er seines Weges – in der Gewißheit, daß an dessen Ende ewige Vereinigung mit dem herrlichen Gastgeber und entsprechendes Glück gefunden werden. In den meisten Fällen stört ihn die Gegenwart von Mitessen-
den und -trinkenden nicht. Ist er großherzig und sozial eingestellt, so freut
er sich sogar darüber. Doch bleibt er letztlich nur mit sich selbst und seinem eigenen Glück beschäftigt.

Wer von Heilsindividualismus oder religiös verbrämtem Egoismus
spricht, hat diese Allegorie und die ihr zugrunde liegende Auslegung von
Joh 6 korrekt gedeutet. Jeder einzelne, der nicht sterben will wie die Väter
in der Wüste, braucht Jesus als Gastgeber, als Gabe, als Speise und Trank –
nur so wird er ewig leben und glücklich sein. Demnach stünde jedes
menschliche Individuum letztlich allein vor seinem Gott, weder gestört
noch begleitet noch unterstützt durch einen Nächsten. Was wie eine
schreckliche oder blasphemische Parodie oder Karikatur des Mahls des
Herrn aussieht, ist – gewiß mit Verfeinerungen und Abschirmungen – die
Erklärung von Sinn, Wesen und Zweck, die die Liturgie, den Vollzug und
den Erfolg der Feier maßgeblich bestimmt. Was man vom Mahl erwartete
und was man dabei erfuhr, stand unter dem Einfluß dieses Bildes. Die Besonderheit des johanneischen Mahlzeugnisses scheint unter anderem gerade in seiner Massivität und seiner Ausrichtung auf jeden einzelnen zu
bestehen, der vom Tode bedroht ist und das Bedürfnis nach substantieller,
nicht nur symbolischer Glaubens- und Lebensbestärkung hat. Die Wirkungsgeschichte von Joh 6 in den orthodoxen, katholischen und protestantischen Gottesdiensten spricht eindeutig nicht nur für die Höhen und
Tiefen der sakramentalen Interpretation dieses Kapitels, sondern auch für
den Erfolg ihres Appells an die Entscheidung, die der einzelne zu fällen
hat, und an den segensreichen Erfolg seiner Teilnahme am Mahl des
Herrn.

Kleinere kirchliche Gemeinschaften, die sich außerhalb oder innerhalb des
Rahmens der Großkirchen zur Feier des Mahls treffen, z.B. die Basisge-
meinden in Südamerika und Italien, haben sich allerdings dem Druck der
traditionellen großkirchlichen Lehren, Liturgien und Durchführungen der
Eucharistie nicht unterworfen. Bei allem Respekt vor Joh 6 zelebrieren sie
auch und gerade bei der Feier des Mahls des Herrn die von Christus geschaffene Gemeinschaft untereinander.

Ist der Hauptstrom der Wirkungsgeschichte eindeutig, so beweist dies
doch nicht, daß die in ihr zum Ausdruck kommende sakramentale Interpretation von Joh 6 die bestmögliche, geschweige die einzig textgemäße
ist. Unter den exegetischen Bedenken, denen gewiß auch dogmatische und
praktisch-theologische hinzugefügt werden könnten, wollen wir folgende
nennen:

(a) Hinweise auf die brüderliche Liebe, die die an Christus Glaubenden untereinander verbindet und ohne die Gottes und Christi Liebe verworfen und die Liebe zu Gott und Christus zur Lüge gestempelt wird, sind im Johannesevangelium und im Ersten Johannesbrief besonders zahlreich und betont. Es wäre seltsam, wenn Joh 6 ein von und in der Gemeinde zu feierndes Mahl beschreiben wollte, das mit gegenseitiger Liebe der Essenden und Trinkenden nichts zu tun hätte.

(b) Dort, wo das Vierte Evangelium das letzte Mahl Jesu mit seinen Jüngern beschreibt und den am Tisch vollzogenen Akt der Fußwaschung als Vorbild, seine Wiederholung aber als immer wieder zu erfüllende Pflicht derer bezeichnet, die Jesu »Liebe bis zum Ende« erfahren haben, spricht es von einer Demut und Liebe, die alle Tischgäste einander gegenseitig erweisen sollen (Joh 13,1–20, bes. V. 14–15). Es ist schwer denkbar, daß der Evangelist im sechsten Kapitel seines Werks dieses Element des letzten Mahls in den Schatten stellen oder auslöschen wollte. Zwar fehlt in seinem Speisungsbericht eine Erwähnung der Austeilung des von Jesus gebrochenen Brotes durch die Jünger; doch bedeutet dies nicht, daß ein gegenseitiger Dienst der Teilnehmer am Mahl des Herrn ausgeschlossen oder unwesentlich ist. Immerhin darf Andreas auf die vorhandenen fünf Brote und zwei Fische aufmerksam machen und übergibt Jesus den Jüngern die Aufgabe, für die Lagerung des Volkes zu sorgen (6,8–9).

(c) Vor und nach der Brotrede handelt Joh 6 von der Gemeinschaft der Jünger. Sie erleben den Sturm, während sie zu Schiff den See überqueren, und sie fürchten sich (nicht vor dem Sturm, sondern allein?) vor Jesus, der in der Nacht über das Wasser auf sie zuschreitet (Joh 6,16–20). Unter der großen Zahl der Jünger gibt es eine Spaltung, als die Mehrheit auf die ärgerliche Brotrede hin Jesus den Rücken kehrt und Petrus nur für die Zwölf das Bekenntnis zum Heiligen Gottes ausspricht (6,64–69). Bei dem kleinen Kreis geht es um eine echte Gemeinschaft, nicht um anonyme Typen und ein entsprechendes Kollektiv. Einzelne Glieder der Gruppe werden beim Namen genannt: Die Funktionen des Philippus und Andreas bei der Speisung sind verschieden. Wiederum hebt sich die Verhaltensweise des bekennenden Petrus und das schändliche Tun des Judas (6,5–9.64–71) von dem anderer Jünger ab. Die Themen, die in den (die Brotrede umgebenden) Rahmenstücken behandelt werden, sind mehr als nur auswechselbare oder entbehrliche Ornamente.

Was über das persönliche Essen des Fleisches und Trinken des Blutes Jesu gesagt wird, ist nicht scharf abgegrenzt von der Darstellung der Speisung, des Seewandels und des Petrusbekenntnisses, bei denen die Gemeinschaft und ein bestimmtes Tun der Jünger eine besondere Rolle spielen. Die Überleitungsstücke 6,27–31 (oder 6,27–34) und 6,59–64, die die Zeichen mit der Brotrede bzw. die Brotrede mit dem Petrusbekenntnis verklammern, enthalten beides: Bezüge auf das, was vor bzw. nach der Brotrede geschehen ist, und Antizipationen bzw. Zusammenfassungen des Inhalts der Brotrede selbst.

Angesichts dieser Struktur des ganzen Kapitels Joh 6 ist es unwahrscheinlich, daß der Evangelist an dieser Stelle, unter Ausschaltung mitmenschli-
cher Beziehungen, nur von einem unmittelbaren Gegenüber von Jesus
und einzelnen Individuen, m.a.W.: nur von Gemeinschaft mit Christus
handeln wollte.

5. Vorrecht und Vorrang von Joh 6?

Ungeachtet gewisser Probleme der traditionellen sakramentalen Auslegung von Joh 6 wurde im Verlauf der Kirchen-, Liturgie- und Dogmenge-
schichte das Zeugnis dieses Kapitels als so klar und eindeutig betrachtet,
daß ihm in der Gesellschaft des paulinischen und der synoptischen Mahlzeugnisse *mehr* als nur die Rolle eines dritten Zeugen zuwuchs. Hätte Joh 6
nur bestätigt, ergänzt oder vertieft, was die anderen beiden Zeugen ohnehin aussagten, so wäre es gewiß der dritte im Bunde jener zwei Zeugen gewesen, die nach Dtn 19,15; 2Kor 3,1; Mt 18,16 u.a. für die Feststellung der
Wahrheit einer »Sache« erforderlich sind. Weil aber (der um die Mitte des
zweiten Jahrhunderts aktiven Gruppe der sogenannten »Aloger« zum
Trotz) seit Clemens von Alexandrien (Hypotyp. VI, Ende 2. Jh.; bei Euseb,
HE VI,14,7) das Johannesevangelium als das »geistliche« und »letzte« in
der Gesellschaft der anderen, mehr am »Leiblichen« interessierten Evangelien galt, wurde ihm eine Vorrangstellung eingeräumt. In Sachen Eucharistie sorgte ja Joh 6,63 dafür, daß die Brotrede nicht im Sinne eines un-
geistlichen Materialismus verstanden wurde.
So kam es, daß die Brotrede, besonders die Verse 51–58, zu dem Licht
wurden, in dem die Mahltexte des Paulus, Lukas, Matthäus und Markus
gelesen wurden, oder zur Brille, durch die der Blick mit Entzücken ging,
um die anderen Mahlaussagen recht zu begreifen. Joh 6 diente als Prisma,
das den Reichtum der anderswo nicht entfalteten Farben des Mahls des
Herrn aufstrahlen ließ. Nicht nur die orthodoxen und römisch-katholischen Erklärungen der Eucharistie, sondern auch die lutherischen und calvinistischen Verständnisse des Abendmahls könnten zwar auf die speziellen Zeugnisse einzelner Synoptiker, nicht aber auf die des Johannes verzichten. Z.B. wird die Abendmahlslehre Calvins (Inst. IV,17) und des Heidelberger Katechismus (Fragen 75–82) erst und besonders dann sakramental und vom Verdacht eines etwas substanzarmen Symbolismus befreit, wenn sich unter den Belegstellen Verse aus Joh 6 finden. Unter neueren Auslegern ist C.K. Barrett (St. John, Bd. 2, 1958, S. 71) gewiß nicht eines hochkirchlich-anglikanischen Sakramentalismus verdächtig, doch bezeichnet er die Sakramente, wie sie im Johannesevangelium dargestellt
sind, nicht nur als Mittel, durch die Christen in das rettende Werk Christi
eingefügt werden, »sondern auch als Ausdehnung des grundlegenden sakramentalen Faktums des inkarnierten Lebens des Sohnes Gottes«, d.h. als
»Extension der Inkarnation«.

E. Schweizer (u.a. in seinem Artikel »Abendmahl« in RGG³) vertritt die
Meinung, die Worte »das ist mein Leib« in den Einsetzungstexten (1Kor
11,24) bedeuteten soviel wie: Bei jeder Abendmahlsfeier ist Jesus real präsent, weil er dabei gleichzeitig Geber und Gabe ist, d.h. sich selbst an die
Teilnehmer austeilt und hingibt. Diese Auslegung wird zwar damit begründet, daß hinter dem Wort »Leib« (griechisch: *sōma*) der hebräisch-ara-
mäische Begriff *guf* oder *gūpā* stehen kann, also ein Wort, das manchmal
nicht »Leichnam«, sondern »(lebendige) Person« bedeutet. »Mein Leib« bedeutet dann soviel wie »ich«. Andere Ausleger hatten vermutet, Jesus habe
bei seinem letzten Mahl von seiner *besira* gesprochen, also ein Wort gebraucht, das die von Paulus und den Synoptikern verwendeten Traditionen mit demselben Recht mit *sōma* (Leib) übersetzten, wie (die Tradition
hinter) Joh 6 es mit *sarx* (Fleisch) übertrug. Schweizer entscheidet sich für
guf (= Selbst = Ich), wahrscheinlich wegen Joh 6,27.32–35.48–51. Denn in
diesen Versen, nicht aber in den paulinischen und synoptischen Mahltexten, bezeichnet sich Jesus im Rahmen einer Rede über das von ihm berei-
tete Mahl sowohl als Geber als auch als Gabe des Brotes.

Das Zeugnis des Neuen Testaments über das Mahl des Herrn kann gewiß
nur dann gehört und beherzigt werden, wenn die Vielfalt der neutestamentlichen Zeugnisse zu diesem Thema wahrgenommen und beherzigt
wird. Geschieht dies, so braucht es mehr zur Darstellung dessen, was die
Kirche heute berücksichtigen sollte, als daß man der Mehrzahl der neutestamentlichen Zeugen, d.h. Paulus und den Synoptikern, den Vorrang läßt
vor der Minderzahl, d.h. Joh 6 in der vorherrschenden Auslegung. Es
braucht aber auch mehr, als daß man einer einzelnen Stimme und einer
fest eingebürgerten Interpretationstradition so vertraut, daß man auf andere Stimmen gar nicht ernsthaft hört. Auf alle Fälle ist es falsch, wenn
(mit Hilfe scholastischer und reformatorischer Auslegungsmethoden,
doch allen späteren Entwicklungen exegetischer Arbeit zum Trotz) eine
Auswahl von paulinischen, synoptischen und johanneischen Versen munter durcheinandergemischt und kombiniert wird. Sind doch diese Verse
nicht von ein und derselben Person, unter denselben Umständen, in demselben biblischen Abschnitt oder als einheitlicher eucharistischer Traktat
verfaßt! Die Dominanz, die Joh 6 (in einer nicht unwidersprochenen Auslegung!) über die anderen Mahltexte eingeräumt wird, könnte einem Vor-
urteil der Ausleger zu verdanken sein.

B   Angriffe auf die Autorität von Joh 6

Von historisch-kritischen Auslegern sind mindestens drei Schwerter ge-
schmiedet und geschwungen worden, die die sakramentale Interpretation
von Joh 6 – und wenn nicht sie selbst, so doch ihre Vorherrschaft – in je eigener Weise bedrohen und möglicherweise durch eine bessere ersetzen
konnten.

1.   Spätdatierung

Die Mehrzahl der kritischen Einleitungen in das Neue Testament und
Kommentare zum Johannesevangelium nennt heute als Entstehungszeit
für dieses Evangelium – wenn überhaupt eine Zeit angegeben wird – die
neunziger Jahre des ersten Jahrhunderts. Das bedeutet nicht, daß dem
Vierten Evangelium, wer immer sein Verfasser sei, historische Zuverläs-
sigkeit total abgesprochen wird. Kann es doch mehrfach – z.B. in seinem
Bericht über Jünger, die von Johannes dem Täufer zu Jesus überliefen, und
in vielen Einzelheiten bezüglich der letzten Tage Jesu und seines Todes in
Jerusalem – mindestens ebenso vertrauenswürdige Traditionen enthalten
und weitergeben wie Markus und seine Mitsynoptiker. Immerhin gelten
die Worte und Reden Jesu in der Form und mit dem Inhalt, den sie jetzt bei
»Johannes« haben, als Spätbildungen. Sie tönen ja wie Reden des Auferstandenen. Dieses Evangelium setzt Taufe und Mahl des Herrn einfach
voraus, ohne Einsetzungsberichte und -worte wiederzugeben. Deutlich
widergespiegelt seien, so liest man, die nachpfingstlichen (erst für die Jahrzehnte nach der Zerstörung Jerusalems im Jahr 70 sicher belegten) scharfen Auseinandersetzungen mit der pharisäischen geistigen und politischen
Führerschaft des Judentums. Vielfach wird noch immer das Auftreten jener Art von Gnosis, die seit der Mitte des zweiten Jahrhunderts viele Gemeinden und Diözesen beeinflußte und bedrohte, schon ins erste Jahrhundert datiert. Geschieht dies, so gilt die johanneische Form der Reden Jesu,
besonders deren Aussagen über den Ab- und Aufstieg des Erlösers, gleichzeitig als Beweis für die Übernahme und für die Bekämpfung gnostischer
Motive. Jesu Fleischwerdung und wirklicher Tod seien nicht umsonst besonders betont.
Diese historische Ansetzung des Evangeliums, manchmal verbunden mit
seiner geographischen Plazierung in Alexandrien oder Ephesus (wo mystische, mysterienhafte, philosophische, weltflüchtige oder individualisti-
sche Denkweisen eine große Rolle spielten), schloß eine sakramentale
Deutung von Joh 6 nicht aus. Im Gegenteil, das späte Datum der Abfassung oder letzten Redaktion des Evangeliums konnte den Unterschied des
johanneischen Sakramentalismus von der paulinischen und synoptischen
Ermahnung und Lehre vom Mahl des Herrn erklären. Mit der Spätdatierung des Evangeliums war auch eine Spätdatierung der Brotrede, besonders jener Elemente gegeben, die als eucharistisch-sakramental verstanden werden.
Konsequente historische Exegese hätte daraus schließen müssen, daß die
in Joh 6 vorliegende sakramentalistische Deutung des Mahls mit dem historischen Jesus und seinen eigenen authentischen Worten wenig oder
nichts zu tun hat. A. von Harnack fühlte sich aufgrund seiner historischen
Forschung im Bereich der Synoptiker zu dem Satz berechtigt: »Der Sohn
gehört nicht ins Evangelium.« Ein entsprechender Satz späterer Erforscher
neutestamentlicher Zeugnisse vom Mahl des Herrn hätte lauten können:

Das sakramentale Verständnis des Mahls gehört nicht zum Glauben und Leben der ursprünglichen Jüngerschaft und Kirche; es kann deshalb nur mit Einschränkungen oder gar nicht als maßgeblich für die heutige kirchliche Praxis gelten. Doch wird diese Konsequenz in den historisch-kritischen Monographien über Messe, Eucharistie, Abendmahl oder Herrenmahl nicht gezogen.

2. Interpolationshypothesen

R. Bultmann folgte den Spuren J. Wellhausens, F. Spittas und E. von Dobschütz', wenn er die sogenannten eucharistischen Verse Joh 6,51b–58 einem »kirchlichen Redaktor« zuschrieb. G. Bornkamm (Die eucharistische Rede im Johannesevangelium, in: Geschichte und Glaube, Bd. 1, München 1968, S. 60–67) läßt die redaktionelle Interpolation schon mit V. 48 beginnen. Die Brotrede *ohne* diesen Einschub handle – von einigen Exkursen, die jetzt am falschen Platz stünden, abgesehen – von der Offenbarung Jesu und vom Glauben an ihn.

Zweck und Absicht der eingeschobenen Verse 51–58 haben nach Bultmann darin bestanden, das zunächst wohl nur für eine christliche Sondergruppe geschriebene Werk des Evangelisten (dem eine Sammlung von Zeichenberichten und gnostisierenden Offenbarungsreden zugrunde lag) in Harmonie mit dem Glauben und der Praxis der Mehrheitsgemeinden zu bringen. Die massive Diktion, die die interpolierten Verse von der schlichteren Sprache des Paulus und der Synoptiker, auch der vorhergehenden Teile der Brotrede unterscheidet, wird der hellenistischen Gemeinde, besonders jenem sakramentalen Denken zugeschrieben, das anfangs und Mitte des zweiten Jahrhunderts besonders bei Ignatius und Justin dem Märtyrer zum Ausdruck kam. Wie schon mehrmals zitiert, nannte Ignatius die eucharistischen Gaben (Fleisch und Blut Christi) und die Vereinigung *(henōsis)* mit ihnen »Arznei der Unsterblichkeit, Gegengift gegen das Sterben« (Eph 20,2; vgl. Smyrn 7,1; Philad 4,1). Justin verglich das Mahl mit einer Zeremonie im Mithraskult und sprach als erster von der durch ein Gebetswort bewirkten Umwandlung der gewöhnlichen Elemente Brot und Wein in Fleisch und Blut des fleischgewordenen Wortes und Sohnes Gottes. Durch sein Fleisch und Blut, so schrieb Justin, wird unser menschliches Fleisch und Blut in der Eucharistie zum ewigen Leben ernährt. Dazu verwandte Justin den Begriff »Opfer« nicht nur für Gebete und Danksagungen, sondern auch für die eucharistische Darbringung von Brot und Wein (Apol I,66; Dial 41; 70, 1,4–5). Ignatius *und* Justin halten die Funktion eines Bischofs bzw. eines Priesters bei der Eucharistiefeier für unentbehrlich (IgnSmyrn 8; JustDial 116).

Unbestreitbar haben Joh 6,51–58 der Entwicklung der späteren kirchlichen Eucharistielehre und -praxis im Osten und im Westen als Hauptstütze gedient. Der Pulsschlag dieses Herzens und der Glanz dieses Gipfels von

Joh 6 lassen sich von Bultmanns Interpolationstheorie nicht stören. Die
Mehrzahl der heutigen kritischen Forscher betrachtet diese Theorie aus
sprachlichen und sachlichen Gründen zwar als unhaltbar, doch verstehen
viele trotzdem die *ganze* Brotrede als Aussage, die einzig oder doch teilweise vom Mahl des Herrn handelt.

Dennoch wäre es zumindest für die Verfechter der Theorie vom »Redaktor« möglich gewesen, sich lautstark gegen die sakramentale Auslegung
von Joh 6 zu wenden. Sie sprachen ja nicht nur Jesus selbst, sondern zusätzlich die mündlichen und schriftlichen Jesus- und Mahltraditionen von
dem Verdacht frei, *neben* dem Evangelium vom Reich Gottes, von Jesus
Christus und von der durch seinen Tod vollzogenen Versöhnung *auch* das
kirchliche Sakrament verkündet zu haben. Sie hätten gleichzeitig Paulus,
die Synoptiker, die Apostelgeschichte und den »Evangelisten« Johannes in
einem neuen Licht sehen können – einem Licht, das *nicht* durch das Prisma Joh 6,51–58 gebrochen war. Den Gedanken, den Einsetzungstexten
und den eigenen Mahlaussagen des Paulus (und Lukas) liege die Vorstellung symbolischer oder realer, abbildender oder erneuernder, re-präsenti-
sierender oder aktualisierender Fleischwerdung, Opferung oder einer sonstigen Form der Realpräsenz Christi zugrunde, hätten sie dann von sich
weisen müssen. Wie sie Joh 6 unretouchiert – ohne den späten redaktionellen Einschub – verstehen wollten, wären dann von ihnen auch die Ein-
setzungstexte und die paulinischen Kommentare dazu ohne jene Retou-
che ausgelegt worden, mit der sie durch den Einfluß von Joh 6,51–58 versehen worden waren.

Doch sind meines Wissens diese Schlüsse nicht gezogen worden. Voraussetzungen und Ergebnisse *aller* Auslegungen von neutestamentlichen
Mahltexten blieben sakramental im Sinne jenes (späten!) Sakramentalismus, den man in Joh 6,51–58 vor Augen zu haben meinte.

3.   Religionsgeschichte

Die Frage, wie es zur genannten Entwicklung der Lehre vom Mahl des
Herrn gekommen ist, deren Ansatz in Joh 6 gefunden wird, ist von historisch-kritischen Forschern intensiv bearbeitet worden. Verschiedene
Theorien beruhen darauf, daß der Passarahmen, in dem Matthäus, Markus und Lukas das letzte Mahl Jesu darstellen, daß aber auch der paulinische Satz »als unser Passalamm ist Christus geopfert worden« (1Kor 5,7)
und andere Beziehungen des Mahls zum Alten Testament und Judentum
weit zurückgelassen oder als historisch und theologisch bedeutungslos
qualifiziert werden. So findet A. Oepke (ThLZ 80, 1955, S. 139) in Joh 6
»ein geradezu grandioses Abendmahlsverständnis«. Er spricht von einer
»an hellenistische Sakramentsmagie anklingenden Massivität . . ., so daß
der Jude sich eigentlich nur mit Schrecken abwenden kann« und von einer
»ebenso erschütternden wie erhebenden Synthese« von Hellenismus und

Christentum bzw. einer »richtigen Überbietung hellenistischer Sakra-
mentsfreudigkeit und jüdischer Sakramentsscheu« im Geheimnis des
Herrenmahls. H. Graß (Art. Abendmahl, dogmengeschichtlich, in: RGG³ I,
Sp. 22) betont besonders den gnostischen Einfluß; für diese Ableitung des
johanneischen Sakramentalismus beruft er sich auf das Bild, das Irenäus
(Haer I 13,2) vom Gnostiker Markus hinterlassen hat: »Vor allem hat der
Gnostizismus auf die christliche Sakramentsanschauung im Sinne der
Mysterienfrömmigkeit eingewirkt. Der Glaube an die mit göttlichen Kräf-
ten geladene und sie vermittelnde Speise ist hier beheimatet und von da in
das kirchliche Christentum eingedrungen.« Graß hätte ebensogut auf den
erst seit Mani (Ende des dritten Jahrhunderts) in vollständiger Form bezeugten gnostischen »Mythos vom erlösten Erlöser« verweisen können.
Die Grundlage dieses Mythos ist eine dualistische Unterscheidung und
Trennung der oberen, ewigen, geistigen Welt von der unteren, von Ver-
derbnis und Tod bestimmten materiellen Welt. Sein Kernstück ist die
Überwindung dieses Grabens durch die Sendung, den Abstieg, den Wiederaufstieg des Erlösers und die dadurch bewirkte Heimführung der im
menschlichen Leib gefangenen Seele in die Einheit mit der Gottheit, aus
der sie vor Urzeiten herausgefallen war.
Wieder anders lautet die These A. Schweitzers (Mystik, a.a.O., S. 222–
284.352–364). Er versteht, wie schon angedeutet, die Sakramentsmystik
des Johannesevangeliums als ein Element der Hellenisierung des Christentums. Die sakramentale Mystik des Paulus habe die Möglichkeit für
die johanneisch-hellenistische Entfaltung des Sakramentalismus eröffnet.
Hätten das Werk und die Geltung des Paulus dies nicht verhindert, wäre
das Evangelium Jesu der synkretistischen Tendenz der hellenistisch-orien-
talischen Welt zum Opfer gefallen. Schweitzer anerkennt das starke ethische Interesse, das in der paulinischen Sakramentsmystik (noch) vorhanden ist. Er hält aber die durch den antignostischen Kampf mitbedingte
Hellenisierung der Mystik durch Johannes, die die Gestalt eines Abglei-
tens ins Magisch-Sakramentale annehme, für etwas Unerfreuliches. Hier
habe eine Verarmung eingesetzt, von der sich das Christentum bis heute
nicht erholt habe.

Nur beiläufig zu erwähnen ist, daß namhafte Forscher die Logoschristologie des Vierten
Evangeliums auf die Logoslehre des Heraklit bzw. der Stoa zurückgeführt haben. Doch hat
diese vierte religionsgeschichtliche These kaum unmittelbaren Einfluß auf die Interpretation von Joh 6.

Somit liegen mindestens drei religionsgeschichtliche Erklärungen vor. Sie
können durch die Stichworte Mysterium, Mythos und Mystik gekennzeichnet werden. Hellenistische Formen dieser drei religiösen Denkweisen
und Praktiken sollen von »den hellenistischen Gemeinden«, die vom syrischen Antiochien aus fast in der ganzen hellenistischen Welt entstanden
waren, rezipiert und dem eigenen Glauben und Gottesdienst integriert

worden sein. Umstritten ist, ob schon Paulus oder erst Johannes, sei es absichtlich aus missionstaktischen Gründen (um einen Anknüpfungspunkt
zu haben) oder unter dem Druck der Umwelt, die Umwandlung und An-
passung des Mahls des Herrn vollzogen. Der Vorgang käme einem Abfall
der Christenheit gleich – einer Absage an das, allem Synkretismus radikal
entgegengesetzte, alttestamentliche prophetische Erbe und an die Bemü-
hungen jener nachexilischen Juden, die ihr Volk von der Einmischung
heidnischer Elemente, sei es persischer, griechischer, ägyptischer oder römischer Provenienz, freihalten wollten. Auf Joh 6 angewandt, müßte dies
bedeuten, daß heidnischer Einfluß die sakramentale Botschaft dieses Kapitels stärker beeinflußte, als es die ursprüngliche Predigt und Weisung Jesu und als es die erste (judenchristliche) Ausrichtung des Evangelium von
Christus tat.

Im Licht dieser möglichen Konsequenz religionsgeschichtlicher Betrachtung erhalten die wiederholten Anfragen und Proteste »der Juden« gegen
Jesu Brotrede in Joh 6 ein anderes Gesicht. Es könnte bei ihnen – falls das
Johannesevangelium wirklich spät zu datieren und die Brotrede als völlig
unauthentisch zu behandeln ist – um den Anstoß gehen, den Juden pharisäischer Prägung nach der Zerstörung Jerusalems an einem synkretistisch-
hellenistischen Christentum, besonders an seinem Sakramentalismus,
nehmen mußten. Wer mit A. von Harnacks »Wesen des Christentums«
und M. Werners »Entstehung des Christlichen Dogmas« die Hellenisierung des Christentums für einen Abfall vom schlichten Evangelium Jesu
hält, müßte dann in jenen Juden Bundesgenossen im Kampf gegen solche
Verfälschung erkennen, wie sie schon in Joh 6 dem ursprünglichen Sinn
und Wesen des Mahls des Herrn widerfährt. Doch will sich kein christlicher Ausleger in der Gesellschaft jener Juden finden lassen.

Aus der Feststellung, daß in den ersten Jahrhunderten die Kirche und ihre
Lehre, ihr Gottesdienst und ihre Ethik einer immer stärkeren Hellenisierung zum Opfer fielen, entstanden zwar einige Mahn-, Buß- und Reform-
rufe an die heutigen Kirchen, die die Substanz, die Nützlichkeit und die
Verbindlichkeit der altkirchlichen Dogmen betrafen. Doch erwecken unter
den historisch-kritischen Forschern H. Lietzmann, R. Bultmann und ihre
Schüler den Eindruck einer fatalistischen Hinnahme dessen, was der Hellenismus aus dem ursprünglichen Mahl des Herrn gemacht hat. Die religionsgeschichtliche Forschung hatte zu der Einsicht geführt, daß »Sakramente« (in den verschiedenen kirchlichen Ausprägungen dieses Begriffs)
eine heidnische Institution, ein heidnisches Heilsmittel und einen heidnischen Heilsweg darstellen, die ursprünglich weder jüdisch noch christlich
sind. Diese Einsicht war ein bereitliegendes Rüstzeug zu einer neuen Besinnung über die kirchlichen Sakramente, ihr Verständnis und ihren Vollzug. Doch blieb dieses Rüstzeug meist ungenutzt liegen – es sei denn, man
denke an H. von Sodens »Sakrament und Ethik bei Paulus« (in: Urchristentum und Geschichte, Bd. 1, Tübingen 1951, S. 238ff). Er lieferte einen
wesentlichen Beitrag zu solcher Besinnung.

C Argumente für eine andere Auslegung

Es gibt mindestens vier Gruppen von exegetischen Argumenten, die nach einer Alternative zur traditionellen sakramentalen Auslegung von Joh 6 rufen: (1) die Struktur dieses ganzen Kapitels; (2) zwei Höhepunkte innerhalb dieser Struktur, die Verse 51–58 und 63; (3) das Zeugnis anderer Texte aus dem johanneischen Schrifttum und (4) die Problematik der üblichen Datierung des Johannesevangeliums und der Rede vom Antijudaismus dieses Buches.

1. Struktur und Motive

Will man den Aufbau des ganzen Johannesevangeliums unter dem Gesichtspunkt seiner Aussagen über Offenbarung skizzieren, so kann man vier größere Einheiten unterscheiden: I (Kap. 1–5): Viele Zeugen für das in die Welt gekommene Licht; II (Kap. 6–12): Das Licht im Kampf gegen Finsternis und Unglauben; III (Kap. 13–17): Das bleibende Licht; IV (Kap. 18–21): Die Vollendung des Weges des Lichts.

Das Kapitel Joh 6 gehört zum ausgesprochen polemischen zweiten Teil. Wie die Kap. 7–12 (und 5) vom Widerspruch Jerusalemer Juden gegen Jesus handeln, so spricht Kap. 6 wiederholt von kritischen Vorbehalten oder unverständigen Fragen von seiten galiläischer Juden, dazu von einer Scheidung und Sichtung innerhalb des größeren und kleineren Jüngerkreises Jesu.

Acht Teile lassen sich in der vorliegenden Textgestalt von Joh 6 unterscheiden. Voraussetzung, Inhalt, Deutung und Wirkung der Brotrede bilden überall das Hauptthema. Der Inhalt der acht Unterabschnitte macht es wegen des Hauptthemas nötig, von Schritt zu Schritt ausführlicher dargestellt zu werden.

6,1–15. Für ein großes Volk ist Jesus ein ganz besonderer Gastgeber; doch weigert er sich, als *Mose redivivus* gefeiert und mit dem Königstitel ausgezeichnet zu werden.

6,16–25. Jesus kommt bei Nacht über das Wasser auf eine Weise zu den Jüngern, die die Jünger erschreckt und ihnen und dem Volk unbegreiflich ist.

6,26–29. Jesus spricht von der Erarbeitung einer besonderen Speise, die nicht nur für eine vergängliche Zeit, sondern für die Ewigkeit nährt, und er bezeichnet den Glauben an den von Gott gesandten und legitimierten Menschensohn als das entscheidende Werk.

6,30–35. Jesus antwortet auf die Forderung, er solle selbst durch den Vollzug eines Zeichens etwas bewirken, das Glauben weckt oder stützt, und auf die Behauptung, Mose habe den Vätern Israels längst Brot himmlischen Ursprungs und Wesens gegeben. Die Antwort lautet: Gott selbst war der Gastgeber, als Israel das Manna erhielt; er ist es auch jetzt, indem

er zuverlässiges (statt täuschendes, oder: wahrhaftes statt zum Schein er-
nährendes) Brot gibt. Dieses Brot hat die Gestalt einer vom Himmel herabsteigenden Person. Jesus selbst ist das Lebensbrot – nicht nur für Israel,
sondern für die Welt. Durch die Gabe dieses Brotes befreit Gott jeden, der
zu Jesus kommt und an ihn glaubt, von weiterem Hunger und Durst.

6,36–40.   Eingeleitet durch eine Aussage über Unglauben angesichts der
wahrgenommenen Gegenwart Jesu, und abgeschlossen durch den Hinweis auf Gottes Willen (demzufolge jeder, der den Sohn sieht und an ihn
glaubt, das ewige Leben haben und erweckt werden wird), ist hier das
Kommen von Menschen zu Jesus das besondere Thema. Die zu Jesus
Kommenden sind eine Gabe des Vaters an seinen Sohn. Die Sendung des
Sohns besteht darin, jeden der ihm Gegebenen – also Juden und Heiden –
bei sich und zum ewigen Leben zu bewahren.

6,41–47.   Die Juden sollen nicht untereinander murren über die Gleichsetzung Jesu mit dem vom Himmel kommenden Brot und über die Gnade
Gottes, die die Voraussetzung des Kommens zu Jesus ist. Bilden die Juden
sich ein, Jesu irdischen Ursprung zu kennen und aus eigener Kraft zu ihm
kommen zu können, so sind sie doch nicht gescheiter oder stärker als Gott.
Der Vater im Himmel hat seinen Sohn gesandt; deshalb ist Jesus vom
Himmel herabgestiegen. Der Vater hat ihm einzigartige Lehrkompetenz
gegeben; denn nur der Sohn hat mit eigenen Augen den gesehen, von dem
seine Lehre handelt. Nur Jesus kann die Verheißung zur Erfüllung bringen, daß alle Menschen »Gottesgelehrte« sein werden (vgl. Jes 54,13; Jer
31,33–34). So vermittelt er allein beides, Offenbarung und Zugang zum
Leben.

6,48–59.   Zuvor verwendete Stichworte und Hauptsätze, die Jesus als
einzigen Mittler von Gotteserkenntnis und ewigem Leben beschreiben,
werden mehrfach wiederholt. Nach dieser Methode, wenn auch nicht zugunsten desselben Inhalts, unterrichten auch Rabbinen. Neu gegenüber
vorher Gesagtem sind aber zwei Hinweise auf den Tod von Menschen und
ein Hinweis auf Jesu Tod. Das Essen von Manna bewahrte die Väter nicht
vor dem Tod; auch die gegenwärtige Generation wird ohne den Empfang
des wahren Himmelsbrotes, das Jesus in Person ist und gibt (6,48–51a),
sterben. Wie aber wird er zu diesem Brot, wie teilt er es aus, und wie wird
es verzehrt? Die Antwort, die die Brotrede abschließt und krönt, lautet:
durch seinen Tod. Indem er sein Leben hingibt, gibt er nicht nur den Juden, sondern der Welt das Leben. Empfangen die Vielen das Leben, so nur,
weil Jesus ihnen sein Leben gibt und weil er seine Erweckung durch den lebendigen Vater (6,57, vgl. V. 62) dazu benutzt, auch sie vom Tode zu erwek-
ken.

Ohne Nennung einer Todesursache wird in 6,49 und 58 erwähnt, daß die
mit Manna gespeisten Väter »starben«. Nach dem Alten Testament und in
einer späteren jüdischen Tradition, die auch in 1Kor 10,5–10 und in Hebr
3,12–17 reflektiert ist, ist der Tod der Väter der Sold ihrer Sünden. Die Ga-

liläer und Juden aber, mit denen Jesus nach Joh 6 in der Synagoge von Kapernaum spricht, sind (nicht an Sündenvergebung, sondern?) einzig daran
interessiert, »immerzu« ein Brot vom Himmel zu erhalten, das sie vor dem
Verhungern und Verdursten bewahrt. Wird in Joh 6 von Jesu Tod gesprochen, geht es nicht nur um Grenze und Ende irdischen Lebens. Sein Tod
wird in einer Weise beschrieben, die in Gestalt und Gehalt rätselhaft, ver-
hüllend und enthüllend, geheimnisvoll und ärgerlich ist. Außerhalb des
Bereichs alltäglicher Erfahrung, Denk- und Sprechweise wird von einem
Tod gesprochen, der Leben bewirkt. Jesu Tod (und Auferstehung, wie noch
zu zeigen sein wird) wird jetzt als Eingang in das Leben dargestellt.

Vokabular und Diktion, Logik und Substanz der Aussagen über Jesu Tod
werden nach Joh 6,52 und 60–61 sowohl von »den Juden« als auch von
»den Jüngern« als unverständlich, *sklēros* (hart oder grausam) und ärgerlich empfunden. Auch für heutige Ohren tönen sie paradox und anstößig.
Von Kannibalismus scheint die Rede zu sein oder von Theophagie, d.h. jener heidnisch-fetischistischen Vorstellung, derzufolge in einem kultischen
Mahl die Gottheit selbst verspeist wird – mit dem Zweck und Erfolg, daß
ihr Leben in den Essenden eingeht. Schon seit dem zweiten Jahrhundert
wurde besonders der Mithraskult als ein Konkurrenz der Mahlfeier der
Gemeinde angesehen. Immerhin wurden von den frühen Auslegern von
Joh 6 jene Züge dieses Kults, die dem Mahl des Herrn ähnlich schienen,
als teuflische Kopien des kirchlichen Mahls angesehen – nicht als Vorbild.

6,60–71. Unter Aufnahme schon behandelter Themen werden neue
Akzente gesetzt und zusätzliche Dinge behandelt. Mit Nachdruck wird eine Verbindung zwischen dem Inhalt der Verse 62 und 63 (die vom Aufstieg
des Menschensohns, vom Leben und seiner Gabe, von der Kraft der Aussprüche Jesu handeln) und der vorhergehenden Brotrede hergestellt. Joh
6,60–61 spricht von dem Ärgernis, das an den »harten« Worten Jesu genommen wird. Gemeint ist offensichtlich beides: die Verknüpfung des Ein-
gangs in das ewige Leben mit dem *Kauen* (des Fleisches) Jesu und der Hinweis darauf, daß auch und gerade »die Väter«, die mit Manna gespeist waren, gestorben sind. V. 64 nimmt das Thema Glauben auf, das zuvor in
6,29–30.35.36.40.47 behandelt war. Der letzte Teil von Joh 6 handelt jedoch, im Unterschied zu früheren Teilen, nicht mehr sowohl von den Jüngern als auch von Volksmassen, Galiläern, Juden und jedem einzelnen, der
zum Essen und Trinken der besonderen Speise eingeladen ist, sondern *nur*
von den Jüngern. Sie spalten sich in eine abfallende Mehrheitsgruppe und die
erwählte Minderheit der Zwölf. Folgte auf die Worte Jesu hin auf der einen
Seite ein Hören, Sich-Ärgern, Verweigerung des Glaubens und Abkehr
von Jesus, so gibt es auf der anderen Seite Glaube, Erkenntnis, Bekenntnis,
dankbare Bejahung des »Heiligen Gottes« und seiner lebendigmachenden
Worte. Selbst unter den Zwölfen existieren Unterschiede: Petrus bekennt
für die anderen, Judas allein verrät. Nach der Brotrede stirbt Jesus deshalb,
weil der Vater ihn und weil der Sohn sich selbst in den Tod hingibt. Die

Verse 6,64–65.70–71 fügen hinzu, daß Judas eine aktive Rolle bei Jesu Auslieferung an den Tod hat.

Der Kern des letzten Abschnitts von Joh 6 wird durch Aussagen über Jesu Aufstieg zum Vater, über die Erweckung vom Tode durch den Geist und über die lebenspendenden Worte Jesu gebildet (6,62–63.68). Nachdem in der Speisungsgeschichte und in der Brotrede von physischem Essen, von physischem Sterben und von skandalösem Essen und Trinken von Fleisch und Blut des gekreuzigten Jesu die Rede war, werden jetzt der Aufstieg Jesu, der Heilige Geist und die Worte Jesu als die Mittel beschrieben, die in Zeit und Ewigkeit dem Bereich und der Wirkung des »Fleisches« gegenüberstehen. Was zuvor über den Tod der Menschen und des Sohnes Gottes gesagt war, wird gekrönt durch Aussagen über ihre und seine Auferweckung.

Versucht man, Inhalt und Gedankenführung von Joh 6 mit einem Blick zu überschauen, so lassen sich folgende Themen und Wegabschnitte unterscheiden:

Der Weg führt von (1) *Jesu Gastmahl* für ein großes Volk zum (2) erstaunlichen *Kommen Jesu* zu den Jüngern und dem Volk; dann (3) zur Erläuterung der *Arbeit* für rechtes Brot und (4) zur Verkündigung der Erfüllung und *Überbietung der Gabe des Mannas* durch Jesus selbst; dann (5) zur Belehrung darüber, daß das *Kommen zu Jesus eine Gabe* und ein Werk Gottes ist, und (6) zur Erklärung, daß *Jesus allein* die Wahrheit über Gott und den Eingang zum ewigen Leben *vermittelt*; weiter (7) zur Betonung, daß die Arbeit Jesu und die Übereignung des Lebens nur durch den *Tod Jesu* vollzogen wird; endlich (8) zur Ankündigung, daß zeitliche Jüngerschaft und ewiges Leben dem *Wort und Geist des Auferstandenen* zu verdanken sind.

Eine noch einfachere Nachzeichnung der Schritte würde ergeben: (1) Die Zeichen vom Geben und Kommen Jesu (6,1–26); (2) Jesus, das wahre Brot, das zu suchen und zu erarbeiten ist, das vom Himmel kommt und durch das jeder, der zu Jesus kommt, das Leben erhält (6,27–47); (3) Tod, Auferstehung, Geist und Wort – die Mittel zur Beschaffung und Mitteilung des ewigen Lebens (6,48–71).

Diesem Gedankengang sollten Sinn und Logik nicht abgesprochen werden. Zwar sind es schwerlich aristotelische Logik und alltägliche Sprache, die in Joh 6 dominieren. Allzuoft bewegen sich die Gedanken in Spiralen, nehmen sie etwas vorweg oder wiederholen sie es. Allzu viele Haupt- und Nebenelemente sind miteinander verbunden. Noch und noch scheint das Thema gewechselt, ein Seitenast auf Kosten des Hauptstamms zu intensiv gepflegt. Vom Konkreten wird man zum Abstrakten, vom Materiellen zum Geistigen geführt – eine Führung, die sich viele Menschen nicht gern gefallen lassen. Daß aber auch und immer wieder der Weg zurück gewählt wird, scheint willkürlich – eine Zumutung an den Leser und Ausleger von Joh 6. Was den Inhalt des Kapitels betrifft, so passen besonders zwei Gedanken unmöglich in ein griechisches Gedankensystem: der Tod eines ein-

zigen als Voraussetzung *und* Grundlage des Lebens für viele (an einen Heldentod ist ja in Joh 6 nicht gedacht) und die Auferstehung von den Toten.
Offensichtlich will das Johannesevangelium weder ein philosophisches
System entwerfen noch eine nur durch die Vernunft statt durch geschichtliche Ereignisse bestimmte Ethik, auch nicht eine durch weltanschauli-
chen Dualismus inspirierte Kultfrömmigkeit vortragen. Die johanneischen Erzählungen und Wiedergaben von Worten Jesu wollen allein zum
Glauben aufrufen, daß Jesus der Christus, der Sohn Gottes und als solcher
die Quelle des Lebens ist (vgl. 20,31), Lamm Gottes und Retter der Welt
(vgl. 1,29.36; 4,42).

Um die ursprüngliche Einheit und den logischen Aufbau von Joh 6 zu re-
konstruieren und möglichst logisch erscheinen zu lassen, hat R. Bultmann
nicht nur die Verse 51–58 einer späteren Hand zugeschrieben. Er hat auch
die Verse 28–29 (die vom menschlichen Wirken, von den Werken und
dem Werk Gottes handeln) als mißplaziertes Streugut behandelt. Vor allem hat er vorgeschlagen, den Mittelteil des Kapitels durch ein drastisches
Rearrangement seiner Bestandteile verständlicher zu machen. Er meint,
auf V. 27 müßten die Verse 34–35.30–33.47–51a.41–46.36–40 folgen. Es
gibt jedoch keine griechischen Handschriften und Bibelübersetzungen aus
der alten Kirche, die diese Operationen unterstützen. Selbst wenn einem
kritischen Bibelausleger der vorliegende Bibeltext nicht gefällt, hat er
schwerlich die Aufgabe oder Vollmacht, zugunsten eigener Lieblingsge-
danken – selbst wenn es sich um »Offenbarung«, »authentisches Selbstverständnis« und »eschatologische Existenz« handelt – willkürlich damit
umzugehen.

Wie in allen Kapiteln des Johannesevangeliums und des Ersten Johannesbriefs hat man es auch in Joh 6 mit mehr als nur einem einzigen Gedankengang zu tun. Im Gewebe von Joh 6 sind Längs- und Querfäden zu unterscheiden, deren Materialien und Farben, deren Dicke und Glanz usw.
bald an, bald unter der Oberfläche sichtbar sind. Aus ihnen sind ab-
wechslungsreiche Figuren und stilisierte Ornamente mit aufregenden
oder wohltuenden, vertikalen, diagonalen oder horizontalen Perspektiven
gebildet. Die Fäden sind kunstvoll und zielbewußt vom Verfasser zusam-
mengewoben. Unter anderen sind folgende mehrfach vorkommende Themen zu nennen:

a)   Gedanken und Stimmungen, Forderungen und Fragen der Menschen
um Jesus, die schrittweise Anlaß zu klärenden Ausführungen Jesu geben;

b)   Unterschiede und Übereinstimmungen der Reaktionen der galiläischen Volksmengen, der Juden, des großen und des kleinen Jüngerkreises,
endlich einzelner Jünger;

c)   Das Verhältnis zwischen Gott dem Vater und dem Sohn; die Einheit
ihres Wirkens;

d)   Die Beziehung Jesu, der bald Sohn Gottes, bald Menschensohn genannt wird, zu den Menschen, d.h. zu Israel, zur Welt und zu jedem einzelnen;

e)   Die Einheit und Verschiedenheit von Gottes Offenbarung und Taten in Vergangenheit, Gegenwart und Zukunft;

f)   Zeitliches Leben, Tod und ewiges Leben;

g)   Das Kommen Jesu als Voraussetzung des Kommens zu Jesus;

h)   Das Verhältnis zwischen der Gabe Gottes, menschlicher Arbeit und dem Glauben;

i)   Der Glaube als Inbegriff und Summe der Beziehung zum Vater, zum Sohn und zu dessen Worten;

j)   Das Essen und Trinken von Speisen verschiedener Herkunft, Beschaffenheit und Wirkung.

Diese Liste ist nicht erschöpfend. Nur eine kleine Zahl der wichtigsten Elemente kann an dieser Stelle, unter Beiziehung anderer Johanneskapitel, erläutert werden. Immerhin zeigt die Zusammenstellung, daß das Thema »Brotessen« und »das Fleisch Jesu kauen« usw. nur eines unter vielen ist. Zwar kann das ganze Kapitel mit Gewinn unter nur *einem* Gesichtspunkt gelesen werden; doch kommt die Lektüre unter nur *einem* Gesichtswinkel dem Aufsetzen einer Brille gleich oder der Taubheit für viele Melodien zugunsten der Anhörung eines einzelnen Leitmotivs. Kein in Joh 6 angespieltes Motiv erhebt einen Monopolanspruch, und kein Ausleger sollte ein bestimmtes unter ihnen für allein maßgebend erklären. Sollte bei der Interpretation und Anwendung von Joh 6 statt der Verkündigung Jesu Christi selbst (seines Todes und seiner Erweckung, seines Geistes und Wortes) eine andere Art von Heilsvermittlung und -zusicherung in den Vordergrund treten, so wären Tendenz und Inhalt des Kapitels mißverstanden.

Zur genauen Analyse und zur eventuellen graphischen Darstellung der vorliegenden Themen oder Motivverbindungen und ihrer Funktion innerhalb des ganzen Kapitels könnte ein professioneller Strukturalist gewiß einen Beitrag leisten. Hier muß es genügen, noch einmal darauf hinzuweisen, daß das Thema »Glauben« in Joh 6 explizit fast ebensooft und ebenso nachdrücklich abgehandelt wird wie die Frage des Essens und Trinkens einer Speise, die mehr als nur zeitlich beschränkte Lebenserhaltung bewirkt. Schon erwähnt wurde, daß Augustin (in Ioann. Ev. tract. XXVI, 1, vgl. 19) keinen Unterschied zwischen diesen Themen machte, sondern kurzerhand beide miteinander identifizierte: »An ihn (Jesus Christus) glauben – das ist: das lebendige Brot essen ... Wir leben seinetwegen, indem wir ihn essen; das heißt: indem wir ihn als ewiges Leben annehmen.« In anderen Zusammenhängen läßt aber Augustin keinen Zweifel daran, daß er die Sakramente als heilsnotwendige Gnadenmittel ansieht. Zwingli hatte nicht den ganzen Augustin, sondern nur die Auslegung von Joh 6 durch diesen Kirchenvater hinter sich, wenn er das Mahl des Herrn *nur* als einen Bekenntnisakt der Gemeinde, nicht als eine erneute Selbsthingabe Jesu Christi darstellte. Sicher unterschied sich Calvins Augustinverständnis schroff von Zwinglis. Wie schon angedeutet, schränkte er den Sinn der zitierten Augustintexte ein: Augustin habe nicht wirklich sagen wollen, mit dem Essen sei in Joh 6 *nur* der Glaube gemeint. Seine Absicht sei gewesen zu betonen, man müsse im Glauben, also geistlich essen, weil man sonst unwürdig sei und nicht zu seinem Segen esse. Ähnlich argumentierte Luther im Großen Katechismus.

Zwar wird in Joh 6 der Glaube oft und nachdrücklich genannt. Doch läßt die Struktur dieses Kapitels schwerlich eine eindeutige Entscheidung entweder zugunsten Zwinglis oder Calvins Augustinverständnis zu. Sicher ist nur, daß jedesmal, wenn in Joh 6 vom Glauben gesprochen wird, der Glaube an (den Vater und) den Sohn, nicht aber Gläubigkeit gegenüber einem Tischwunder gemeint ist. Joh 6 enthält jedoch zwei Schlüsselstellen, die deutlich erkennen lassen, ob das Geheimnis Jesu Christi selbst und der Glaube an ihn oder ob ein Sakramentsmysterium den Kern dieses Kapitels bildet.

2. Zwei Höhepunkte: Joh 6,51b–58 und 6,63

Kann Joh 6 mit einem Bergmassiv verglichen werden, so bilden die Verse 51–58 und 63 zwei besonders markante und provozierende Gipfel. Die Aussagen über das Essen des Fleisches und das Trinken des Blutes des Menschensohns bilden den einen Höhepunkt; die Feststellungen über die lebenspendende Kraft des Geistes und der Worte Jesu, dazu über die Nutzlosigkeit des Fleisches stehen ihnen mit gleicher Würde zur Seite oder gegenüber. Eine erschöpfende Auslegung der beiden Stellen kann im folgenden unmöglich vorgelegt werden. Doch sollen einige Vorschläge zu weiterer Besinnung über den rätselhaften Inhalt dieser Texte und über den scheinbaren Widerspruch zwischen ihnen zur Sprache kommen.

Joh 6,51b–58. »Das Brot, das ich gebe, ist mein Fleisch . . . Wer dieses Brot kaut, wird in Ewigkeit leben.« Nach der Darstellung der Evangelisten hat Jesus im Anschluß an die zeichenhafte Speisung der Fünftausend und die nächtliche Überquerung des Sees zuerst nach dem Glauben gefragt (Joh 6,26–29), dann im Hauptteil der sogenannten Brotrede den Sinn der Brotverteilung erklärt: Er selbst ist das Brot des Lebens und will deshalb als die wahre Speise erkannt und empfangen werden (6,30–51a oder 35–51a). Die Verse 6,51b–58 sind ihrerseits eine Deutung der in 6,30–51a vorgetragenen Deutung. Das Ende der Brotrede erklärt mit zum Teil neuen Worten, wie, wodurch und warum Jesus eine ganz andere Speise ist, radikal verschieden nicht nur vom alltäglichen Brot, sondern auch vom Himmelsbrot, dem Manna. Begriffe wie »mein (bzw. sein) Fleisch«, »mein (sein) Blut«, das auffallende und anstößige Verb »kauen« (das nicht weniger als viermal in den Versen 51–58 vorkommt), endlich die Worte »trinken« und »Getränk« (auf die, wenn überhaupt etwas, nur die Rede vom Dürsten in V. 35 vorbereitet hatte) – dieses Vokabular zeigt den spezifischen Inhalt der Verse 51b–58 an. Zwar geht es um dieselbe Sache wie in 6,30–51a: Jesus ist das Brot. Doch wird gerade dieses Thema jetzt in neuer Form be-

handelt: Jesus ist Fleisch und Blut; er will gekaut und getrunken werden –
das wird in dem relativ einheitlichen Schlußteil der Brotrede deutlich gemacht. Von »Brot« ist am Anfang und Ende dieses Abschnitts die Rede.
Woraus das Brot besteht und wie man damit umgehen soll, sagt die Mitte
der in Joh 6,51b–58 vorliegenden Ringkomposition.

Umstritten ist, ob oder inwiefern diese siebeneinhalb Verse ein ursprüngli-
cher Bestandteil der Rede Jesu (oder einer Tradition dieser Rede) waren.
Doch ist hier nicht der Ort, die Theorien darüber, ob oder inwiefern es sich
um einen späteren Zusatz handelt, einmal mehr zu überprüfen. Für die
Lehren, Liturgien und Gestaltungen der Feier von Messe, Eucharistie oder
Abendmahl, dazu für die erbaulichen und die polemischen Diskussionen
über das Mahl des Herrn war bisher der heute in den griechischen Text-
ausgaben und in den Übersetzungen vorliegende *gesamte* Text von Joh 6
maßgebend, einschließlich der Verse 51b–58. Dieser Text wird auch maßgebend bleiben und nicht durch die Rekonstruktion eventuell verdächtiger
Quellen und Bearbeitungen ersetzt werden – nicht zu reden von der Behauptung, diese Verse widersprächen dem Rest des Evangeliums und seien
aus sachlichen Gründen zu eliminieren oder zu ignorieren.

Jahrhundertelang haben die Pflüge der Ausleger tiefe Furchen durch diesen Abschnitt gezogen. Meines Wissens sind seit Jahrzehnten neue Gesichtspunkte und Gedanken kaum mehr aufgetaucht. Aller Entwicklung
wissenschaftlicher Exegese und aller Suche nach ökumenischer Einheit
zum Trotz wurden oft nicht mehr als alte Urteile und Vorurteile noch und
noch wiederholt und befestigt. Eine klare Entscheidung zugunsten eines
ontologisch-realistischen und gegen ein noetisch-spiritualistisches Verständnis oder eine umgekehrte Lösung wurde niemals so überzeugend
vorgetragen, daß wenigstens die gelehrten Ausleger in Ost und West, Süd
und Nord, geschweige denn die kirchlichen Ämter und Behörden sich einhellig einverstanden erklären konnten. Im Morast oder Dickicht scheinbar
notwendiger, in Wirklichkeit problematischer Alternativen ist der Wagen
steckengeblieben. Daß er einmal wieder flottgemacht werden kann, ist zu
erhoffen.

Deutlich werden soll im folgenden, ob die Verse Joh 6,51b–58 alle jene
Dinge in Frage stellen, eventuell sogar widerlegen, die oben in den Teilen II
und III als Substanz und Intention der paulinischen und synoptischen
Mahltexte dargestellt wurden.

Wer sich nach der ersten Anhörung oder Lesung von Joh 6,51b–58 nicht
verwundert, ja entsetzt, muß ein sehr seltsamer, auf alle Fälle ein besonders stumpfer Mensch sein. Es ist weder erstaunlich noch zu tadeln, daß
sich dem Bericht des Evangelisten zufolge die ersten Zuhörer über das Gesagte ärgerten und daß sie über die Zumutung murrten, der sie ausgesetzt
waren (Joh 6,52.60–61; vgl. 6,41.43). Da sie Juden waren, war ihnen der
Gedanke an den Verzehr einer Gottheit (Theophagie), wie er z.B. in einem
Mithraskult stattfand, um Gemeinschaft, ja Einheit, vielleicht sogar Identität mit dem in Stierform verehrten Gott zu erlangen, schwerlich be-

kannt. Daß der Evangelist und die Empfänger des Johannesevangeliums von solchen fetischistischen Mahlzeiten wußten, läßt sich vermuten, aber nicht beweisen. Wahrscheinlich ist aber, daß der an Kannibalismus erinnernde Gehalt des Gesagten genügte, Abscheu zu erwecken. Auf heutige Leser des Johannesevangeliums wirken diese Worte nicht anders. Weder Theophagie noch Menschenfresserei sind innerhalb des Bereichs dessen, was man als möglich, geschweige denn als notwendig für den Eintritt ins ewige Leben akzeptieren möchte.

Nur *eine* Alternative existiert zum genannten skandalösen Verständnis: Der Abschnitt 6,51b–58 ist – nicht anders als auch der Hauptteil der Brotrede (6,35–51a) – nicht wörtlich gemeint, sondern bedient sich bildlicher oder symbolischer Sprache. In diesem Fall wird die Bildrede vom Brot durch eine nachfolgende Bildrede interpretiert, erklärt, vor eventuellen Mißverständnissen geschützt – wenn auch nicht ohne das Risiko, damit erst recht Anstoß zu erwecken. Eine dritte Alternative gibt es kaum. Denn selbst wenn man von einem sakramentalen Sinn sprechen wollte, würde man sich – weil Sakramente ja bildliche oder symbolische Vorgänge sind – gegen die pedantisch-wörtliche und für eine mehr geistige Interpretation entscheiden. Daß Gott mit Zähnen kaut und daß Jesus wie irgendein Passalamm gegessen wird, wird niemand den Versen 6,51–58 entnehmen wollen. Was aber wird gewonnen, wenn der Abschnitt als Bildrede verstanden wird?

Im Johannesevangelium selbst – nicht erst dank der seit den zwanziger Jahren des 20. Jahrhunderts verwendeten »formkritischen« Methode der Auslegung des Neuen Testaments – wird zwischen verschiedenen Formen der Reden Jesu unterschieden. Jesus selbst (Joh 16,25; 18,20), der Evangelist (10,6; 11,11.14), die Jünger (16,29) und die Juden (10,24) unterscheiden zwischen »dunkler (Gleichnis-)Rede« (*paroimia*) und »offener Rede« (*parrhēsia*). Oft beginnt die dunkle Rede mit oder kulminiert in den Worten »Ich bin«. Da Jesus sich in solchen Worten selbst vorstellt, spricht man von »Offenbarungsreden«. Doch ist er nicht die einzige Person, von der in bildhafter Weise gesprochen wird. Ist er im eigentlichen Sinn *der* Hirte, *das* Licht, *der* Weinstock, *das* Brot, nicht aber irgendein Hirte, Licht, Weinstock oder Brot (vgl. E. Schweizer, Ego eimi, Göttingen 1939, S. 114.123.166), so sind seine Auserwählten Schafe, Kinder des Lichts, Reben und Ernährte in einem Sinn, der alles in den Schatten stellt und weit zurückläßt, was sonst typisch ist für Schafe, für Leute, die in der Sonne stehen, beschnittene Reben und dankbare Brotesser. Dem bildlichen Ausdruck, mit dem Jesus sich selbst verkündet, entspricht also jeweils auch eine bildliche Beschreibung der Rettung und des rechten Verhaltens derer, die zu ihm gehören. Zur Christologie gehört eine bestimmte, ihr entsprechende Soteriologie, Ethik und Ekklesiologie (Lehre von der Erlösung, vom gemeinsamen Leben und von der kirchlichen Gemeinschaft), zum gleichsam Objektiven ein gleichsam Subjektives. Wird *ohne* Bildrede von dem gesprochen, was die Menschen um Jesus geschenkt bekommen, tun und erwarten dürfen, so heißt es zum Beispiel, daß sie ihn aufnehmen, ihm nachfolgen, an ihn (und den Vater) glauben, ihn und einander lieben, seine Gebote halten, die Wahrheit tun. Immer ist dabei an die Totalität menschlichen Seins und Verhaltens gedacht, an eine Beziehung zu Jesus Christus, die Leib und Seele, Leben und Tod umfaßt – niemals einzig oder hauptsächlich an ein bestimmtes liturgisches, psychisches oder physisches Verhalten.

Daraus ist zu schließen: *Wenn* Joh 6,51b–58 sogut wie 6,35–51a den Charakter einer Bildrede hat, dann handelt der größere Teil der Rede nicht davon, daß Jesus sich in ein Brot verwandelt, in einem Brote verbirgt oder ein Stück Brot in seine Person verwandelt. Auch die Bildreden von Jesus dem Hirten, der Tür, dem Weinstock behaupten ja nicht eine solche Verwandlung. Dementsprechend kann das Essen des einen, wahren Brotes (also Jesu Christi selbst) sich sowenig im Kauen von etwas Brot oder Zergehenlassen einer Oblate erschöpfen, wie das Eingehen durch eine Kirchentür alles erfüllt, was Jesus gemeint hatte, als er sich als die Tür und den Weg bezeichnete.

Wer aber versteht sich auf richtige Deutung der dunklen Gleichnisreden? Nach Sirach 39,3 und 47,17 ist es Kennzeichen eines weisen Menschen, daß er in Form von Liedern, Rätselsprüchen und Gleichnissen *(strophai, ainigmata parabolōn)* spricht; und er vermag auch, kraft seiner Auslegungskunst *(hermeneia)*, die dunklen Aussprüche anderer Menschen zu deuten. Nach allen vier Evangelien ist Jesus selbst der maßgebende Interpret seiner Gleichnisreden. Manchmal, so zeigt es die von den Synoptikern wiedergegebene Tradition, fügt Jesus einem Gleichnis eine ausführliche Deutung an; ein anderes Mal enthält der Gleichnistext selbst schon deutende Elemente oder ist der Übergang zwischen Gleichung und Deutung fließend. In Joh 2–13 sind Jesu Reden Deutungen seiner zeichenhaften Taten. In Joh 14–17 deuten Reden und ein Gebet Jesu die früheren Reden. So wird auch Joh 6,51b–58 am besten als Deutung von 6,35–51a verstanden – werden doch hier vorausgehende Aussagen über Jesus Christus, das Brot des Lebens, wieder aufgenommen. Er ist wahres Brot, nicht verderbende, sondern zuverlässige Speise (6,27.32 in 6,55). Anders als die Väter, die Manna aßen und doch starben, wird, wer das aus Jesus Christus bestehende Brot ißt, nicht sterben, sondern am Jüngsten Tag erweckt werden (6,49–50 in 6,54.57–58). Wie das Manna eine Gabe vom Himmel war, so ist dieses Brot eine Gabe, die »vom Himmel steigt« (6,31–33 in 6,51a.58).

Neben solchen kontinuierlichen Elementen finden sich andere, die zusätzlich, ja neu sind und die vorhergehenden Ausführungen weiterführen, vertiefen und radikalisieren. Vor allem sind es drei Begriffe oder Begriffsgruppen, die den Gedankenfortschritt markieren: (1) die Gleichsetzung des wahren Brotes mit dem Fleisch Jesu Christi: »Das Brot, das ich geben werde, ist mein Fleisch . . .« (V. 51b–52); (2) die Erweiterung des Begriffs »Fleisch« durch die Zufügung der Worte »und mein Blut«, so daß jetzt das Lebensbrot interpretiert ist durch »Fleisch und Blut des Menschensohns«

(V. 53–56); (3) die Entfaltung und Ersetzung des Verbums »essen« (6,31.49.50–53.58) durch die Verben »kauen« und »trinken« (V. 53–58). Die Substantive »mein Fleisch«, »mein Fleisch und mein Blut« beschreiben Jesus Christus selbst, die Verben »kauen« und »trinken« das ihm angemessene menschliche Verhalten. Subjektive Bilder, die von der Gemeinde handeln, ergänzen – wie in allen Bildreden – die objektiven, christologischen. Wurde Jesus zuvor, in 6,35–51a, als eine *Gabe* Gottes beschrieben, so offenbart er sich jetzt auch als *Geber* der Gabe Gottes. »Das Brot, das *ich* gebe . . .« (V. 51b) ist etwas anderes als das Brot, das Mose bzw. Gott durch Mose den Vätern in der Wüste zu essen gab (V. 31–32). Es ist auch etwas anderes als das, was die Leute um Jesus von ihm (so 6,34) fordern.

Sollen die in Joh 6,51b–58 verwendeten bildlichen Ausdrücke aufgeschlüsselt und soll erklärt werden, weshalb die Gabe mit dem Geber identisch ist, so ist nicht zu empfehlen, sogenannte »religionsgeschichtliche Parallelen« aus Mythen und Kulten in aller Welt und vielen Jahrhunderten beizuziehen. Viel näher liegt es, das Alte Testament als Schlüssel zu benutzen, weil ja die Anspielungen auf Mose, die Gabe und Wirkung des Manna und zwei Schriftzitate (in 6,31 und 45) gerade auf dieses Buch verweisen. Neben der Beachtung des Alten Testaments ist auch die Berücksichtigung der jüdischen Interpretation und Anwendung alttestamentlicher Erzählungen, Lehren und Institutionen unentbehrlich, dazu ein sorgfältiges Hinhören auf das, was das Johannesevangelium selbst, vielleicht auch andere johanneische Schriften, zu den Begriffen »Fleisch« und »Blut« sagen.

Das erste Bild wird durch den Ausdruck »mein Fleisch« gebildet. »Fleisch« kann, besonders wenn es als verderbt bezeichnet oder mit dem Geist (Gottes) kontrastiert wird (z.B. in Gen 6,12; Jes 31,3; Joel 3,1; Gal 5,16–25; 6,8; Röm 8,3–14; vgl. Mt 26,41), ein Name für die durch Sünde korrumpierte, dem Tod verfallene Menschheit sein. Bei Paulus und Johannes wird der Begriff häufig in diesem Sinn verwendet. Nach Joh 1,13 und 3,6 sind Zeugung und Geburt aus dem Fleisch das Gegenteil von einem Ursprung in Gott und aus Gott, und Joh 6,63 erklärt kurzerhand das Fleisch für »nichts nütze«.

Doch kann solches Fleisch in Joh 6,51b–52 unmöglich gemeint sein, ist doch nach dem Kontext das von Jesus gegebene eigene Fleisch eine wahre Speise, die zum ewigen Leben »stärkt und erhält« (wie es viele schöne Liturgien sagen), also alles andere als unnütz ist. Joh 1,14 enthält eine Aussage, nach der »Fleisch« auch etwas anderes als Verderben und Nutzlosigkeit bezeichnen kann: »Das Wort ward Fleisch und wohnte unter uns.« Unter ähnlicher Verwendung desselben Begriffs sprechen 1Joh 4,2–3; 2Joh 7 (vgl. Röm 8,3; 1Tim 3,16; Kol 2,9) vom Wunder der Weihnacht. Jesus Christus selbst ist »im Fleisch«, er kann nach Joh 6,51b sein Fleisch anderen geben, weil er Mensch geworden ist. Daß er die Gestalt der sündigen, verurteilten, schwachen und nutzlosen Menschheit angenommen und den auf ihr ruhenden Fluch auf sich genommen hat, wird vor allem in Röm 8,3; Phil 2,6–8; 2Kor 5,21 und Gal 3,13 betont. In Joh 6,51b ist der Gedanke an Solidarisierung mit den Sündern gewiß nicht auszuschließen, doch liegt der Akzent wahrscheinlich, wie in Joh 1,14 und 1Joh 4,2–3; 2Joh 7, auf der wahren Menschheit, die das Wort bzw. der Sohn Gottes bei seiner Geburt angenommen und ans Kreuz getragen hat.

Ist aber innerhalb der Brotrede, die im Johannesevangelium kurz nach der Speisung der Fünftausend überliefert ist, mit dem Satz »Das Brot, das ich geben werde, ist mein Fleisch« (Joh 6,51b) die Fleischwerdung (Inkarnation) gemeint, so sind weder der Anlaß noch der Inhalt dieser Aussage mit der Rahmenerzählung und der Substanz des Brotworts in den (synoptischen und paulinischen) Darstellungen von Jesu letztem Mahl einfach identisch. Dort hieß es: »Er nahm das Brot, dankte, brach es und gab es ihnen mit den Worten: Das ist mein Leib, der für euch gegeben wird« (Lk 22,19; ähnlich die Parallelen Mt 26,26; Mk 14,22; 1Kor 11,23–24). Nur auf den ersten Blick sieht es so aus, als ob die Texte sagen wollten, das am Tisch überreichte Brot sei in Wirklichkeit gar kein Brot mehr, sondern der »Fleischesleib« Jesu Christi (vgl. Kol 1,22). In Wirklichkeit aber ist es etwas anderes, wenn in den Einsetzungsberichten von physischem Brot gesprochen und darauf hingewiesen wird, wem zum Gedächtnis und zu Ehren eine gemeinsame festliche Mahlzeit gehalten werden soll, und wenn im Johannesevangelium in bildlichem Sinne von »Brot des Lebens« die Rede ist. Die Überreichung physischen Brotes kann nicht mit dem Eintritt des Sohnes Gottes in fleischliche Gestalt und mit der Hingabe seines Leibes in den Tod am Kreuz gleichgesetzt werden. Bei seiner letzten Mahlzeit gibt Jesus seinen Jüngern Brot; er händigt es *an* sie aus. Bei seinem Tod am Kreuz gibt er seinen Leib, sich selbst *für* sie, wie er ja auch am Kreuz, nicht am Tisch, sein Blut *für* viele vergossen hat. Der einmalige Tod Jesu Christi am Kreuz schafft so vollkommen Sühne und Versöhnung, daß er es nicht nötig hat, durch fortgesetzte Opferakte aktualisiert, abgebildet oder in Kraft gesetzt zu werden. Dementsprechend ist seine Fleischwerdung am Weihnachtstag und sein Wirken in der Gestalt eines Menschen so einzigartig und ewig gültig, daß Reinkarnationen am Tisch des Herrn überflüssig sind. Joh 6,51–52 würde entscheidenden Elementen der johanneischen Christologie kraß widersprechen, wenn hier behauptet würde, nach der einmaligen Menschwerdung würde es noch wiederholte Brotwerdungen des Wortes geben.

Das zweite Bild: »Fleisch . . . und Blut« nimmt zwar den Sinn des ersten auf, verleiht ihm aber eine zusätzliche Dimension. Wenn (z.B. in Mt 16,17; Gal 1,16; 1Kor 15,50; Eph 6,12; vgl. Joh 1,13; Hebr 2,14) in einem Atemzug von »Fleisch und Blut« oder »Blut und Fleisch« die Rede ist, so ruht der Akzent auf dem geschöpflichen, schwachen, erbärmlichen Wesen von Fleisch und Blut. Das beschränkte Wissen und die beschränkte Kraft der Menschheit, der unendliche qualitative Unterschied zwischen Gott (oder geistigen Wesen z.B. Engeln) und dem Menschen (manchmal auch anderen Geschöpfen) wird durch den beschämenden Titel angedeutet. Insofern enthalten die Verse Joh 6,53–56 eine Wiederholung und Bestätigung dessen, was zum Begriff »Fleisch« in der Auslegung von 6,51–52 gesagt wurde: Die wahre Menschheit Jesu Christi ist mit diesen Versen gemeint.

Doch ist dies nicht alles. Denn in der Bibel ist die Bedeutung von »Fleisch ... und Blut« dann eine ganz andere, wenn in verschiedenen Sätzen oder Satzteilen jetzt vom Fleisch, dann vom Blut gesprochen, wenn also ihre Trennung als vollzogen oder als geboten vorausgesetzt wird. Das ist z.B. in Gen 9,4; Lev 3,17; 7,27; 17,14; Dtn 12,23; vgl. 1Sam 14,33 der Fall. Während das Verzehren von Fleisch erlaubt ist, steht das Trinken vergossenen Blutes oder der Genuß von Blut zusammen mit Fleisch unter Verbot. Wird von einer Verschüttung von Blut, also seiner Trennung vom Fleisch, gesprochen, so ist eine Tötung gemeint – manchmal die Erlegung eines Tiers auf der Jagd, ein andermal ein Mord oder die Besiegung eines Feindes auf dem Schlachtfeld, besonders aber auch eine Opferschlachtung. J. J. Wettstein schrieb mit Recht, Joh 6,53 handle nicht nur von der Fleischwerdung Jesu Christi, sondern auch von seinem gewaltsamen Tod.

Das Verhältnis zwischen den Bezeichnungen Jesu mit »Fleisch« und mit »Fleisch ... und Blut« ist dasselbe wie die Beziehung zwischen den zwei Stufen der Erniedrigung Jesu Christi, von denen Phil 2,6–8 handelt. Die eine Stufe erreicht Jesus Christus, wenn er den anderen Menschen gleich wird, die andere, wenn er den Tod, ja den Tod am Kreuz auf sich nimmt; beides geschieht in Gehorsam gegenüber dem Vater. In Joh 6 sind jedoch die zwei Schritte der Erniedrigung praktisch miteinander identifiziert. Der Vater hat den Sohn vom Himmel gesandt oder gegeben – dem entspricht, daß der Sohn (freiwillig) vom Himmel herabstieg. Damit wurde der Sohn vom Vater dahingegeben (vgl. Joh 3,16) und gab sich der Sohn selbst hin in den Tod.

Das ist also das wahre Brot: *er*, der gegeben und hingegeben wird, der sich selbst gibt und hingibt zugunsten anderer und der dadurch Geber der besonderen Gabe wird. Schon Joh 1,14 kann nicht nur übersetzt werden mit »das Wort wurde Mensch«, sondern auch mit »das Wort wurde Opferfleisch«. Die vielen, aus Ex 33–34 stammenden *kultischen* Aussagen (über das Zelten, den Anblick der Herrlichkeit, die Bundestreue in Gnade und Wahrheit usw.), die auf den Satz über die Fleischwerdung folgen, sind Signale. Sie empfehlen oder gebieten schon bei diesem Vers des Johannesprologs, nicht erst im Blick auf das Christuszeugnis des Täufers Johannes, an das Lamm zu denken, das in seinem Tod der Welt Sünde trägt (vgl. 1,29.36). Auch in Hebr 2,9–17 werden Fleischwerdung und Opferung Jesu Christi – unter Verwendung des Doppelbegriffs »Blut und Fleisch« in V. 14 – (fast?) miteinander identifiziert.

Schwerlich, es sei denn illegitimerweise, gibt es eine Feier der Messe, der Eucharistie, des Abendmahls, des Herrenmahls, des Liebesmahls oder wie immer das Mahl des Herrn bezeichnet wird, bei der der Tod Jesu Christi nicht im Mittelpunkt von Schriftlesung, Gebet, Gesang, Danksagung und allem steht, was »zum Gedächtnis« des Herrn geschieht. Dieses Mahl ist, wie es ja auch Paulus in 1Kor 11,26 ausdrücklich sagt, eine Verkündigung des Todes des Herrn. Andere Gestalten der Verkündigung desselben gekreuzigten Herrn sind z.B. die Kreuzespredigt des Paulus (bes. 1Kor 1,18–2,16), die Passionsberichte der Evangelien, die Gesänge der Engel in Apk 5, die Christushymnen im Neuen Testament, die Abschiedsreden im Johannesevangelium – und der Abschnitt Joh 6,51a–58. Diese Verkündigungen des gekreuzigten Herrn können *alle* mit dem Mahl des Herrn in Verbindung gebracht werden, ja einige von ihnen mögen zum erstenmal bei oder für Mahlfeiern formuliert worden sein. Das beweist jedoch nicht, daß die Lobpreisungen letztlich nicht das Kreuz und den Gekreuzigten, sondern das Mahl betreffen. Fände diese Verschiebung statt, so würde Jesus Christus zum bloßen Stifter, das Kreuz zur bloßen Ermöglichung des Mahls degradiert; die Mahlzeit jedoch würde zum eigentlichen Heilsmittel aufgewertet. Die Tatsache allein, daß in Joh 6 bildlich von Essen, Kauen, Trinken die Rede ist und daß der Tod Christi das eigentliche Zentrum der Selbstverkündigung Jesu bildet, kann nicht beweisen, daß dieses Kapitel mehr vom Mahl als vom Tod des Herrn handelt.

Weder die Geburt noch die Kreuzigung Jesu Christi finden auf einem Altar oder Tisch statt oder werden erst dort für das Heil vieler wirksam. Er ist der gute Hirte, der sein Leben für die Schafe gab, längst bevor die Gemeinde begann, ihn zu feiern. Er ist das Brot des Lebens, auch ohne sich immer wieder mit physischem Brot zu verbinden. Er ist für die Jünger und die Welt gestorben, selbst wenn kein Brot zerstückelt oder keine Hostie verteilt wird. Deshalb läßt sich nicht behaupten: Das Kreuz Christi *und* die Teilnahme am Mahl retten den Menschen. Wohl aber ist das Mahl eine von Jesus selbst gebotene und für jede Gemeinde immer und überall angemessene Form des Lobes und Dankes für den Tod des Herrn.

Das dritte Bild kennzeichnet menschliche Aktionen, die dem Geber und der Gabe des Himmelsbrotes, das aus Fleisch und Blut Jesu Christi besteht, entsprechen. Genannt werden Essen, Kauen und Trinken *(ephagon, trōgō, pinō)*. In direkter, nicht-bildlicher Rede war schon in den Versen Joh 6,23.26.31.49 die Vokabel »essen« verwendet worden. Auch in 6,58 ist von physischem Essen die Rede. Gegessen wurde von der galiläischen Menge das von Jesus vermehrte Brot samt Zukost, viel früher das den Vätern vom Himmel gespendete Manna. Sobald sich aber Jesus selbst als das wahre Brot bezeichnet und von seinem Verzehr spricht, d.h. von den Versen 32 und 48 an, wird das Wort »essen« ebenso bildlich benutzt wie der Begriff Brot. Zu dem, was in gewöhnlicher Diktion »essen« heißt, gehört es, daß Hunger und Durst sich wieder melden und daß man einmal sterben muß, selbst wenn Gott lange für wunderbare Ernährung gesorgt hat. Schon Joh 6,35 macht deutlich, daß – in bildlicher Redeweise – mit dem »Brot« Jesu Kommen, Gegenwart und Freigebigkeit zur Mitteilung des ewigen Lebens, mit dem »Essen« aber der Glaube an ihn gemeint ist und daß die Wirkung dieses Brotes und seines Verzehrs die endgültige Beseitigung von Hunger und Durst ist.

Die besondere Art von Essen, die dem einzigen Brot des Lebens, Jesus Christus, entspricht, braucht physisches Essen nicht auszuschließen; nicht alle, die in Galiläa wunderbar gespeist wurden, müssen Jesus gegenüber un- oder irrgläubig gewesen sein. Doch gibt es in Joh 6 keinen Anhaltspunkt dafür, daß sich das geistliche Essen einzig und allein in der Teilnahme an einem physischen Mahl ereignet. Mögen physische Mahlzeiten das verwendete Bildmaterial liefern – keine Form von *nur* physischem und materiellem, d.i. von sogenanntem »kapernaitischem« Essen schließt das geistliche Essen Jesu Christi automatisch ein.

Worin bestehen nun Wesen und Funktion der Bildsprache vom Essen, Fleischkauen und Bluttrinken?

Die Bilder sind grob, rauh, unerfreulich. Daß man eine Rede, die gerade diese Bilder braucht, für abscheulich, vielleicht sogar für pervers und sinnlos halten kann, ist verständlich. Es brauchte weder aufklärerische noch sentimentale noch religionsgeschichtlich versierte Bibelkritiker, um dies zu bemerken. Selbst wenn es tiefenpsychologische, sexuelle und sprachliche Möglichkeiten gibt, gerade solche Sprache zu verstehen – wie ja der Ausdruck »jemanden zum Fressen gern haben« weit verbreitet ist –, macht dies doch Joh 6,51b–58 nicht zu einem lieblichen, jedermann leicht zugänglichen Text. Nach Joh 6,52.60 reagierten schon die Juden zur Zeit Jesu, wohl auch zur Zeit der Abfassung des Vierten Evangeliums, mit der Bemerkung: »Wie kann dieser uns sein Fleisch zu essen geben?« Viele der ersten Jünger fällten das Pauschalurteil: »Diese Rede ist hart; wer kann sie hören?« Läßt man sich durch Ex 33,4 informieren, so gibt eine »harte Rede« von Gottes Seite Anlaß zu Betrübnis und schmuckloser Kleidung.

Der Evangelist Johannes erwartet, daß Hörer und Leser des Evangeliums gerade solche Diktion verstehen und vielleicht auch schätzen können. Was aber konnten sie und was kann vielleicht auch ein heutiger Bibelleser unter der Forderung und Verheißung verstehen, das Fleisch einer Person zu essen und das Blut derselben Person zu trinken? Wenn Anlaß besteht, weder an grobe noch an subtile Theophagie oder ebensolchen Kannibalismus zu denken, weil Glaube an Fetische und Manavorstellungen nicht auf der Linie des Johannesevangeliums liegen, so gibt es wahrscheinlich nur zwei »Sitze im Leben«, aus denen die Ausdrucksweise von Joh 6,53–58 stammen kann:

(1) In Anlehnung an apokalyptische Visionen, besonders an Num 23,24; Ez 39,17–20; Sach 9,15, sprechen die Verse Apk 16,6; 17,6.16; 19,17.18.21 vom Saufen und Betrunkenwerden vom Blut der Märtyrer (d.i. der wehrlosen Heiligen, Propheten, Zeugen Jesu und anderer Erschlagener auf Erden) und vom Essen der Fleischstücke, zu denen militante und gewaltige Feinde verhackt worden sind. Hämische Freude über besiegte Schwächlinge oder Kraftmeier kommt in solchem Bluttrinken und Fleischessen zum Ausdruck. Doch bildet eine derartige *Siegesfeier* sicher nicht den Hintergrund von Joh 6. In diesem Kapitel feiern ja die Essenden und Trinkenden

nicht ihren eigenen Haß und Triumph einem Getöteten gegenüber. Vielmehr empfangen sie Verheißung und Weisung von dem, der getötet werden wird: Gerade von ihm werden sie Leben empfangen, aus seinem Tod werden sie das Leben schöpfen.

(2) Als Alternative zu einer Siegesfeier ist der Gedanke an eine *Opfermahlzeit* am nächstliegenden. In Ez 39,17.20 scheinen zwar beide identisch zu sein, in Joh 6 aber fehlt das Motiv des Sieges über das Opfer, da gerade das Opfer, Jesus Christus, über das Morden und den Tod seiner Feinde, Verächter, Verräter und Verleumder siegt. Bei Opfermahlzeiten war es in Israel üblich, daß nur Fleisch, nicht auch Blut des Opfertiers verzehrt wurde (Lev 3,17; 7,27; 17,10–14; Gen 9,4; Dtn 12,23; vgl. 1Sam 14,33); doch in heidnischen Tempeln gab es diese Einschränkung nicht. Auch aus diesem Grund wird Paulus die kultischen heidnischen Bankette als einen Greuel angesehen haben, der Gemeinschaft mit Dämonen herstellte und dokumentierte. Das Verbot des Blutgenusses wurde im sogenannten Aposteldekret der Jerusalemer Gemeinde auch für Heidenchristen aufrechterhalten (Apg 15,20.29). Trotzdem wird in Joh 6,51b–58 – nachdem Jesus Christus durch die Verwendung der Begriffe »Fleisch« und »Blut« als erschlagenes Opfer gekennzeichnet wurde – von einer Opfermahlzeit gesprochen. Mindestens zwei Typen von Opfermahlen wurden unter den Juden der Zeit Jesu vollzogen: Priester empfingen einen Anteil vom Opferfleisch auf dem Altar (1Kor 9,13; 10,18; Hebr 13,10), und das Passamahl wurde, wenn möglich, in Jerusalem gefeiert. Nach Lukas, Matthäus und Markus bildete das Passaopfer und -mahl den historischen Anlaß und Rahmen für die Stiftung des Mahls des Herrn. Gleichzeitig ist es, wie oben in Teil I dargestellt, ein Band, das Juden und Christen allen Differenzen zum Trotz miteinander verbindet. Im Johannesevangelium hingegen werden keine Opfermahlzeiten, seien es vergangene oder zukünftige, liturgische oder säkulare, beschrieben. In diesem Evangelium gibt es ein Opfermahl nur in bildlicher Rede. Das Bild eines solchen Mahls – nicht eine Erzählung oder Weissagung – dient zur Beschreibung der Realität und Wirkung des Anteils, den Menschen von dem Altar bekommen, auf dem Jesus Christus geopfert wurde.

Jesus Christus ist *das* Lamm Gottes, nicht irgendein Opferlamm (Joh 1,29.36; 19,36; vgl. 1Kor 5,7; 1Petr 1,19; Apk 5,6.12; Hebr 9,12–14). Er wird nicht nur für Israel, sondern für die Welt (hin-)gegeben (Joh 6,31. 33.49.51.58). In seinem Tod wird nicht nur Leben ausgelöscht, sondern für andere gewonnen. Hier geht es nicht um physisch verlängertes, sondern um ewiges Leben. Dem allen entspricht ein Opfermahl mit ganz besonderen Eigentümlichkeiten: Bei dem auf Jesu Opfertod folgenden Mahl wird das Fleisch des Opfers nicht nur gegessen, sondern gekaut; dazu gibt es nicht – wie in alttestamentlichen Zeiten und bei den Passafeiern im hellenistischen Zeitalter – Wein zu trinken, sondern das Blut des Opfers.
Was ist der Sinn der Ersetzung und Erklärung des Begriffs »essen« durch

das Wort »kauen« (das fast so häßlich tönt wie »schmatzen« oder »mampfen«) und durch den skandalösen Begriff »Blut trinken«?

Kauen. Joh 6 verwendet elfmal das Verbum »essen«. Physisch werden Brot und Manna, in symbolischem Sinn werden Jesus Christus, das Lebensbrot, und sein Fleisch gegessen. Nur im übertragenen Sinn wird in demselben Kapitel das Verbum »kauen« verwendet: Jesu Fleisch, ja er selbst wird »gekaut« (6,54.56–58).

W. Bauer (Wörterbuch[5], s.v.), O. Cullmann (Urchristentum, a.a.O., S. 96–97) und andere meinen, die Wahl des Wortes »kauen« sei durch eine antidoketische Tendenz des Verfassers (oder letzten Redaktors) des Vierten Evangeliums bedingt. Wie er in Joh 1,14 (und 1Joh 4,2–3; 2Joh 7) mit dem Satz »das Wort ward Fleisch« eine irrige Christologie angreife, die bestreite, daß das ewige Wort, der einzige Sohn Gottes, je einen irdisch-physischen Leib gehabt habe, so bekämpfe er, am stärksten durch die Verwendung des Begriffs »kauen« in Joh 6,54–58, ein spiritualistisches Verständnis des Abendmahls. Gesagt werde dadurch, daß bei diesem Mahl Jesus Christus real und physisch anwesend sei und mit Zähnen zerbissen werde. Unter den Reformatoren hat besonders Luther auf dieses physische »Kauen« größtes Gewicht gelegt. Nicht nur Zwinglis, sondern auch Calvins Lehre vom Mahl schien die vom Kauen handelnden Verse zu ignorieren, zu verdünnen oder ihnen kraß zu widersprechen.

Das Argument, daß es neben dem christologischen auch einen sakramentalen Doketismus gegeben habe und daß sich das Johannesevangelium, zusammen mit 1Joh 4,2–3; 5,6–8, gegen beide Typen dieser gnostisierenden, wenn nicht gnostischen Irrlehre wende, ist erst in der neuzeitlichen Exegese entstanden. Es ist eine Ursache oder eine Folge der Annahme, das Vierte Evangelium sei »spät« entstanden – wenn nicht erst im zweiten Jahrhundert, als die großen gnostischen Systeme aufkamen, so doch frühestens in den neunziger Jahren des ersten. Ist die These wirklich solide begründet, daß schon im letzten Jahrzehnt des ersten Jahrhunderts oder kurz danach eine Häresie bekämpft wurde, die erst seit der Mitte des zweiten Jahrhunderts nachweisbar ist? Sollte das Johannesevangelium noch *vor* ca. 95 n.Chr. zu datieren sein, so ist es ganz unwahrscheinlich, daß es schon gegen Lehrer und Gemeinden polemisiert, die eine Art von Doppeldoketismus vertraten. Weiter unten wird die Datierungsfrage aufzugreifen sein. Eine andere Auslegung von »kauen« ist aus folgendem Grund möglich:

Das Verb »kauen« *(trōgō)* kann eine ganz andere Bedeutung haben, als ihm die antispiritualistische und antignostisierende Auslegung zuschreibt. Gewiß ist nicht zu bestreiten, daß *trōgō* die hör- und sichtbare Zerkleinerung harter oder dicht zusammengepreßter Substanzen durch Vieh auf der Weide oder im Stall, in gewissen Fällen auch von Menschen am Lagerfeuer oder sogar bei Tisch, bezeichnen kann. Doch nennt Liddell-Scotts Lexikon aus früher und späterer griechischer Literatur Beispiele, in denen *trōgō* einen vergnüglichen und genüßlichen Verzehr von Speisen bedeutet. Eine pikante Zukost oder ein besonders leckerer Nachtisch wird zwar auch »gegessen«, doch kann auf die spezielle Art des Verzehrs dieser Beigabe oder dieses Desserts durch die Verwendung von *trōgō* hingewiesen werden. Das Fehlen von *trōgō* in der Septuaginta und anderen griechischen Übersetzungen des Alten Testaments beweist nicht, daß es keine hebräischen

und aramäischen Ausdrücke für fröhliches Essen gibt. Kennt doch das Alte
Testament und kennen auch die nachexilischen Juden, wenn sie Passa feiern, Teppiche oder Tische, um die man mit Vergnügen gelagert ist oder
sitzt, und solche Mahlzeiten, bei denen es ausgesprochen fröhlich zugeht.
1Sam 1,3–15 erzählt von solch einem Mahl, das Deuteronomium (12,7;
26,11 u.a.) schreibt es ausdrücklich vor, und in Ps 23 hört man wahrscheinlich die Stimme eines Teilnehmers. Einer Predigt E. Jüngels über diesen
Psalm zufolge hört man den Psalmisten förmlich schmatzen.

Auf dem Hintergrund alttestamentlichen und jüdischen Brauchtums ist
somit folgendes als der Sinn des Verbums »kauen« anzunehmen: Der Tod
Jesu Christi ist ein Grund, sich zu freuen und mit lautem Jubel zu feiern.
Nur wer noch nicht weiß, welch großes Geschenk den Jüngern, vielen anderen und der Welt gemacht wurde, als Jesus Christus »für« sie starb, wird
noch traurig sein können. Die Freude an der Gültigkeit von Jesu Tod für
die Sünder soll beim Mahl des Herrn zum Ausdruck kommen; so spricht ja
die Apostelgeschichte von »Brotbrechen ... unter schallendem Jubel«
(2,42–47). Zwar gibt es Mißbrauch von Festmahlzeiten; es gibt Völlerei
und Trunkenheit, die sogar am Tisch des Herrn vorkommen, nicht nur
beim heidnischen Tempelschmaus, sagt Paulus in 1Kor 10,20–21; 11,21.
Solcher Mißbrauch schließt aber nicht aus, daß Jesus Christus den Seinen
vollkommene Freude verschafft (Joh 17,13 u.ö.), daß er ein Freudenmahl zu
seinem Gedächtnis gestiftet hat und daß Sätze über Speisung und Verzehr
von Speisen Gleichnisse und Bilder des gesamten Verhältnisses zwischen
Gott und Mensch enthalten können. Das in Joh 6,54–58 erwähnte freudige »Kauen« ist ein Bild für den Glauben an Gott, seinen Sohn und das gemeinsame Leben, die nicht nur am Tisch des Herrn, sondern immer und
überall, z.B. auch bei der Arbeit, auf der Straße, in Verfolgungszeiten, bei
Liebeswerken an Mitmenschen, zum Ausdruck kommen.

Damit der Verzehr fester Speise zum Vergnügen werde und des Menschen
Herz sich erfreue, hat Jesus bei der Hochzeit von Kana für Wein gesorgt
und bei seinem letzten Mahl Wein ausgeteilt. Zu dem Bild vom Opfermahl, das in Joh 6,51b–58 entworfen wird, gehört jedoch nicht Wein, sondern ein ganz anderes Getränk.

Blut trinken.   Das rigorose alt- und neutestamentliche Verbot des Blut-
trinkens wurde schon erwähnt. Besonders wichtig für das Verständnis von
Joh 6 ist jedoch nicht nur der Vorbehalt, daß das Blut des Opfertiers nicht
verzehrt werden darf, sondern noch mehr die Begründung, die dafür in
Lev 17,10–14 und Dtn 12,23 gegeben wird. Sie lautet: ». . . denn die Seele
des Fleisches ist im Blute . . ., das Blut ist es, das durch die (in ihm wohnen-
de) Seele Sühne erwirkt«, bzw.: . . . »denn das Blut ist die Seele.«

Hier ist nicht der Ort, Ausführungen über jene biologisch-wissenschaftlichen oder fetischi-
stisch-magischen Hintergründe dieser Verbotsbegründung zu machen, die zur Zeit der
Priesterschrift (zu der das 3. Buch Mose, der sog. Leviticus, gehört) und des Deuterono-
miums in Israel maßgebend gewesen sein mögen. Was den Anschein und die Gestalt einer

wissenschaftlichen Aussage oder eines magischen Zwecken dienenden Aberglaubens hat, besitzt im Rahmen des Kontextes theologischen Charakter.

Zwei Elemente sind dabei zu unterscheiden: (1) Es geht um die Abgrenzung des Gottesdienstes Israels von den Opferfesten jener Kanaanäer und anderer Nachbarn Israels, bei denen zum Zweck der Vereinigung oder Identifikation mit einer Gottheit Blut des der Gottheit zugeordneten Tiers getrunken wurde. Viele Religionen und Kulte kennen und vollziehen den Gedanken solcher Lebens- und Wesensübertragung auf den Menschen; manchmal liegt die Idee einer Vergöttlichung des Geschöpfs nicht fern. Israel sollte von solcher Manipulation seines Gottes und solcher Überschätzung des menschlichen Potentials frei sein. (2) Es geht um eine Einschränkung. Zu echtem und wohlgefälligem Gottesdienst darf und soll das vorschriftsgemäß (nach den Propheten und Psalmen: das aus demütigem und lauterem Herzen) gebrachte Opfer gehören. Aber Leben, sei es Auferstehung von den Toten oder ewiges Leben, hat das alttestamentliche Opfer nicht vermittelt. Joh 6 illustriert die Insuffizienz selbst der größten alttestamentlichen Ereignisse am Beispiel des Manna: Die Väter Israels aßen von dieser Gottesgabe – und starben! Analog urteilt der Hebräerbrief über die Opfer. Was Israel dabei tat und erhielt, war etwas Großes. Doch erst bei jenem einen Opfer, bei dem Gottes Sohn gleichzeitig Priester und Opfergabe ist und bei der sein Blut vergossen wurde, geschah mehr als eine fleischliche Reinigung, deren beschränkter Wert ja unter anderem durch die Notwendigkeit ständiger Wiederholung angezeigt wurde. Erst Jesu Christi Opfer reinigt das Gewissen geistlich und heiligt die Diener Gottes vollkommen (Hebr 9,11–28; 10,1–18).

Im Licht der genannten alt- und neutestamentlichen Aussagen über die Verwendung von Blut in kultischem Zusammenhang bedeutet der Ausdruck »mein (oder: des Menschensohns) Blut trinken« in Joh 6,53–56 folgendes: Was im alttestamentlichen Gottesdienst dem Diener Gottes noch nicht gespendet, sondern vorenthalten wurde – die Übertragung göttlichen Lebens, die vom Trinken des Opferblutes erwartet wurde –, wird nach Joh 6 im Opfertod Jesu Christi so vollzogen, daß jetzt ein Opfermahl stattfinden kann, für das es in Israel keine Präzedenzfälle gibt. Jetzt darf und soll Jesu Christi Blut getrunken werden! Anders ausgedrückt heißt dies, daß aus seinem Tod – und nur daraus! – jenes Leben geschöpft und empfangen werden darf, das zuvor einzig dem Vater und dem Sohn zu eigen ist.

Eine Beziehung zwischen dem Trinken von Wein am Tisch des Herrn und dem (bildlichen) Trinken des Blutes Jesu Christi oder eine besondere wunderbare oder zeichenhafte Verbindung von Blut und Wein, dazu von geistlichem *und* physischem Trinken klingt in Joh 6 nicht an und kann ohne Vergewaltigung des Wortlauts nicht zu einem Hauptinhalt dieses Kapitels gemacht werden.

Zwar ist das Mahl des Herrn dazu bestimmt, daß der Tod Jesu Christi verkündet werde und daß man dem Herrn danke für das, was er in und mit seinem Tod den Jüngern, den Vielen und der Welt geschenkt hat. Doch ist diese Gelegenheit, Gott und seinen Sohn nach Kräften zu preisen, nicht gleichzeitig das Mittel, durch das Christus erst zum Priester und Opfer, zur Sühne und Versöhnung, zum Erlöser und Befreier wird. Das heilige Mahl »bleibt für Johannes zwar in Geltung . . ., ist aber sicher nicht zentral«,

schreibt E. Schweizer (in: ThWNT VI, S. 440). Noch deutlicher spricht A.
Schlatter (Der Evangelist Johannes, ²1948, S. 178–182): »Das ist der Unterricht, den Johannes der Kirche über das Abendmahl gegeben hat. Er beschreibt ihr Jesus nicht als den Stifter eines Sakraments, wohl aber als den,
der sie durch seinen in den Tod gegebenen Leib mit dem Leben speist.«
Nach K. Barth (Erklärung des Johannesevangeliums, Vorlesung aus dem
SS 1933, 1976, S. 314f) will Johannes in Kap. 6 »nicht von der Kirche und
ihrem (sakramentalen) Leben, sondern vom die Kirche begründenden Leben reden . . . Es geht um ein Essen und Trinken . . . des Fleisches und Blutes Christi, von dem man reden kann, ohne des Abendmahls dabei ausdrücklich Erwähnung zu tun, so gewiß man dabei nicht umhin kann, des
Abendmahls zu gedenken.«
Ebenso wie die Rede vom guten Hirten und den zu ihm gehörenden Scha-
fen beschreibt auch die Bildrede vom Brot des Lebens, vom Fleisch und
Blut Jesu und vom Kauen dieses Fleisches und Trinken dieses Blutes den
ganzen Herrn und das ganze Leben der Seinen. An jedem Tag, zu jeder
Stunde, in all ihrem Tun und Lassen, Denken und Sprechen, Leiden und
Hoffen sind die Christen Teilnehmer an einem Festessen. Für wen der Tod
Jesu nicht zu jämmerlich, gering und anstößig ist, um Quelle des Lebens zu
sein, wer es sich sagen läßt und der Tatsache gemäß lebt, daß der Mann mit
der Dornenkrone der rettende Herrscher der Welt und jedes Verlassenen
und Leidenden spezieller Freund ist (in paulinischem Vokabular: wer
glaubt und hofft und liebt) – der »ißt das Fleisch des Menschensohns« und
»trinkt sein Blut« im Sinne von Joh 6.
Statt allerdings mit Augustin einzig das Geschenk, den Akt und die Haltung des Glaubens als Sinn des Bildes vom Essen (und Trinken) zu erklären, kann man auch andere in diesem Kapitel stark vertretene Elemente
zur Deutung heranziehen. Zum Beispiel: Jesus auf sich zukommen lassen
und seine eigene Weise des Zugangs, so seltsam oder wunderbar sie ist,
dankbar bejahen; Jesus folgen, dem Ziehen und Senden des Vaters nachge-
ben, ohne weiterhin andere Retter und ein anderes Heil zu suchen; arbeiten in einer Weise, die nicht vergängliche Werte sucht, sondern im Vertrauen und Gehorsam gegenüber dem Wirken Gottes durch Jesus geschieht; Leben suchen, wo es wirklich zu finden ist: am Kreuz Jesu, im An-
hören des Wortes Gottes und im Wirken des Geistes; dankbar und fröhlich
leben und lernen, statt seine Tage mit Murren und Ärger zuzubringen. Alle Themen und Motive, die oben bei der Skizzierung der Struktur von Joh
6 genannt wurden, könnten hier wiederholt werden. Sie sind authentische
Interpretationen des mit den Bildreden vom »Brot«, »Fleisch«, »Blut«,
»Kauen« und »Trinken« Gemeinten.
Soviel zur Auslegung von Joh 6,51b–58 – obwohl zusätzlich viele andere
Interpretationsaufgaben als nur das Verhältnis zur Feier des Mahls des
Herrn vorhanden sind. K. G. Kuhn (Art. *pinō*, in: ThWNT VI, S. 142, Anm.
9) meint (vielleicht zu Recht), daß diese Verse in den Bereich des palästini-
schen Judentums gehören und »höchstwahrscheinlich auf Jesus selbst zu-

rückgehen«. Die überwiegende Mehrheit kritischer Forscher hält diesen Gedanken für so abwegig, daß er nicht einmal ernsthaft diskutiert wird. Beweisen läßt sich in dieser Frage nichts; doch konnten, wenn die oben vorgelegte Auffassung von der Bildhaftigkeit des Inhalts dieser Verse zutreffend ist, in der Tat nur Juden, nicht aber Heiden und Heidenchristen, ganz besonders starken Anstoß am Gesagten nehmen *und* gleichzeitig ein wenig von dem begreifen, was Jesu anstößige Antworten sagen wollten. Daß Jesus selbst *vor* seinem Tode über den Charakter, den Sinn, die Einmaligkeit, den Zweck und die Wirkung seines Todes sprach, ist nicht nur durch Joh 6 bezeugt.

Mehrmals treten zur Deutung des Todes Jesu Hinweise auf die Erhöhung des Gekreuzigten und auf die Wirksamkeit des Heiligen Geistes. Von einem zweiten Höhepunkt in Joh 6 muß deshalb im folgenden ebenfalls noch gesprochen werden, weil er in geballten Aussagen über den Geist besteht, den der Auferweckte gibt. Es geht dabei um nicht weniger starke, geheimnisvolle und rätselhafte Angaben, als sie zuvor über den Tod Jesu gemacht wurden.

Joh 6,63 lautet: »Der Geist ist es, der lebendigmacht. Das Fleisch ist nichts nütze. Die Worte, die ich zu euch gesprochen habe, sind Geist und Leben.« Zu jedem der drei Teile dieses Verses sind einleitende Bemerkungen am Platze, bevor über die Gesamtaussage gesprochen werden kann.

V. 63a.   Vielfältig sind in der Bibel die Beschreibungen des Wesens und Wirkens des Geistes. Er wird bald als Geist des Herrn oder Gottes, bald als Heiliger Geist bezeichnet und steht in besonderer Affinität zum Begriff »Kraft (Gottes)«. Er wird erwähnt, wenn z.B. von der Erschaffung von Himmel und Erde, von der Einhauchung des Lebens in das Lehmgebilde Mensch, vom Auftreten der Richter und der Tätigkeit von Königen und Propheten, von der Erweckung Israels aus seinem Tod im Exil und in der Zerstreuung, von der Erneuerung einzelner menschlicher Herzen und aller Natur die Rede ist. Nach neutestamentlichen Erzählungen und lehrhaften Aussagen bewirkt derselbe Geist im Schoße der Jungfrau Maria die Empfängnis Jesu, in Gebäuden und auf Plätzen und Straßen die Austreibung von Dämonen, in einer Halle des Jerusalemer Tempels die Geburt der Kirche am Pfingsttag, unter Juden, Samaritanern und vielen Völkern rings um das Mittelmeer die furchtlose Predigt des Evangeliums, dazu Zeichen und Wunder, Heilungen und Zungenreden, endlich die Entstehung und Erhaltung von Erkenntnis, Glaube und Liebe, kurz: das Leben der Kirche und das Geheimnis ihrer Existenz als Einheit in Vielheit. Die Verwandlung der fleischernen Leiber der Menschen in geistliche Leiber wird am Tage der Totenerweckung das Werk des Geistes krönen.

Wenn Joh 6,63a den Geist »lebendigmachend« nennt, so ist das eine Summe aller dieser Geisteswerke. Auch in Röm 8,11; 1Kor 15,45; 2Kor 3,6; vgl. 1Petr 3,18 wurden alle Werke des Geistes zusammengefaßt mit dem Ausdruck »Er macht lebendig«. Der Gegensatz zwischen Geist oder Vernunft auf der einen, Materie oder Stoff auf der anderen Seite hat zwar einige Analogien zur biblischen Beschreibung von Geist und Fleisch, ist aber im Johannesevangelium sowenig wie bei Paulus und im Gethsemanespruch »Der Geist ist willig, aber das Fleisch ist schwach« einfach rezipiert und sanktioniert. Zu eng ist in der Bibel die Unterordnung des Geistes unter den einen lebendigen Gott, den Schöpfer des Himmels und der Erde, zu stark seine Verbindung mit Jesus Christus und seinem Tod, zu total seine besondere Wirkung an und in der Gemeinde. Auferweckung des Fleisches oder des Leibes, wie sie im Blick auf Israel z.B. in Ez 37, auf die Gemeinde und ihre Glieder in 1Kor 15 und 2Kor 5,1–10 verkündet wird, ist nicht dasselbe wie die Unsterblichkeit der Seele, der Triumph der Form über die Materie, der Sieg der Vernunft über die Leidenschaften, von der Plato, Aristoteles und die Stoiker in verschiedenen Epochen und in je eigener Weise gesprochen hatten – ohne doch über bemerkenswerte Variationen eines dualistischen Weltbildes hinausgekommen zu sein. Nachdem jedoch schon in Joh 6,62 vom Aufsteigen des zuvor erniedrigten Menschensohns gesprochen wurde, handelt V.63a nicht von der Anerkennung oder Aufhebung einer dualistischen Spannung, sondern von Totenerweckung.

V.63b.   Die Abwertung und Aburteilung des Fleisches mit den Worten »es ist nichts nütze« hat Entsprechungen in Joh 1,13; 3,6 und 8,15. Dort wird von der Ohnmacht der Geburt aus dem Fleisch gesprochen: Sie befähigt nicht zur Aufnahme von Gottes Wort, sondern muß fortwährend Böses gebären; darum ist auch Meinungsbildung und Urteilsfällung »nach dem Fleisch« ein Kennzeichen der Gegner Jesu. Man kann beinahe von einer Regel sprechen, die die verschiedensten biblischen Autoren zu ganz verschiedenen Zeiten respektiert haben: Wenn Fleisch und Geist in demselben Satz oder Zusammenhang erwähnt werden, ist mit »Fleisch« etwas Verdorbenes, Schwaches, dem Tod Verfallenes gemeint (Ez 37; Sach 4,6; auch Joel 2,28 bzw. 3,1; Röm 1,3–4; 8,4–14; Gal 5,16–25; 6,8; 1Kor 15,42–50; vgl. Hebr 2,14; 4,15; 5,2; 1Petr 3,18; 1Tim 3,16 usw.). Doch vertritt das Johannesevangelium sowenig wie Paulus oder irgendein anderer Teil der Bibel einen groben oder subtilen Antimaterialismus. Gottes Sohn hat die Gestalt, die Schwachheit, den Tod der sündigen Menschheit angenommen – gerade der Menschheit, die unter Gottes Urteil steht. Die Gestalt des Menschseins ist zwar korrumpiert, mit Sünde und Schande beladen. Doch kann sie sich auch in diesem Zustand und dieser Verdammnis der Barmherzigkeit und Macht Gottes nicht entziehen. Gerade über »alles Fleisch« will Gott seinen »Geist ausgießen« (Joel 2,28).

V.63c.   Wort und Geist sind gemeinsam Gottes Werkzeuge zur Übergabe des Lebens an die Menschen und zum Empfang des Lebens durch die Menschen. »Der Geist ist es, der lebendig macht . . . Die Worte, die ich zu euch gesprochen habe, sind Geist und Leben«; vgl. 6,68: »Du hast Worte des ewigen Lebens.«

Werden in Joh 6,63.68 Wort und Geist einfach identifiziert? »Der Stab des Mundes« Gottes und »der Hauch seiner Lippen« werden in der Tat z.B. in Jes 11,4 als parallele, sogar als synonyme Ausdrücke verwendet. In Eph 6,17 scheinen Wort und Geist einander gleichgesetzt: »das Schwert des Geistes, welches Gottes Wort ist.« Nach Gen 1 erweisen sich die Schöpferworte »es werde . . .« nicht weniger als lebenschaffende geistliche Kraft, als es die Worte des Evangeliums nach 1Kor 2,4 und Röm 1,16 sind. Wenn der Prophet Ezechiel dem Gebot gehorcht, den Geist herbeizurufen, wenn Jesus den vor vier Tagen in einer Gruft beigesetzten Lazarus aus dem Grabe ruft, wenn am Ende der Tage die Stimme des Sohnes Gottes den Toten befiehlt aufzuerstehen, wenn das Wort von der Versöhnung und Vergebung ausgerichtet wird (Ez 37,9–10; Joh 11,43; 5,24–25; Eph 5,14; 2Kor 5,18–20; Joh 20,21–23) – in allen diesen Fällen und in vielen anderen wirkt der Geist Gottes mittels ausgesprochener Worte. Geht es um die Mitteilung, die Übertragung, die Verleihung und den Empfang eines Anteils an dem von Gott verheißenen ewigen Leben, sind Geist und Wort untrennbar. Sie sind die Gnadenmittel, die Gott benutzt, um den Menschen verbindlich mitzuteilen, was Jesus Christus für sie getan und erworben hat. Besonders schön und knapp hat dies Luther (im Großen Katechismus, zum 3. Artikel des Apostolikums) zum Ausdruck gebracht: »Das Werk ist geschehen und ausgericht; denn Christus hat uns den Schatz erworben und gewonnen durch sein Leiden, Sterben und Auferstehen etc. Aber wenn dies Werk verborgen bliebe, daß niemand wüßte, so wäre es ümbsonst und verloren. Daß nu solcher Schatz nicht begraben bliebe, sondern angelegt und genossen würde, hat Gott das Wort ausgehen und verkünden lassen, darin den heiligen Geist geben, uns solchen Schatz und Erlösung heimzubringen und zueignen.«

Wort und Geist sind nicht einfach dasselbe. Der Geist hat Funktionen, die zwar nicht dem ewigen *logos* (Wort), wohl aber den Sprüchen Gottes und seiner Propheten überlegen sind und vorangehen. Der in Joh 6,63 verwendete Ausdruck *rhēmata* bezeichnet in der Bibel besonders wichtige Aussprüche, seien es schöpferische, offenbarende, prophetische, gebietende, flehende, lehrende, lobende oder interpretierende. Wirksame und bindende Aussprüche, nicht aber unverbindliche Diskussionsbeiträge, geschweige denn faules Geschwätz sind gemeint.

In eigener Weise, doch mit derselben Betonung wie bei Paulus und Lukas verkündet das vierte Evangelium, daß die Geburt des neuen Menschen, die Erkenntnis Jesu, das Verständnis und die Predigt der Worte Christi, der Weg und die Einheit der Zeugen vom Heiligen Geist bewirkt und geschenkt werden. Bevollmächtigtes Wort Gottes gibt es aus Jesu Mund schon vor Karfreitag und Ostern. Das Johannesevangelium betont aber nachdrücklich, daß es des Todes Jesu bedurfte, damit der Geist sein ganzes Werk vollbringen konnte. Erst aus dem Leibe des Gekreuzigten fließt jenes Wasser, das künftigen Durst unmöglich macht und »ins ewige Leben sprudelt« (4,10–14; 7,38–39; 19,34; vgl. 6,35).

Auch Mose hatte als Prototyp aller echten Propheten von Gott »lebende Worte« oder »Worte, die das Leben sind« empfangen und an Israel ausgerichtet (Dtn 8,3; 30,20; 32,47; Apg 7,38). In Joh 6,63c, in dem Satz Jesu: »Die Worte, die ich zu euch gesprochen habe . . .«, ist das Pronomen »ich« *(ego)* sehr stark betont. Es signalisiert einen Gegensatz zwischen dem, was Jesus, und dem, was Mose gesagt hat – wie es ja auch einen Unterschied zwischen den Gaben Gottes gab und gibt, die durch Jesu und Moses Hände gegeben wurden. Stellen wie Joh 1,17; 5,39.45–47; 6,32ff handeln davon: Das Gesetz ist ein Hinweis auf Gnade und Wahrheit, die »durch Jesus Christus (wirklich) geworden sind«. Wer in den Schriften forscht, ist mit Recht überzeugt, darin Auskunft über das ewige Leben, d.h. ein Zeugnis über Jesus Christus zu finden. Würden alle Juden dem Gottesknecht Mose »trauen« (oder »treu sein«), täten sie dasselbe auch gegenüber Jesus Christus. Doch ist das alttestamentliche Manna und Gesetz, das durch Moses Hand geht, weniger als jenes wahre Brot, das Gott durch Jesus Christus

gibt und das Jesus Christus in Person ist. Die Väter starben ja trotz der
Speisung mit Manna. Wer aber das Wort Jesu Christi hält, »wird den Tod
in Ewigkeit nicht sehen« (Joh 8,51). So werden durch den Hinweis auf
Wort und Geist in Joh 6,63 zwar alttestamentliche Erfahrungen, Zeugnisse und Verheißungen aufgenommen und bekräftigt. Doch wird deutlich
gemacht, daß Jesus eine Gabe und ein Leben verkörpert und Juden so gut
wie Heiden verschafft, die selbst den Reichtum und die Höhepunkte der
Wege Israels übersteigen.

Im folgenden fragen wir nun nach dem Sinn des *ganzen* Verses 6,63. Worauf blicken, worauf beziehen sich eigentlich die drei Aussagen, die zusammen diesen Vers bilden – falls sie nicht einfach ins Blaue hinaus gesagt
sind oder aus einem ganz anderen als dem jetzigen Zusammenhang stammen?

Unter den Antworten, die seit dem zweiten Jahrhundert gegeben wurden,
lassen sich mindestens drei Typen unterscheiden. Sie kreisen entweder um
die Sakramente (besonders das Mahl des Herrn), um die Anthropologie
(besonders die Hermeneutik, d.h. das Problem menschlichen Erkennens
und Verstehens) oder um die Christologie.

(a)   Nach der *sakramentalen Deutung* von Joh 6,63 bewirkt der (in der
»Epiklese« angerufene) Heilige Geist durch seine schöpferische und erneuernde Kraft, daß Brot und Wein nicht länger irdische Substanzen bleiben,
die zum Erwerb und zur Erhaltung des ewigen Lebens untauglich sind. Der
Geist bewirkt, daß sie in Fleisch und Blut Jesu Christi verwandelt werden.
Unentbehrlich für dieses Wirken des Geistes sind die am Altar oder Tisch
des Herrn gesprochenen (Einsetzungs-)Worte. Ihre Rezitation und ihr Effekt werden in Erklärungen der römisch-katholischen Kirche als *forma sacramenti* bezeichnet. Ohne die Intervention und den Beistand von Geist
und Wort kann es – darauf läuft die eucharistisch-sakramentale Deutung
von Joh 6 hinaus – nicht geschehen, daß Jesus Christus real präsent ist, um
sich selbst zu essen zu geben und selbst gegessen zu werden, damit »wer
mich ißt, durch mich leben wird« (6,57–58).

Es gibt Theologen, die es für sinnvoll halten, zwei Arten von Fleisch und
Blut Jesu Christi voneinander zu unterscheiden: eine irdische und eine
himmlische. So schreibt R. Schnackenburg (Das Johannesevangelium,
HThK IV/2, 1971, S. 106): »Es handelt sich nicht um das Fleisch und Blut
des irdischen Jesus, sondern um das des himmlischen Menschensohnes,
der, vom Geist erfüllt, eine neue Existenzweise besitzt.« Mit diesen Worten
will Schnackenburg zusammenfassen, was die Verse Joh 6,62–63 zu den
»eucharistischen« Aussagen der Brotrede (6,35–58, besonders in ihren
letzten acht Versen) hinzufügen. Wurde dort die Fleischwerdung und die
Opferung des Menschensohns betont, so jetzt die Erhöhung des Erniedrigten und seine Bevollmächtigung, »den lebenspendenden Geist zu verlei-
hen (vgl. 7,39; 17,2), die verheißene Gabe des Lebens und auch die eucharistischen Gaben zu spenden. In seiner irdischen Seinsweise ... kann er das
nicht erfüllen ...; das Fleisch, für sich genommen, nützt nichts« (Schnak-

kenburg, ebd., S. 105). Demnach gibt sich Jesus Christus nicht in seiner irdischen, sondern in seiner himmlischen Gestalt, wenn die Messe gefeiert wird. Geber und Gabe haben himmlischen Charakter. Aus dem johanneischen Satz »Wenn ihr aber den Menschensohn dorthin aufsteigen seht, wo er zuvor war . . .« (6,62) wird die These abgeleitet, Speise und Trank auf dem Tisch des Herrn seien himmlische Substanzen.

Für diese Auslegung von Joh 6,62–63 scheinen die Ausdrücke »geistliche Speise . . ., geistlicher Trank . . ., geistlicher Felsen . . . Christus« (1Kor 10,3–4) zu sprechen, die an der Spitze der paulinischen Ausführungen über das Mahl des Herrn stehen. Orthodoxe, römisch-katholische, lutherische und reformierte gelehrte, liturgische und poetische Texte sprechen von Himmelskost (und dergleichen), die zum Heil und Leben geistlich empfangen wird, wenn Herz und Mund gläubig sind. Doch wurde oben, in der Auslegung von 1Kor 10 gezeigt, daß das Adjektiv »geistlich« in der Bibel (z.B. in 1Kor 2,13–15; Apk 11,8) nicht eine physische oder metaphysische Substanz bezeichnet, sondern auf eine allegorische Bedeutung anspielen kann.

Zwingli hat sich zugunsten seiner spiritualistischen, wenn nicht psychologisierenden und intellektualistischen Auffassung vom Abendmahl mit besonderem Nachdruck auf Joh 6,63 berufen. Doch hat er – außer in sog. schwärmerischen Kreisen der Reformationszeit, in einzelnen (späteren) Freikirchen und unter freisinnigen Theologen – kaum Gehör gefunden. Meinte er, Joh 6,63 verbiete und verhindere eine materialistische Interpretation der »eucharistischen Worte« von 6,51–58, so können ihm die großkirchlichen Gegner bis heute entgegenhalten, daß der Vers in seiner jetzigen Position (zwischen Brotrede und dem Ruf zur Nachfolge) unter anderem die Absicht haben könnte zu zeigen, *wie* es zum Wunder der Messe, der Eucharistie oder des Abendmahls kommt.

Doch bleibt zu fragen, ob die Unterscheidung verschiedener Arten von Fleisch und Blut Jesu Christi und die Vorstellung der Einnahme einer vom Geist zubereiteten Wunderkost wirklich die johanneische Entsprechung zu dem ist, was in den Einsetzungsberichten des Paulus und Lukas mit den Worten befohlen wird: »Das tut zu meinem Gedächtnis«, oder was bei Paulus heißt: »den Tod des Herrn verkünden, bis er kommt«. Zwingend und unerschütterlich wäre die sakramentale Auslegung von Joh 6,63 nur dann, wenn in diesem Vers oder in 6,51–58 explizit von Brot und Wein und ihrer Neuschöpfung, Umwandlung, Anreicherung oder Umdeutung die Rede wäre. Da dies nicht der Fall ist, sollte nicht behauptet werden, Joh 6 gebiete jene massive Art von Frömmigkeit, die von einem Verzehr des zum Himmel erhöhten Herrn spricht.

R. E. Brown, ein Katholik wie R. Schnackenburg, dazu ebenfalls Verfasser eines sehr gründlichen und aufschlußreichen Kommentars über das Johannesevangelium (Anchor Bible, Bd. 29, 1966, S. 303), stellt verschiedene Varianten der Verbindung von Joh 6,60–71 mit dem Thema Eucharistie (d.h. mit Joh 6,35–58) zusammen. Er schließt mit den Worten: »All dies sind geniale Vorschläge; wünschbar aber wäre mehr Beweismaterial für sie. Die meisten von ihnen erklären nicht wirklich, wie die absolute Aussage ›das Fleisch ist nichts nütze‹ jemals im Blick auf das eucharistische Fleisch Jesu gemeint sein könnte.«

Immerhin – entscheidend kann nicht die Zahl und Größe problematischer, wenn nicht gefährlicher Elemente der sakramentalen Auslegung sein, sondern – sofern sie existieren – die Textgemäßheit, Glaubhaftigkeit und Schönheit einer ganz anderen Interpretation.

(b)   Die *anthropologische oder hermeneutische Deutung* von Joh 6,63 geht davon aus, daß Geist und Wort nicht nur bei Paulus (z.B. in 1Kor 1,18– 2,16; 2Kor 3), sondern auch im Johannesevangelium (bes. in den Kap. 14– 16) entscheidend sind für das Verstehen, Erkennen, Glauben und Bekennen jedes Menschen. Diejenigen, die in diesem Evangelium »Jünger« genannt werden, seien es die Glieder eines weiteren Kreises oder nur die Zwölf, repräsentieren alles, was menschlich, weltlich, galiläisch, judäisch oder jüdisch ist. Chrysostomus meinte, wegen ihrer fruchtlosen Fleischeswerke seien gerade die Juden als unnützes Fleisch bezeichnet. Calvin korrigierte ihn: Das ganze menschliche Geschlecht entbehre der Kraft, göttliche Geheimnisse zu begreifen. So oder so ist dann jenes Fleisch als nutzlos bezeichnet, das gegen Gott rebelliert, blind und verstockt ist und das den Glauben verweigert.

Weil die Themen Jünger, Glauben, Nachfolgen, Erkennen, Verraten usw. den Schlußabschnitt von Joh 6 füllen, während von Speise, Brot, Essen, Trinken nicht mehr die Rede ist, kann unmöglich behauptet werden, diese Auslegung sei aus der Luft gegriffen. Scheint der *voraus* gehende Kontext zugunsten der eucharistischen Deutung zu sprechen, so begünstigen die V. 60–61 und 64–71 die anthropologisch-hermeneutische Alternative.

In seiner Schrift »Vom Abendmahl Christi: Bekenntnis« (1528, WA XXVI, S. 367–78) vertritt Luther leidenschaftlich den Standpunkt, Christus habe vom Fleisch und Blut der Jünger gesprochen, als er das Fleisch »nichts nütze« nannte. Weil seine Lehre und seine Worte geistlich seien, wollte er geistliche Schüler; fleischlich sei er nicht zu verstehen. Diese Auslegung von Joh 6,63 wird sicher von Joh 8,15 gestützt, dem Text, in dem Jesus gewisse Pharisäer tadelt, weil sie »nach dem Fleisch urteilen«. In 2Kor 5,16 spricht Paulus ebenso abschätzend davon, daß er früher Christus »nach dem Fleisch gekannt« habe. Wo auch immer Paulus die Formel »nach dem Fleisch« *(kata sarka)* verwendet, qualifiziert sie das Verb, nicht ein Substantiv in demselben Satz oder Satzteil, in dem sie vorkommt.

So kann auch in 2Kor 5,16 ein fleischlich bestimmter Vollzug der Erkenntnis, nicht aber eine Unterscheidung zwischen dem im Fleisch erschienenen (vgl. 1Tim 3,16) bzw. »historischen« Jesus und dem im Geist geglaubten Christus gemeint sein. Allein von Gott geschenkte bzw. inspirierte Erkenntnis ist fähig zu begreifen, was in der Offenbarung enthüllt wird (1Kor 2,9–16; 2Kor 3,13–18; vgl. Mt 11,25–27; 16,17). Aus geistlichem Tod, aus Verstokkung und Blindheit kann allein Gott erwecken und retten. Er tut es durch jene Erleuchtung und Erneuerung von Herz und Sinn, die der Geist schafft.

Dieser Auslegung zufolge handelt Joh 6,63 von der Unmöglichkeit, daß sich jemand selbst zum Nachfolger Jesu Christi machen und sich dadurch retten kann. Der Schranke der menschlichen Fähigkeit gegenüber steht das Geschenk des Glaubens, der Einsicht, der Weisheit, der Verwandlung (2Kor 3,18), der Treue, der Liebe. Daß der Geist einzig am Tisch des Herrn diese Geistesgaben austeilt, bestärkt und greifbar werden läßt, ist in Joh 6,63 nicht behauptet. Doch schließt das Schweigen des Verses zu diesem Thema nicht aus, daß die Geistesgaben gerade beim Mahl des Herrn aufblühen dürfen. Calvin hat z.B. nicht nur (auf der Linie der eucharistischen Interpretation) behauptet, daß *geistliche* Speise am Tisch des Herrn dargeboten werde. Er hat ebenso nachdrücklich betont, daß der Empfang von Gottes Gabe einen »geistlichen Mund« und ein »geistliches Essen« bedinge. Fleischliches, d.h. nur physisches Nehmen, Essen und Verdauen wurde in kirchlichen Diskussionen als »kapernaitisches« Essen bezeichnet. Waren doch die jüdischen Bewohner Kapernaums (und andere Galiläer) nach Joh 6,14–15.26–28.30.34.41.52.59 nur an solchem Essen interessiert – ohne zu merken, daß Jesus nach Glauben fragte.

Zwischen der Brotrede von Joh 6,35–58 und dem Schlußabschnitt von Joh 6, der von den Jüngern und ihrem Glauben handelt, bildet der Vers vom lebendigmachenden Geist und Wort eine notwendige Klammer. Wurde in der Brotrede offenbart, wer und was Jesus Christus ist und was er gibt, so handelt der Schluß des Kapitels vom Empfang, der ihm und seiner Gabe bereitet wird. Eine sachliche, saubere, sinnvolle und positive Beziehung und Verbindung zwischen dem, was er (objektiv, »für die Welt«) ist und tut, und der Art, in der Menschen in Wort und Tat (subjektiv) auf ihn reagieren, wird nach Joh 6,63 einzig durch den Geist Gottes und das Wort von Jesus Christus hergestellt. »Der Geist ist es, der lebendig *macht* . . .; meine Worte *sind* Geist und Leben.« Der Vermittlungsdienst zwischen dem objektiv Gegebenen und dem subjektiven Empfang des Gebers und der Gabe wird durch Geist und Wort vollkommen erfüllt. Das Kommunikationsproblem zwischen Himmel und Erde, auch zwischen dem durch Jesus Christus am Kreuz ein- für allemal Vollbrachten und den wechselnen Bedürfnissen und Errungenschaften späterer Zeiten wird durch Geist und Wort gelöst. Andere Vermittlungen und Gnadenmittel *(media gratiae)* sind daher überflüssig.

Dies wird der Grund sein, weshalb in Joh 6 *nach* den Berichten über das Speisungswunder, *nach* der Brotrede und ihrer Erläuterung nicht weiterhin in direkter oder bildlicher Weise von einer Mahlzeit die Rede ist. Geist und Wort sind stark und wirksam genug, um auf den Ebenen des Seins und der Erkenntnis (»ontisch« und »noëtisch«) allen Generationen nach Christus mitzuteilen, zuzusichern, zu versiegeln, auszuteilen, in den Bereich persönlicher Erfahrung und Überzeugung zu überführen, was Gott durch Christus offenbart und vollzogen hat. Calvins Behauptung (im Rahmen seiner Auslegung von 6,63), es sei nötig, daß Christi Fleisch im Mahl des Herrn »gemeinsam gegessen werde, damit sein gekreuzigtes Fleisch von Nutzen sei«, entspricht zwar der scholastischen Tradition von der Heilsnotwendigkeit der Sakramente, nicht aber dem Wortlaut von Joh 6.

Nennt man mit Augustin das Sakrament ein sichtbares Wort *(verbum visi-bile)*, so stellt man (Taufe und) Mahl des Herrn zwar ins Licht und unter den Schutz dessen, was Joh 6,63 über die Vermittlung zwischen Christus und den Menschen durch Geist und Wort sagt. Man will in bester Absicht deutlich machen, daß es bei den Sakramenten um eine Bewegung von Gott auf den Menschen zu geht, nicht um einen Turmbau zu Babel oder ein ähnliches Menschenwerk. Gleichzeitig übersieht man jedoch, daß »Eucharistie« (Danksagung) mehr ein inspiriertes Wort der Tischgäste *an* Gott und Christus als ein Zuspruch und Ausspruch an sie »von oben« ist. Nach Paulus (1Kor 11,26) sind die Tischgäste die Verkündiger des Todes des Herrn. Nach den Einsetzungsberichten und Joh 13 zufolge sind *sie* es, die etwas »tun«, wenn das Mahl gefeiert wird.

Wie stark oder wie schwach die anthropologische Deutung ist, läßt sich am besten überprüfen, wenn ihr ein weiterer Auslegungstyp gegenüberge-stellt wird:

(c)   Die *christologische Deutung* von Joh 6,63 hat zwar nicht weniger Ver-ästelungen als die schon beschriebenen Alternativen, doch bildet auch sie einen relativ einheitlichen Typus. Jesus Christus selbst, d.h. seine Person, seine Herkunft und Bestimmung, sein Weg, seine Worte und sein Werk, seine Herrlichkeit und der Glaube an ihn sind das *eine* Thema nicht nur von Joh 6, sondern des ganzen Evangeliums. Eine christozentrische Ausle-gung von Joh 6,63 liegt daher nahe. Nach solcher Interpretation wirkt der in diesem Vers erwähnte Heilige Geist nicht nur durch, neben und für Je-sus Christus, ist er auch nicht nur abhängig vom Vermittlungswerk Jesu Christi, das am Kreuz durchgeführt wurde, sondern wirkt er auch *am* Soh-ne Gottes. Diese Auslegung vertritt die Ansicht, in Joh 6,63 sei mit dem »Fleisch« das Fleisch Jesu Christi gemeint.

Sollte jedoch wirklich *sein* Fleisch für unnütz erklärt werden? Dieser Ge-danke scheint schon deshalb absurd, weil in Joh 1,14 die Fleischwerdung des Wortes enthusiastisch gepriesen und weil in 6,51–58 das Fleisch des Menschensohns als Gabe Gottes und des Sohns beschrieben wird. Nach 1Joh 4,2–3 ist das Bekenntnis zum »Kommen Jesu Christi im Fleisch« das Erkennungszeichen eines Gotteskindes, doch ist die Verleugnung oder Mißachtung der Fleischwerdung typisch für den Antichristen. Die Nützl-ichkeit des Fleisches Jesu wird von gelehrten Auslegern u.a. mit folgenden Hinweisen unter Beweis gestellt: Der Sohn Gottes stirbt in Menschenge-stalt am Kreuz »für« das Leben der Welt; wegen seiner leibhaften Erwek-kung und Inthronisation im Himmel vermag er den Seinen zu ihren Leb-zeiten und beim Jüngsten Gericht beizustehen; in der Gestalt von Brot und Wein gibt der eucharistische Christus sich dem wandernden Gottesvolk zur Speise und ist er für sie das Lebensbrot. In jeder dieser fleischlichen Formen ist er nicht nur nützlich, sondern unentbehrlich für die Rettung, das Heil und das Leben der sündigen Menschen. Wegen der unbestreitba-ren Nützlichkeit und Notwendigkeit des Fleisches Jesu Christi sind ja die eucharistischen und anthropologischen Auslegungen von Joh 6,63 entstanden.

Das hindert jedoch ältere und neuere Ausleger nicht daran, den Vers christologisch zu verstehen. J. A. Bengel (Gnomon, 1742, z.St.) und R. Schnakkenburg (Johannesevangelium, Bd. 2, a.a.O., S. 105) schlagen eine interpretierende Ergänzung des Wortlauts vor: »Das *bloße* Fleisch . . .« (Bengel), »das Fleisch für sich genommen« (Schnackenburg) ist nichts nütze – doch wird es durch den lebendigmachenden Geist zum »Vehikel aller lebensspendenden göttlichen Kraft« (Bengel). Eine andere Ergänzung schlägt – wohl unter dem Einfluß von R. Bultmanns Auslegung von 2Kor 5,16 – E. Schweizer (Art. *pneuma*, in: ThWB VI, S. 439–441) vor: »Der historische Jesus als solcher ist die *sarx* (das Fleisch), die nichts hilft. Erst der Christus der Verkündigung ist der Erlöser . . . Diese *sarx* hilft nur, wenn das *pneuma* (der Geist) die Erkenntnis schenkt.« Diese Version der christologischen Interpretation nähert sich bis auf Haaresbreite der anthropologisch-hermeneutischen.

Der Unterschied der christologischen von jeder anderen Interpretation wird am deutlichsten, wenn man die Aussage über Fleisch und Geist noch direkter auf Jesus Christus selbst bezieht, als es die genannten paraphrasierenden Ergänzungsvorschläge tun. Weder ein geheimnisvoller Substanzwandel am Tisch des Herrn noch die Forderung oder Gabe richtiger menschlicher Erkenntnis steht im Vordergrund, wenn die Auslegung lautet: Sogar die Geburt und die Taufe, die Taten und die Worte, das Leiden und Sterben Jesu Christi müßten wirkungs- und nutzlos sein, wenn ihn Gott nicht durch seinen Geist kennzeichnete, auszeichnete, vom Tode erweckte und wenn er nicht in die Hand seines Sohnes die Ausgießung des Geistes legte. Christologische Bekenntnisse (z.B. Röm 1,3–4; 8,3–4,11; 1Tim 3,16; 1Petr 3,18) unterscheiden zwischen dem, was Jesus Christus »im Fleische« und »im Geiste« bzw. in den Bereichen oder nach den Maßstäben von Fleisch und Geist ist. Nach Jesu Gethsemanegebet (Mt 26,41) verhalten sich Geist und Fleisch zueinander wie »willig« zu »schwach«. Kostet Jesus Christus die fleischliche Schwäche voll aus, so wirkt doch gerade auch in ihm, zugunsten vieler anderer, Gottes geistliche Kraft (vgl. 2Kor 13,3–4).

Die Brotrede und ihre Deutung (Joh 6,35–58) enthalten Hinweise auf die Menschwerdung und den Tod des von Gott Gesandten. Sie sagen aber nichts über die Erhöhung von Gottes Sohn und seine Auferweckung und Himmelfahrt, die auf seine Erniedrigung folgen. Erst die V.62 und 63 ergänzen das Christuszeugnis von Joh 6, indem sie zu den Leidensanzeigen auch Auferstehungs- oder Erhöhungsweissagungen hinzufügen. Wollte man dem christologischen Sinn von Joh 6,63 bestenfalls eine Nebenrolle zuschreiben, um die Wandlung der eucharistischen Elemente oder die Erleuchtung der menschlichen Herzen in den Vordergrund zu stellen, würde die Ehre Jesu Christi geschmälert. Die Institution eines wunderbaren Gedächtnismahls oder das Erlebnis seelischer Erneuerung und Stärkung hätte dann den Vorrang bekommen vor dem Lob, Preis und Dank, der einzig dem geschlachteten und doch lebenden Lamm gebührt (vgl. Apk 5).

Eine Entscheidung zugunsten eines einzigen unter den skizzierten drei Auslegungstypen ist nicht nur schwer zu fällen, sondern vielleicht unmöglich. Auf keinen Fall kann die sakramentale Interpretation ein Monopol der Textgemäßheit beanspruchen. G. Bornkamm (in seinem schon genannten Aufsatz »Die eucharistische Rede im Johannesevangelium«) scheint die Qual der Wahl durch seine ausbalancierte Kombination der drei Auslegungen überflüssig zu machen. Nutzloses Fleisch gebe es in den Bereichen der Christologie *und* des Sakraments *und* der Anthropologie; überall schafften nur der Geist und das Wort Leben. Eine großartige Analogie (»proportionale Ähnlichkeit«) des Verhältnisses zwischen Geist und Fleisch verbinde und vereine alles. – Obwohl diese Lösung einiger Rätsel von Joh 6 tiefsinnig ist und eine schöne Konstruktion darstellt, läuft sie auf ein Loblied auf das kirchliche Sakrament hinaus. Denn sie anerkennt zwar die hierarchische Ordnung Christus – Sakrament – Mensch; Christus ist als Haupt anerkannt; nicht Gleichheit oder Identität, nur eine Analogie der Beziehung wird behauptet. Das schließt jedoch nicht aus, daß bei Bornkamm statt des Heiligen Geistes und des Wortes (von denen Joh 6,63 spricht) das Sakrament zur Brücke, Verbindung und Vermittlung zwischen Christus und den Menschen erklärt wird. Dem Johannesevangelium sollte diese Verschiebung des Zentrums der Botschaft *nicht* zugeschrieben werden. Wie z.B. in 1Kor 2,1–2 (vgl. Kol 1,26–27; 2,2; 4,3; Eph 1,9; 3,3–4.9; 6,19) nur von einem einzigen Mysterium die Rede ist – von Jesus Christus selbst –, so handelt Joh 6 vom Geheimnis Jesu Christi, um zu einer Nachfolge, einem Glauben und einem Bekenntnis aufzurufen, in deren Mitte allein der gekreuzigte und auferstandene Herr steht.
Ob dies Verständnis von Joh 6 im Rahmen dessen steht, was man als johanneische Theologie bezeichnen kann oder ob es ihr widerspricht, ist im nächsten Abschnitt anhand anderer johanneischer Aussagen zu überprüfen.

3. Andere johanneische Texte

Neben Joh 6 gibt es mindestens vier Stellen aus dem Johannesevangelium, dem ersten Johannesbrief und der Offenbarung, die eine Rolle bei der Suche nach dem johanneischen Zeugnis über das Mahl des Herrn gespielt haben: (a) Die Beschreibung der Fußwaschung anläßlich des letzten Mahls Jesu (Joh 13,1–20); (b) der Bericht über die Durchbohrung der Seite des Gekreuzigten mit einer Lanze (Joh 19,34); (c) die nachdrückliche Belehrung, daß der Sohn Gottes »in Wasser *und in Blut*« gekommen ist (1Joh 5,6–8); und (d) die Verheißung an die Gemeinde von Laodicea: »Siehe ich stehe vor der Tür . . ., ich werde zu ihm eingehen und mit ihm speisen und er mit mir« (Apk 3,20). Diese Texte sind als Quellen und Stützen eines sakramentalen Mahlverständnisses benutzt worden. Demselben Zweck dienen manchmal auch andere johanneische Abschnitte, unter ihnen die Erzählung von der Hochzeit von Kana und die Bildrede vom Weinstock und den Reben (Joh 2,1–11; 15,1–8). Statt vollständiger Exegesen aller einschlägigen Texte sollen im folgenden nur Beobachtungen zu einer Auswahl von typischen Versen vorgelegt werden.

(a)   *Joh 13,1–20.* Wie oben gezeigt wurde, ist es umstritten, inwiefern und wie der Verfasser des vierten Evangeliums in Kap. 6 das Mahl des Herrn beschreiben wollte. Eindeutig ist hingegen, daß derselbe Autor in Kap. 13 so über das letzte Mahl Jesu Bericht erstattet, daß ein Hauptereignis während dieser Mahlzeit zur Wiederholung vorgeschrieben und somit zur kirchlichen Institution gemacht wird: »Jesus liebte die Seinen bis ans Ende . . .; er begann, ihre Füße zu waschen . . .; er sagte zu ihnen . . ., auch ihr schuldet, einander die Füße zu waschen. Ich habe euch ein Beispiel gegeben, damit auch ihr tut, wie ich euch getan habe« (13,1.4.14–15). Fußwaschung ist ein niedriger und erniedrigender Dienst, den, wie schon erwähnt, ein jüdischer Hausherr nicht einmal seiner Frau oder einheimischen Sklaven zumuten durfte. So erklärt sich der Protest des Petrus gegen Jesu Verhalten (13,6). Fußwaschung war, das zeigt Jesu Empfang im Hause Simons, des Pharisäers (Lk 7,36ff) sowenig üblich vor einer festlichen Mahlzeit, wie sie in irgendeinem kultischen Zusammenhang ein rituelles Gebot war. Ganze Waschungen, wie sie von Priestern vorgeschrieben waren, wie sie auch von Griechen und Römern vor dem Verlassen ihrer Häuser zu einem Festmahl vollzogen wurden, bedurften zwar, besonders während festlicher Mahlzeiten, der Ergänzung durch ein- oder mehrmaliges *Hände*waschen. Eine Waschung der *Füße* eines ankommenden Gastes erfolgte in einem jüdischen Haushalt jedoch nur dann, wenn man einen Gast besonders liebte und aufs höchste ehren wollte (vgl. Lk 7,44–47). Sie war nicht nötig, war aber angenehm und machte Freude. Sie bewirkte nicht, daß ein Gast heiß geliebt wurde; doch bestätigte sie ihm seinen Ehrenplatz im Haus und Herzen des Gastgebers. Auch konnte sie ihn zu besonders liebevollem Verhalten zu anderen motivieren. Nach Joh 13 ehrte Jesus seine Jünger – mit Einschluß von Petrus und Judas – auf diese Weise, und er gab ihnen das Gebot, einander dieselbe Liebe und Ehre zu erweisen.

Sieht man von textkritischen, literarischen und geschichtlichen Fragen, auch von den Problemen der Darstellung der Juden im vierten Evangelium ab, kreisen die gelehrten Diskussionen über Joh 13,1–20 um die Frage, ob der Abschnitt nur *eine* Hauptintention habe oder ob sich zwei, wenn nicht sogar drei Hauptthemen die Waage halten. Calvin hielt die V.6–11, die das Gespräch zwischen Jesus und Petrus enthalten, für einen Exkurs, J. Wellhausen (Das Evangelium Johannis, 1980, S. 59–60) erklärte sie als Einschub, der sich mit 6,12–17 nicht vertrage. W. Heitmüller (Johannesevangelium, in: Die Schriften des Neuen Testaments II, ²1908, S. 819–821) und A. Loisy (Le quatrième évangile, ²1921, S. 382–394) sahen drei ineinander verflochtene Themen: die Liebe als das Grundgesetz der Gemeinde, der Tod Chri sti als Inbegriff der Liebe und des Dienstes an anderen und Taufe samt Abendmahl als Mittel der Aneignung des göttlichen Heils. J. A. Bengel (in seinem Gnomon) erklärte sowohl das kultische als auch das ethische Element für besonders bedeutsam. R. Bultmann (Das Evangelium nach Johannes [KEK 2], [11]1950, S. 355–365) unterschied zwei Deutungen der Fußwaschung im Text des Evangeliums. Die erste (V.4–11) ist christologisch: Gemeinschaft mit Jesus gibt es nur für den, der sich Jesu Dienst, seine Erniedrigung bis zum Tod gefallen läßt, d.h. wer seinem Wort glaubt. Die zweite Deutung (V.12–17) ist ethisch: Eine Gemeinschaft der Jünger untereinander entsteht und besteht dadurch, daß sie die von Jesus geschenkte Möglichkeit ergreifen, Jesu verpflichtendem Beispiel folgen und einander demütig dienen. Bultmann ist so stark überzeugt vom Hauptgewicht der christologischen V.4–11, daß er die Meinung, es gehe in Joh 13 um die Einsetzung von Taufe und Abendmahl, strikt ablehnt.

Besonders die Bedeutung von Joh 13,10 ist umstritten. Was heißt es, daß hier gesagt wird: »Wer gebadet ist, bedarf – außer an den Füßen – keiner Waschung, sondern ist ganz rein«? Offensichtlich wird in diesem Vers eine einmalige Ganzreinigung von einer – von Jesus Christus einmal vollzogenen, doch unter den Jüngern zu wiederholenden – Fußwaschung unterschieden. Stellt man die Auslegungen dieses Verses durch Tertullian, Chrysostomus, Aphraates, Theodor von Mopsuestia, Augustin, Luther, Calvin, H. J. Holtzmann, W. Heitmüller, A. Schlatter, A. Loisy, A. Schweitzer, R. Bultmann, W. Bauer, O. Cullmann und andere nebeneinander, so ergeben sich folgende Varianten: (a) Das Vollbad bedeutet die Taufe, die Fußwaschung ist Symbol für die Eucharistie. (b) Weder das Bad noch die Waschung ist Bild für ein Sakrament. Das Vollbad bedeutet vielmehr die einmalige, vollkommene Beseitigung und Reinigung von Sünde durch das am Kreuz vergossene Blut (1Joh 1,7; 2,2; 4,10), die gemäß dem Wort vom Kreuz wirksam ist (Joh 15,3). Die Fußwaschung ihrerseits ist dann die tägliche Fürsprache Christi oder die im Unser-Vater täglich erbetene Vergebung. (c) Das Bad ist wie in Variante (b) die Wirkung des Kreuzes, die Fußwaschung aber steht für die Taufe: ohne sie kein Anteil an Christus. Die Taufe ist heilsnotwendig. (d) Die Ganzreinigung geschieht in der Taufe, die Fußwaschung jedoch bedeutet nicht ein Sakrament, sondern das neue Leben der Gereinigten: ihre Demut, ihren Dienst, ihre Liebe.

Somit spielen in der Auslegungsgeschichte drei Themen eine entscheidende Rolle: Christologie, Sakramente und Ethik. Manchmal beansprucht eins von den dreien Dominanz über die zwei anderen. Manchmal stehen aber auch zwei, wenn nicht alle drei in scheinbar friedlicher Harmonie nebeneinander. Immerhin ist es fraglich, ob der Text und seine Struktur es erlauben, von einer Troika oder einem Dreizack zu sprechen. Denn die Struktur des Textes läßt – nach der Einleitung in den V.1–3 und vor dem Ausklang in den V.18–20 – nur zwei Hauptteile erkennen: 13,4–11 beschreibt Jesu Tat, seine Erniedrigung zugunsten der Seinen, die seine Liebe offenbart und bis zum bitteren Ende am Kreuz durchgeführt wird; 13,12–17 fügt hinzu, was die Jünger »tun« sollen aufgrund des Geschenks und Beispiels, das ihr Herr und Lehrer ihnen gegeben hat. Was in der theologischen Fachsprache als Evangelium und Gesetz, Kerygma und Didache, Zuspruch und Anspruch o.ä. beschrieben wird, ist in Joh 13,1–20 deutlich und direkt nebeneinandergestellt. Luther nennt in seiner in der Einleitung schon erwähnten Auslegung von Hebr 2,3 (Scholien, S. 14f u.a.) die Summe dessen, was Christus zur Vergebung der Sünden getan hat, *sacramen-*

tum. Vom Sakrament, dem einmaligen und einzigen Geschehen am
Kreuz, unterscheidet er das *exemplum* Christi, das täglich zu befolgen und
nachzuahmen ist. Eine dritte Kategorie, die gleichsam zwischen dem einen
und einzigen Sakrament und der Liebes- und Dienstethik der Christen
vermittelt, hat Luther sowenig erwähnt, wie es Joh 13,1–20 tut.

Diesem Abschnitt zufolge ist Gemeinschaft mit Christus die Voraussetzung und Grundlage der Gemeinschaft der Jünger untereinander: »Wenn
ich dich nicht wasche, hast du keine Gemeinschaft mit mir ... Wer gebadet
ist ..., ist ganz rein ... Ich habe euch ein Beispiel gegeben, damit auch ihr
tut, wie ich euch getan habe« (13,8.10.15). Was Jesus in und mit der Fußwaschung getan hat, kann nicht als Einsetzung eines Sakraments verstanden
werden – wie denn auch weder in der östlichen noch in der westlichen Kirche dieser Ritus zu den sieben Sakramenten gezählt wurde. Joh 13 verkündet, daß – außer Judas – die Teilnehmer an Jesu letztem Mahl schon rein
sind. Durch die Fußwaschung schafft Jesus ihre Reinigung nicht, aber er
bestätigt sie. Auch die Jünger können sich nicht gegenseitig reinigen, doch
können sie einander bestätigen, daß sie durch Christi Blut und Wort rein
sind. Aufgrund der von ihrem Herrn empfangenen Liebe können und sollen sie einander lieben. Sein Dienst an ihnen setzt sie zu gegenseitigen Die-
nern ein. Die Geburt ihrer Ethik und ihres Tuns aus seiner Liebe, seinem
Dienst und seinem Tod unterscheidet ihr Verhalten von der Befolgung eines Paragraphen in einem Tugendkatalog und vom Leben rigoroser Mora-
listen. Was sie selbst vollziehen und tun, ist ein Akt und Zeichen der Dankbarkeit – es hat deshalb weder verdienstlichen noch vermittelnden Charakter.

Die offensichtliche Verbindung der geschenkten *Gemeinschaft mit Christus*
mit der gebotenen *Gemeinschaft* der Jünger Jesu *untereinander* erinnert an
den Inhalt der paulinischen Aussagen über das Mahl des Herrn. In 1Kor 10
war Gemeinschaft mit Christus, in 1Kor 11 gegenseitige Gemeinschaft der
Gäste das Hauptthema. Doch gehörten beide Kapitel zusammen. Ihre Botschaft ließ sich nicht in zwei selbständige Hälften aufteilen: Schon in 1Kor
10,17 war von der Einheit der Glieder am Leibe Christi untereinander, andererseits war auch in 1Kor 11,23–26 von der Gemeinschaft mit dem
Herrn die Rede. Ähnlich war Gemeinschaft mit Christus und mit Nächsten im Mahlzeugnis des Lukas untrennbar. Niemand erfuhr und erlebte
Tischgemeinschaft mit Jesus, ohne Zöllner und Sünder in diese Gemeinschaft aufgenommen zu sehen und die Nähe Jesu mit ihnen zu teilen. Wehe ihm, wenn er nur für sich essen und trinken wollte, statt sich vor allem
an den Verlorenen zu freuen, die von Christus gefunden wurden! Es ist unmöglich, eine literarische Abhängigkeit des Kap. Joh 13 von Paulus und
Lukas nachzuweisen – obwohl z.B. nur Lukas und das vierte Evangelium
die Frage des Ranges der Jünger im Rahmen der Berichte über das letzte
Mahl behandeln (Lk 22,24–27; Joh 13,4–17). Doch ist die sachliche Paral-
lelität unübersehbar. Nach dem Zeugnis des Johannes- und Lukasevangeliums ist es ebenso »unmöglich« wie nach Paulus (1Kor 11,20), in Gemein-

schaft mit Christus zu leben, ohne vollständig für die Liebe zum Nächsten und für den Dienst am Nächsten engagiert zu sein.

Paulus, Lukas und Joh 13 bezeugen übereinstimmend, daß gemeinsam gefeierte Mahlzeiten eine hervorragende Gelegenheit zur Ehrung des dienenden Christus und seiner geringsten Brüder sind. Wären die Aussagen von Joh 6 über das Geschenk des Lebensbrotes, das Kauen von Jesu Fleisch und das Trinken seines Blutes Teil der Abschiedsreden Jesu (Joh 14–16 bzw. 13–17), wäre sicher, daß der Evangelist die Sätze über Brot, Fleisch und Blut als Deute-, Offenbarungs- oder Tischreden Jesu verstanden wissen wollte. Dann wäre allerdings Jesu Anweisung in Joh 13,12–17, seinem, beim letzten Mahl gegebenen *Beispiel* zu folgen, absurd geworden – ist doch Jesus nie durch das Kauen seines eigenen Fleisches und das Trinken seines eigenen Blutes ein »Vorbild« gewesen! Zwar sind große Teile von Joh 6 vortrefflich geeignet, den Inhalt von Joh 13,4–11 zu begründen, zu ergänzen und zu entfalten; in Joh 6 wird ja so gut wie in Joh 13 die Größe der Gabe Gottes an jeden einzelnen Menschen und die rechte Art des Empfangs dieser Gabe beschrieben. Wer jedoch Joh 6 stillschweigend in Joh 13,4–11 einfügen oder an diese Stelle anhängen wollte, würde die Struktur von Joh 13,1–20 ruinieren: Das auf Gottes Gabe antwortende, das Vorbild Jesu Christi nachahmende menschliche Tun wäre dann zu einem wenig wichtigen, proportional sehr kurzen ethischen Anhängsel degradiert. Wohlweislich sind im jetzigen Text des Johannesevangeliums die Kap. 6 und 13 weit voneinander getrennt.

Gewiß, wie in Joh 6 fällt auch in Joh 13,1–11 alles Gewicht auf das, was Jesus Christus ein für allemal gibt und tut, was er in Person verkörpert und ist. Das Zentrum der Botschaft beider Kapitel ist das Kreuz, der Gekreuzigte selber, seine Tat und sein Leiden. Doch handelt Joh 13,12–17 auch von einem je und je zu wiederholenden Tun der Jünger, das im Rahmen eines feierlichen Mahls zu vollziehen ist. Der Sinn des zu Ehren des Gekreuzigten zu wiederholenden Mahls besteht nach diesen Versen im Erweis gegenseitiger Liebe und freiwilligen, demütigen Dienstes aneinander. Der Gedanke, daß das kirchliche Mahl des Herrn viel eher in den Bereich der Ethik als in das Gebiet der Soteriologie, d.h. der Lehre von der Heilsbeschaffung, -vermittlung, -besiegelung usw. gehöre, entspricht dem, was über die *Wiederholung* eines von Jesus vollzogenen Ritus in Joh 13,12–17 gesagt ist.

(b) *Joh 19,34*. Im Rahmen seines Kontextes, besonders der V.19,31–37, hat der Bericht über den Lanzenstich, mit dem ein römischer Soldat – wahrscheinlich auf das Herz zielend – die Seite des gekreuzigten Jesus durchbohrte, mindestens vier miteinander vereinbare Funktionen: (a) Der Stich soll sichermachen, und er bestätigt, daß Jesus wirklich tot ist. Daran hat nicht nur Pontius Pilatus als Richter und Urteilsvollstrecker ein Interesse, sondern auch der Evangelist. Der Irrlehre (vgl. 1Joh 4,2–3), derzufolge Jesus weder ein wirklicher Mensch war noch wirklich starb, wird durch

die Erzählung vom Lanzenstich begegnet (vgl. dazu unten die Beobachtungen zu 1Joh 5,6–8). Die Betonung der Wahrheit des Augenzeugenbe-
richts in Joh 19,35 unterstreicht *diese* Funktion. (b) Der Evangelist zitiert in
19,36–37 zwei alttestamentliche Texte (Ps 34,21 und Sach 12,10), die von
der Verschonung des Gottesknechts vor einer Exekution durch Knochen-
brechen, jedoch von der gewaltsamen Durchbohrung dieses Knechts handeln. Mit den Zitaten will der Evangelist zeigen, daß Jesus sich gerade in
seiner Todesstunde als der verheißene Knecht Gottes erwies. (c) Weniger
betont (immerhin durch den nur leicht abgewandelten Wortlaut des ersten Zitats in der [LXX-]Übersetzung von Ex 12,10.46 und durch den hebräischen und griechischen Wortlaut von Num 9,12 gestützt) ist ein anderes Verständnis der Aussage über das Brechen der Knochen. Weil die Knochen des Passalamms nicht gebrochen werden durften, zeigte es sich beim
Tode Jesu, daß er das von Gott erwählte Lamm war, das der Welt Sünde
trägt (vgl. Joh 1,29.36; 1Kor 5,7; Mt 26,26–28 par.; Apk 5). (d) Ob das Aus-
treten von Blut und Wasser aus Jesu Wunde medizinisch erklärbar (siehe
z.B. J. Wilkinson, The Incident of Blood and Water in John 19,34, Scottish
Journal of Theology 28, 1975, S. 149–172) und gleichzeitig historisch unanfechtbar ist oder ob es sich um ein Wunder handelt, wie u.a. A. Loisy (Le
quatrième évangile, S. 492) und A. Schweitzer (Mystik, S. 347f) annehmen
– in beiden Fällen hat das Erzählte bildhafte Bedeutung.
Was ist – so ist jetzt zu fragen – das Spezielle, worauf der Stich in Jesu Seite
und der Austritt von Blut und Wasser hinweisen? Am eindrücklichsten ist
und am hartnäckigsten erhalten hat sich Augustins kühne Auslegung (in
Ioann. tract. CXX 3): Beim Lanzenstich gehe es nicht um eine Verwun-
dung, sondern um eine »Offenbarung« bzw. »Offenlegung« (vgl. die syri-
sche Peschitta-Übersetzung). Aus dieser Öffnung seien die Sakramente
geflossen, ohne die es keinen Zugang zum wahren Leben gebe. Das Blut sei
das zur Vergebung der Sünden vergossene Blut (das im eucharistischen
Kelch dargereicht werde), das Wasser bedeute jenes Wasser, das dem Wein
im Meßkelch beigemengt werde und das auch das Taufbad bilde. Zu ver-
.den mit dem Ursprung und der Entstehung der Sakramente aus dem
:ib des Gekreuzigten sei die Geburt der Kirche. Wie Eva, die Mutter der
.ebendigen, aus der Seite des schlafenden ersten Adam gebildet wurde, so
sei die Kirche aus der Seite des »schlafenden« zweiten Adam, d.h. aus Jesus
Christus am Kreuz, entstanden. *O mors unde mortui reviviscunt:* Oh Tod,
aus dem Tote neues Leben erhalten! Welch eine Wunde, durch welche
Menschen ins ewige Leben eingehen, wie einst die Tiere durch eine Pforte
in Noahs Arche stiegen!

So geistreich, schön und erfolgreich diese Auslegung ist, so schwer ist zu belegen, daß der
vierte Evangelist gerade sie beabsichtigte oder unterschreiben würde. R. Schnackenburg
(Das Johannesevangelium, a.a.O., Bd. 3, 1975, ⁴1982, S. 341) will sie zwar »nicht ausschließen«, ist von ihrer »Sicherheit« jedoch nicht überzeugt. Weil R. E. Brown (St. John, Bd. 29,
a.a.O., 1970, S. 949–952) davon überzeugt ist, daß die sakramentale Auslegung »nicht leicht

zu beweisen ist aufgrund interner (johanneischer) Evidenz«, schlägt er eine später zu nennende Alternative vor. R. Bultmann (a.a.O., S. 525) nimmt es als sicher an, daß Joh 19,34b in
seiner jetzigen Gestalt von Taufe und Abendmahl handelt, schreibt aber die Aussage über
Blut und Wasser der Hand des kirchlichen »Redaktors« zu, der im Gegensatz zu den Quellen und der Intention des Evangelisten mehrfach diese Sakramente nachträglich in das Johannesevangelium einfügte. Der Hinweis E. Schweizers (in: RGG³, Bd. 1, Sp. 12 u.ö.) auf den
seit Homer bezeugten Glauben, Götter hätten nicht Blut, sondern Blutwasser (genannt
ichōr) in ihren Adern, könnte zu der Auffassung verleiten, daß in Joh 19,34 die Gottheit Jesu
bezeugt werden solle. Schon Origenes (c. Celsum II 36) lehnt diese Deutung ab: Es war nicht
ichor, der aus der Wunde am Leibe Jesu floß. Weitverbreitet ist die Auffassung, der genannte Vers wolle gerade die wahre Menschheit Jesu bezeugen, weil sowohl jüdische als auch
griechische Ärzte lehrten, der Mensch bestehe aus Wasser und Blut. Auffallend an der jüngsten Auslegungsgeschichte – einschließlich G. Richter, Blut und Wasser aus der durchbohr-
ten Seite Jesu, MThZ 21, 1970, S. 1–21 – ist eine gewisse Offenheit römisch-katholischer
Forscher für Alternativen zu Augustins visionärer Interpretation, während O. Cullmann
(in: Urchristentum und Gottesdienst, a.a.O.) für eine vielleicht wachsende Zahl von Protestanten spricht, die sich an einer pan-sakramentalen Auslegung des Johannesevangeliums
beteiligen. Inzwischen wirken auch jene Kunstwerke weiter, auf denen gezeigt ist, daß die
Gaben, die aus der Seite des Gekreuzigten fließen, von einem Kirchenmann in einem Kelch
aufgefangen werden, um ehrfurchtsvoll zugunsten vieler verwaltet zu werden.

Gäbe es nur die kirchlich-sakramentale Interpretation und keine andere
sinnvolle Auslegung von Joh 19,34, hätte sich der vierte Evangelist – oder
sei es denn: der letzte Redaktor seiner literarischen Arbeit – grober Nach-
lässigkeit und Widersprüchlichkeit schuldig gemacht. Er hätte dann am
Anfang des Evangeliums (in 1,29 und 4,42) Jesus Christus als Lamm Gottes, das der *Welt* Sünde trägt, und als Retter der *Welt* angekündigt, später
aber die Wirkung des Todes Jesu Christi in ängstlich-einschränkender
Weise dargestellt – als ob nicht mehr und Größeres aus dem Gekreuzigten
hervorginge als die Sakramentskirche!
Zugunsten einer ganz anderen Auslegung sprechen folgende Beobachtungen:
(1)   Wasser, das aus dem Körper eines Menschen heraustritt, ja wie ein
Strom heraus»fließt«, wird in Joh 19,34 nicht zum ersten und einzigen Mal
im Johannesevangelium erwähnt. R. E. Brown (Bd. 29A, S. 949–950)
schließt sich den zahlreichen Auslegern an, die Joh 7,37–39 als einen
Schlüssel für die Interpretation von 19,34 betrachten: »(37) . . . Wenn jemand dürstet, soll er zu mir kommen und trinken – (38) er, der an mich
aufgrund der Schriftstelle glaubt: ›Ströme des lebendigen Wassers werden
aus seinem Leibe fließen‹. (39) Dies sagte er nämlich von dem Geist, den
die an ihn Glaubenden empfangen sollten. Noch war der Geist ja nicht
(ausgeschüttet); denn Jesus war noch nicht verherrlicht.« Die verschiedenen Versuche, die zitierte Schriftstelle oder die Bestandteile, aus denen sie
zusammengesetzt ist, im Alten Testament oder in apokryphen jüdischen
Schriften aufzuspüren, können an dieser Stelle weder skizziert noch be-
wertet werden. Brown (Bd. 29, S. 319–329) gibt einen instruktiven Überblick über die Geschichte der Auslegung von Joh 7,37–39. Am wahrschein-

lichsten ist, daß hier Traditionen, die vom wasserspendenden Felsen in der Wüste, vom Laubhüttenfest und vom eschatologischen Tempel, endlich vom verheißenen Messias (komme er aus Levi oder Juda) handeln, in einem einzigen Satz zusammengefügt sind (z.B. Ps 78,15–16; 87,7; Ez 47,1–12; Sach 9,9; 12,10; 14,8; Apk 22,1.17; TestLev 18,5–11; TestJud 24,2–4; Thomas-Ev. 13 und 108). Nicht der einzelne Gläubige, sondern der Messias selbst ist in diesem Fall der geistliche Fels (1Kor 10,4) und der wahre Tempel (Joh 1,14; 2,21), aus dem das lebendige Wasser fließt – dieses Wasser aber ist der Heilige Geist. Nur Jesus Christus kann dieses Wasser ausschütten bzw. mit ihm taufen (Mk 1,8 u.ö.). Schon im Gespräch Jesu mit der Samariterin (Joh 4,10.14) war von der Quelle dieses besonderen Wassers die Rede, »das in das ewige Leben sprudelt«. Auch dort war mit dem Bild vom sprudelnden Wasser der Heilige Geist gemeint.

In Joh 19,34 taucht das Bild vom fließenden Wasser zum dritten Male auf. Doch wird in diesem Vers ein Hinweis hinzugefügt, der in 7,39 nur in knappster Weise angedeutet war und in Joh 4 ganz fehlte. Erst wenn Jesus am Kreuz »verherrlicht« bzw. »erhöht« ist (wie einst die Schlange am Stab in der Wüste, Joh 3,14) und nur dadurch, daß er stirbt, wird der lebendigmachende Geist von ihm an andere mitgeteilt. Ohne seinen Tod würde der Herr nicht zum Geistspender. Hätte er nicht sein Leben hingegeben, so empfinge es kein Mensch. Was schon in Joh 6,51–58 angedeutet war, wird in 19,34 erneut eingeschärft: Nur um den Preis der Lebenshingabe Jesu gibt es ewiges Leben für andere. Am Kreuz geschah die Lebensausschüttung.

Von einer Verwaltung des Geistes und des ewigen Lebens durch bestimmte kirchliche Amtsträger und Aktionen, d.h. von der Austeilung der Gottesgaben einzig mittels der Sakramente, sprechen weder Joh 4 noch Joh 7 oder 19. Zwar war R. E. Brown bei seiner Auslegung von Joh 7,37–39 noch »nicht abgeneigt (gewesen), einen breiten sakramentalen Symbolismus« in diesen Versen zu sehen, der »die frühen Christen dazu geführt haben konnte, an die Taufe zu denken« (a.a.O., Bd. 29, S. 329). Doch hält er, wie schon angedeutet, die sakramentale Interpretation von 19,34 für so schwer zu beweisen, daß er sich nicht für sie einsetzen will.

(2) Das Motiv des fließenden Blutes erinnert daran, daß Jesus eines gewaltsamen Todes stirbt. Dieser Tod ist der Preis, den er dafür zahlt, daß er die Sünden der Welt trägt. Blut »fließt« hingegen nicht nur, wenn ein Mord stattgefunden hat; es muß auch aus dem Opfertier fließen und vergossen werden, wenn das Opfer vorschriftsmäßig vollzogen wird (vgl. Ex 24,6.8; Lev 1,5 u.a.). Besonders der erste Johannesbrief, die Offenbarung des Johannes und der Hebräerbrief betonen, daß Jesu Blut reinigendes, sühnendes Opferblut ist (1Joh 1,7; Apk 1,5; 7,14; Hebr 9,14.22 u.a.). Im Johannesevangelium gibt es keinen expliziten Hinweis auf Reinigung, Heilung oder Sündenvergebung durch Blut. Doch wird an der einzigen Stelle, an der außer in 19,34 Jesu Blut erwähnt wird, vom »Trinken des Blutes« gesprochen (6,53–56). Oben haben wir versucht zu zeigen, weshalb die

Bildrede vom Bluttrinken vom Empfang eines Lebens handelt, das durch
alttestamentliche Opfer noch nicht erworben wurde, jetzt aber empfangen wird durch den Opfertod Jesu Christi.

Daß gerade durch den Tod Jesu das Leben freigegeben und zugänglich ist,
das sonst nirgendwo und auf keine Weise zu finden war – das ist die Botschaft des Zeichens, daß Blut sichtbar und greifbar, getrennt von Lymphe,
aus Jesu Seite floß. Zwar dient auch das fließende Lymphwasser als Bild für
das Leben, das einzig und gerade aus Jesu Tod hervorkommt. Man kann
daher sagen: Das aus der Seite Jesu fließende Blut verkündet bildlich das
gleiche wie das Wasser. Doch gibt es einen Unterschied in der Betonung:
Das Blut besagt, daß allein *aus dem Tod* Jesu das Leben für andere fließt;
das Wasser aber bedeutet, daß aus dem Tod *das Leben* kommt. Das Blut
wird – im Unterschied zu 1Joh 5,6 – deshalb *vor* dem Wasser genannt sein,
damit Blut und Wasser als Mittel und Zweck unterschieden oder als Weg
vom Tod *zum* Leben verstanden werden.

(3)   Anhangsweise muß eine stilistische Tatsache zur Sprache kommen.
Wären Blut und Wasser Bilder oder Symbole für das Mahl des Herrn und
die Taufe, dann wäre nicht nur die Reihenfolge ihrer Erwähnung seltsam.
Ausgesprochenes literarisches Ungeschick würde vorliegen, wenn der
Evangelist (oder der Endredaktor) das eine Sakrament mit der *res sacramenti*, d.h. mit »Blut Jesu« – jedoch unter Auslassung des Fleisches –, das
andere Sakrament mit dem *signum* oder dem *elementum*, d.h. mit Wasser
bezeichnen würde. Logisch und stilistisch sauber wäre es gewesen (falls
überhaupt auf Sakramente angespielt werden sollte!), entweder von
Fleisch, Blut und Geist oder von Brot, Wein und Wasser zu sprechen. Weder die eine noch die andere Möglichkeit bestand aber angesichts der nach
Joh 19,35 sicher bezeugten Tradition, daß einzig und gerade Blut und Wasser aus Jesu Seitenwunde kamen. Der Gedanke, frühchristliche Arkandisziplin könne die Bezeichnung des einen Sakraments mit Blut, des anderen
mit Wasser erklären, wird durch Joh 6,51–58 sicher *nicht* gestützt. Redet
Jesus nach Joh 6 offen von Fleisch und Blut, Essen und Trinken – weshalb
sollte der Evangelist oder Redaktor in 19,34 so kryptisch sprechen?

Aus den unter (1) bis (3) zusammengestellten Beobachtungen folgt, daß
der sakramentalen Auslegung nicht nur Schönheitsfehler anhaften; vielmehr stehen ihr Alternativen gegenüber, die von etwas Größerem handeln, als es die kirchlichen Sakramente sind. Dieses Größere ist Jesus Christus selbst, seine Fleischwerdung und sein Tod. »Nur in ihm, o Wunderga-
ben, können wir Erlösung haben, die Erlösung durch sein Blut« – diesen
Lobpreis Jesu Christi selbst und des Weges, den er beschritten hat, um die
Menschen zu retten, ist der Inhalt von Joh 19,34. Diese Botschaft ist hoch
und tief, weit und breit genug. Man kann sie nur dann einer sakramentalen Botschaft bzw. Stiftung zu- oder unterordnen, wenn man eine kirchliche Vermittlung des Heils für wichtiger als Jesus Christus und das ewige
Leben selbst hält. Daß aber, ebenso wie in Predigt, Gebet, Seelsorge und
Unterricht, auch in der Taufe und im Mahl des Herrn von Jesus Christus

und vom Ursprung des Heils gerade im Kreuzestod Jesu (also im Sinn der speziellen Botschaft von Joh 19,34) gesprochen werden darf und muß, ist unbestreitbar.

(c) *1Joh 5,6–8.* »(6a) Dieser ist es, der durch Wasser und Blut gekommen ist, Jesus Christus; (6b) nicht nur im Wasser, sondern im Wasser und im Blut. (6c) Und der Geist ist es, der Zeugnis gibt; (6d) denn der Geist ist die Wahrheit. (7) Denn drei sind es, die Zeugnis geben: (8a) der Geist und das Wasser und das Blut, (8b) und die drei gehen auf eins.« Der pathetische Stil läßt darauf schließen, daß hier – wie an anderen Stellen im ersten Johannesbrief – ein Bekenntnis geschaffen, aufgenommen oder verarbeitet ist. Die Erwähnung von Wasser und Blut erinnert, trotz der umgekehrten Reihenfolge, an die Bedeutung, die dasselbe Paar in Joh 19,34 hat. Ob derselbe Autor hier und dort die Feder führte, ist umstritten. Selbst wenn es um dieselbe Person, nicht nur um ein Glied derselben »johanneischen Schule« ginge, würde dies nicht beweisen, daß beide Male das gleiche gemeint ist.

Der Wortlaut von V.6a und 6b ist in zahlreichen, voneinander abweichenden Lesarten überliefert. In V.6a haben einige griechische Handschriften »Wasser und Geist« statt »Wasser und Blut«; andere lesen »Blut und Geist« oder »Blut und Heiliger Geist«; wieder andere »Geist und Blut«. In V.6b steht im Unterschied zu 6a regelmäßig der Artikel vor »Wasser« und »Blut«; auch ersetzt jetzt die Präposition »in« *(en)* das vorher gebrauchte »durch« *(dia)* – offenbar wie bei Paulus (vgl. z.B. Röm 6,4 mit Kol 2,11) in äquivalentem Sinn. Doch variieren griechische Handschriften und einige lateinische Übersetzungen in ihren Angaben über den Mitzeugen des Wassers – nicht immer heißt er »Blut«. Zwar stimmen die alten Texte in *einer* Sache überein: »nur . . . Wasser« genügt nicht, um das Kommen Jesu Christi zu beschreiben. Neben dem Wasser aber steht als Vehikel hier der Geist, dort das Blut und der Geist. Manchmal wird am Schluß von V.6b das Blut *vor* dem Wasser genannt. Eine eindeutige Tendenz oder Entwicklung läßt sich in den vorhandenen verschiedenen Varianten nicht nachweisen – laufe sie nun zugunsten oder zuungunsten der im folgenden zu nennenden sakramentalen Auslegung. Nach heutigen Kriterien der Textkritik ist der oben voll zitierte Wortlaut am besten bezeugt.

Mit V.7 und 8 steht es nicht anders. Späte Handschriften haben diese Verse im Sinne trinitarischer Bekenntnisse (z.B. des Apostolikums und des Nizaenums) erweitert. Zusätzlich werden – vor oder nach der Aussage über die drei Zeugen auf Erden (Geist, Wasser und Blut) – drei Zeugnisträger im Himmel genannt: der Vater, das Wort (oder der Sohn) und der (Heilige) Geist. Diese Einfügung ist aufgrund dogmengeschichtlicher Entwicklung leicht zu erklären. Der ursprüngliche Briefverfasser aber hatte andere Interessen.

Die Erkenntnis dessen, was er sagen *wollte*, hängt weithin ab von der Einsicht in die Situation, aus der er sprach und in der sich die Empfänger des Briefes befanden. Nur wenig scheint festzustehen: Nach 1Joh 4,2–3 bestritten gewisse Leute die wahre und volle Menschheit des Sohnes Gottes in einer Weise, die jenem »Doketismus« gleich war oder den Weg bahnte, den die Kirchenväter zu bekämpfen hatten. Die Glieder der angegriffenen Gruppe sind nach 1Joh 4,3 vom Geist des Antichristen inspiriert, nach

2Joh 7 sind sie wie ihr Chef »Verführer«. In heutiger Diktion sind sie Irrlehrer oder Häretiker. Verbunden mit ihrem Anspruch, Geistträger zu sein, waren offenbar die Behauptungen, das Gesetz sei abgeschafft, sie seien rein von allen Sünden, und brüderliche Liebe sei für fromme einzelne (d.h. für vollkommene Individuen) nicht nötig. Während der größte Teil des ersten Johannesbriefs von der Gotteskindschaft, der Einheit der Gemeinde und der Liebe handelt, gehören die Verse 1Joh 5,6–8 zu den Stellen, die den christologischen Kern des Glaubens der Gemeinde in lapidaren Sätzen zum Ausdruck bringen.

Drei Auslegungen von 1Joh 5,6–8 stehen einander gegenüber, ein christologischer (1), ein sakramentaler (2) und ein kombinierter christologisch-sakramentaler Typ (3):

(1)   »Wasser« und »Blut« sind Kurzbezeichnungen für die Jordantaufe und die Kreuzigung Jesu Christi (so z.B. R. Bultmann, a.a.O., S. 525, Anm. 6). Mit dem »Kommen« ist dann der Abstieg des Sohnes Gottes vom Himmel und sein Weg zu und unter den Menschen gemeint. Von demselben »Kommen« spricht nicht nur der Johannesprolog und jedes der Evangelien in immer neuen Variationen. Ob der Weg nun von oben (von Gott, vom Himmel) nach unten führt, bis zum Tode am Kreuz hinabführt – oder ob er auf einer horizontalen Linie verläuft (z.B. von Galiläa nach Jerusalem, vom Jordan bis Golgatha oder von vielerlei Liebeszeichen und Krafttaten bis zum endgültigen Erweis der Liebe in der »Erhöhung« am Kreuz) – immer ist mit dem Tätigkeitswort »kommen« ein einmaliges Ereignis gemeint, das nicht dauernd wiederholt werden kann. Auch die Ostererscheinungen und die Wiederkunft besitzen je ihre eigene Einmaligkeit. »Kommen in Wasser und Blut«, »Fleisch werden«, »im Fleisch kommen«, »mein Fleisch«, »mein Fleisch . . . und mein Blut . . .« (1Joh 4,2; 5,6; Joh 1,14; 6,51.53–54) sind in diesem Fall äquivalente Ausdrücke für den Weg Jesu. Sie können Jesu Biographie zusammenfassen – von der Krippe bis zum Grabe. Dabei braucht der Briefverfasser nicht nur an Angaben des Johannesevangeliums gedacht zu haben. Traditionen könnten aufgegriffen sein, die die Skizzierung des Wandels Jesu auf der Erde damit beginnen, daß sie von der Taufe Jesu erzählen – wie es z.B. in Apg 1,22; 10,37ff; 13,24ff; Mk 1 der Fall ist. In diesem Fall macht 1Joh 5,6–8, nicht anders als 1Joh 4,2–3, die Bejahung der wahren Menschheit Jesu Christi (unbeschadet des Glaubens an seine Gottessohnschaft) zum Kriterium wahren Glaubens.

Der in 1Joh 5,6c–8 hinzugefügte Hinweis auf den (Heiligen) Geist und sein Zeugnis könnte zwar auf einmalige, vergangene, im Leben Jesu biographisch zu datierende Erscheinungen oder Wirkungen des Geistes bezogen sein. Der Geist erschien und wirkte anläßlich der Jordantaufe. Wäre er nicht auf Jesus herabgekommen, hätte nach Joh 1,29–34 Johannes der Täufer nicht gewußt, wer zu ihm kam, und der Kommende wäre Israel nicht offenbart worden. Auch wäre den Synoptikern zufolge Jesus nicht mit der Kraft und Weisheit ausgerüstet gewesen, den Weg des Gottesknechts bis zum Ende zu gehen. Wäre ferner, nachdem Jesus am Kreuz sei-

nen Geist aufgegeben hatte, der lebendigmachende Geist nicht zur Erwekkung geschickt worden, so hätte es kein Ostern nach dem Karfreitag gegeben und das Wort vom Kreuz wäre nie als Heilsbotschaft in der ganzen
Welt ausgerufen worden. Somit sind die Zeugnisse der Wassertaufe und
des Todes Jesu abhängig von der Hinzufügung des Geistzeugnisses. Das
»Kommen« des Sohnes Gottes wird nicht offenbar, glaubhaft, zum Zuspruch und Anspruch an Juden und Heiden, wenn die Sendung, die Gabe,
das Kommen und die Selbsthingabe des Sohnes nicht ergänzt und bestätigt werden durch eine weitere Sendung und Gabe: die des Heiligen Geistes (Joh 14,16–17.25–26 u.ö.; vgl. Gal 4,4–6).

Doch sind Ankunft und Werk des Geistes nicht auf den Moment der Taufe
und Erweckung Jesu Christi beschränkt. Während in 1Joh 5,6 das Partizip
Aorist *elthōn* (»der gekommen ist«) die Einmaligkeit der Ankunft des Gottessohnes unterstrich, wird die Zeugenschaft des Geistes, kraft dieses Wirkens des Geistes aber auch das Zeugnis von Wasser und Blut in 5,7–8 nur
mit präsentischen Partizipien *(martyroun, martyrountes)* beschrieben. Diese drei legen bis zur Stunde ihr Zeugnis ab.

Soviel über die erste Auslegungsvariante. Die zweite ist weniger einseitig
auf Gottes Sohn und den Geist ausgerichtet:

(2) Wasser und Blut können als knappe Bezeichnungen der zwei kirchlichen Sakramente betrachtet werden. »Wasser« bedeutet dann die z.B. im
Aussendungsbefehl (Mt 28,19) erwähnte, in aller Welt zu vollziehende
Taufe, der Begriff »Blut« aber das Mahl des Herrn. Wird diese Auslegung
gewählt, so beweist Joh 5,6, daß Jesus selbst nicht nur *zu* diesen feierlichen
Versammlungen und Handlungen der Gemeinde kommt, sondern daß er
auch *in* den Sakramenten und mittels dieser symbolischen Vorgänge
kommt. Sicher geschieht dann mehr bei den Feiern als nur, daß sich gutgesinnte Leute an den Herrn erinnern. Er ist dann selbst real präsent, und er
selbst ist es, der an den Teilnehmern wirkt. Beantwortet nun der Wortlaut
dieses Verses einige der Fragen, die in der Diskussion über die Realpräsenz
des Herrn beim Mahl aufgeworfen wurden – z.B. ob Jesus Christus in der
Gestalt des amtierenden Priesters oder Pastors, auf dem Altar oder Tisch,
in der Gestalt der Gemeinde oder ob er als Wort, als Geist, als Inhalt des
Glaubens oder als Kraft und Band der Liebe präsent sei? Auf alle diese Fragen verweigert 1Joh 5,6 eine Antwort. Doch scheint dieser Vers eine Alternative oder mindestens einen Zusatz zu den Einsetzungsberichten zu bilden. Hieß es dort, daß Mahl des Herrn wurde gefeiert, »bis der Herr
kommt« (1Kor 11,26) oder Jesus werde erst in seinem oder Gottes Reich
wieder (mit seinen Jüngern) essen und trinken (Lk 22,16.18.30; Mt 26,24
par.), so ist jetzt, wenn auch ohne nähere Spezifizierung, schon von einem
vollzogenen Kommen die Rede.

Über die Art, in der der Heilige Geist bei der kirchlichen Taufe, dem kirchlichen Mahl »Zeugnis ablegt«, geben die Verse 1Joh 5,6–8 keine klare Auskunft. Gewiß muß der Geist so gegenwärtig sein wie Wasser und Blut, damit ein gültiges Dreierzeugnis in ein- und derselben Sache zustande

kommt. Ob er aber in der Schriftlesung, der Predigt, den Einsetzungsworten, den Lobgesängen oder den Gebeten, die das Mahl einrahmen oder
sein Zentrum bilden, ob er im Glauben, der Liebe und der Hoffnung der
Mahlteilnehmer sein Zeugnis ablegt, ob er ein- oder mehrmals in einer
Epiklese angerufen werden soll und ob er seine Gegenwart durch Verwandlung der Elemente Wasser, Brot und Wein oder durch Erneuerung
der Herzen und Stärkung der Einheit der Gläubigen manifestiert – dies alles läßt sich aus den genannten Versen nicht entnehmen. In ähnlicher Weise haben ja auch die Worte »der Geist macht lebendig ...« (Joh 6,63) zwar
eine sakramentale Interpretation nicht unmöglich gemacht, doch auch
nicht als einzige Möglichkeit vorgeschrieben. Weder dort noch in 1Joh 5
wurde vom Geist etwas ausgesagt, das einzig und gerade auf das Wunder
einer Verwandlung *am Tisch des Herrn* gedeutet werden konnte.
(3)   Angesichts der Argumente, die sich hier zugunsten der christologischen, dort für die sakramentale Auslegung nennen lassen, kann man sich
für eine Kombination von beiden entscheiden. Dann entsteht eine in die
Sakramente ausgezogene oder ausgedehnte Christologie und eine mit der
Christologie fast identische Sakramentslehre. Fleischwerdung und Opferung werden in diesem Fall – unbeschadet der Einmaligkeit und Vollkommenheit des Kommens, Leidens und Wirkens Christi – am Tisch des
Herrn nicht nur »zum Gedächtnis« an Jesus Christus selbst gefeiert, sondern auch wiederholt, abgebildet, in Kraft gesetzt. Aus der Kirche wird in
diesem Fall, weil sie ja treuhänderische Verwalterin und Spenderin der Sakramente ist, eine heilsnotwendige Extension des Herrn. Handelt sie im
Glauben und Gehorsam seiner Verheißung und seinem Gebot gegenüber,
so ist ihr Glaubensgehorsam dem Kommen ihres Herrn gleich: *Er* kommt,
wenn sie Wasser recht gebraucht und Wein gläubig trinkt. Das Geheimnis
des Sakraments besteht dann darin, daß im Sakrament Jesus Christus in
die Kirche ein- und in ihr aufgeht.
Eine Entscheidung zugunsten eines einzigen von diesen drei Auslegungs-
modellen ist mit Hilfe der heute zur Verfügung stehenden historischen, literarischen und liturgischen Kenntnisse schwerlich zu fällen. Nicht auszuschließen ist die Möglichkeit, daß der Briefverfasser die vorgetragenen Alternativen kaum begriffen hätte, weil es für ihn ganz andere Hauptproble-
me gab. Die Vielfalt der griechischen Textvarianten zeigt, daß verschiedene Abschreiber den ihnen vorliegenden Text für unverständlich hielten.
Immerhin gibt es einige Argumente, die stärker für die christologische als
für eine andere Interpretation sprechen.

Die judenchristlichen, z.T. gnostisch beeinflußten pseudoclementinischen Schriften (deren
Grundbestand auf die Mitte des zweiten Jahrhunderts zurückgehen mag und die den Glau-
ben einer in Samarien oder Syrien beheimateten »ebionitischen« Gruppe zum Ausdruck
bringen) vertreten eine Lehre, die der in 1Joh 5,6–8 bekämpften Irrlehre sehr ähnlich sieht.
Das Wasser sei der Grundstoff der Welt, die Quelle alles Lebens, die Ursache von allem.
Darum wird das Wasser gepriesen als das Element, das rettet, indem es Wiedergeburt und

Sündenvergebung, Reinheit und Vollkommenheit bewirkt und den Menschen von der Macht der Dämonen befreit. *Ohne* die Taufe mit Wasser gebe es – weil Wasser aufgrund seiner Bewegung durch den Geist fast mit dem Geist identisch und weil Wassertaufe auch Geisttaufe ist – nicht einmal für den Gerechten Zugang zum Reich Gottes. Man verdanke es Jesus, daß er die Taufe gestiftet und an die Stelle der unter heidnischem Einfluß in Israel eingedrungenen Opfer gesetzt habe. Die Opfer mit ihren Feiern und ihrer Verwendung von Blut seien damit überholt und unnütz geworden. Das rettende Taufwasser lösche mindestens drei Sorten von Feuer: das Feuer des Zornes Gottes, das Feuer der Opfer und das Feuer der Götterbilderfabrikanten. Einschlägige Stellen aus den pseudoclementinischen Schriften, z.B. Hom 3,29; 7,8; 8,23; 11.24.27; 13,21; Recog 1,35–39.48.55.69; 4,32; 6,8–9; 7,8; 17,7.9.23, wurden von H. J. Schoeps (Theologie und Geschichte des Judenchristentums, 1949, S. 205–211.224) zusammengestellt. Nach der Lehre dieser Ebioniten war daher der Tod Jesu weder ein Opfer noch notwendig zur Rettung der Menschen. »Wasser rettet« – dies zu wissen und in der Taufe zu erleben war für die Ebioniten genug, schien doch das Wasser leichter, lichter, geistiger, dem Heiligen Geist verwandter als das dunkle, schwere, übelriechende Blut.

1Joh 5,6–8 insistiert darauf, daß, wer von Jesus Christus spricht und an ihn glaubt, vom Kommen Jesu nicht nur im Wasser, sondern auch im Blut zu sprechen hat und daß der Geist nicht kraft irgendeiner Identität mit Wasser oder Blut, sondern als freier dritter Agent sein Zeugnis ablegt. Als Antwort auf die (Irr)lehre, daß Jesus allein durch Wasser rette, sind diese betonten Feststellungen trefflich geeignet.

Die Worte »nicht nur im Wasser, sondern im Wasser und Blut« (1Joh 5,6) entsprechen einer von Matthäus im Gegensatz zu Lukas und Markus bezeugten Gewichtsverschiebung. Lk 3,3 und Mk 1,4 bezeichnen die Johannestaufe, die ja nach dem Zeugnis des Täufers nur mit Wasser (nicht auch mit Geist, Mt 3,11 par.) vollzogen wird, als »Taufe der Buße zur Vergebung der Sünden«. Die Worte »zur Vergebung der Sünden« werden (ganz im Sinn der Ebioniten?!) von den meisten Auslegern als Zusage verstanden, daß *durch* die Taufe Vergebung geschenkt werde. Sie können allerdings auch den Sinn haben: »als Akt der Bewerbung oder Bitte um Vergebung«. In den Sibyllinischen Orakeln (IV 165–170) wird eine Flußtaufe beschrieben, die gerade *diesen* Sinn hat. In seiner Beschreibung der Johannestaufe läßt Matthäus die Worte »zur Vergebung der Sünden« aus. Diese Auslassung, kombiniert mit der matthäischen Darstellung von Jesu letztem Mahl, enthält wahrscheinlich eine direkte Polemik gegen die Auffassung, das Taufwasser genüge zur Bewirkung und Vermittlung der Vergebung. Einzig in Mt 26,18 heißt es, Jesu *Blut* sei für viele »zur Vergebung der Sünden« ausgegossen worden. Die Verpflanzung der Worte »zur Vergebung der Sünden« aus dem Taufzusammenhang am Anfang des Evangeliums in den Kontext der Passionserzählung offenbart das Interesse des Matthäus, unzweideutig klarzustellen, daß erst und nur das Blut Jesu Christi von aller Sünde reinigt (vgl. 1Joh 1,7; 1Petr 1,2.19; Apk 1,5 u.a.).

Alle Berichte über den Täufer hatten deutlich gesagt, daß zur Wassertaufe die durch den Kommenden zu vollziehende Geisttaufe hinzuzutreten hatte. Besonders Lukas und das vierte Evangelium betonen nachdrücklich, daß es des Todes Jesu – Mk 10,38–39 und Lk 12,51 sprechen von der To- des-»Taufe« Jesu – bedarf, ehe und damit die Geisttaufe einsetzen kann. Ähnlich, wenn auch mit anderen sprachlichen Mitteln und im Rahmen anderer Bilder, erläutert Hebr 9,11–22 die Mangelhaftigkeit der Wirkung von Blut und Wasser, die im alttestamentlichen Gottesdienst verwendet wurden. Dort und damals wurden die Verheißungen des Neuen Bundes, unter ihnen die Vergebung der Sünden (Jer 31,34 in Hebr 8,12), noch nicht erfüllt, doch blieb es auch nach dem Erscheinen Jesu Christi, des endzeitli- chen Hohenpriesters, dabei, daß »es ohne Blutvergießen keine Vergebung gibt« (Hebr 9,22). Es ist das eigene Blut dieses Hohenpriesters, durch das der Neue Bund gestiftet wird – ein Blut, das »noch besser schreit« als das Blut Abels (Hebr 12,24).

Was Matthäus, Lukas, das vierte Evangelium und der Hebräerbrief über das Verhältnis von Wasser und Blut andeuten, wird – ohne daß eine litera- rische Beeinflussung nachgewiesen werden kann – in 1Joh 5,6–8 in Kurz- formeln zum Ausdruck gebracht. Keinem der genannten Zeugen geht es um die Behauptung, neben der Taufe sei auch das Mahl des Herrn eine un- abdingbare Voraussetzung zum Empfang der Vergebung. Nicht das Mahl, sondern der Tod Jesu – der *auch*, jedoch nicht nur beim Mahl oder durch das Mahl gefeiert und verkündet wird – ist der Inhalt der gemeinsamen Botschaft. Verkündet wird in je eigener Weise: Hätte Jesus Christus nicht mit seinem Blut am Kreuz bestätigt und erfüllt, was bei seiner Taufe ange- zeigt wurde, hätte er nicht selbst am Kreuz Sühne geleistet für die Sünde, so wäre sein Kommen als wahrer Mensch (als Büßender unter Büßern, wie er es seit seiner Taufe war) sinn- und wirkungslos geblieben.

Das »eine« (1Joh 5,8), worauf der Geist als dritter Zeuge neben dem Was- ser und dem Blut wahrheitsgemäß und verbindlich hinweist, kann in zwei Sätzen zusammengefaßt werden: Er, der Sohn Gottes, der wahrer Mensch geworden war, mußte geopfert werden und starb als blutiges Opfer, um seine Mission zu erfüllen. Erst nach der und durch die Erfüllung dieser Sendung bewies der Geist an Jesus Christus seine lebendigmachende Kraft und wurde der Geist vom Erhöhten ausgegossen. Nicht nur der Weg Jesu Christi von Weihnachten bis zum Karfreitag, sondern auch die Krönung seines Weges durch Ostern und Pfingsten ist in 1Joh 5,6–8 angedeu- tet.

In Phil 2,6–11 wird die Erniedrigung des Herrn zur Gleichheit mit anderen Menschen unterschieden von der noch tieferen Erniedrigung zum Tode am Kreuz. Gleichzeitig werden in diesem Christushymnus beide Erniedri- gungen gradlinig miteinander verbunden, um gemeinsam durch die glo- riose Erhöhung von seiten des Vaters und unter allen Geschöpfen über- strahlt zu werden. Der Weg des Sohnes Gottes ist auf diese Weise ganz ähnlich wie in 1Joh 5 beschrieben. Noch näher liegt ein Vergleich mit dem Inhalt von Joh 1,14. Um schon Gesagtes zu wiederholen: Der Anfang des Verses kann nicht nur mit »das Wort wurde Fleisch« übersetzt werden;

ebenso wörtlich ist – wegen Joh 6,51–58 – die Übersetzung »das Wort wurde Opferfleisch«. Dieser Erniedrigung aber entspricht nach Joh 1,14cd die Erscheinung und der Anblick der »Herrlichkeit« Gottes. Das Verhältnis zwischen Erniedrigung, Erleiden des Todes und Herrlichkeit wird in Hebr 2,7–10.14–18 sehr ähnlich beschrieben.

Den Beobachtungen, die die christologische Auslegung von 1Joh 5,6–8 begünstigen, entsprechen andere, die die Wahrscheinlichkeit einer sakramentsfreudigen Absicht des Briefverfassers verringern. Schon genannt wurden das Vergangenheitspartizip »der gekommen ist«, dem in 1Joh 4,2 ein Perfekt-Partizip gleichen Inhalts entspricht. Ein regelmäßiges Wiederkommen in jeder Feier einer Taufe oder am Tisch des Herrn wäre durch ein Partizip des Präsens oder des Futurs *(erchomenos)* beschrieben worden.

Aus frühchristlicher Literatur ist mir kein Beispiel bekannt, und ich zweifle daran, daß es in späterer Literatur Beispiele dafür gibt, daß mit dem kommentarlos verwendeten Wort »Blut« das Mahl des Herrn bezeichnet werden konnte. »Waschen« und andere Verben und Substantive konnten die Taufe, »Brotbrechen« oder »Danksagen« das Mahl bezeichnen. Dagegen ist eine Mischbezeichnung: »Wasser« für die Taufe (weil in der Tat Wasser bei der Taufe verwendet wird) und »Blut« für das Mahl (weil es schon im 2. Jh. die Lehre von einer Verwandlung von Wein in Blut gab), nicht nur unschön und rhetorisch ungeschickt, sondern ohne jeden Präzedenzfall, ohne Parallele und ohne Aufnahme durch andere Schriftsteller. Soll man nun wiederum Zuflucht zu einer gewissen Arkandisziplin nehmen, die die Verwendung von Decknamen und kalkulierte Verwirrspiele nahelegte? Das kann niemandem verwehrt werden. Doch kommt diese Ausflucht bei der Deutung von 1Joh 5,6–8 (sowenig wie bei der Interpretation von Joh 19,34) keinem zuverlässigen Beweis dafür gleich, daß das Wortpaar »Wasser und Blut« oder »Blut und Wasser« sicher und einzig die Sakramente der Kirche bezeichnet.

Schon bei der Auslegung von 1Kor 10 wurde darauf hingewiesen, daß schwärmerische Bewegungen in der Gemeinde von Menschen getragen wurden, die sich für sündenfrei hielten und ihre Sicherheit auf den Empfang der Sakramente zurückführten. Der Verfasser des 1. Johannesbriefes hätte seinen schwärmerischen, wahrscheinlich protognostischen Gegnern einen schlechten Dienst erwiesen, wenn er sie, statt auf Jesus Christus selbst, auf Sakramente verwiesen hätte.

(d) *Apk 3,20.* »Siehe, ich stehe vor der Tür und klopfe an; wenn jemand meine Stimme hört, werde ich zu ihm eingehen und mit ihm speisen, und er mit mir.« Mit diesen Worten aus dem Sendschreiben an die Gemeinde der reichen und stolzen Handelsstadt Laodizäa im Herzen Kleinasiens wird ein sehr schönes Bild vor die Augen der Hörer und Leser gemalt. Bei diesem Bild sind Inhalt und Form nicht voneinander zu trennen. Es geht um ein Kunstwerk, das für sich selbst spricht – ermutigend zu Einsamen und Verzweifelten, warnend zu Verstockten und Geizigen, eine Freuden-

botschaft für Hungrige, eine Drohung für Übersatte. Wer sich scheut oder
schämt, solch einen schönen und starken Text als Beweismaterial in den
Dienst dieser oder jener Position in der Diskussion über das Mahl des
Herrn zu stellen, beweist, daß er einen Hauch des Geistes verspürt hat, der
aus diesem Vers spricht. Die sechs Hinweise auf Eigentümlichkeiten von
Apk 3,20, die im folgenden gegeben werden sollen, beabsichtigen, die sou-
veräne Freiheit ans Licht zu bringen, die hier allen ausgelaugten oder aus-
getretenen traditionellen Denkschemata gegenüber herrscht.

(1)   In der Emmausgeschichte, im biblischen Verständnis des Marana-
tha- (Unser Herr, komm-)Gebetes, in dem Tischgebet:»Komm, Herr Jesu,
sei du unser Gast« und in unzähligen Liturgien sind es die (sündigen und
schwachen) Menschen, die Jesus Christus um sein Kommen und seine Gegenwart bitten. Er soll doch, bitte, als Gast kommen und sich als der wahre
Gastgeber erweisen! In Apk 3,20 ist Jesus Christus der Bittsteller, der um
Einlaß bittet bei den Laodizäern, die hinter ihrem Reichtum verschanzt
sind. Was für ein Herr ist das, der draußen in der stürmischen Regennacht
oder der mittäglichen Hitze steht und wartet; der versuchen muß, sich
durch verschlossene Türen hindurch Gehör zu verschaffen; der bitten und
betteln muß, eingelassen zu werden; für den alles andere als ein roter Teppich bereit liegt? Jesus in Gestalt eines Armen, Hungrigen, Kleinen, physisch bedroht oder in seelischer Not, darauf angewiesen oder festen Willens, eingelassen zu werden. Der gebietende Christus ist besser bekannt.
Wind und Wellen, Dämonen und Menschen haben sich ihm fügen müssen; überall im Neuen Testament wird er als Herr beschrieben; in Apk 3,20
aber erscheint er wie ein Bettler. Auch Paulus weiß vom bittenden Christus: »Wir bitten an Christi statt, laßt euch versöhnen mit Gott« (2Kor
5,20).

(2)   Der Gegensatz zwischen dem Bittenden und den Gebetenen könnte
kaum größer sein. Hier Jesus Christus, der mit seinem Tod die Zuverlässig-
keit und Wahrheit seines Zeugnisses besiegelt hat, der das Haupt nicht
nur der Menschen oder der Kirche, sondern aller Kreaturen ist (Apk
3,14.21), dort die Christen von Laodizäa, eine lauwarme, selbstgefällige,
angeblich autarke und dem ganzen Sendschreiben zufolge in *keiner* Hinsicht lobenswerte Gemeinde. Hier begegnen sich nicht Gleich und Gleich,
sondern – obwohl in äußerlich umgekehrten Rollen – Herr und Knecht,
Reich und Arm, Heilig und Weltlich, Gut und Böse.

(3)   Die Brücke zwischen beiden wird gebildet durch die »Stimme«,
m.a.W. durch die Worte Jesu –, die ihrerseits durch »den Geist« so formuliert wurden, daß die Gemeinde sie hören kann (Apk 3,14.20.22). Auch
nach Joh 6,63 (»der Geist ist es, der lebendig macht . . .; meine Worte sind
Geist und Leben«) und den Abschiedsreden (Joh 14–16) bilden Geist und
Wort die Bindeglieder zwischen dem Erhöhten und der Gemeinde; auch
dort ist das Hören des Wortes, das Bewahren und Halten einschließt,
maßgebend für die bleibende Gemeinschaft mit Jesus Christus. In Apk
3,14.20.22 wird das, was der Geist sagt, der eigenen Stimme Jesu zuge-

schrieben. Der Geist ist hier nicht ein zweiter oder anderer Anwalt zugunsten der Menschen, sondern Jesus Christus selbst ist zu hören, wo vom Geist gesagte Worte vernommen werden.

(4)   Zu dem, was im Johannesevangelium über Wort und Geist und über die durch beide geschaffene und erhaltene Gemeinschaft mit Christus gesagt ist, wird in Apk 3,20 ein handgreifliches Element hinzugefügt: Die Christusgemeinschaft wird durch ein gemeinsames Mahl gekrönt, bestätigt und gefeiert. Die Hochzeit von Kana, die Speisung der Fünftausend, Jesu letztes Mahl und die Ostermahle bildeten, wie Joh 2; 6; 13; 20–21 zeigen, solche Höhepunkte. doch liegen sie alle in der Vergangenheit – zwischen dem einmaligen Abstieg des Menschensohns vom Himmel und seinem Wiederaufstieg. Apk 3,20 seinerseits enthält die Verheißung eines Gemeinschaftsmahls, das in der Gegenwart oder in der nahen Zukunft stattfinden soll. Von der »Stiftung« eines Mahls kann man bei der Auslegung dieses Verses schwerlich sprechen – eher von einer (testamentarischen) Verfügung oder einer Selbstverpflichtung. Solch eine bindende Setzung wird in Lk 22,29–30 beschrieben: »Ich vermache euch das Reich, wie mein Vater es mir vermacht hat. In meinem Reich sollt ihr an meinem Tisch essen und trinken . . .« Nach Joh 13 hat Jesus darauf insistiert, den von Gott Gereinigten selbst eine Bestätigung ihrer Reinheit zu geben – durch die Fußwaschung. Nach dem Brief an die Laodizäer wird es dem auf Jesu Stimme Hörenden und ihr Gehorchenden nie an einer Bestätigung seiner Gemeinschaft mit dem Herrn fehlen. Statt von Fußwaschung ist hier von einem gemeinsamen Mahl die Rede.

(5)   Die neutestamentlichen Berichte und Vorstellungen von Tischgemeinschaft mit Jesus Christus sind nicht einheitlich. Mindestens drei Gruppen können unterschieden werden – und jede von ihnen, wenn nicht eine Kombination von verschiedenen, könnte den Schlüssel zum Verständnis von Apk 3,20 enthalten. In Frage zu kommen scheinen die mit dem künftigen *Messiasmahl* verbundenen Erwartungen (Mt 8,11; 26,29; Lk 12,27; 16,22; 22,29–30; Apk 19,9; vgl. äthHen 62,14), eine Fortsetzung dessen, was bei den *Ostermahlen* geschah (Apg 1,4; 10,41; Lk 24,28–43; Joh 21,5–13), und das *Mahl des Herrn,* wie es in den Gemeinden aufgrund der Einsetzung durch Jesus gefeiert wurde. Jede von diesen drei Möglichkeiten ist so problematisch, daß sie schwerlich ein Wahrheitsmonopol beanspruchen kann.

Zwei Gründe sprechen gegen die eschatologische Deutung: Wo und wie immer von der Wiederkunft des Herrn die Rede ist – mit einem bescheidenen Klopfen und mit Reden durch verschlossene Türen wird sie nicht eingeleitet. Der Richter, der vor der Tür steht (Jak 5,9; Mt 3,7–12 u.a.), der Herr, der von einer Reise zurückkehrt, um Rechenschaft von seinen Leuten zu fordern (Lk 12,36; Mt 25,14ff; Mk 13,33–37 par. u.a.), hat andere Methoden, um sich bemerkbar zu machen. Gewiß dürfen beim Messiasmahl die Gäste dorthin kommen, wo der Messias ist, und mit ihm speisen; doch heißt es nirgends, daß er an ihren Ort kommt und mit ihnen essen und trinken werde! So kommt ja nach Lk 16 Lazarus in Abrahams Schoß, nicht Abraham zum obdachlosen Lazarus.

Gegen eine Verbindung von Apk 3,20 mit den Berichten über die Ostermahle, also gegen die Theorie, es gehe um eine Art von Institutionalsierung des Abendessens von Emmaus oder des Frühstücks am See Genezareth, spricht der Ausnahmecharakter jener Mahlzeiten. Sie haben ihren Platz zwischen Ostern und Himmelfahrt; sie helfen den Jüngern zu verstehen, daß Jesus leibhaftig auferstanden ist; nur Jünger aus dem engsten Kreis dürfen an ihnen teilnehmen. Daß der Seher Johannes und die Christen von Laodizäa von ihnen wußten, kann nicht bewiesen werden.

Die Annahme, es handle sich in Apk 3,20 um die Eucharistiefeier der Gemeinde, die auf Jesu letztes Mahl und die dabei gesprochenen Einsetzungsworte zurückgeht, müßte zum mindesten von jenen Auslegern mit Entsetzen verworfen werden, die der Meinung sind, in irgendeiner Weise werde bei dieser Feier Jesu Leib gebrochen, sein Blut vergossen, sein Fleisch gegessen und sein Blut getrunken. Wäre wirklich in Apk 3,20 an ein hochkirchlich-sakramentales Vergegenwärtigungs- und Verwandlungswunder gedacht, so enthielte der Vers den absurden Gedanken, daß der zum Mahl eintretende Jesus gedächte, in Gesellschaft der Seinen beim Zerbrechen seiner Knochen und der Verschüttung seines Blutes zuzusehen, um alsbald sich selbst zu essen und sein eigenes Blut zu trinken! Wird doch in diesem Vers – sieht man von der Beschreibung einiger Ostermahle ab: allein hier – ausdrücklich festgestellt, daß Jesus selbst auch essend und trinkend an dem gemeinsamen Mahl teilnehmen wolle.

Gewiß ist die Sprache von Apk 3,20 beeinflußt von Berichten und Erwartungen, die um die Tischgemeinschaft mit Jesus kreisten. Daß aber an die physische Wiederholung, Verlängerung oder Vorwegnahme eines der skizzierten Mahltypen gedacht ist oder daß eucharistische und eschatologische Elemente hier einfach miteinander verbunden und identifiziert werden, ist nicht sicher festzustellen. Auf alle Fälle unterscheidet nach den neutestamentlichen Einsetzungsberichten Jesus selbst zwischen dem Mahl, das er mit seinen Jüngern feierte (und das sie wiederholen sollten), und dem Essen und Trinken im Reich Gottes. Auch nach 1Kor 11,26 ist das Essen und Trinken am Tisch des Herrn nicht einfach mit dem Kommen des Herrn identisch, sondern durch Jesu Christi Wiederkunft gleichzeitig bestimmt und begrenzt.

(6)   Die Betonung, mit der in Apk 3,20 von der Gegenseitigkeit der Tischgemeinschaft gesprochen wird – »ich mit ihm und er mit mir« –, erinnert an die Erzählungen der Evangelien, in denen Jesus unter Sündern und Hungrigen, Pharisäern und Jüngern bald Gast, bald Gastgeber, bald beides ist. Noch stärker ist jedoch der Anklang dieser sog. Reziprozitätsformel an einen Satz, der im Rahmen der Erklärung der Brotrede von Joh 6 steht: »Er bleibt in mir und ich in ihm« (Joh 6,56). Wie in diesem Vers die Rede vom Essen des Fleisches und Trinken des Blutes Jesu als Bild für gegenseitiges Ineinanderbleiben interpretiert wird, so ist wahrscheinlich auch der wörtliche Sinn von Apk 3,20 ein bildlicher. Aus der in den Evan-

gelien überlieferten Tradition, aus der Feier des Mahls des Herrn und aus der Hoffnung auf das Messiasmahl, das die Kirche mit Israel teilt, wird in Apk 3,20 das Bild einer intimen gemeinsamen Mahlzeit geprägt. Im Hintergrund der Bildrede vom Anklopfen, Eintreten und gemeinsamen Mahl könnten gleichzeitig so schöne Stellen wie Hld 4,16–5,6 und Spr 9,1–5 stehen, die vom Versuch des Geliebten, seine Geliebte bei Nacht zu besuchen, und vom Bankett handeln, das die Weisheit freigebig veranstaltet. Das Anklopfen an der Tür des Schatzes und das Gelage im Hause der Weisheit lassen sich nicht einengen auf festliche Akte im Tempel. Ebensowenig ist das Kommen, Anklopfen, Sprechen, Gegenwärtigsein und Mitfeiern Jesu Christi, von dem Apk 3,20 spricht, allein auf die Feier des Mahls des Herrn einzuschränken. Jene Gegenwart, die der auferstandene Herr den Seinen für »alle Tage, bis an der Welt Ende« versprochen hat (Mt 28,20), gilt ja auch für viel mehr Gelegenheiten als nur die Stunde(n) einer liturgischen Feier. Wer aber einen Unterschied zwischen dichterer und lockerer, zwischen einer mehr und weniger wirklichen Gegenwart machen wollte, leistet schwerlich einen Beitrag zum Lobe Christi.

Nach den bisweilen kritischen Auseinandersetzungen mit anderen Auslegungen, die in unseren Beobachtungen und Bemerkungen zu Joh 6; Joh 13; Joh 19,34; 1Joh 5,6–8 und Apk 3,20 unvermeidlich waren, wäre jetzt eine Zusammenfassung am Platz, die in positiver und evangelischer Weise die Botschaft aller dieser johanneischen Texte zum Ausdruck bringt. Bevor aber die Summe der befreienden Freudenbotschaft genannt werden kann, bleiben zwei Fragen zu beantworten: Sind die johanneischen Schriften so spät entstanden, daß sie eher Meinungen der Kirche um die Wende vom ersten zum zweiten Jahrhundert wiedergeben als Jesu eigene Botschaft? Und gehört zu der eventuell späten Entstehungszeit eine ausgesprochen polemische Tendenz gegenüber jüdischem Glauben und Gottesdienst? Weil Joh 6 unter den genannten Texten das Hauptgewicht trägt und weil das Johannesevangelium exemplarisch für die anderen johanneischen Schriften ist, werden diese beiden Fragen im folgenden unter Beschränkung auf das vierte Evangelium behandelt.

4. *Entstehungszeit und Tendenz des Johannesevangeliums*

Falls das vierte Evangelium mit der Mehrzahl historisch-kritischer Kommentare und Einleitungswerke spät datiert werden muß, könnte seine Lehre vom Mahl des Herrn einer Entwicklung Ausdruck geben, die nicht nur zeitlich, sondern auch sachlich weit entfernt ist von dem, was Jesus selbst gewollt und eingesetzt hat und was bei Paulus und in den synoptischen Evangelien von Jesu Worten und Taten überliefert ist.
Die seit den neunziger Jahren des ersten Jahrhunderts entstandenen frühchristlichen Schriften des Clemens Romanus, Barnabas, Ignatius und Ju-

stin d.M. zeigen, daß nicht nur spiritualisierende, sondern auch hochkirchlich-hierarchische und handfeste sakramentale Vorstellungen in dieser Zeit die Entwicklung kirchlichen Denkens und gottesdienstlicher Ordnung kennzeichneten. Ein spätes Johannesevangelium oder sein noch späterer Redaktor könnte unter dem Einfluß hellenistischer Kultur und Religion beabsichtigt haben, sakramentalistische, den Mysterienreligionen ähnelnde Elemente in den kirchlichen Gottesdienst einzuführen – im Unterschied zu jenen früheren christlichen Schriften, in denen das jüdische Erbe noch entscheidend nachwirkte. Ließe sich aber die Spätdatierung des Johannesevangeliums erschüttern, so wäre es weniger wahrscheinlich oder selbstverständlich, daß dieses Evangelium als Exponent eines griechisch- oder orientalisch-hellenistischen Sakramentsdenkens gelten müßte.

Falls das vierte Evangelium konfrontiert ist mit dem Judentum, das sich nach dem Fall von Jerusalem im Jahre 70 unter pharisäischer Leitung in Galiläa rekonstituiert hat, ist es möglich, daß es bewußt oder unbewußt gegenüber den Juden gerade in Sakramentsfragen eine triumphalistische Haltung verkörpert. Ihr Juden – so lautete dann ein Teil seiner Botschaft – habt nie begriffen, was wir Christen in unseren Sakramenten haben. Weil nur wir Christen glauben und wissen, daß das Wort Fleisch geworden ist und daß Jesus Christus für die Sünden der Welt gestorben ist, können nur wir die Taufe und das Mahl des Herrn feiern, in denen sich der Geist mit dem Wasser verbindet und der erhöhte Herr mit dem Brot, das wir essen (und dem Wein, den wir trinken). Ihr Juden aber habt, zu eurem eigenen Schaden, von jeher dumme Fragen gestellt zu allem, was Jesus Christus war, tat und brachte; ihr habt gemurrt und euch geärgert – und uns Christen im besten Fall ein Beispiel davon gegeben, wie man *nicht* über den Messias, seine Gaben und den von ihm ermöglichten und gebotenen Gottesdienst denken soll.

Die Frage, ob Israel zu alttestamentlicher Zeit und ob das pharisäisch-rabbinische Judentum Sakramente hatten, wird in verschiedener Weise beantwortet. Calvin lehrte, auch die Juden hätten Sakramente gehabt: den Durchzug durchs Schilfmeer, die Beschneidung und das Passa. Von jüdischen »Vorläufern der (christlichen) Sakramente« handeln seit etwa fünfzig Jahren verschiedene religionsgeschichtlich orientierte Monographien und Artikel. M. Dienemann (Art. Sakramente, in: Jüdisches Lexikon, Bd. 5, 1930, S. 45–47) und W. Bousset (Die Religion des Judentums, [3]1926, S. 199) verneinen die Existenz von Sakramenten im orthodoxen Judentum, doch wird sie aus verschiedenen Gründen von D. Flusser und J. J. Petuchowski in der Zeitschrift Judaica (39, Heft 1, 1983, S. 3–18.27–33) bejaht. Scholastische und lutherische Stimmen betonen nachdrücklich, ohne die Fleischwerdung und Kreuzigung des Sohnes Gottes und ohne den Glauben an ihn gebe es keine Sakramente. Nicht nur ein wesentlicher Unterschied zwischen Christentum und Judentum, sondern auch die Überlegenheit der kirchlichen Gläubigkeit und der entsprechenden Formen des Gottesdienstes kann dann besonders betont werden. Das sakramentalistisch verstandene Johannesevangelium wird zu einem Kronzeugen für einen notwendigen christlichen Antijudaismus!

Weil oben (in der Auslegung von Joh 6,51b–58) gezeigt wurde, wie problematisch sowohl die

sakramentalische als auch die antijüdische Auslegung von Joh 6 ist, erübrigt sich an dieser
Stelle ein Eingehen auf die Berechtigung oder die Hinfälligkeit eines christlichen Monopol-
anspruchs auf »richtige« Sakramente. Notwendig ist jedoch eine knappe Diskussion der
mutmaßlichen Entstehungszeit und des sog. Antijudaismus des vierten Evangeliums.

a) Die Entstehungszeit

Wie dringend die übliche Spätdatierung des Johannesevangeliums einer
Hinterfragung bedarf, soll an einer Beobachtung und Erwägung zu Struktur und Inhalt illustriert werden. Das Evangelium beschreibt Jesu Lebens-
jahre zwischen seiner Taufe und Grablegung als eine Serie von Wallfahrten nach Jerusalem, zwischen denen er sich in Galiläa und Samarien auf-
hält. Eigenartig detaillierte Orts- oder Zeitangaben (z.B. in Joh 4,5–6; 5,2–
3), die schon mit Baedeker-Informationen verglichen worden sind, fallen
auf. Sie können für den Evangelisten und seine Hörer und Leser sinnvoll
und wichtig gewesen sein, wenn auch sie an den genannten Orten vorbei,
vielleicht zur genannten Zeit, zum Tempel gegangen waren oder noch ziehen konnten. In der Tat suchten nach der Apostelgeschichte und einigen
Paulusbriefen die ersten Jünger und Paulus – letzterer sogar aus weiter
Ferne – den Tempel an großen Festtagen auf. Die Gemeinde bzw. Gemeinden, an die sich der vierte Evangelist mit seinem Schreiben wendet, haben
es offenbar gleich gehalten. Verschiedene Anzeichen lassen vermuten, daß
ihre Heimat nördlich, vielleicht nord-östlich von Jerusalem in einer ländli-
chen Gegend lag.
Diesen Christen erzählt der Verfasser des Evangeliums, daß Jesus bei seinen Besuchen in Jerusalem regelmäßig in scharfen Konflikt mit den Hü-
tern des Tempels und der väterlichen Tradition geriet. Die Folge seines
Auftretens bestand *vor* seinem letzten Besuch mehrmals in einer »Spaltung im Volk« (genannt *schisma*, 7,43; 9,16; 10,19). Den Empfängern des
Evangeliums jedoch waren die Tempelbesuche zur Versuchung geworden.
Die großen Menschenmengen in Feststimmung, die Schönheit der Tem-
pelgebäude, das Gewicht lebendiger Tradition, die würdigen Bewegungen
und Worte der Amtsträger, vielleicht auch der Wunsch, an diesem Ort zu
bleiben oder doch in seiner Nähe begraben zu sein – dies alles konnte ja
auch ganz anders wirken als z.B. Rom und seine Institutionen auf Luther.
Im Johannesevangelium wird der Glanz der Feste hervorgehoben, aber in
keiner Weise davor gewarnt, in eine klassische oder hellenistische, griechische, kleinasiatische oder ägyptische Form von Religion ab- oder zurück-
zufallen. Viel eher richten sich die häufig wiederholten Ermahnungen, bei
Jesus zu bleiben, sein Wort zu hören, zu bewahren und zu halten, nicht
von ihm fortzugehen usw. an Menschen, die solchen Zuspruch offenbar
bitter nötig hatten.
Das vierte Evangelium ist fern davon, die Pilgerreisen schlechtzumachen
oder zu verbieten – bewegt man sich bei ihnen doch auf den Spuren Jesu.
Es ruft den Christen aber in Erinnerung, wie sich Jesus gerade in Jerusalem
durch seine Worte, seine Taten und sein Leiden offenbart hat. Als Chri-

sten, die von der Krise und der Erfüllung, die Jesus Christus gebracht hat, wissen, sollen sie den Bibellesungen zuhören, zum himmlischen Vater beten und am jüdischen Gottesdienst teilnehmen. Daß die Stunde kommen wird und unmittelbar bevorsteht, in der dies nicht mehr möglich sein wird, verheimlicht dieses Evangelium nicht (4,24). Weil aber Jesus selbst, das wahre Zelt des Zeugnisses und der wahre Tempel in Person (1,14; 2,21), trotz seiner Verwerfung durch hohes und niederes Tempelpersonal dazu stand, daß »das Heil von den Juden kommt«, haben auch die »Anbeter im Geist und in der Wahrheit« (4,22–24) keinen Anlaß, von den Juden und dem Tempel schlecht zu denken.

Nach dem Ausbruch des jüdisch-römischen Krieges im Jahre 66, der vier Jahre später mit der Zerstörung Jerusalems und des Tempels endete, waren festliche Wallfahrten nach Jerusalem unmöglich. So war auch der Rückfall ins Judentum keine akute Versuchung mehr. Darum ist die johanneische Betonung der Reisen Jesu und der Seinen nach Jerusalem, kombiniert mit der Dringlichkeit der Bitte und des Befehls, bei Jesus und seinem Wort zu *bleiben*, ein Argument für die Früh- und gegen die Spätdatierung dieses Evangeliums. Zudem ist die (an alt- und zwischen-testamentliche Weisheitstraditionen anknüpfende) »hohe Christologie« dieser Schrift ist so nahe verwandt mit dem Inhalt der Christushymnen, die Paulus in den fünfziger Jahren in seine Briefe aufnahm, und mit der Christologie der (angeblich schriftlichen und von Matthäus und Lukas benutzten) Quelle Q, daß eine Entstehung des Johannesevangeliums zwischen den Jahren 45 und 60 nicht nur möglich scheint, sondern sogar wahrscheinlich.

Es gibt auch andere Spuren einer frühen Abfassung und einer entsprechenden historischen Glaubwürdigkeit dieses Buches. Der Verfasser verfügt über erstaunliche Detailkenntnisse, was jüdische Institutionen, Gebräuche, Traditionen und Diskussionen angeht. Daß es verschiedene Messiaserwartungen, einander widersprechende Auslegungen des Sabbatgebots und große innerjüdische Spannungen gibt, entfaltet er viel breiter als die anderen Evangelisten. Oft erweckt seine Darstellung der Passionsgeschichte einen weniger stilisierten, dafür zuverlässigeren Eindruck als die Erzählungen des Matthäus und Markus.

Dennoch werden immer noch und wieder die gleichen Argumente für eine Spätdatierung des Evangeliums genannt. Unter ihnen sind folgende scheinbar besonders objektiv: (1) der dreimal erwähnte Synagogenbann (9,22; 12,42; 16,2); (2) die (religiöse, juridische und politische?) Vorrangstellung der Pharisäer, auf Kosten der seit 70 n.Chr. entmachteten sadduzäischen Partei; (3) der Kampf gegen Doketismus und Gnosis (z.B., nach verbreiteter Auffassung, in 1,14; 6,51–58; 19,34; 20,3–8) und die »hohe Christologie« bzw. die allgemeine Vergeistigung (Spiritualisierung) der mehr fleischlichen Botschaften des Matthäus, Lukas und Markus.

Scheinen diese Argumente gewichtig und ernst, so sind sie doch nicht zwingend. Zu (1): Wie es in anderen Fällen von juridischen und religiösen

Maßnahmen geschieht, könnte auch der erst seit den neunziger Jahren schriftlich kodifizierte Synagogenbann längst in Einzelfällen praktiziert worden sein, bevor er rechtsverbindliche Ordnung wurde. Zu (2): Nach 7,32.45.47–48; 11,47–53; 18,3; 19,21 regierte die hohepriesterliche Partei noch neben und über den Pharisäern, während Jesus im Norden und Süden Israels wirkte. Zu (3): Zwar wird in 1Tim 6,20 eine »fälschlich so genannte Gnosis« erwähnt und bekämpft; doch lehnen namhafte religionsgeschichtliche Forscher (unter ihnen H.-M. Schenke, C. Colpe und U. Bianchi) die Theorie ab, schon im ersten Jahrhundert seien die Hauptelemente des sog. »gnostischen Mythos« zusammengestellt und allgemein bekannt gewesen. Protognostische Spurenelemente sind im ersten Jahrhundert nachweisbar; doch bedeutet dies nicht, daß schon vor ca. 140 n.Chr. eine Gnosis von der Art der großen gnostischen Systeme die Hauptbedrohung der Kirche darstellte und daß Johannes trotz der Intention, diese Gefahr abzulehnen, eines ihrer prominentesten Opfer wurde. Endlich ist im Blick auf »hohe Christologie« und Spiritualisierung festzustellen, daß ähnlich dem Hebräerbrief gerade das Johannesevangelium gleichzeitig eine besonders hohe *und besonders tiefe* Lehre von der Person Jesu Christi verkündet. Weder ein synoptisches Evangelium noch eine griechische noch eine marxistische Philosophie hat je gewagt, eine so materialistische Feststellung zu machen, wie es das Johannesevangelium tut, wenn es formuliert: »Das Wort ward Fleisch« (1,14).

Solche Gründe legen es nahe, nicht mehr davon auszugehen, daß die späte Entstehung des Johannesevangeliums ein gesichertes Resultat historisch-kritischer Forschung ist. Deshalb sollte die Botschaft dieses Evangeliums auch nicht länger einzig als Stimme der Kirche und ihrer Entwicklung, sondern als Stimme ihres Meisters verstanden und respektiert werden.

b) Die Juden im Johannesevangelium

Weitverbreitet ist die Auffassung, unter allen neutestamentlichen Schriften zeige das vierte Evangelium eine beonders starke antijudaistische Tendenz. Nur diesem Evangelium zufolge (8,44) sagte Jesus zu den Juden: »Ihr stammt vom Teufel; er ist euer Vater.«

Weniger Beachtung hat aber ein anderer Spruch (aus Joh 4,22) gefunden: »Das Heil stammt von den Juden.« Ebenso ignoriert, verschwiegen oder verharmlost wurde die Tatsache, daß z.B. in Joh 1,45.49; 4,9; 12,13 mindestens ebenso nachdrücklich wie bei Matthäus (z.B. 1,1–17), Lukas (3,23–34), Paulus (Röm 1,3; 9,5), im Hebräerbrief (7,14) und in der Johannesoffenbarung (5,5 u.ö.) betont wird, daß Jesus ein Jude war und ist. Mag ihm nach dem vierten Evangelium vorgeworfen werden, daß er aus Galiläa, wenn nicht sogar aus Samaria stamme, von einem Dämon besessen sei und sich selbst zum König der Juden erklärt habe (7,20.41–42; 8,48.52; 10,20; 19,21) – an seiner Herkunft aus dem jüdischen Volk und seiner Zugehörigkeit zu ihm ließ weder Jesus noch der Evangelist den geringsten Zweifel. Auch der Widerspruch, mit dem führende Juden dem Gesandten

Gottes begegneten, die Weigerung seiner eigenen Leute, ihn aufzunehmen, und seine Auslieferung an die Heiden bewirkten keinen eindeutigen Bruch. Auch als von Israel Verworfener war Jesus der König der Juden; auch angesichts der Abkehr vieler Jünger von Jesus und des Verrats des Judas sind zwölf Jünger aus Israel erwähnt. Die beißende Schärfe, mit der sich Jesus bisweilen gegen Pharisäer und andere Juden wendet, zeigt, daß Jesus in die Gesellschaft von Amos, Hosea, Jeremia, Hesekiel, Johannes dem Täufer und anderen Propheten gehört – d.h. zu den von Gott aus Israel und zu Israel gesandten Menschen, die aus einem vor Liebe brennenden Herzen Israel zur Buße rufen. Alle Gesandten gingen mit ihrem eigenen Volk und mit Frommen schärfer ins Gericht als mit Heiden, Zöllnern und Sündern. Schon die Sprüche Salomos (27,5–6) bezeichnen solche Mahner und Schelter nicht als Volksfeinde, sondern als Freunde: »Besser Tadel, der sich offen ausspricht, als Liebe, die schweigt. Treuer gemeint sind Schläge vom Freunde als freigebige Küsse des Feindes.« So ist auch »der johanneische Christus« nicht eine Gestalt, die die Juden zum Sündenbock macht und dem Zorn Gottes ausgeliefert haben will. Gerade den unter Gottes bzw. Jesu Christi Gericht Stehenden wird Gottes Gnade und Liebe verkündet.

Wohl hat, wie schon erwähnt, das Auftreten Jesu in Israel mehrfach zu einer »Scheidung« innerhalb von Jesu eigenem Volk geführt (7,43 u.a.). Sein Auftreten bedeutete eine Krise für den Opferkult im Tempel; Jesu Sendung, sein Kommen und sein Wort, sein Tod und die Ausschüttung des Geistes schufen die Voraussetzung eines Gottesdienstes im Geist und in der Wahrheit, in dem auch Samaritaner und Heiden willkommen sind (vgl. 1,29; 2,14–22; 4,2–42; 6,51–58.63.68; 7,38–39 u.a.). Doch selbst wenn und gerade indem Jesus dafür mit seinem Tod bezahlen mußte, daß er König, Priester und Opfertier zugunsten der Juden und der Welt war, hat er Israel die Treue gehalten. Wer Jesus Christus so darstellt, wie es der vierte Evangelist getan hat, ist kein Antijudaist, sondern – wie Nathanael (1,47) – »ein Israelit, in dem kein Falsch ist«.

Besonders aufschlußreich für die Einstellung des Verfassers zu den Juden ist die Art und Weise, in der das griechische Wort *Ioudaioi* verwendet wird. Zwar wird es gewöhnlich einfach mit »Juden« übersetzt, doch hat es ursprünglich eine weniger flache Bedeutung. Je nach dem Sinn des geographischen Begriffs »Judäa« kann das ursprüngliche Adjektiv *Ioudaioi* im Neuen Testament und anderer Literatur bald die Bewohner des Gebiets, das einst das Stammland Juda war, bald nur die Landbevölkerung dieses Teils von Israel (im Unterschied zu den Jerusalemern), bald die Bevölkerung des in seiner Ausdehnung und Administrationsordnung mehrmals wechselnden römischen Verwaltungsbezirks bezeichnen. Auch die in der Diaspora lebenden Glieder des Volkes Israel wurden von seiten der griechischen und römischen Behörden, von der Bevölkerung und den Schriftstellern meistens als *Ioudaioi* bezeichnet. »Judäer« ist eine bessere Übersetzung als »Juden«, weil sie nicht nur eine religiöse, sondern auch eine geographische Beziehung und Bindung zum Ausdruck bringt. Waren Juden unter sich oder wollten sie zu Heiden von ihrer Sonderstellung sprechen, so nannten sie sich »Israel« und »Israeliten«.

Im Johannesevangelium sind »die Judäer« alles andere als eine uniforme, homogene Masse, die entweder *in globo* verurteilt und verdammt oder in den Himmel gehoben wird. Anti- und Philosemiten mag man daran erkennen, daß sie von »den Juden« oder »dem Juden« in verallgemeinernder Weise sprechen. Im vierten Evangelium aber sind »die Judäer« je nach Gelegenheit in ihrem Status und Verhalten, ihrer Funktion im Volk und ihrer Einstellung zu Jesus deutlich voneinander unterschieden. Mindestens sieben Gruppen sind zu nennen: Hier geht es um eine Volksmenge, den leicht verführ- und entzündbaren Plebs *(ochlos)* in Galiläa oder Jerusalem; dort sind die *Ioudaioi* die verantwortlichen leitenden Behörden des Volkes, unter denen sich auch Pharisäer befinden. Manchmal sind sie uneins untereinander; bei anderen Gelegenheiten scheinen sie mit *einem* Munde zu sprechen. Viele von ihnen verhalten sich feindlich zu Jesus, stellen unverständige und boshafte Fragen oder Forderungen an ihn, wenn sie nicht sogar Steine aufheben, um ihn zu lynchen. Doch liest man auch: »Viele unter den Juden glaubten an ihn« (7,31; vgl. 8,31). Nikodemus (3,1–10; 7,50–52; 19,39) wird ausdrücklich als ein regierender Pharisäer bezeichnet; Joseph von Arimathäa (19,38–42) war wahrscheinlich ein pharisäisches Glied des Sanhedrins. Neutral scheint der Begriff *Ioudaioi* zu sein, wenn von einem ihrer Feste oder Bräuche die Rede ist, z.B. in 2,6 und 13; in diesen Fällen ist anzunehmen, daß die Empfänger des Evangeliums unter sich das gleiche Fest wie die Juden, doch eventuell mit leicht geändertem Namen (z.B. »Passa des Herrn« oder »unser Passa«?), an einem eigenen Datum und in neuer Form feierten. Endlich haben es Forschungen der letzten Jahrzehnte zu den Samaritanern wahrscheinlich gemacht, daß im Johannesevangelium auch die (auf die nachsalomonische Königszeit zurückgehende) Spannung zwischen dem Nordreich Israel und dem Südreich Juda nachwirkt. Südliche Animositäten gegen die als Heiden verschrieenen Galiläer und gegen die Mischbevölkerung von Samaria stieß auf den Haß, die Verachtung, vielleicht den Neid, mit dem die nördlichen Gebiete das Verhalten der »Judäer« betrachteten und als anmaßend und bigott verurteilten.

Spricht das vierte Evangelium jedoch von »Israel« statt von »Judäa«, so kann dies mindestens zwei (einander nicht ausschließende) Bedeutungen haben. Dann wird an die ursprüngliche, nach Amos, Micha, Jeremia und Hesekiel auch an die eschatologische Einheit des Zwölfstämmegebiets unter David gedacht oder an die Wiederherstellung des charismatischen Königtums und der politischen Treue, Freiheit und Würde des ganzen Volkes. Beispiele dafür sind das Bekenntnis des Galiläers Nathanael zu Jesus, dem »Sohn Gottes . . ., dem König Israels« (1,49) und der Jubel der Festpilger (aus Judäa, Galiläa und der Diaspora), die mit Jesus in Jerusalem einziehen: »Hosianna, gepriesen sei . . . der König Israels« (12,13).

Der Evangelist ist offensichtlich darum bemüht, ein differenziertes Bild vom Leben, Denken und Verhalten des jüdischen Volkes zur Zeit Jesu zu geben. Seine innerliche Beteiligung an intramuralen Gesprächen, Meinungsverschiedenheiten und Kontroversen unter den Juden hindert ihn daran, Pauschaldarstellungen zu geben, verallgemeinernde Urteile zu fällen und globale Vorurteile zu unterstützen. Ihn freut es, daß in hebräischer, lateinischer und griechischer Sprache gerade der Heide Pilatus juristisch verbindlich dokumentiert hat, daß Jesus der König der Juden ist. Auf alle Fälle ist das Johannesevangelium und sein Christuszeugnis im Rahmen und unter dem Gesichtspunkt der Geschichte und Literatur von »ganz Israel« (vgl. Röm 11,26) bzw. dem »Israel Gottes« (Gal 6,16) zu verstehen. Dieses Evangelium ist weder das Produkt einer boshaft keifenden Winkelsekte noch ein Anlaß, sie zu gründen. Jesu Liebe zum Nächsten und Bruder, die auch im ersten Johannesbrief eine große Rolle spielt, wird hier den Juden gegenüber weder verboten noch suspendiert. Das Volk, von dem das Heil kommt, wird schon deshalb nicht als Prügelknabe oder Sündenbock behandelt, weil einzig der Jude Jesus selbst das Lamm Gottes und der leidende Gottesknecht ist.

Aus folgendem Grunde betreffen diese Beobachtungen das Mahl des Herrn: Das ganze Kapitel Joh 6, das – besonders wegen der V. 51–58 – meist als Abhandlung über die Eucharistie verstanden wird, enthält zahlreiche Andeutungen über die unverständige und feindselige Reaktion von Galiläern, Judäern und Jüngern auf Jesu Taten und Worte, besonders auf seine Reden über das wahre Brot, sein Fleisch und sein Blut. Es sieht so aus, als ob das Mahl des Herrn von Anfang an, also prinzipiell, ein Anstoß für »die Juden« gewesen sei und deshalb wohl auch bleiben müsse. So kam es, daß dieses Friedens- und Freudenmahl etwa seit dem Jahr 100 n.Chr. den Juden zum Trotz und als Beweis der Überlegenheit der Kirche über sie gefeiert wurde. Nicht umsonst wurde die Passionszeit mit Einschluß der Mahlfeier zum Anlaß und Mittel antijüdischer Erklärungen und Demonstrationen – sogar von Pogromen. Zwar hat Papst Johannes XXIII. die Streichung der Erwähnung der »perfiden Juden« in der Gründonnerstagsliturgie angeordnet. Noch immer aber finden sich in populärer Literatur über Juden und in gelehrten Ausführungen über Messe, Eucharistie oder Abendmahl Spuren einer judenfeindlichen Grundhaltung.

Damit tätige Buße gegenüber den Juden getan werde, genügt es nicht, in theologischen Beschreibungen des Mahls des Herrn von »Gemeinschaft mit Christus« und »Gemeinschaft untereinander« zu sprechen. Die Erkenntnis, daß auch »Gemeinschaft mit Israel« wesentlich ist für das Mahl und daß sie sowohl die frühe Polemik als auch anmaßende missionarische Versuche den Juden gegenüber ersetzen darf, ist wesentlich für die Feier am Tisch des Herrn. Noch haben alle christlichen Kirchen – nicht nur für die Mahlfeiern, doch auch für sie – aus den Psalmen, der Geschichte, der Literatur, dazu von den Festen, vom Leiden und Hoffen Israels viel darüber zu lernen, was es heißt, Gott zu loben und zu danken.

In einem letzten Abschnitt bleibt zu zeigen, weshalb die wichtigsten neutestamentlichen Zeugen für das Mahl des Herrn, gerade wenn und weil sie nichts zur Begründung und Unterstützung einer hoch-sakramentalen Eucharistie-Feier und -Lehre beitragen, einen besonders großen und positiven Beitrag zur Feier des Mahls des Herrn leisten.

D   Lob des einzigen Sakraments

Eine Äußerung Zwinglis (in seinem Brief vom 12. Februar 1521 an W. Capito und M. Bucer, in: Zwinglis Werke, Bd. 11, S. 341) über den »gegebenen Christus« und die »Darreichung eines Sakraments« unterscheidet scharf zwischen der ein für allemal am Kreuz erfolgten Hingabe Christi und dem, was in und mit dem Sakrament gegeben ist. G. W. Locher (Streit unter Gästen, 1972, S. 11.37) zitiert den Zwinglitext und kommentiert ihn folgendermaßen: ». . . Die Alternative heißt: Entweder wurden wir am Kreuz erlöst, oder wir müssen die Erlösung stets von neuem durch das Sakrament der Kirche empfangen.« Diese ungewöhnliche Zusammenfassung der späteren Hauptpositionen in dem unglücklichen Marburger Religionsgespräch und anderen Streitgesprächen über das Mahl des Herrn ist aus mindestens drei Gründen beachtenswert und nützlich:

(1)   Komplizierte und unter dem Mantel subtilen Vokabulars verschleierte Dinge werden hier drastisch vereinfacht; die Alternativen, zwischen denen gewählt werden muß, werden mit unzweideutigen Worten beim Namen genannt.

(2)   Deutlich ist festgestellt, daß Jesus Christus selbst bzw. die Vollkommenheit seines am Kreuz vollbrachten Erlösungswerkes auf dem Spiele steht. Ist sein für uns erlittenes Leiden und Sterben ergänzungsbedürftig, bevor es sinnvoll und erfolgreich werden kann – oder ist sein Werk in sich abgeschlossen und perfekt und gültig, weil es vom Vater durch Ostern und Pfingsten vollendet wurde? Verwandt ist die Frage, ob im Gespräch über das Mahl des Herrn die Lehren von Christus und seinem Kreuzestod zu (»selbstverständlich vorausgesetzten«) Nebenthemen werden dürfen, während und weil das Geheimnis des Vermittlungsdienstes von Kirche und Sakrament für viel wichtiger gehalten wird. Sollten alle (auch die johanneischen) neutestamentlichen Mahltexte einhellig bezeugen, daß die Person und das (am Kreuz vollendete und durch Gottes Gnade für Sünder gültige) Werk Jesu Christi das Herz und die Seele, die einzige Freude und der große Trost der versammelten Gemeinde ist, so widerspricht eine Interessenverschiebung von Christus weg und zur Kirche hin dem Wesen eines Mahles, das zu seinem Gedächtnis gefeiert wird.

(3)   Wenn Zwingli (z.B. statt des Wörtleins »ist«) das Tätigkeitswort »geben« besonders betont, so lenkt er die Aufmerksamkeit auf einen Begriff, der in summarischen neutestamentlichen Aussagen über den Weg und die Wirkung Jesu Christi, in den Einsetzungsberichten für das Mahl des Herrn

und ebenso in den Erzählungen und in der Brotrede von Joh 6 sehr oft vorkommt und eine entscheidende Rolle spielt. Über die Bedeutung des
Wörtleins »ist« in den Einsetzungsberichten ließe und läßt sich trefflich
streiten – besonders weil es von Jesus höchstwahrscheinlich in jener
Nacht, als er am Tisch Erklärungen zur Überreichung von Brot und Wein
abgab, gar nicht gebraucht wurde! Bei jener Feier sprach Jesus ja Hebräisch
oder Aramäisch, Sprachen, in denen die Kopula »ist« ausgelassen werden
kann. Das Wort »geben« hingegen verspricht klarere Auskunft.

»Geben« *(didonai)* kommt im Neuen Testament in sehr verschiedenen Zusammenhängen vor und hat, je nach dem Satz, in dem es steht, entsprechend vielfältigen Sinn. Begegnet dieses Wort in einem Text, der in wörtlicher oder bildlicher Weise von einem Mahl handelt, so bezeichnet es entweder die Überreichung von Brot und Zukost oder Wein an Menschen
oder die Hingabe Jesu Christi in den Tod. In der längeren Lukasversion des
Berichts über Jesu letztes Mahl (Lk 22,19) heißt es: ». . . er brach es (das
Brot), gab es ihnen und sprach: Das ist mein Leib, der für euch gegeben
wird.« Auch in Joh 6 stehen (in V. 11.27.31–34.39.51–52) Aussagen über die
Gabe (bzw. Verteilung) des wunderbar vermehrten Brotes neben Aussagen
über Gott, der das Manna gab und jetzt seinen Sohn als Lebensbrot gibt,
endlich über Jesus, der sein eigenes Fleisch »für das Leben der Welt geben«
wird, nebeneinander.

Sprechen andere Stellen von Gott, der Jesus gibt oder hingibt, oder von der
Selbsthingabe des Sohnes, so verwenden sie manchmal statt *didonai* das
fast synonyme Kompositum *paradidonai*, das mit »hingeben« oder »übergeben«, »ausliefern« oder »verraten« übersetzt werden kann. Bald ist Gott,
bald der Sohn der Gebende. Besonders Jesu Dankgebete vor den Speisungen der Tausende und anderen Mahlzeiten zeigen, daß Gott seine guten
Gaben – so auch das tägliche und das festliche Brot – durch die Hand des
Sohnes gibt. Vom Sohn wird beides gesagt: Er wird von Gott hingegeben,
und er gibt sich selbst hin. Dazu gibt es Menschen wie Judas, den Hohen
Rat und Pilatus, die Jesus so ausliefern, weggeben oder verraten, daß er ge-
fangengenommen, verurteilt und hingerichtet werden kann. Texte wie Mt
6,11; Lk 9,16 par.; 22,19; 24,30; Gal 2,20; Röm 4,25; 8,32; Eph 5,25; Joh
3,16; 18,36 illustrieren die reiche Verwendungsmöglichkeit von *didonai*
und *paradidonai*. In Joh 6 kommt das einfache Verb zwölfmal in vielen Be-
deutungsvarianten, die längere Form jedoch nur zweimal (in V. 64 und 71)
im Sinne von »verraten« oder »ausliefern« vor.

Angesichts des Reichtums und Gewichts des Wortes »geben« bei Johannes, den Synoptikern und Paulus und in Anbetracht der je nach dem Zusammenhang sehr differenzierten Bedeutungen dieses Verbs war Zwingli
gut beraten, als er unterschied zwischen der einmaligen und vollkommenen Gabe Gottes und dem, was mit der Einsetzung des Mahls und während dieses Mahls gegeben wird. Die Gabe Gottes ist die Sendung des Sohnes Gottes auf den Weg von der Krippe bis zum Kreuz; die freiwillige,
Selbsthingabe des Sohnes und die Fortsetzung seiner Tätigkeit als Fürbit-

tender zur Rechten des Vaters ist ein wesentlicher Teil dieses Geschenks. Im Rahmen der großen Liebestat des Vaters und des Sohnes spielen Jünger wie Judas, Behörden wie der Hohe Rat und Pilatus, Soldaten und Knechte eine traurige Rolle mit ihrer Art von »übergeben«. Gemeinsam an allen diesen Aussagen über eine Gabe, Hingabe oder Übergabe ist die Tatsache, daß sie von etwas Einmaligem, Abgeschlossenem, unveränderlich und uneingeschränkt Gültigem handeln. Was dort und damals von Gott gewollt, vollzogen, zugelassen und schließlich mit der Erweckung seines Sohnes gekrönt wurde, ist »für euch (die Jünger)«, »für viele« und »für das Leben der Welt« geschehen (1Kor 11,24; Mt 26,28; Joh 6,51). Nichts ist da zu ergänzen, nichts zu wiederholen, nichts in Kraft zu setzen oder erst wirklich und wirksam zu machen.

Etwas anderes aber ist es, wenn Jesus zwischen seiner Taufe und seinem Tod dem Volk und den Jüngern Speise austeilt oder wenn Gott den Menschen das tägliche Brot gibt. Dann wird ja nicht jemand oder etwas »für« jemanden gegeben oder hingegeben. Von einer Freiwilligkeit, Endgültigkeit und zeitlichen Abgeschlossenheit dessen, was gegeben wird, ist dann sowenig die Rede wie von Sühne, Sündenvergebung oder Versöhnung mittels Brotausteilung. Was wiederholt – an jedem Tag oder jedem Festtag aufs neue – *den* Menschen überreicht oder *an* Menschen gegeben wird, kommt von demselben Gott, beruht auf derselben Güte und ruft nach derselben Freude und Dankbarkeit wie die einmalige Hingabe des Sohnes in den Tod. Das Alltägliche und Festtägliche kann und soll an das Einmalige und Ewige erinnern. Doch gibt es keine neutestamentlichen Stellen, die beides einfach identifizieren. Wiederholbar ist der tägliche Anblick und Empfang von Zeichen der Güte und Gnade Gottes; befohlen ist für die Zeit nach Jesu Tod ein gegenseitiges Geben und Brechen von Brot; gefeiert wurden immer wieder Danksagungsfeiern; wiederholt loben Menschen Gott dadurch, daß sie einander dienen, miteinander beten, singen und essen. Jedoch ist die Vermittlung zwischen dem heiligen Gott und dem sündigen Menschen, die Versöhnung von Juden und Heiden mit Gott und miteinander, die Überbrückung des Grabens zwischen dem *einmal* Geschehenen und den Bedürfnissen jedes neuen Tages nicht in ihre Hände gelegt.

Das bedeutet jedoch nicht, daß die Gäste am Tisch des Herrn zu einer Zuschauerhaltung oder reiner Passivität verurteilt sind. So gut wie bei Paulus und Lukas findet sich im johanneischen Bericht über Jesu letztes Mahl der Wiederholungsbefehl »Tut dies . . .« (1Kor 11,24–25.33; Lk 22,19.24–27; Joh 13,15). Paulus zeigt im Kontext, daß er unter dem »Tun« eine Verkündigung des Todes Jesu versteht, die durch die Tischgemeinschaft und die Liebe zwischen Starken und Schwachen vollzogen wird. Lukas unterstreicht nicht weniger als das Johannesevangelium den Liebesdienst, den sich die Jünger gegenseitig leisten sollen. Was beim Mahl des Herrn zu »tun« ist, hat gleichzeitig kultischen und ethischen Charakter: Derjenige lebt, handelt und feiert »zum Gedächtnis« oder nach dem »Beispiel«, d.h.

zum Lob und zur Ehre Jesu Christi, der seinen Nächsten in Liebe aufnimmt und mit seinem Respekt ehrt. Kein Wort wird darüber gesagt, daß
mit dem »Tun« eine Ergänzung, Vervollkommnung, Gültig- oder Glaub-
haftmachung der Gabe Gottes und des Werkes Jesu Christi gemeint ist.
Eins ist not zur Rettung: die Vollkommenheit der Gabe Gottes. Sie wird im
Mahl anerkannt und verkündet – nicht hergestellt.
Unter den verschiedenen traditionellen Auslegungen der oben erläuterten
johanneischen Texte gab es deshalb jeweils eine christozentrische. Die
Hinzufügung anderer Interpretationen mußte nicht automatisch bewirken, daß die Ehre Jesu Christi angetastet oder durch die Hervorhebung ek-
klesiologischer, sakramentaler oder anthropologischer Dimensionen des
Textes verdunkelt wurde. Doch können alle nichtchristozentrischen Auslegungen dazu verleiten, die Aufmerksamkeit weg von Jesus Christus und
hin auf das Wunder einer kirchlichen Veranstaltung und Gabe zu lenken.
Dann droht der Herr so klein und unscheinbar zu werden wie jenes Christ-
kind unterhalb der Mühlewanne auf dem Berner Münsterfenster. Nicht
der Aufruf »Sehet, was hat Gott gegeben: seinen Sohn zum ewgen Leben«,
nicht das Gebet »Allein zu dir, Herr Jesu Christ, mein Hoffnung steht auf
Erden«, sondern ein Mechanismus und das Personal, das ihn bedient und
das Produzierte unter die Leute bringt, ist dann zur Hauptsache geworden.
Der Künstler, der das Berner Fenster schuf, macht deutlich, daß zu alttestamentlicher Zeit diese Maschine nicht existierte. Für Gott und die Menschen war sie überflüssig. Es besteht kein Grund zur Annahme, daß wegen
des Kommens des verheißenen Messias erst und gerade die Zeit der Kirche
jenes Apparates bedürftig ist. Wer das Bild von der Mühle trotz seines Ursprungs in der (Sakraments-)Mystik für grob und karikaturhaft hält, kann
demselben Grundgedanken auch mit tiefsinnigen Worten Ausdruck geben. Er kann die Gabe Gottes, den Retter und das Heil, das er bringt, als
ein bloßes »Angebot« oder eine große »Möglichkeit« betrachten, um hinzuzufügen, »Wirklichkeit« und »Gültigkeit« der Gottesgabe werde erst
durch die Kirche, durch ihre Sakramente oder durch die Glaubensentscheidung jedes einzelnen geschaffen.
Weder Joh 6 noch andere johanneische Texte geben zwingenden Anlaß
und Grund zu dieser Verschiebung des Interesses. Jesus Christus allein ist
der Retter der Welt, und das Heil kommt von diesem Juden (Joh 4,42.22).
Mittler zwischen Gott und Mensch ist einzig der Gottes- und Menschensohn, der von Gott mit der Vermittlung beauftragt ist und mit seinem Tod
sein Werk »vollendet« (Joh 19,30). Wer neben den einen Heilsmittler eine
Vielzahl von Heilsmitteln stellt, kann keine eindeutigen johanneischen
Zeugnisse zu seinen Gunsten zitieren. Unter gelehrten Johannesauslegern
ist umstritten, ob erst ein Redaktor Sakramente in das Evangelium einge-
bracht habe, wie groß ihre Zahl sei, an wie vielen Stellen symbolisch von
Taufe und Eucharistie gesprochen werde, ob mehr Gewicht auf materialistische Ausdrucksweise oder den geistlichen Inhalt zu legen sei und ob es
mehr um (»kausative«) Heilsübertragung oder um (»kognitive«) Besiege-

lung der schon im Glauben empfangenen Evangeliumsbotschaft gehe. Nicht nur beantworten Orthodoxe und Römische Katholiken, Lutheraner und Reformierte, Hoch- und Freikirchler diese Fragen verschieden, sondern auch in jedem Lager geben verschiedene Gruppen einander widersprechende Auskünfte. Sicher ist nur eins, und Übereinstimmung der Gelehrten kann deshalb auch nur in einer Sache festgestellt werden: Die Verkündigung des fleischgewordenen, gekreuzigten und ewig lebenden Sohnes Gottes hat wie bei Paulus und den Synoptikern, so auch im Johannesevangelium Priorität vor der Behandlung aller anderen Themen.

Die Behauptung (z.B. R. Bultmanns), die Quellen des Johannesevangeliums und ihre Bearbeitung und Zusammenfügung durch den Evangelisten hätten nichts über die Sakramente enthalten, ist dennoch nicht aufrechtzuerhalten. Die Wassertaufe Johannes des Täufers wird nach Joh 1,31 vollzogen, »damit er (der Kommende, das Lamm Gottes) Israel offenbar werde«; Jesu Jünger haben schwerlich die Taufe zu einem ganz anderen Zweck vollzogen (4,1–2). Nach dem Vorbild Jesu sollen bei künftigen gemeinsamen Mahlzeiten die Jünger einander gegenseitig die Füße waschen. Fehlen im Johannesevangelium formelle Einsetzungsberichte und Stiftungsworte für die Taufe und das Mahl des Herrn, so werden doch beide kirchlichen Handlungen vorausgesetzt. Ein Plädoyer für ihre Abwertung oder Abschaffung oder aber für ihre Aufwertung und Glorifizierung wird nicht abgegeben und sollte nicht aus den vorliegenden Texten herausgepreßt werden. Daß der Evangelist ähnlich wie Paulus in Korinth mit enthusiastischer Überbewertung von Taufe und Eucharistie konfrontiert war und, wieder wie Paulus, mit dem Hinweis auf das Kreuz und die intime Verbindung zwischen dem Tod Christi und dem Zeugnis des Geistes gewissen Mißbräuchen wehren wollte, läßt sich vermuten, doch nicht beweisen.

Mit einer Doppelthese, deren zwei Glieder sich gegenseitig bedingen, kann die Behandlung des Themas »Sakramente im Johannesevangelium« und die Erläuterung der einschlägigen Haupttexte abgeschlossen werden: (1)   Ein »Sakrament« im Sinne der seit Tertullian und Augustin erfolgten Füllungen dieses Begriffs gibt es – wenn überhaupt im Neuen Testament – nur in der Theologie des Johannesevangeliums. Dieses Evangelium spricht gleichzeitig mehr materialistisch und mehr spiritualistisch von Jesus Christus und dem Heil als die Synoptiker und Paulus. Hier ist man der Rede vom sichtbar gewordenen Wort, von vermittelter Gnade, von Offenbarung, die nicht nur deutet, sondern auch etwas bewirkt, endlich von der Annahme, Aufhebung und Verwandlung der Menschen und ihrer Leiblichkeit am nächsten: Sie werden in die Gemeinschaft mit dem Sohne und Worte Gottes gebracht (vgl. 1Joh 1,3). Das Vokabular und die Substanz klassischer Sakramentslehren – z.B. *verbum visibile*, *medium gratiae*, *significat et efficit*, dazu Hinweise auf die schöpferische Tätigkeit des Heiligen Geistes – sind gerade in diesem Evangelium antizipiert.

(2)   Das eine und einzige von Gott geschenkte, eingesetzte und gesegnete Sakrament, das nur im Glauben zu empfangen ist, heißt nach diesem Evangelium Jesus Christus. Statt zu behaupten, Geist werde zu Wasser oder in besonderer Weise mit ihm verbunden, der Menschensohn werde Brot oder vereinige sich mit ihm, Blut werde zu Wein und werde in, mit und unter dem Produkt aus der Traube getrunken, stellt das Evangelium einzig und allein lapidar fest: »Das Wort ward Fleisch«. Weshalb mit »Fleisch« auch »Opferfleisch« gemeint ist, wurde oben dargelegt. Aus dieser Doppelthese folgt, daß es nach Johannes nur ein einziges Sakrament gibt: den menschgewordenen und gekreuzigten lebendigen Herrn.

Nahe an diese Aussage kommt A. Loisy (Le quatrième évangile, a.a.O., S. 162), wenn er zu Joh 6,53 schreibt: »Christ est lui-même une façon de sacrament vivant.« Noch deutlicher drückt sich H. von Soden aus (Sakrament und Ethik, a.a.O., S. 271): »Der Tod Christi ist das Sakrament.« Doch trübt von Soden im Kontext die Klarheit dieses schönen Satzes. Daß Luther in seiner Auslegung von Hebr 2,3 den Begriff »Sakrament« zur Beschreibung des einmaligen Todes Jesu Christi verwendete, weil das Kreuz Zeichen, Ursache, Instrument und Mittel des Heils sei, wurde schon erwähnt. Einer unverkennbaren Tendenz in Karl Barths Theologie entsprechend hat z.B. E. Jüngel (Das Sakrament – was ist das?, EvTheol 26, 1966, S. 320–326.334–336; vgl. G. Vischer, Die Eucharistie als Wahrnehmungsakt, ThZ 41, 1985, S. 317–329, 325) zwei Axiome aufgestellt, die nicht ernst genug genommen werden können: »I. Jesus Christus ist das eine Sakrament der Kirche . . . II. Taufe und Abendmahl sind die beiden Feiern des einen Sakraments der Kirche« (S. 209).

An verschiedenen Stellen im Neuen Testament finden sich in der Tat Hinweise auf den Alleinanspruch Jesu Christi auf das, was man als höchsten Ehrentitel für einen kultischen Akt bezeichnen kann. In seiner Überprüfung der unbestritten kultischen Interessen des Hebräerbriefs kommt G. Theißen (Untersuchungen zum Hebräerbrief, 1969, S. 53–87) zu dem Resultat, gerade dieser Brief widerspreche einer Überschätzung der kirchlichen Sakramente. Lehre er doch, daß nicht Sakramente Vollkommenheit verschaffen, sondern das vollkommene Wort vom einzigen Sühnemittel (dem Tod Christi). Parallel oder konvergierend mit der Sakramentslehre des vierten Evangeliums ist auch die Botschaft des Kolosserbriefs. Der Satz: »In ihm (Jesus Christus) wohnt die ganze Fülle der Gottheit leibhaftig, und in ihm seid ihr vollkommen gemacht« (Kol 2,9) richtet sich gegen eine Kolossische Religion, die ausgesprochen kultfreudig war und sich auf die Respektierung von Kräften, Akten und Verhaltensweisen konzentrierte, die Vermittlung und Friedensstiftung zwischen Himmel und Erde versprachen. Als Alternative zu vielen Bildern, die die Vergegenwärtigung und Präsenz, Heilswirksamkeit und Segensgarantie einer Gotteit sicherstellen sollten, verkündet der Kolosserbrief ein einziges Bild Gottes, in dem die ganze Fülle Gottes wohnt, das Himmel und Erde zusammenhält und Frieden von unbeschränkter Dimension schafft und gewährleistet. Jesus Christus ist dieses Bild, er, der Schöpfungsmittler, der Gekreuzigte und der Erstgeborene von den Toten (Kol 1,15–20). Nicht weniger direkt und ausschließlich auf den gekreuzigten Christus bezogen sind die Lobgesänge, die in Apk 5 von Repräsentanten der Kirche und des Kosmos angestimmt werden.

Kurzbekenntnisse und Parolen wie *solus Christus, sola gratia, sola fide, sola scriptura* (Christus allein, allein durch Gnade, allein durch Glauben, die Schrift allein) bedürfen keiner Ergänzung mit dem Wortlaut »allein durch die Sakramente«. Der Glaube an Gott, den Vater, den Sohn und den Heiligen Geist muß nicht durch den Flaschenhals einer Sakramentsgläubigkeit geschleust werden, um Glauben im Sinne von Johannes, Paulus oder den Synoptikern oder um Treue im Sinne des Hebräerbriefs und der Johannesoffenbarung zu sein. Dankbarkeit für die Offenbarung des einen großen Mysteriums, das vor der Ankunft des Messias den Gottesmännern Israels verborgen war (Eph 3,5; Kol 1,26 u.a.), ist vonnöten. Der Gott geschuldete Dank beruht nicht darauf und besteht nicht darin, daß man zuerst einen allgemeinen Begriff vom griechischen *mystērion*, vom lateinischen *sacramentum*, vom deutschen »Sakrament« oder von einer zugleich signifikativen und effektiven Kulthandlung schafft und zu besitzen behauptet, um dann nachträglich Jesus Christus als Stifter oder Inbegriff der definierten Sache in dem (kunstvoll konstruierten und doch sehr abstrakten) Gedankengebilde unterzubringen.

Aus diesem Grunde ist es fraglich, ob wirklich ein Beitrag zum Lob und zur Bezeugung Jesu Christi gemacht ist, wenn man ihn in bester Absicht nicht nur als *ein*, sondern als *das* »Sakrament« bezeichnet. Im Ablauf der bisherigen Kirchengeschichte hat dieser Begriff eine zwar reiche, oft unentbehrliche und bisweilen sehr tröstliche Funktion erfüllt. Doch hat er magische Vorstellungen nicht unterdrücken, die Einheit zwischen vielen Kirchen nicht erhalten oder schaffen und die Trennung der Kleriker von den Laien nicht verhindern können. Er wurde sogar zum Fluchwort. Was die neutestamentlichen Christushymnen (besonders Joh 1,1–18; Kol 1,15–20; Phil 2,6–11; Eph 2,14–18; 5,25–27; 1Petr 1,18–21; 2,21–25; 3,18–19; Lk 1,47–55; 2,14.29–32; Mt 11,25–30; Hebr 1,1–4; 1Tim 3,16; Apk 1,5–6; 5,9–14) über die Person und das Werk, die Niedrigkeit und die Hoheit, die Macht, das Recht und die Wirkung Jesu Christi sagen, ist nicht umsonst direkt und ohne die Beimischung komplizierter gelehrter Diktion in kirchliche Lieder, Bekenntnisse, Liturgien und in die Gebete einzelner Christen übernommen worden. Zur einfachen Sprache der Bibel, der Lieder und der Gebete paßt »Sakrament« nicht.

Christushymnen, -lieder und -bekenntnisse wurden wahrscheinlich schon in den frühesten Gemeinden bei der Feier des Mahls des Herrn gesungen. Die Einsetzung und der Rahmen des Danksagungsmahls sollte – nicht anders als die Gemeindefeier zum Lobe Gottes, von der z.B. Ps 22,23–32; 26,12; 35,18; 66,13–20; 69,31–37; 107,32 sprechen – verhindern, daß Dankbarkeit als eine bloß psychische Emotion im Herzen eingeschlossen blieb oder sogar mit Weltflucht und -feindlichkeit verbunden wurde. Am Tisch des Herrn nimmt die Freude an Gott, seiner Tat und seiner Gabe eine sehr leibliche und gleichzeitig eine besonders geistliche Gestalt an. Die Freude äußert sich in fröhlichem Essen und Trinken, in der dienstbereiten Liebe zum Nächsten und in einer zum Alltag und zur Welt hin offenen missionarischen Aktion. Freude zu haben und zu zeigen, Liebe zu üben und ein öffentlicher Zeuge auch außerhalb der Gemeinde der Christen zu sein – dies zu »tun zum Gedächtnis« an ihn und nach seinem Beispiel, hat der Herr allen Gästen an seinem Tisch zugetraut und zugemutet, verheißen und befohlen. Er hat dabei nicht zwischen Geistlichen und Laien unterschieden. Gott zu loben und den Tod des Herrn zu verkünden ist nicht das Privileg oder die Last einiger weniger unter den Christen. »Gott loben – das ist *unser* Amt.«

Das Kriterium für den rechten Vollzug der Taufe – der ja in der Gegenwart nicht weniger neu erforscht und gesucht werden muß als die Feier des Mahls des Herrn – besteht nicht im Triumph oder Rechthaben dieses oder jenes Schriftgelehrten, ob er nun durch Traditionstreue, Risikobereitschaft und großen oder verschwindend kleinen Erfolg gekennzeichnet ist. Der Zweck der Taufe und der Maßstab für ihren gehorsamen und sinnvollen Vollzug ist vielmehr, um in Anlehnung an Joh 1,31 zu formulieren, daß Jesus Christus heute allem Volk verkündet werde. Das gleiche gilt für das Suchen und Forschen nach einer Gestalt des Mahls des Herrn, in der die unglücklich und skandalös gespaltene Christenheit sich wieder zusammenfinden kann. Das Kriterium für eine rechte Feier des Mahls ist die Verkündigung des Herrn, der für die Sünden der Welt gestorben ist, und die vom Geist gewirkte Liebe unter den Gästen des Gekreuzigten.

Wenn gelehrte Experten in Sakramentsfragen (unter ihnen die fast einhundert Kirchenvertreter, die sich um das schließlich in Lima im Jahre 1982 fertiggestellte Dokument »Taufe, Eucharistie und Amt« bemüht haben) versuchen, vor allem das Erbe der hinter ihnen stehenden Kirchen zu wahren, wenn sie faktisch bestreiten, daß Gericht und Buße gerade bei denen anfangen müssen, die sich sicher im Besitz der Wahrheit wähnen, wenn sie es für überflüssig halten, neu und geduldig in der Schrift zu forschen und aufs Wort zu hören – so wird trotz aller »Konvergenzerklärungen« schwerlich etwas Aufbauendes erreicht. Daß Christus gelobt werde, weil er für alle gestorben ist, daß Mitmenschen an diesem Lob beteiligt werden, weil auch die ärgsten Sünder und schwächsten Glieder Anlaß zur Mitfreude haben, daß man sich zusammen mit den Juden als ein einziges Volk Gottes versteht und verhält – das ist der Zweck und Maßstab des Mahls des Herrn.

Die Einheit der Gäste des Gekreuzigten an seinem Tisch, ihr harmonisches Bekenntnis zu Jesus Christus, die Glaubhaftigkeit ihres Lobes Gottes, der Sieg der Liebe über Trennungen und Feindschaften liegt noch vor, nicht hinter uns. Einstweilen kann kein Mensch und keine Kirche etwas anderes von sich sagen als:

Ach, ich bin viel zuwenig, zu rühmen seinen Ruhm;
der Herr allein ist König, ich eine welke Blum.
Jedoch, weil ich gehöre gen Zion in sein Zelt,
ist's billig, daß ich mehre sein Lob vor aller Welt.   (EKG 197,8)

Register der Namen und Dokumente

Stichwortregister

176 Seiten, Paperback DM 34,–

Wie können und wie sollen Christen in einer Zeit und Welt leben, in der die Menschheit drauf und dran ist, die Schöpfung und damit sich selbst zu zerstören? In seinem neuen Buch geht R. Bohren dieser Grundfrage unserer Zeit unter dem Thema »Lebensstil« nach. Einen »christlichen Lebensstil« kann man nicht konstruieren, er muß sich bilden an der Bibel und an den Lebensstilen der Vergangenheit und in Auseinandersetzung mit den Lebensstilen anderer Völker und Kulturen.

Aus dem Inhalt:
Lebensstil: Zwischen Sitte und Mode: Stil. Bürgerliche Religion. Das evangelische Pfarrhaus. Das Ägyptische Mönchtum. *Lektüre – stilbildend:* Der Text – eine neue Welt. Rückblick auf die »Weisung der Väter« – der Chassidismus. Prägende Macht des Buches. Erweiterung der Schrift. Erweiterte Existenz. Lektüre und Tradition. Lesen – ein königlicher Akt. Bibliotherapie. *Fasten und Feiern:* Das Essen als Fest im Alltag. Lebensstil und Wiedergeburt. *Kunst als Heiligung:* Begründung der Ästhetik in der Schönheit Gottes. Kunst im Horizont der Sonntäglichkeit als Endzeitlichkeit. Sonntäglichkeit als Geistesgegenwart. *Sendung und Askese:* Bemühung um eine kritische Theorie der Askese. Frage nach der heute gebotenen Askese. Das vergessene Volk.

Neukirchener Verlag

288 Seiten, Paperback DM 48,–

Otto Michel ist besonders durch seine beiden großen Kommentare zum Römerbrief (5. Aufl. 1978) und zum Hebräerbrief (7. Aufl. 1975) sowie durch die Tübinger Edition von Josephus' Jüdischem Krieg international bekannt geworden. In der neueren deutschen Theologiegeschichte vertritt er einen eigenen, gegenüber der Bultmannschule auf der einen und konfessionellen Engführungen auf der anderen Seite unabhängigen hermeneutischen Ansatz, theologisch besonders an Julius Schniewind, in der historischen Arbeit vor allem an Adolf Schlatter anknüpfend. Die vorliegende Auswahl bevorzugt solche Studien, die nicht in größere und leicht zugängliche Werke Otto Michels eingegangen sind.

Die Schwerpunkte sind:
- grundlegende und aktuelle Fragen kirchlicher Lehre aus der Sicht des Exegeten,
- wissenschaftliche und allgemeinverständliche Beiträge zur Neuorientierung der Kirche und der Theologie gegenüber dem Judentum,
- Beiträge zur Frage nach dem »historischen Jesus« und zu anderen hermeneutischen Grundfragen,
- Beiträge zur Johannes- und zur Paulusforschung.

Neukirchener Verlag